Raison et Sentiments

suivi de

Persuasion

Jane Austen

Raison et Sentiments
suivi de
Persuasion

Traduit de l'anglais par Jean Privat

Note biographique de Jacques Roubaud

ÉDITIONS FRANCE LOISIRS

Titre original : *Sense and sensibility*

Titre original : *Persuasion* (1815-1816)
Première édition : 1818

Édition du Club France Loisirs,
avec l'autorisation des Éditions Christian Bourgeois.

Éditions France Loisirs,
123, boulevard de Grenelle, Paris.
www.franceloisirs.com

ISBN : 978-2-298-04564-2

Raison et Sentiments

1

La famille Dashwood habitait depuis longtemps dans le Sussex. Elle jouissait d'une large aisance et avait établi sa résidence à Norland Park, au centre de ses domaines où ses membres avaient vécu depuis de nombreuses générations et s'étaient attiré l'estime et le respect de tout le voisinage. Le dernier descendant de cette famille était un célibataire, très avancé en âge. Pendant la plus grande partie de sa vie, il avait vécu avec sa sœur, qui gouvernait son ménage. Mais la mort de celle-ci, survenue dix ans avant la sienne, entraîna un grand changement dans sa maison ; pour compenser cette perte, il installa chez lui la famille de son neveu, Mr. Henry Dashwood, l'héritier naturel des domaines de Norland, à qui il se proposait de les léguer.

Dans la société de son neveu, de sa nièce et de leurs enfants, le vieux gentleman passa des jours heureux. Tout contribuait à l'attacher à eux. Le soin diligent que Mr. et Mrs. Henry Dashwood apportaient à prévenir ses désirs, et cela non pas seulement dans un but intéressé, mais par une bonté de cœur naturelle, était de nature à lui donner toutes les satisfactions que son âge pouvait désirer et la gentillesse des enfants enchantait son existence.

D'un premier mariage, Mr. Henry Dashwood avait eu un fils, et de sa seconde femme, trois filles. Le fils, jeune homme posé et digne, se trouvait dans une situation fort aisée, ayant hérité la fortune de sa mère, qui était considérable, et dont la moitié était à sa libre disposition depuis sa majorité. Son propre mariage, qui survint peu de temps après, ajouta encore à sa richesse. Ainsi, la succession de son grand-oncle n'avait pas autant d'importance pour lui que pour ses sœurs. Car leur fortune, en dehors de ce qu'elles pouvaient espérer de ce côté si leur père héritait, était fort peu de chose. Leur mère n'avait rien et le patrimoine personnel de leur père n'était que de six mille livres ; en effet, l'autre moitié de la fortune de sa première femme devait revenir à son fils et il n'en avait que l'usufruit.

Le vieux gentleman mourut. On ouvrit son testament qui, comme beaucoup d'autres documents de ce genre, entraîna autant de déception d'un côté que de plaisir de l'autre. Le vieillard n'avait pas été assez injuste ni assez ingrat pour priver son neveu de sa succession. Mais il s'y était pris d'une façon qui enlevait la moitié de sa valeur au présent qu'il lui en faisait. Mr. Dashwood souhaitait cet héritage beaucoup plus à cause de sa femme et de ses filles que pour lui-même et son fils. Or, toute la fortune était assurée à son fils et au fils de celui-ci, un enfant de quatre ans. Mr. Henry Dashwood ne pouvait disposer de rien en faveur de ceux qui lui étaient les plus chers, et qui en avaient le plus besoin. Tout était consolidé sur la tête de cet enfant. Au cours de quelques visites qu'il avait faites à Norland avec son père et sa mère, il avait séduit son oncle par des gentillesses enfantines, un langage puéril, une grande vivacité, d'amusantes simagrées et pas mal de tapage.

Tout cela avait pesé plus fort dans l'esprit du vieux gentleman que les années d'attentions et de soins de sa nièce et de ses filles. Pourtant, il n'avait pas l'intention d'être ingrat, et comme marque de son affection pour les trois jeunes filles, il leur laissa à chacune mille livres.

Le désappointement de Mr. Dashwood fut très vif tout d'abord. Mais il avait un heureux caractère et ne se laissait pas abattre facilement. Il pouvait espérer avoir de longues années devant lui et, en vivant économiquement, mettre de côté une somme importante sur les revenus d'un domaine considérable et susceptible d'améliorations presque immédiates. Mais cette fortune qui lui était venue si tardivement ne fut sienne que l'espace d'une année. Il ne survécut pas plus longtemps à son oncle. Et sa femme et ses filles se trouvèrent réduites à un capital de dix mille livres, y compris le dernier legs.

On avait envoyé chercher son fils dès qu'il fut en danger, et Mr. Dashwood lui avait recommandé, avec toute la force que lui permettait son état, les intérêts de sa belle-mère et de ses sœurs.

Mr. John Dashwood n'avait pas l'élévation d'esprit du reste de la famille ; mais il fut ému par une telle recommandation faite à un tel moment, et il promit de faire tout ce qui serait en son pouvoir pour assurer leur bien-être. Son père mourut rassuré par une telle promesse, et Mr. John Dashwood dut alors examiner à loisir ce que la prudence lui permettait de faire à cet égard.

Il n'avait pas une mauvaise nature, à moins qu'on ne qualifie ainsi la sécheresse de cœur unie à pas mal d'égoïsme ; mais il était considéré, en général, comme un homme respectable, car il se conduisait correctement dans les circonstances ordinaires de la vie. S'il avait épousé une meilleure femme, elle aurait pu le rendre plus digne de respect et même meilleur qu'il ne l'était ; car il s'était marié fort jeune et était fort épris de sa femme. Mais Mrs. John Dashwood était la vivante caricature de son mari ; d'esprit plus étroit encore et de caractère plus égoïste.

Au moment où il fit à son père sa promesse, il avait dans l'esprit de faire cadeau à chacune de ses sœurs d'un millier de livres. Il se sentait vraiment en état de le faire. La perspective de quatre mille livres de revenus venant s'ajouter à sa fortune présente, sans compter l'autre moitié de la fortune maternelle, lui réchauffait le cœur et il se sentait capable de générosité. Oui, il leur donnerait trois mille livres, il serait noble et généreux. Cela suffirait pour les mettre tout à fait à l'aise. Trois mille livres ! Il pouvait économiser une somme aussi considérable sans se gêner. Il y pensa toute la journée et plusieurs jours de suite et s'affermit dans cette résolution.

Aussitôt après les funérailles, Mrs. John Dashwood, sans avoir prévenu le moins du monde sa belle-mère, arriva avec son fils et ses domestiques. Personne ne pouvait lui disputer son droit : la maison appartenait à son mari dès le moment du décès de son père ; mais l'indélicatesse de son procédé n'en était que plus grande. Elle aurait été certainement ressentie par n'importe quelle personne dans la situation de Mrs. Dashwood, mais celle-ci avait un sens si vif de l'honneur, une générosité si romantique qu'un manquement de ce genre, quel qu'en fût l'auteur ou la victime, était pour elle la source d'un insurmontable dégoût. Mrs. John Dashwood n'avait jamais été très appréciée par personne dans la famille de son mari. Mais jusqu'alors elle n'avait pas eu l'occasion de leur montrer à quel point elle pouvait porter, le cas échéant, le mépris des sentiments d'autrui.

Mrs. Dashwood avait ressenti si vivement ce procédé, et elle en voulait tellement à sa belle-fille, qu'elle aurait quitté immédiatement la maison à l'arrivée de cette dernière. Mais un entretien avec sa fille aînée la fit réfléchir sur la conséquence de cette résolution et le tendre amour qu'elle portait à ses trois enfants lui fit prendre finalement la résolution de rester et, à cause d'elles, d'éviter cette brouille avec son beau-fils.

Elinor, sa fille aînée, dont l'opinion avait eu tant de poids, était douée d'une force d'intelligence et d'une netteté de jugement qui faisaient d'elle, bien qu'âgée seulement de dix-neuf ans, le conseiller habituel de sa mère et lui permettaient de tempérer fort heureusement la vivacité de Mrs. Dashwood qui l'aurait entraînée bien des fois à des imprudences. Elle avait un cœur excellent ; son tempérament était affectueux et ses sentiments profonds, mais elle savait les gouverner. C'était là une science que sa mère avait encore à apprendre et qu'une de ses sœurs avait résolu de ne jamais connaître.

Marianne disposait, à beaucoup d'égards, des mêmes moyens que sa sœur. Elle était sensée et perspicace, mais passionnée en toutes choses, incapable de modérer ni ses chagrins ni ses joies. Elle était généreuse, aimable, intéressante, bref, tout, excepté prudente. Elle ressemblait d'une façon frappante à sa mère.

Elinor voyait, avec regret, l'excès de sensibilité de sa sœur ; mais Mrs. Dashwood lui en faisait un mérite et s'en délectait. Elles s'entretenaient l'une l'autre dans la violence de leur affliction. La première vivacité de leur chagrin, qui les avait d'abord submergées, était volontairement renouvelée, recherchée, recréée au jour le jour. Elles s'y livraient entièrement, cherchant un surcroît de douleur dans toutes les réflexions qui pouvaient leur en apporter, et résolues à n'attendre de l'avenir aucune consolation.

Elinor, elle aussi, avait été profondément affectée, mais elle restait capable de lutter, de prendre sur elle. Elle put s'entretenir avec son frère, recevoir sa belle-sœur à son arrivée, et la traiter avec bienséance. De même essaya-t-elle d'amener sa mère à faire pareil effort et de l'encourager à pratiquer la même indulgence.

Margaret, l'autre sœur, était une enfant de belle humeur et de bonnes dispositions ; mais, comme elle avait déjà pris beaucoup de l'esprit romanesque de Marianne sans avoir grand-chose de sa raison, on pouvait craindre que, par la suite, elle n'égalât pas ses sœurs.

2

Mrs. John Dashwood était maintenant installée en maîtresse à Norland, et sa belle-mère et ses belles-sœurs étaient rabaissées au rang de visiteuses. Sur ce pied, cependant, elles étaient traitées par elle avec une tranquille politesse, et, par son époux, avec toute la tendresse qu'il pouvait ressentir envers tout autre que lui-même, sa femme ou leur fils. Il les pressa réellement, avec une certaine chaleur, de considérer Norland comme leur maison ; et, comme Mrs. Dashwood ne voyait rien de mieux à faire que d'y rester jusqu'à ce qu'elle puisse s'arranger d'une maison dans le voisinage, l'invitation fut acceptée.

Rester dans ce logis où tout lui rappelait son bonheur passé était exactement ce qui convenait à son état d'esprit. Dans les périodes de prospérité, nul caractère n'était plus gai que le sien, ni enclin, à un plus haut degré, à cet appétit de bonheur qui est le bonheur même. Mais, dans l'adversité, elle se laissait également aller au courant de son humeur. Elle repoussait alors toute consolation comme elle avait écarté toute ombre dans la prospérité.

Mrs. John Dashwood n'approuva pas du tout ce que son mari avait projeté de faire pour ses sœurs. Prendre trois mille livres sur la fortune de leur cher petit garçon, c'était l'appauvrir d'une terrible façon. Elle le pria de réfléchir encore là-dessus. Comment pourrait-il se disculper à ses propres yeux d'avoir ainsi frustré son fils, son fils unique, d'une aussi grosse somme ? Et quel droit pouvaient invoquer les Dashwood, ces gens qui ne lui tenaient qu'à moitié par le sang, et qu'elle-même, du reste, ne considérait pas du tout comme des parents, pour justifier une aussi grande générosité ? C'était une chose bien connue qu'on n'avait jamais rencontré d'affection véritable entre les enfants qu'un homme avait eus de plusieurs mariages; et pourquoi irait-il se ruiner lui-même, et leur pauvre petit Harry, en abandonnant tout son argent à ses demi-sœurs ?

— C'est la dernière demande de mon père, répliqua son époux : il m'a fait promettre de venir en aide à sa femme et à ses filles.

— Je parie qu'il ne savait pas ce qu'il disait; il y a dix chances pour une qu'il n'ait pas eu sa tête à ce moment-là. S'il avait été dans son bon sens, il n'aurait jamais songé à pareille chose : vous demander d'arracher la moitié de votre fortune des mains de votre propre fils !

— Il n'a pas fixé une somme particulière, ma chère Fanny, il m'a seulement demandé, en termes généraux, de leur venir en aide et de rendre leur situation meilleure qu'il n'était en son pouvoir de le faire. Peut-être aurait-il mieux valu qu'il se soit complètement fié à moi. Il pouvait difficilement supposer que je ne m'occuperais pas d'elles. Mais, puisqu'il me demandait une promesse, je ne pouvais faire autrement que de la lui donner, c'est du moins ce que j'ai cru à ce moment. La promesse a été faite et elle doit être tenue. Il faut faire quelque chose pour elles lorsqu'elles quitteront Norland pour s'installer dans une nouvelle résidence.

— Bien, alors, faisons quelque chose ; mais ce quelque chose ne va pas nécessairement à trois mille livres. Considérez, ajouta-t-elle, que quand vous aurez donné cet argent, vous ne le reverrez plus. Vos sœurs se marieront et il sera perdu pour toujours. Si encore il devait revenir à notre pauvre petit garçon !

— Oui, certainement, prononça avec gravité son époux, cela ferait une grande différence. Le temps peut venir où Harry regrettera d'avoir été privé d'une aussi grosse somme. S'il venait, par exemple, à avoir une nombreuse famille, ce serait un supplément bien venu.

— Certainement.

— Peut-être alors vaudrait-il mieux, pour tout le monde, que la somme soit diminuée de moitié. Cinq cents livres seraient pour elles un prodigieux accroissement à leurs fortunes.

— Oh ! au-delà de toute idée ! Quel frère, en ce moment, ferait la moitié d'un tel sacrifice pour ses sœurs, même si elles étaient réellement ses sœurs ? Et ici, elles ne le sont qu'à demi ! Mais vous avez un caractère si généreux !

— Je ne veux pas de mesquineries, répliqua-t-il. Il vaut mieux, en pareil cas, faire un peu trop que pas assez.

Personne, au moins, ne pourra me critiquer ; elles-mêmes, assurément, pourraient difficilement s'attendre à plus.

— Personne ne sait ce qu'elles peuvent espérer, répliqua la jeune femme, mais nous n'avons pas à nous occuper de ce qu'elles pensent ; la question est de savoir ce que nous pouvons faire.

— Certainement, et je pense que je puis envisager de leur donner cinq cents livres à chacune. Ainsi, sans que j'aie rien à ajouter, chacune aura plus de trois mille livres à la mort de leur mère ; c'est une bien jolie fortune pour une jeune femme.

— Assurément, et il me semble évident qu'elles n'ont besoin de rien de plus. Cela fera dix mille livres à se partager entre elles. Si elles se marient, elles se marieront certainement bien ; et sinon, elles peuvent vivre ensemble confortablement sur les intérêts de dix mille livres.

— Voilà qui est bien vrai. Aussi, je ne sais si, après tout, il ne vaudrait pas mieux faire quelque chose pour leur mère durant sa vie plutôt que pour elles ; je pense à quelque chose dans le genre d'une rente. Mes sœurs en profiteraient autant qu'elle. Cent livres par an les mettraient tout à fait à leur aise.

Sa femme hésita un peu cependant à donner son consentement à ce plan.

— Certainement, dit-elle, cela vaut mieux que de se dépouiller de quinze cents livres d'un coup. Mais alors, si Mrs. Dashwood vit cinquante ans, nous nous serons entièrement liés pour tout ce temps ?

— Cinquante ans ! Ma chère Fanny, il faut bien en rabattre la moitié.

— Certainement non. Vous pouvez remarquer que les gens vivent toujours éternellement quand ils ont des annuités à toucher. Une rente est une affaire sérieuse; cela revient à date fixe, année par année, et il n'y a pas moyen de s'en débarrasser. Vous ne vous rendez pas compte de ce à quoi vous allez vous engager. J'ai une grande expérience des ennuis que donnent ces annuités. Ma mère en avait trois à servir à de vieux serviteurs hors d'âge, de par le testament de mon père, et on ne peut s'imaginer combien elle trouvait cela désagréable. Deux fois par an, il fallait verser et se donner la peine de leur envoyer l'argent. Une fois, on nous annonça que l'un d'eux venait de mourir, et il se trouva ensuite qu'il n'en était rien. Ma mère en était malade. Son revenu n'était pas à elle, disait-elle, avec ces prélèvements. Et c'était d'autant moins tolérable de la part de mon père que, sans cela, ma mère aurait eu son argent à son entière disposition, sans restriction d'aucune sorte. Cela m'a donné une telle horreur des viagers que certainement, pour rien au monde, je ne voudrais m'y assujettir.

— C'est certainement une fâcheuse chose, répondit Mr. Dashwood, d'avoir ce genre de charge annuelle sur ses revenus. Votre fortune, comme le disait si bien votre mère, n'est plus à vous. Etre assujetti au paiement d'une telle somme, à jour fixe, n'est pas agréable; on y perd son indépendance.

— Sans aucun doute; et, tout compte fait, on ne vous en a aucune reconnaissance. Les gens se tiennent pour garantis, vous ne faites pas plus que ce qu'ils attendent, et cela ne vous attire aucun remerciement. Si j'étais à votre place, je garderais l'initiative de ce que j'ai à donner. Je ne m'obligerais pas à leur servir quoi que ce fût régulièrement. Cela pourrait devenir très gênant pour nous, certaines années, d'économiser cent livres ou même cinquante sur nos dépenses.

— Vous avez raison, je crois, mon amour. Il vaut mieux qu'il ne soit pas question d'annuités ; ce que je pourrai leur donner, de temps en temps, leur sera bien plus utile qu'une rente, si elles sont assurées d'un plus grand revenu elles augmenteront leur train de vie et n'auront pas six pence de plus au bout de l'année. C'est certainement le meilleur procédé. Un cadeau de cinquante livres de-ci de-là les mettra à l'abri des embarras d'argent et j'aurai, je crois, amplement rempli ma promesse envers mon père.

— Certainement. Au fond, pour dire la vérité, je suis convaincue que votre père ne songeait pas du tout que vous leur donneriez de l'argent. Ce qu'il avait dans l'esprit, en parlant d'assistance, c'était, j'en suis certaine, ce qu'on pouvait raisonnablement attendre de vous : par exemple, leur trouver une confortable petite maison, les aider à faire leur déménagement, leur envoyer des cadeaux de poisson et de gibier selon la saison. Je mettrais la main au feu qu'il ne pensait à rien d'autre, et vraiment le contraire eût été bien étrange et déraisonnable. Considérez, mon cher Dashwood, de quelle façon excessivement confortable votre mère et vos sœurs peuvent vivre sur le revenu de sept mille livres, sans compter les mille livres revenant aux enfants qui leur rapportent cinquante livres par an à chacune et sur lesquelles elles paieront certainement leur pension à leur mère. A elles toutes, elles auront cinq cents livres par an, et je vous demande ce que quatre femmes peuvent désirer de plus au monde ! Elles vivront si économiquement ! Leur ménage sera si peu de chose ! Elles n'auront besoin ni de voiture, ni de chevaux, à peine de domestiques ; elles ne recevront pas et n'auront de dépenses d'aucun genre ! Imaginez seulement comme elles vont être à leur aise ! Cinq cents livres par an ! Il est impossible d'imaginer comment elles feront pour en dépenser la moitié ; et pour ce qui est de leur donner quelque chose, il est tout à fait absurde d'y penser. Elles seraient bien plutôt en état de vous faire des cadeaux.

— Sur ma parole, dit Mr. Dashwood, je crois que vous avez parfaitement raison. Mon père certainement ne pensait pas à autre chose qu'à ce que vous venez de dire. Je le vois clairement à présent et je remplirai strictement ma promesse par des actes d'assistance et de bienveillance comme ceux que vous venez d'indiquer. Lorsque ma belle-mère se retirera dans une autre maison, je mettrai de bon cœur mes services à sa disposition pour lui faciliter les choses de mon mieux. Je pourrai aussi lui faire quelques petits présents de mobilier.

— Certainement, répliqua Mrs. John Dashwood. Mais il faut cependant voir une chose. Quand votre père et votre mère vinrent s'installer à Norland, bien qu'ils aient alors vendu leur mobilier, ils conservèrent tous leurs services de table, l'argenterie et le linge, et tout cela revient maintenant à votre belle-mère. Sa maison sera donc maintenant complètement montée dès qu'elle aura trouvé à se loger.

— C'est à considérer. C'est un legs qui en vaut la peine. Et certainement, il nous aurait été agréable d'ajouter quelques pièces de ce service à notre propre vaisselle.

— Oui, et le service de table pour le breakfast est deux fois plus beau que celui qui est ici. Beaucoup trop beau, à mon avis, pour le genre d'endroit où elles auront à vivre. Mais enfin, c'est ainsi. Votre père ne pensait qu'à elles. Et je dois vous le dire, vous ne lui devez aucune gratitude particulière, ni aucun égard à ses vœux, car vous savez bien que, s'il avait pu, il leur aurait donné tout au monde.

L'argument fut irrésistible. Il acheva de donner à ses intentions ce qui pouvait encore leur manquer de fermeté ; et il décida finalement qu'il était absolument inutile, pour ne pas dire inconvenant, de faire pour la veuve et les enfants de son père autre chose que les actes de bon voisinage que sa femme venait d'indiquer.

3

Mrs. Dashwood demeura à Norland plusieurs mois. Ce n'était pas qu'elle tînt à s'y attarder. La violente émotion qu'elle éprouvait, dans les premiers temps, à l'idée d'abandonner chaque coin familier de cette demeure, s'était apaisée ; et, quand le sang-froid lui revint et que son esprit fut capable d'autre chose que d'entretenir son chagrin en se repliant sur des souvenirs mélancoliques, elle ne souhaita plus que de partir. Infatigablement, elle était à la recherche d'une habitation dans le voisinage de Norland, car s'écarter de ce bienheureux Norland était impossible. Mais elle ne trouvait rien qui répondît à ses idées personnelles de confort et d'aisance, tout en tenant compte des observations prudentes de sa fille aînée dont le jugement plus rassis avait fait écarter plusieurs projets d'installation trop onéreux pour leurs moyens et que sa mère aurait acceptés.

Mrs. Dashwood avait été informée, par son mari, de la promesse solennelle que son fils lui avait faite, à leur sujet, et qui avait été le réconfort de ses derniers instants. Elle ne doutait pas plus de la sincérité de cette promesse que ne l'avait fait son mari, et elle s'en réjouissait à cause de ses filles ; car, pour elle-même, elle était persuadée qu'une somme bien moindre que les sept mille livres dont elle disposait lui aurait largement suffi. Elle en était heureuse aussi en ce qui concernait leur frère qui montrait ainsi son bon cœur ; et elle se reprochait de l'avoir méconnu auparavant, en le croyant incapable de générosité. La manière aimable dont il se conduisait envers ses sœurs et elle-même acheva de la confirmer dans son espoir de le voir s'intéresser à leur bien-être et, pendant longtemps, elle crut fermement à ses intentions généreuses.

Le mépris dans lequel elle tenait sa belle-fille, et qui remontait presque au début de leurs relations, s'accrut considérablement pendant leur vie commune, et ces six mois lui donnèrent l'occasion de mieux connaître son caractère ; et peut-être, en dépit de toutes les considérations que lui dictaient la politesse et l'affection maternelle, il eût été impossible à ces deux femmes de se supporter aussi longtemps si une circonstance particulière n'avait incliné Mrs. Dashwood à souhaiter pour ses filles la prolongation de leur séjour à Norland.

Cette circonstance était l'affection qui grandissait entre sa fille aînée et le frère de Mrs. John Dashwood, jeune homme très distingué et sympathique, qui avait fait leur connaissance peu après l'installation de sa sœur à Norland où il avait passé la plus grande partie de son temps.

Plus d'une mère aurait encouragé cette intimité par intérêt, car Edward Ferrars était le fils aîné d'un homme qui avait laissé une grosse fortune et plus d'une autre aurait cherché à la décourager par motif de prudence, car, à part une somme insignifiante, toute la fortune était à la disposition de sa mère. Mais aucune de ces considérations n'avait d'influence sur Mrs. Dashwood. C'était assez pour elle qu'il fût agréable, qu'il aimât sa fille et que celle-ci le payât de retour. Il était contraire à tous ses principes d'admettre qu'une différence de fortune pût séparer un couple uni par une sympathie mutuelle ; et que quiconque avait l'occasion d'approcher d'Elinor pût méconnaître ses mérites était chose qu'elle ne pouvait même pas concevoir.

Leur bonne opinion sur Edward Ferrars n'était pas fondée sur le caractère particulièrement séduisant de sa personne ou de ses manières. Il se défiait trop de lui-même pour s'imposer ; mais, quand il n'était plus gêné par sa timidité, toute sa conduite trahissait une nature ouverte et affectueuse. Ses dons avaient été largement développés par une solide culture. Mais ni ses talents ni ses goûts ne le portaient à répondre aux vœux de sa mère et de sa sœur qui ne désiraient que le voir se distinguer. Comment ? C'est ce qu'elles ne savaient pas. Elles auraient voulu qu'il fît grande figure dans le monde d'une manière ou d'une autre. Sa mère souhaitait de le voir faire de la politique, entrer au Parlement ou devenir l'intime des grands hommes du jour. Ces idées étaient partagées par Mrs. John Dashwood ; mais, en attendant la réalisation de ces beaux rêves, elle se serait contentée qu'il conduisît un cabriolet. Malheureusement pour elles, Edward n'avait de penchant ni pour les grands hommes ni pour les cabriolets. Tous ses vœux tendaient au confort domestique et à la tranquillité d'une vie privée. Heureusement, il avait un frère cadet qui promettait davantage.

Il était resté, pendant plusieurs semaines, à la maison sans attirer beaucoup l'attention de Mrs. Dashwood, car elle était à ce moment-là tellement plongée dans son affliction qu'elle ne prêtait aucune attention à ce qui se passait autour d'elle. Elle avait seulement constaté qu'il était modeste et discret et il lui plaisait à cause de cela. Il ne la troublait pas dans sa détresse en lui adressant la parole hors de propos. Elle fut amenée à l'observer de plus près et à l'apprécier davantage à la suite d'une réflexion que fit, par hasard, un jour, Elinor sur la différence de caractère qui existait entre lui et sa sœur. Ce contraste ne pouvait que renforcer la bonne opinion de sa mère.

— Cela suffit, dit-elle. Reconnaître qu'il ne ressemble pas à Fanny revient à dire qu'il est parfaitement aimable, et je l'aime déjà !

— Je crois qu'il vous plaira davantage, dit Elinor, lorsque vous le connaîtrez mieux.

— Me plaire ? répliqua sa mère avec un sourire. Je ne connais pas d'autre manière d'apprécier les gens que de les aimer.

— Vous pourriez l'estimer !

— Je n'ai jamais pu séparer l'estime de l'amitié.

Mrs. Dashwood se donna alors la peine de lier plus ample connaissance avec lui. Ses manières étaient attachantes et il sortit bientôt de sa réserve. Elle se rendit rapidement compte de ses mérites. Peut-être sa conviction qu'il s'intéressait à Elinor aida-t-elle à sa pénétration ; mais elle se sentit réellement certaine de sa droiture. Et même son apparente passivité, qui contrastait avec les idées qu'elle se faisait sur le comportement d'un jeune homme, cessa de la choquer quand elle se fut rendu compte de son caractère affectueux et de la vivacité de ses sentiments.

A peine eut-elle saisi quelques symptômes d'amour dans son attitude envers Elinor qu'elle considéra leur attachement comme certain et envisagea le mariage comme prochain.

— D'ici quelques mois, ma chère Marianne, dit-elle, Elinor sera très probablement fixée pour toute sa vie. Nous la perdrons, mais elle sera heureuse.

— Oh ! maman, comment ferons-nous sans elle ?

— Mon amour, ce sera à peine une séparation. Nous vivrons à quelques milles les unes des autres et nous nous rencontrerons tous les jours. Vous y gagnerez un frère vrai et affectueux. J'ai la plus haute idée du cœur d'Edward. Mais vous avez un air grave, Marianne. Désapprouveriez-vous le choix de votre sœur ?

— Peut-être, dit Marianne, ai-je le droit d'être un peu surprise. Edward est fort aimable et je l'aime tendrement. Mais cependant, ce n'est pas tout à fait le genre d'homme… il lui manque je ne sais quoi, sa physionomie n'a rien de frappant, il n'a aucunement cette grâce qu'on doit attendre d'un homme capable de plaire sérieusement à ma sœur. Il n'a pas, dans les yeux, ce feu, cet éclat qui annoncent la spontanéité et l'intelligence. Il ne semble guère avoir de goût pour la musique ; il admire beaucoup les peintures d'Elinor mais ce n'est pas une admiration motivée. Il est évident, en dépit de l'attention qu'il lui porte fréquemment pendant qu'elle peint, qu'il n'y connaît rien. Il admire en amoureux, non en connaisseur. Pour me satisfaire, il faudrait unir les deux choses. Il me serait impossible d'être heureuse avec un homme dont les goûts ne cadreraient pas en tout point avec les miens. Il faudrait qu'il entre dans tous mes sentiments ; les mêmes livres, la même musique devraient faire notre bonheur. Oh ! maman, de quelle manière ennuyeuse, sans goût, Edward nous a fait la lecture hier soir ! J'en étais si fâchée pour ma sœur !

Pourtant, elle prenait cela très bien, elle avait à peine l'air de s'en apercevoir. Je ne tenais pas sur ma chaise. Entendre ces beaux vers, qui m'ont si souvent transportée, lus avec un calme aussi imperturbable, une si parfaite indifférence !…

— Il aurait certainement mieux rendu une prose simple et élégante. J'y ai pensé sur le moment. Mais vous êtes allée lui donner Cowper.

— Eh bien, maman, s'il ne s'amuse pas en lisant du Cowper !… Mais il faut tenir compte de la différence des goûts. Elinor n'est pas comme moi, elle peut donc passer là-dessus et être heureuse avec lui. Mais moi, si j'avais été éprise de lui, cela m'aurait brisé le cœur de l'entendre lire avec si peu de sentiment. Maman, plus je vois de monde, plus je suis convaincue que je ne trouverai jamais un homme que je puisse réellement aimer. Je demande tant ! Il faudrait qu'il eût toutes les qualités d'Edward et que sa personne et ses manières leur ajoutent tout le charme possible…

— Rappelez-vous, mon amour, que vous n'avez pas même dix-sept ans. Pourquoi n'auriez-vous pas autant de chance que votre mère ? Puisse votre destinée, ma Marianne, ne différer qu'en un seul point de la sienne !

4

— Quel dommage, Elinor, dit Marianne, qu'Edward n'ait aucun goût pour le dessin !

— Pas de goût pour le dessin ? répliqua sa sœur. Qu'est-ce qui vous fait dire cela ? Il ne dessine pas lui-même, c'est vrai, mais il prend grand plaisir à voir les œuvres des autres et je vous assure qu'il ne manque nullement de goût naturel, bien qu'il n'ait pas eu d'occasion de le perfectionner. S'il avait travaillé, je crois qu'il dessinerait vraiment bien. Il se méfie tellement de son jugement en pareille matière qu'il n'est jamais disposé à le donner, mais il a un bon sens inné et une simplicité de goût qui le guident, en général, de façon très juste.

Marianne eut peur d'être indiscrète et ne dit plus rien sur ce sujet ; mais le genre d'approbation que, d'après Elinor, il donnait aux peintures des autres était aux antipodes de l'enthousiasme délirant qui constituait, à son avis, le critère d'un goût véritable. Cependant, tout en souriant intérieurement de la méprise, elle admirait Elinor pour son aveugle partialité envers Edward.

— J'espère, Marianne, que vous ne le considérez pas comme manquant de goût en général. Du reste, cela me paraîtrait bien impossible, car votre attitude envers lui est parfaitement cordiale, et si telle était votre opinion, je suis bien sûre que vous ne pourriez jamais le traiter aussi calmement !

Marianne ne savait vraiment que dire. Elle ne voulait à aucun prix blesser les sentiments de sa sœur, et, pourtant, il lui était impossible de parler contre sa pensée. A la fin, elle répliqua :

— Ne m'en veuillez pas, Elinor, si l'éloge que j'en fais ne correspond pas exactement au sentiment que vous avez de ses mérites. Je n'ai pas eu autant d'occasions que vous d'observer minutieusement la direction de son esprit, ses inclinations et ses goûts. Mais j'ai la meilleure opinion de sa droiture et de son jugement. Je le tiens pour tout ce qu'il y a de plus digne et de plus aimable.

— Il est certain, répliqua Elinor en souriant, que ses meilleurs amis ne pourraient se plaindre d'une pareille appréciation. Je ne vois pas comment vous pourriez vous exprimer plus chaleureusement.

Marianne s'applaudit de voir sa sœur si aisément satisfaite.

— Pour son intelligence et ses principes, continua Elinor, il est impossible de les mettre en doute lorsqu'on a eu souvent l'occasion de causer avec lui dans l'intimité. C'est seulement sa timidité qui l'empêche de les montrer et le réduit au silence. Vous en savez assez sur lui pour rendre justice à ses solides qualités de fond. Mais les circonstances ont fait que vous êtes moins au courant que moi de ce que sont ses goûts. Nous nous sommes souvent trouvés ensemble tandis que vous vous consacriez de la façon la plus affectueuse à notre mère. J'ai eu le loisir de l'étudier longuement, de connaître ses sentiments, de l'entendre exprimer ses opinions sur la littérature et l'art ; et, au total, j'ose affirmer que son esprit est fort cultivé, son amour des livres très vif, son imagination éveillée, son sens de l'observation juste et correct et son goût délicat et pur. A mesure qu'on le connaît mieux, on apprécie d'autant plus ses talents ainsi que ses manières et sa personne. Son abord ne frappe certainement pas à première vue, et on ne le trouve guère intéressant jusqu'à ce qu'on ait fait attention à l'expression incomparable de ses yeux et à la grâce de son maintien. Je le connais maintenant si bien que je le trouve beau, ou, du moins, c'est tout comme. Qu'en dites-vous, Marianne ?

— J'en jugerai bientôt de même, Elinor, si, pour le moment, je n'en suis pas au même point que vous. Quand vous me direz de l'aimer comme un frère, je ne verrai pas plus à reprendre à son extérieur que je ne le fais maintenant à ses qualités morales.

Elinor ne put retenir un mouvement de surprise à cette déclaration et regretta la chaleur qui l'avait emportée en parlant de lui. Elle avait une très haute opinion d'Edward. Elle croyait sa sympathie partagée ; mais il lui aurait fallu une certitude plus ferme pour se réjouir sans arrière-pensée de la conviction de Marianne. Elle savait que, pour Marianne et sa mère, une supposition prenait aussitôt l'allure d'un fait accompli ; pour elles, discerner une chose, c'était l'espérer, et l'espérer c'était en être sûr. Elle essaya d'expliquer à sa sœur où en étaient véritablement les choses.

— Je ne songe pas à nier, dit-elle, que j'ai une haute opinion de lui, que je l'estime grandement et qu'il me plaît.

Ici, Marianne fut saisie d'indignation.

— Vous l'estimez ? Il vous plaît ? Vous êtes sans cœur, Elinor. Bien plus, vous vous en glorifiez. Si vous répétez encore pareilles choses, je quitte la place immédiatement.

Elinor ne put s'empêcher de rire.

— Excusez-moi, dit-elle, et tenez-vous pour sûre que je ne songe pas à vous offenser en m'exprimant aussi tranquillement sur mes propres sentiments. Croyez qu'ils sont plus profonds que je ne l'ai dit. Bref, imaginez qu'ils sont égaux à son mérite, et qu'on peut soupçonner, espérer même la réciprocité de son côté sans imprudence ni folie. Mais il ne faut pas aller plus loin. Rien ne m'assure de sa préférence. Il y a des moments où j'en puis douter, et, jusqu'à ce qu'il se soit pleinement déclaré, il n'y a pas à s'étonner de me voir résister à mon impulsion et refuser d'en croire ou d'en dire plus que ce qui est. Au fond du cœur, j'ai peu de doute – je n'en ai pour ainsi dire pas – sur son inclination. Mais il y a d'autres choses à considérer. Il est bien loin d'être indépendant. Nous ne savons pas au juste ce qu'est sa mère ; mais le peu que Fanny nous a dit, à l'occasion, de sa conduite et de ses idées, ne nous permet pas d'en penser beaucoup de bien. Et je me tromperais bien si Edward ne se rend pas lui-même compte des difficultés qu'il rencontrera en voulant épouser une femme qui n'a ni une grande fortune ni une haute situation.

Marianne fut étonnée de voir combien l'imagination de sa mère et la sienne les avaient emportées loin de la réalité.

— Il est donc vrai que vous n'êtes pas fiancés, dit-elle, mais cela ne tardera certainement pas. Je vois cependant deux avantages à ce délai : je ne vous perdrai pas tout de suite et Edward aura le loisir de mieux adapter ses goûts aux vôtres, ce qui est tellement nécessaire à votre future félicité. Oh ! s'il pouvait être stimulé par votre talent au point d'apprendre lui-même à dessiner, quel délice ce serait !

Elinor avait dit la vérité à sa sœur. Il lui était impossible de se croire aussi près de la réalisation de ses rêves que se l'était figurée Marianne. Elle constatait parfois, chez Edward, un état de dépression qui, s'il ne dénotait pas de l'indifférence, n'était guère plus encourageant. S'il avait conçu un doute sur les sentiments qu'elle éprouvait à son égard, il n'aurait pas été tellement inquiet et n'aurait pas manifesté, si souvent, un tel abattement.

Il était raisonnable d'en chercher la cause dans sa situation qui l'empêchait de donner libre cours à ses sentiments : elle savait que sa mère ne lui faciliterait sa vie et ne lui donnerait le moyen de fonder un foyer qu'à condition qu'il consente à se conformer strictement aux desseins ambitieux qu'elle formait pour lui. Elinor, devant cette certitude, ne pouvait se sentir à l'aise. Elle était loin de partager l'assurance de sa mère et de sa sœur et de surestimer l'affection qu'elle inspirait à Edward ; et il lui arrivait, parfois, de traverser des minutes pénibles, où elle songeait que tout cela pouvait bien n'être qu'une simple camaraderie.

Mais il suffit que Mrs. Fanny Dashwood s'aperçût des sentiments de son frère pour qu'elle s'en inquiétât. Du coup, par comble d'inélégance, elle en devint impolie. Elle saisit la première occasion venue de faire un affront à sa belle-mère. Elle trouva moyen d'appuyer si lourdement sur le grand avenir promis à son frère, sur la volonté expresse de Mrs. Ferrars de bien marier ses deux fils, et sur le danger que courrait toute jeune fille qui essaierait de l'accaparer, que Mrs. Dashwood ne put faire semblant de ne pas comprendre, ni prendre sur elle de garder son calme. Elle lui répondit de façon à laisser percer son mépris et résolut aussitôt, quels que puissent être les inconvénients et la dépense occasionnés par un départ aussi précipité, de ne pas laisser une semaine de plus sa bien-aimée Elinor exposée à de telles insinuations.

C'est dans cet état d'esprit que la trouva une lettre qui contenait une proposition particulièrement opportune. Il s'agissait de l'offre, à très bon compte, d'une petite maison appartenant à un de leurs cousins, un gentleman bien posé et riche propriétaire dans le Devonshire. La lettre émanait de lui-même et était conçue dans l'esprit le plus amical. Il se rendait compte qu'elle était à la recherche d'une habitation, et quoiqu'il n'eût qu'un simple cottage à lui offrir, il l'assurait qu'il était prêt à faire faire tous les arrangements qu'elle voudrait, si la situation lui plaisait. Il la pressait vivement, après lui avoir décrit en détail la maison et le jardin, de venir avec ses filles à Barton Park, sa propre demeure, afin qu'elle puisse se rendre compte elle-même si Barton Cottage (car les deux maisons étaient sur la même paroisse) pourrait, avec quelques changements, lui convenir comme résidence. Il paraissait réellement désireux de les satisfaire et toute sa lettre était d'un style si amical qu'elle ne pouvait manquer de faire plaisir à sa cousine, au moment surtout où elle avait à souffrir de l'absence de sympathie et de la froideur qu'elle rencontrait chez des parents bien plus rapprochés.

Elle ne prit pas le temps de réfléchir et de s'informer. Sa résolution fut arrêtée dès qu'elle eut lu la lettre. La situation de Barton dans un comté aussi éloigné du Sussex que le Devonshire aurait suffi quelques heures plus tôt à lui faire dédaigner tous les avantages de cette proposition. C'était maintenant une raison majeure pour l'accepter. Perdre le voisinage de Norland n'était plus un malheur : elle ne souhaitait maintenant que cela. C'était une bénédiction à côté de la perspective horrible de continuer d'être l'hôte de sa belle-fille. S'éloigner pour toujours de cette demeure chérie serait moins pénible que de l'habiter ou même d'y aller en visite tant qu'une pareille femme en serait la maîtresse.

Elle écrivit immédiatement à sir John Middleton pour le remercier et lui dire qu'elle acceptait, et elle s'empressa de montrer les deux lettres à ses filles afin d'avoir leur approbation avant d'envoyer la sienne.

Elinor avait toujours pensé qu'il serait plus sage pour elles de s'installer à quelque distance de Norland plutôt que dans le voisinage immédiat de ses possesseurs actuels. De ce chef, par conséquent, elle n'avait pas à s'opposer à l'intention que manifestait sa mère de se retirer dans le Devonshire. Et la maison, de plus, telle que la décrivait sir John, était d'une telle simplicité, avec son modeste verger, qu'aucune objection ne se présentait de ce côté.

En conséquence, quoique ce plan ne la charmât pas autrement, quoique l'éloignement de Norland fût cependant bien plus grand qu'elle ne l'aurait souhaité, elle ne fit rien pour dissuader sa mère d'envoyer sa lettre d'acceptation.

5

La lettre ne fut pas plutôt partie que Mrs. Dashwood se donna le plaisir d'annoncer à son beau-fils et à sa femme qu'elle avait trouvé une maison et qu'elle ne les gênerait pas au-delà du temps qui serait nécessaire à son installation. Ils furent surpris. Mrs. John Dashwood ne dit rien, mais son mari exprima poliment l'espoir qu'elles ne se trouveraient pas trop loin de Norland. Elle éprouva une grande satisfaction en répliquant qu'elle allait dans le Devonshire. Edward se tourna brusquement vers elle en entendant ces mots et d'un ton où se mêlaient la surprise et la douleur, et qui ne la surprit pas, répéta :

— Le Devonshire ? Allez-vous vraiment là-bas ? Si loin d'ici ? Et dans quel endroit ?

Elle expliqua la situation : à quatre milles au moins d'Exeter.

— C'est un simple cottage, continua-t-elle, mais j'espère que je pourrai y accueillir beaucoup d'amis. On pourra facilement ajouter une ou deux pièces, et, si mes amis n'éprouvent pas de difficultés à faire un si long voyage pour venir me voir, je suis sûre que je n'en aurai aucune pour les recevoir.

Elle conclut sur une très aimable invitation à Mr. et Mrs. John Dashwood, et fit la même offre à Edward avec encore plus d'amabilité. Sa dernière conversation avec sa belle-fille l'avait décidée à ne rester à Norland que le moins de temps possible, mais n'avait pas eu le moindre effet quant au but poursuivi par son interlocutrice. Séparer Edward et Elinor était moins que jamais dans ses vues ; et cette invitation au frère de Mrs. John Dashwood tendait à montrer à quel point les paroles de celle-ci avaient eu peu d'effet sur elle.

Mr. John Dashwood dit et répéta à sa belle-mère à quel point il était fâché qu'elle eût choisi sa résidence si loin de Norland, ce qui l'empêchait de l'aider pour son déménagement. Il en était réellement contrarié, car c'était précisément le service auquel il avait limité l'accomplissement de sa promesse à son père, et cet arrangement le rendait impossible.

Le mobilier fut expédié entièrement par eau. Il consistait principalement en linge de maison, argenterie, vaisselle et livres, et un beau piano-forte appartenant à Marianne. Mrs. John Dashwood vit partir les paquets avec un soupir, elle ne pouvait s'empêcher de trouver dur que, avec une fortune aussi insignifiante à côté de la leur, Mrs. Dashwood pût posséder d'aussi belles choses.

Mrs. Dashwood loua la maison pour un an. Elle était toute meublée et on pouvait en prendre possession immédiatement. Aucune difficulté ne s'opposait à la location et elle attendait, seulement, pour partir vers l'ouest, d'en avoir fini avec ses paquets à Norland et d'avoir arrêté ses domestiques. Et cela fut bientôt fait car elle déployait une activité extraordinaire dès qu'une chose l'intéressait. Les chevaux laissés par son mari avaient été vendus après la mort de celui-ci, et, une occasion se présentant pour la voiture, elle accepta de la vendre aussi sur le pressant conseil de sa fille aînée. A cause de ses enfants, si elle avait suivi son inclination, elle l'aurait gardée; mais la sagesse d'Elinor prévalut. Cette même prudence limita aussi le nombre de leurs domestiques à trois : deux femmes de chambre et un homme qu'on eut vite fait de choisir parmi ceux qui avaient fait partie de leur personnel à Norland.

Le domestique et l'une des servantes partirent immédiatement pour le Devonshire afin de préparer la maison en vue de l'arrivée de leurs maîtresses; en effet, lady Middleton étant entièrement inconnue de Mrs. Dashwood, elle préférait s'installer immédiatement dans le cottage plutôt que de descendre à Barton Park. Elle se fiait si bien à la description que sir John lui avait faite de la maison qu'elle n'avait pas la curiosité de la voir par elle-même avant d'y entrer comme chez elle. Son empressement à quitter Norland était entretenu par l'évidente satisfaction que sa décision causait à sa belle-fille, satisfaction que celle-ci essaya faiblement de dissimuler par une froide invitation à retarder son départ.

C'était, maintenant, le moment pour son beau-fils de tenir la promesse faite à son père. Puisqu'il n'avait rien fait au moment où il avait pris possession de la maison, leur départ devait paraître l'instant tout indiqué pour l'accomplir. Mais Mrs. Dashwood commença bientôt à abandonner tout espoir de ce côté. Elle comprit, en effet, par le tour général de la conversation, que son effort n'irait pas plus loin que l'hospitalité qu'il venait de leur donner pendant six mois à Norland. Il parlait si souvent de l'augmentation de ses frais domestiques et des incroyables dépenses auxquelles était exposé un homme d'une certaine situation qu'il donnait plutôt l'impression d'un monsieur à court d'argent que de quelqu'un prêt à en donner.

Très peu de semaines après la première lettre de sir John Middleton, tout était prêt dans leur future demeure et Mrs. Dashwood et ses filles pouvaient se mettre en route.

Ce ne fut pas sans répandre beaucoup de larmes qu'elles firent leurs adieux à une demeure aussi chérie. « Cher, cher Norland, disait Marianne en se promenant seule devant la maison, le dernier soir, quand cesserai-je de te regretter ? Comment pourrai-je me sentir chez moi ailleurs ? O heureuse maison ! peux-tu savoir ce que je souffre en te regardant de cet endroit d'où, peut-être, je ne te verrai jamais plus ? Et vous, mes arbres familiers ! Mais vous resterez les mêmes. Pas une feuille ne tombera à cause de notre départ et pas une branche ne restera immobile parce que nous ne serons plus là pour vous voir ! Non, vous resterez bien les mêmes, ignorant le plaisir ou le regret dont vous êtes cause, et insensibles au changement de ceux qui se promenaient sous votre ombre ! Mais qui donc restera pour vous admirer ? »

6

La première partie du voyage eut lieu sous une impression trop mélancolique pour ne pas être triste et ennuyeuse. Mais, au fur et à mesure qu'elles avançaient vers le but, l'intérêt qu'elles prenaient à l'aspect d'une région qu'elles allaient habiter vint les réveiller de leur abattement et la vue de Barton Valley, quand elles y arrivèrent, les mit de belle humeur. C'était un endroit plaisant, fertile, bien boisé et riche en pâturages. Après avoir fait quelques détours pendant un mille, elles arrivèrent chez elles. Le devant de la maison ne comportait qu'une petite cour plantée de gazon. Une petite porte à l'aspect engageant leur donna passage.

Comme maison, Barton Cottage, quoique petit, était confortable et bien compris, mais en tant que cottage il laissait à désirer, car la construction était sans originalité, le toit couvert de tuiles, les contrevents n'étaient pas peints en vert et les murs ne s'agrémentaient pas de chèvrefeuille. Un passage étroit conduisait directement à travers la maison jusqu'au jardin situé derrière. De chaque côté de l'entrée se trouvait un salon, de seize pieds de large environ. L'office et l'escalier étaient derrière. Quatre chambres et deux greniers formaient le reste de l'immeuble. Il était de construction récente et en bon état. En comparaison de Norland, c'était en vérité pauvre et mesquin. Mais les pleurs que ce souvenir amena furent vite séchés. Ces dames furent réconfortées par la joie manifestée par les serviteurs à leur arrivée et chacun prit la résolution de paraître content pour faire plaisir aux autres. On était au commencement de septembre ; la saison était belle, et, en faisant ainsi connaissance de la maison par beau temps, elles en prenaient une impression heureuse qui avait l'avantage de les disposer favorablement pour l'avenir.

La situation de la maison était bonne. Par-derrière, elle était entourée de hautes collines, toutes proches, les unes dénudées, les autres cultivées et boisées. Le village de Barton était presque entièrement construit sur une de ces collines et on l'apercevait des fenêtres du cottage. Sur le devant, la perspective était plus vaste : elle commandait toute la vallée, et la campagne au loin. Les collines qui dominaient le cottage formaient, dans cette direction, une borne à la vallée qui, sous un autre nom, et avec un aspect différent, se prolongeait plus loin en se glissant entre les deux pentes les plus escarpées.

En somme, Mrs. Dashwood fut satisfaite de la disposition et de l'ameublement de la maison; la façon dont elle avait eu l'habitude de vivre jusqu'ici rendait indispensables quelques améliorations sur ce dernier point; mais ajouter et perfectionner était pour elle un délice, et elle disposait, pour le moment, d'assez d'argent pour donner aux appartements le surcroît d'élégance qui leur manquait.

— En ce qui concerne la maison elle-même, disait-elle, elle est certainement trop petite pour nous. Mais nous pouvons aisément nous en arranger pour le moment, et l'année est trop avancée pour entreprendre des réparations. Peut-être, au printemps, si j'en ai les moyens, et je crois que je les aurai, nous pourrons songer à bâtir. Ces deux salons sont trop étroits pour recevoir les amis que j'espère souvent réunir, et j'ai quelque envie de joindre le couloir avec l'un d'eux et peut-être une partie de l'autre; le reste formerait une entrée; de cette façon, avec un autre salon qu'on peut aisément ajouter, ainsi qu'une chambre et un grenier par-dessus, nous en ferions un charmant petit cottage. On pourrait désirer que l'escalier eût meilleur air; mais il faut savoir borner ses ambitions, quoique je suppose qu'il ne serait pas difficile de l'élargir. Nous jugerons au printemps de l'état de nos finances et nous déciderons alors des améliorations que nous pourrons faire.

En attendant que tous ces embellissements puissent être payés grâce aux économies réalisées sur un revenu de cinq cents livres par une femme qui n'avait jamais su de sa vie ce que c'était que d'économiser, les dames Dashwood furent assez raisonnables pour se contenter de la maison telle qu'elle était. Chacune se dépensait pour mettre en ordre ses propres affaires et s'efforçait, en arrangeant ses livres et les autres objets qui lui étaient personnels, de se constituer un petit domaine à soi. Le piano de Marianne fut déballé et mis en bonne place, et les œuvres d'Elinor furent suspendues aux murs de leur salon.

Ces dames furent interrompues dans leurs occupations, le lendemain de leur arrivée, peu après le breakfast, par l'arrivée de leur propriétaire venu leur souhaiter la bienvenue à Barton et mettre à leur disposition sa maison et son jardin pour tout ce qui pourrait momentanément leur manquer.

Sir John Middleton était un homme d'environ quarante ans, de bonne apparence. Il avait eu, jadis, l'occasion de leur rendre visite à Stanhill, mais il y avait trop longtemps pour que l'on puisse le reconnaître. Il avait tout à fait l'aspect d'un bon vivant, et ses façons étaient aussi amicales que le style de sa lettre. Leur arrivée paraissait lui apporter une réelle satisfaction et il était visiblement préoccupé de leur bien-être. Il maniesta vivement son désir de vivre dans la plus grande intimité avec leur famille, et il insista si cordialement pour qu'elles viennent dîner à Barton Park tous les jours jusqu'à ce qu'elles aient eu le temps de s'installer chez elles qu'il était impossible de se fâcher, bien qu'il poussât vraiment ses instances un peu trop loin. Son amabilité ne s'arrêta pas aux paroles : une heure après son départ, un grand panier de légumes et de fruits arriva du Park et fut suivi, dans la journée, d'un présent de gibier. Il insista, de plus, pour se charger du soin d'envoyer leur courrier et de le retirer de la poste, et elles ne purent lui refuser la satisfaction de leur communiquer son journal chaque jour.

Lady Middleton l'avait chargé d'un mot aimable pour dire son intention de rendre visite à Mrs. Dashwood aussitôt qu'elle pourrait le faire sans la déranger. Il lui fut répondu par une invitation aussi polie et la connaissance se fit le jour suivant.

Il va de soi qu'elles étaient fort impatientes de voir une personne dont leur bien-être à Barton pouvait dépendre dans une si large mesure. L'élégance de son aspect répondait à leurs vœux. Lady Middleton n'avait pas plus de vingt-six ou vingt-sept ans. Sa figure était agréable, sa taille grande et imposante et ses manières pleines de grâce. Sa conversation avait toute la distinction qui manquait à son époux ; mais elle aurait gagné à lui emprunter un peu de sa cordialité et de sa chaleur, et sa visite dura assez longtemps pour leur faire rabattre quelque chose de leur première admiration. Quoique fort bien élevée, elle se montra en effet réservée, froide et incapable de sortir des lieux communs de la conversation.

L'entretien pourtant ne languit pas, car sir John était fort bavard et lady Middleton avait eu la sage précaution d'amener son fils aîné, beau petit garçon de six ans qui fournissait aux dames un sujet toujours opportun en cas de besoin ; car il convenait de demander son nom et son âge, de s'extasier sur sa beauté, de lui poser mille questions auxquelles sa mère répondait pour lui, tandis qu'il se pendait à ses jupes et baissait la tête, au grand étonnement de Madame, qui ne pouvait comprendre qu'il fût si timide dans le monde alors qu'il faisait tant de tapage à la maison. Dans toute visite de cérémonie, on devrait toujours amener un enfant pour fournir un sujet de conversation. Dans le cas présent, il fallut dix bonnes minutes pour décider s'il ressemblait davantage à son père ou à sa mère, et en quoi ; car personne n'était du même avis et chacun s'étonnait de l'opinion des autres.

Les Dashwood devaient avoir bientôt l'occasion de discuter sur les autres enfants de leurs voisins, car sir John ne voulut pas partir sans emporter l'assurance qu'elles acceptaient de venir dîner au Park le jour suivant.

7

Barton Park était situé à environ un demi-mille du cottage. Ces dames avaient passé tout près en arrivant, mais, de leur maison, une colline en cachait la vue. C'était une vaste et belle demeure. Les Middleton avaient le goût de l'hospitalité et de l'élégance. Il était bien rare que la maison n'hébergeât pas quelques amis. Ils recevaient certainement plus que n'importe quelle autre famille du voisinage. C'était indispensable à leur bonheur à tous deux. Car, pour si dissemblables qu'ils fussent au moral comme au physique, ils se ressemblaient cependant profondément en ceci : en dehors des plaisirs de la société, le champ de leurs occupations et de leurs distractions était extraordinairement restreint.

Sir John était un chasseur et lady Middleton, une mère. Lui poursuivait et tuait du gibier; elle, choyait ses enfants. Et là s'arrêtaient leurs talents. La supériorité de lady Middleton venait de ce qu'elle pouvait gâter ses enfants en tous temps, tandis que sir John ne pouvait se livrer que la moitié de l'année à ses exercices favoris. De continuelles invitations chez eux et à l'extérieur suppléaient aux lacunes de leur nature et de leur éducation. Elles entretenaient la bonne humeur de sir John et donnaient, à sa femme, l'occasion de faire montre de la délicatesse de ses manières.

Lady Middleton se piquait d'élégance en ce qui concernait sa table et tous ses arrangements domestiques. Ainsi tirait-elle surtout de ses réunions un grand plaisir de vanité, tandis que la satisfaction qu'elles procuraient à sir John était de nature plus positive. Son bonheur était de réunir autour de lui toute la jeunesse que la maison pouvait contenir. Plus on faisait de bruit, plus il était content. C'était une bénédiction pour tous les jeunes gens du voisinage; en été, il organisait toujours des excursions pour manger du jambon glacé et du poulet froid sur l'herbe; en hiver, il donnait assez de bals pour satisfaire l'insatiable appétit de danse de toutes les jeunes personnes de quinze ans.

L'arrivée dans le pays d'une nouvelle famille était toujours, pour lui, un sujet de joie, et, à tous les points de vue, il était enchanté des hôtes qu'il venait d'installer dans son cottage de Barton. Les demoiselles Dashwood étaient jeunes, jolies et simples. C'était assez pour gagner son suffrage, car la simplicité était tout ce qu'il fallait pour rendre le caractère d'une jolie personne aussi séduisant que son physique. La cordialité de son caractère lui faisait éprouver un grand plaisir à aider des parentes tombées dans l'infortune. En se dépensant ainsi en faveur de ses cousines, il trouvait à satisfaire ses bons sentiments, et, d'autre part, en installant dans son cottage une famille entièrement composée de femmes, il obéissait à ses tendances d'amateur de chasses, car un tel homme, encore qu'il n'estime, dans son sexe, que ceux qui partagent sa passion, n'aime pas encourager leurs goûts en les installant chez lui.

Mrs. Dashwood et ses filles furent reçues à la porte de la maison par sir John qui leur souhaita la bienvenue à Barton Park avec une réelle sincérité ; et, tandis qu'il les conduisait au salon, il renouvela aux jeunes filles le regret qu'il leur avait exprimé la veille de n'avoir pas d'élégants jeunes gens à leur présenter. Elles ne rencontreraient, leur dit-il ce jour-là, en dehors de lui, qu'un seul gentleman, un ami intime à lui en résidence en ce moment au Park, mais qui n'était ni très jeune ni très gai. Il les priait d'excuser ce manque de société ; elles pouvaient être assurées que pareille chose ne se reproduirait pas. Il était allé, ce matin, faire un tour dans plusieurs familles des environs pour tâcher d'augmenter le nombre des convives ; mais c'était l'époque des beaux clairs de lune, et chacun avait projeté une promenade. Par bonheur, la mère de lady Middleton venait d'arriver à Barton, et, comme c'était une personne pleine d'entrain et fort agréable, il espérait que les jeunes filles trouveraient la réunion moins ennuyeuse qu'elles ne pouvaient le supposer.

Celles-ci, ainsi que leur mère, furent enchantées de n'avoir à faire la connaissance que de deux personnes inconnues. Elles ne souhaitaient pas du tout une plus grande compagnie.

La mère de lady Middleton, Mrs. Jennings, était une grosse dame d'un certain âge, très bavarde, douée d'un excellent caractère et d'une humeur joyeuse. Elle donnait l'impression d'être très heureuse et un peu vulgaire. Sa conversation abondait en plaisanteries et en facéties, et, avant la fin du dîner, elle avait accumulé toutes sortes de mots d'esprit au sujet des amoureux et des maris. Elle espérait que ces demoiselles n'avaient pas laissé leur cœur derrière elles, dans le Sussex, et s'exclamait en prétendant qu'elle les voyait rougir, que ce fût vrai ou non. Marianne en était gênée à cause de sa sœur et tournait sans cesse les yeux vers elle pour voir comment elle prenait ces allusions.

En réalité, ces marques de sollicitude troublaient beaucoup plus Elinor que les railleries sans sel de Mrs. Jennings.

Quant au colonel Brandon, par le peu que l'on pouvait voir de son caractère, il ne semblait pas du tout fait pour être l'ami de John. C'était aussi étonnant que de voir celui-ci marié à lady Middleton et de savoir que la jeune femme était la fille de Mrs. Jennings. C'était un homme taciturne et grave. Son aspect, cependant, n'était pas déplaisant bien que Marianne et Margaret se soient tout de suite accordées pour voir en lui un célibataire endurci parce qu'il avait plus de trente-cinq ans. Si sa figure n'avait aucune beauté, il donnait l'impression d'un homme sensé et parfaitement bien élevé.

Il n'y avait rien chez aucun des convives qui pût attirer particulièrement les Dashwood ; mais la fadeur insipide de lady Middleton était si particulièrement écœurante que, par contraste, la gravité du colonel Brandon, et même la bruyante gaieté de sir John et de sa belle-mère prenaient une sorte d'attrait. Lady Middleton ne parut s'animer que lorsqu'on fit entrer, à la fin du dîner, ses quatre enfants qui se mirent à la tirailler en tous sens, déchirèrent sa robe et mirent fin à toute espèce de conversation dont ils n'étaient pas le principal sujet.

Au cours de la soirée, on découvrit que Marianne était musicienne et on l'invita à jouer. L'instrument fut ouvert, chacun se prépara à écouter. Marianne, qui chantait fort bien, s'attaqua aux mélodies que lady Middleton avait apportées dans la famille au moment de son mariage et qui, peut-être, n'avaient pas été exécutées depuis le jour où elle les avait posées sur le piano-forte ; car Madame avait célébré son entrée dans la vie conjugale en abandonnant complètement la musique, bien qu'au dire de sa mère, elle s'y montrât fort habile et qu'elle prétendît, elle-même, en être tout à fait passionnée.

L'exécution de Marianne fut vivement applaudie. L'approbation de sir John fut bruyante, aussi bruyante que l'avait été sa conversation avec le reste de la société pendant que Marianne chantait. Lady Middleton le rappelait souvent à l'ordre. Elle veillait à ce que l'attention de chacun ne fût pas détournée de la musique mais c'est elle qui se donna le ridicule de demander à Marianne de chanter un certain air qu'elle venait justement de finir. Seul de la société, le colonel Brandon l'entendit sans paraître transporté. Son seul compliment fut d'écouter attentivement. Ainsi mérita-t-il, aux yeux de Marianne, le respect auquel les autres avaient vraiment perdu droit par leur manque de goût éhonté. Le plaisir qu'il prenait à entendre de la musique, bien qu'il ne montrât pas ce caractère éperdu qui était la marque de ses propres réactions, lui parut cependant digne d'éloges par contraste avec l'horrible insensibilité des autres. Et elle était assez raisonnable pour accorder que la finesse du sentiment et les premiers élans de l'enthousiasme pouvaient bien être un peu émoussés chez un homme de trente-cinq ans. Elle était parfaitement disposée à concéder au colonel toute l'indulgence que l'humanité commandait en raison de son âge.

8

Mrs. Jennings était veuve, et se trouvait à la tête d'un grand domaine. Elle n'avait que deux filles, n'avait vécu que pour les voir bien mariées, et, leur avenir assuré, n'avait plus rien à faire qu'à marier tout le reste du monde. Elle déployait le plus grand zèle pour la réalisation de ce dessein, y employait toutes ses facultés et ne perdait aucune occasion de combiner des unions entre les jeunes gens de sa connaissance. Elle possédait un talent particulier pour dépister les inclinations naissantes et avait eu souvent la satisfaction de faire rougir bien des jeunes filles et de flatter leur orgueil en faisant allusion à l'empire qu'elles exerçaient sur tel ou tel jeune homme.

Ce discernement particulier lui permit, peu de temps après l'arrivée de ces dames à Barton, de déclarer, de la façon la plus définitive, que le colonel Brandon était profondément épris de Marianne Dashwood. Elle l'avait déjà soupçonné le premier soir où ils s'étaient rencontrés, en le voyant si attentif lorsque Marianne chantait. Mais, lorsque, en retour de leur politesse, les Middleton furent invités à dîner au cottage, elle en devint tout à fait certaine quand elle vit la façon dont Brandon l'écoutait de nouveau. Il ne pouvait en être autrement. Elle en était pleinement convaincue. Du reste, ce serait parfait, car il était riche et, elle, jolie. Mrs. Jennings avait rêvé de bien marier le colonel Brandon dès que ses rapports avec sir John le lui avaient fait connaître ; et, en présence d'une jolie jeune fille, elle se sentait toujours désireuse de la pourvoir d'un bon mari.

L'avantage qu'elle en tirait immédiatement n'était pas à dédaigner ; c'était pour elle un sujet d'allusions et de plaisanteries sans fin envers les deux jeunes gens. Au Park, elle attaquait le colonel et, au cottage, Marianne. Le premier semblait assez indifférent à ses manières. Quant à Marianne, ce genre de raillerie lui fut, tout d'abord, incompréhensible ; et, quand elle finit par en percevoir l'objet, elle ne sut guère s'il valait mieux rire de son absurdité ou blâmer son impertinence. Elle y voyait une allusion désobligeante à l'âge du colonel et à sa condition solitaire de vieux célibataire.

Mrs. Dashwood, qui n'avait pas les mêmes raisons que sa fille de trouver tellement vieux un homme qui était son cadet de cinq ans, essaya de protester et assura que Mrs. Jennings n'avait certainement pas l'intention de ridiculiser le colonel Brandon à cause de son âge.

— Mais, au moins, maman, si vous n'y voyez pas de mauvaise intention, vous ne pouvez pas nier l'absurdité d'une telle invention. Evidemment, le colonel Brandon est plus jeune que Mrs. Jennings, mais il pourrait tout de même être mon père ; et, s'il a jamais été capable de sentiments assez vifs pour tomber amoureux, il y a certainement bien longtemps qu'il n'est plus capable d'en éprouver. C'est trop ridicule ! Qui sera donc à l'abri de telles plaisanteries si l'âge et les infirmités n'en protègent pas ?

— Des infirmités ! dit Elinor. Trouvez-vous le colonel Brandon infirme ? J'admets facilement que son âge fasse plus d'impression sur vous que sur notre mère. Mais vous pouvez difficilement nier qu'il ait l'usage de ses jambes !

— Ne l'avez-vous pas entendu se plaindre de rhumatismes ? Et n'est-ce pas là l'infirmité très commune à tous les gens sur leur déclin ?

— Ma très chère enfant, dit sa mère en riant, à ce compte, vous devriez beaucoup vous inquiéter de ma décrépitude ! Ne vous semble-t-il pas un véritable miracle que ma vie se soit prolongée jusqu'à l'âge avancé de quarante ans ?

— Maman, vous ne me rendez pas justice. Je sais fort bien que le colonel Brandon n'a pas un âge qui puisse faire craindre normalement à ses amis de le perdre bientôt. Il peut vivre vingt ans de plus. Mais ses trente-cinq ans n'ont rien à voir avec le mariage.

— Peut-être, dit Elinor, trente-cinq et dix-sept ans ne sont-ils pas des âges assortis pour un mariage. Mais, s'il lui arrivait de rencontrer une jeune fille de vingt-sept ans, je ne pense pas que les trente-cinq ans du colonel Brandon soient un obstacle à leur union.

— Une femme de vingt-sept ans, dit Marianne après un moment de réflexion, ne peut jamais espérer ressentir, ni inspirer encore un tendre sentiment ; et, si sa maison est inconfortable ou sa fortune trop mince, je suppose qu'il lui faut se résigner à prendre un emploi de nurse pour s'assurer une existence convenable. S'il épousait une telle femme, cela n'aurait rien de choquant. Ce serait un mariage de convenance et le monde serait satisfait. A mes yeux, ce ne serait pas un mariage du tout, ce ne serait rien. Cela m'apparaît seulement comme un échange commercial, dans lequel chacun cherche son avantage aux dépens de l'autre.

— Il serait impossible, je le sais, répliqua Elinor, de vous persuader qu'une femme de vingt-sept ans peut éprouver pour un homme de trente-cinq ans un sentiment assez voisin de l'amour pour désirer en faire son compagnon. Mais il me faut protester contre votre prétention de confiner le colonel Brandon et sa femme dans une chambre de malade, pour la simple raison qu'il s'est plaint, par hasard, hier (où le temps était froid et humide) de ressentir une légère douleur de rhumatisme à l'épaule.

— Mais il parlait de gilet de flanelle, dit Marianne, et, pour moi, l'idée d'un gilet de flanelle est invariablement liée aux douleurs, crampes, rhumatismes et autres genres de maux qui affligent les personnes faibles et âgées.

— S'il avait eu seulement une bonne fièvre, vous ne l'auriez pas dédaigné la moitié autant. Avouez-le, Marianne : ne trouvez-vous pas quelque chose d'intéressant dans des pommettes rougies, des yeux enfoncés et un pouls précipité ?

Un moment après, comme Elinor quittait la chambre :

— Maman, dit Marianne, à propos de maladie, j'ai une inquiétude que je ne puis vous dissimuler. Je suis sûre qu'Edward Ferrars ne va pas bien. Nous sommes ici depuis près d'une quinzaine et il n'est pas encore venu. Il n'y a qu'une véritable indisposition qui puisse justifier un tel retard. Quelle autre raison pourrait le retenir à Norland ?

— Aviez-vous idée qu'il viendrait si tôt ? dit Mrs. Dashwood. Ce n'était pas mon avis. Je craignais plutôt le contraire. Il me semblait qu'il n'avait pas marqué un très grand empressement à accepter mon invitation, lorsque je lui parlais de venir à Barton. Elinor l'espérait-elle déjà ?

— Je ne lui en ai jamais parlé, mais j'en suis certaine.

— Je crois bien que vous vous trompez, car je lui parlais hier de mettre une nouvelle grille à la chambre d'ami et elle m'a fait observer que cela ne pressait pas, car il n'était pas probable que la chambre fût occupée d'ici quelque temps.

— Comme c'est singulier ! Qu'est-ce que cela peut bien vouloir dire ? Mais toute leur attitude, l'un envers l'autre, a été incompréhensible ! Quelle froideur, quelle retenue dans leurs derniers adieux ! Et quelle conversation languissante le dernier soir qu'ils ont passé ensemble ! Dans ses adieux, Edward n'a fait aucune différence entre elle et moi ; c'étaient, pour toutes deux, les bons souhaits d'un frère affectueux. Deux fois, le matin du départ, je les ai laissés exprès ensemble et, chaque fois, il m'a accompagnée dehors, ce qui était tout à fait contraire à ses habitudes. Elinor, en quittant Norland et Edward, n'a pas pleuré comme moi. Même maintenant, elle est restée invariablement maîtresse d'elle-même. Quand paraît-elle déprimée et mélancolique ? Quand cherche-t-elle à éviter la société, ou montre-t-elle quelque signe d'impatience ou d'ennui ?

9

Les Dashwood étaient maintenant installées à Barton dans des conditions très acceptables. La maison et le jardin, avec leurs environs, leur étaient devenus familiers, et leurs occupations habituelles, qui faisaient la moitié du charme du séjour à Norland, avaient repris de nouveau leur cours : elles y goûtaient un plaisir qu'elles n'avaient plus ressenti depuis la mort de Mr. Dashwood. Sir John Middleton, qui leur rendait une visite journalière depuis la première quinzaine et qui n'avait guère l'habitude que l'on travaillât autour de lui, ne pouvait cacher son étonnement de les voir toujours occupées.

Elles n'avaient pas beaucoup de visiteurs en dehors de leurs amis de Barton Park. Sir John avait beau les exhorter à se mêler davantage au voisinage, c'était en vain qu'il mettait sa propre voiture à leur disposition : l'esprit d'indépendance de Mrs. Dashwood l'emportait sur son désir de procurer de la société à ses enfants. Et elle refusait résolument de faire des visites au-delà du rayon où elle pouvait s'y rendre à pied. Cela la limitait à un cercle de familles peu étendu ; encore n'était-il pas possible d'entrer en relation avec toutes. A un mille et demi environ du cottage, dans l'étroite vallée tortueuse d'Allenham, qui débouchait sur Barton et que nous avons décrite plus haut, les jeunes filles, au cours d'une de leurs promenades matinales, avaient découvert une demeure ancienne d'aspect vénérable qui avait mis en branle leur imagination parce qu'elle leur rappelait un peu Norland. Elles auraient souhaité la mieux connaître. Mais, renseignements pris, il se trouva que sa propriétaire, une vieille dame âgée, d'un excellent caractère, était malheureusement trop infirme pour se mêler au monde et ne bougeait jamais de chez elle.

Tout le pays environnant abondait en beaux sites. Les hautes collines qu'on voyait de presque toutes les fenêtres du cottage leur offraient la tentation d'aller goûter la fraîcheur exquise de l'air lorsque l'obscurité envahissait les vallées au-dessous d'elles.

C'est vers une de ces collines que Marianne et Margaret, un matin mémorable, dirigèrent leurs pas, attirées par les jeux du soleil brillant à travers les nuages. Elles ne pouvaient supporter plus longtemps la claustration que leur avaient imposée deux jours de pluie continuelle.

Le temps n'était pas assez beau pour arracher Elinor et sa mère à leurs pinceaux et à leurs livres. Ni l'une ni l'autre ne voulurent écouter Marianne qui proclamait, pourtant, que la journée s'achèverait en beauté et que les nuages seraient balayés du haut des collines. Les deux jeunes filles partirent donc seules.

Elles escaladèrent gaiement la pente, se félicitant de leur perspicacité à chaque éclaircie qui leur découvrait un coin de ciel bleu ; et, quand elles reçurent dans la figure le souffle vivifiant d'un grand vent du sud-ouest, elles prirent en pitié la crainte qui avait empêché leur mère et Elinor de partager d'aussi délicieuses sensations.

— Y a-t-il au monde une félicité supérieure ? dit Marianne. Margaret, nous allons pouvoir nous promener au moins deux heures.

Margaret acquiesça, et elles continuèrent à marcher contre le vent, joyeuses de lui résister ; mais cela ne dura qu'une vingtaine de minutes, et, soudain, les nuages s'étant amoncelés sur leurs têtes, la pluie commença à leur cingler durement le visage. Vexées et surprises, elles furent obligées, quoique à regret, de revenir sur leurs pas, car il n'y avait pas d'abri plus proche que leur propre maison. Il leur restait cependant une ressource à laquelle les exigences du moment donnaient plus de prix que d'habitude : c'était de descendre le plus vite possible par le côté escarpé de la colline et de gagner ainsi immédiatement la porte de leur jardin.

Elles s'élancèrent. Marianne courait plus vite, mais un faux pas la fit tomber tout à coup, et Margaret, incapable d'arrêter son élan pour lui porter secours, fut, malgré elle, portée en avant et arriva en bas sans accident.

Un gentleman, porteur d'un fusil et accompagné de deux chiens qui gambadaient autour de lui, passait sur le sommet de la colline, à quelques yards de Marianne, quand l'accident se produisit. Il déposa son fusil et courut à son secours. Elle s'était relevée, mais, s'étant foulé le pied dans sa chute, elle pouvait à peine se tenir debout. Le gentleman lui offrit ses services et, se rendant compte de l'embarras qu'elle ressentait à accepter une aide aussi nécessaire, il la prit dans ses bras sans attendre davantage et descendit jusqu'au bas de la colline. Traversant alors le jardin, dont la porte avait été laissée ouverte par Margaret, il la transporta directement dans la maison où Margaret venait justement d'arriver et ne la lâcha pas qu'il ne l'eût assise sur une chaise, dans le salon.

Elinor et sa mère se levèrent, stupéfaites, en les voyant entrer ; leurs yeux fixés sur lui trahissaient l'étonnement évident et la secrète admiration suscités par son apparition. Il s'excusa de son intrusion et expliqua d'une façon si franche et si gracieuse la cause de celle-ci que sa personne, particulièrement séduisante, empruntait un charme nouveau à ses expressions et à sa voix. Après ce qu'il venait de faire pour sa fille, il aurait pu être vieux, laid et vulgaire, la gratitude et la bienveillance de Mrs. Dashwood ne lui auraient pas manqué ; mais l'influence de la jeunesse, de la beauté et de l'élégance donnait à son acte un intérêt qui cadrait avec ses sentiments.

Elle lui adressa remerciements sur remerciements et, avec cette grâce qui ne la quittait jamais, l'invita à s'asseoir. Mais il déclina l'offre parce qu'il était mouillé et couvert de boue. Mrs. Dashwood demanda alors à connaître à qui elle était redevable de ce service. Son nom, répondit-il, était Willoughby, et il résidait en ce moment à Allenham, d'où il comptait avoir l'honneur de venir prendre demain des nouvelles de miss Dashwood si on le lui permettait. La permission fut volontiers accordée, et, là-dessus, il prit congé, pour se rendre encore plus intéressant, au plus fort d'une pluie battante.

Sa beauté virile et sa grâce particulière furent aussitôt le thème de l'admiration générale, et augmentèrent les railleries que sa galanterie envers Marianne faisait pleuvoir sur celle-ci. Marianne, pour sa part, avait eu moins de loisir de le contempler, car la confusion, qui avait empourpré son visage pendant qu'il la transportait, lui avait interdit de jeter les yeux sur lui une fois qu'ils furent entrés dans la maison. Elle en avait pourtant aperçu assez pour faire entièrement chorus avec les autres, y mêlant la passion qu'elle mettait toujours dans ses éloges. Sa personne et son air correspondaient tout à fait à ce que sa fantaisie avait toujours rêvé pour un héros de roman.

La décision toute soudaine qu'il avait eue de l'emporter ainsi jusque chez elle lui plaisait particulièrement… Tout en lui était intéressant. Son nom sonnait bien, sa résidence se trouvait dans leur village préféré et elle découvrit aussitôt qu'une veste de chasse était le costume le plus seyant pour un homme. Son imagination allait de l'avant, ses réflexions étaient agréables, et elle n'attachait aucune importance à sa foulure.

Sir John arriva aussitôt que la première éclaircie lui permit de sortir. Il fut mis au courant de l'accident de Marianne et on s'empressa de lui demander s'il connaissait un gentleman du nom de Willoughby, à Allenham.

— Willoughby ? s'écria-t-il. Comment ? Il est dans le pays ? Mais voilà une bonne nouvelle, je vais partir demain pour l'inviter à dîner jeudi.

— Vous le connaissez donc ? dit Mrs. Dashwood.

— Si je le connais ! Mais bien sûr. Parbleu ! Il vient ici tous les ans.

— Et quel genre d'homme est-ce ?

— Le meilleur garçon du monde, je puis vous l'assurer. Un fort bon fusil, et il n'y a pas en Angleterre de meilleur cavalier.

— Et c'est tout ce que vous trouvez à dire sur lui ? cria Marianne indignée. Mais quelles sont ses manières dans l'intimité ? Quels sont ses goûts, ses talents, son génie ?

Sir John parut perdre pied.

— Sur mon âme, dit-il, je ne sais pas grand-chose de lui sur tout cela. Mais c'est un être agréable et de belle humeur, et il a la plus jolie petite chienne d'arrêt qu'on puisse voir, toute noire. Etait-elle avec lui aujourd'hui ?

Mais Marianne ne put pas plus le renseigner sur la couleur du chien qu'il n'était capable de lui décrire les nuances d'esprit de son maître.

— Mais qui est-il ? dit Elinor. D'où vient-il ? Est-ce qu'il a une maison à Allenham ?

Là-dessus, sir John était à même de donner plus de précisions ; et il leur dit que Mr. Willoughby n'était pas propriétaire dans le pays, qu'il n'y séjournait qu'au cours de ses visites à la vieille dame d'Allenham Court, sa parente, dont il devait hériter. Il ajouta :

— Oui, oui, il est vraiment de bonne prise, je puis vous l'assurer, miss Dashwood ; il a un joli petit bien à lui dans le Somersetshire ; et, si j'étais vous, je ne le laisserais pas à ma jeune sœur en dépit de toute cette descente à la force du poignet. Miss Marianne ne peut accaparer tous les hommes. Brandon sera jaloux si elle n'y prend pas garde.

— Je ne crois pas, dit Mrs. Dashwood avec un sourire de bonne humeur, que Mr. Willoughby ait rien à craindre ! Mes filles ne seront pas tentées d'en faire leur prise, comme vous dites ! Elles n'ont pas été dressées à cela. Les hommes sont en sûreté avec nous, pour si riches qu'ils soient. Mais je me félicite, d'après ce que vous dites, d'apprendre que c'est un jeune homme respectable et qu'on peut fréquenter.

— C'est vraiment, je crois, le meilleur garçon du monde, répéta sir John. Je me souviens qu'à la Noël dernière, à une petite sauterie, il dansa de huit heures du soir à quatre heures du matin, sans s'asseoir un seul instant.

— Est-ce possible ? s'écria Marianne, écarquillant les yeux. Et avec élégance, avec grâce ?

— Oui, et il était de nouveau sur pied à huit heures pour chevaucher jusqu'au couvert.

— Voilà ce que j'aime, c'est ce qu'il faut chez un jeune homme. Quoi qu'il fasse, il doit le faire à fond et ne pas sentir la fatigue.

— Ah ! là là ! je vois ce que ce sera, dit sir John. Je vois ce que ce sera… Vous allez mettre le cap sur lui et ne plus penser au pauvre Brandon.

— Voilà une expression, sir John, dit Marianne avec feu, que j'abhorre particulièrement. J'abhorre tous ces lieux communs qui visent à l'esprit ; et « mettre le cap sur un homme » ou « faire un coup de tête » sont les plus odieux de tous. Leur signification est vulgaire et grossière; et si, à l'origine, ils ont pu paraître spirituels, le temps leur a, de longue date, fait perdre leur saveur.

Sir John ne saisit pas bien le sens de cette critique; mais il rit aussi fort que s'il avait compris, et répliqua :

— Oh ! d'une manière ou de l'autre, je sais bien que vous ferez assez de conquêtes ! Pauvre Brandon ! Il est déjà tout conquis, et il mérite bien, je vous assure, que vous mettiez le cap sur lui, en dépit de toute cette affaire de chute et d'entorse !

10

Le sauveur de Marianne, ainsi que l'appelait Margaret avec plus d'éloquence que de précision, se présenta le lendemain matin, de bonne heure, pour prendre lui-même des nouvelles. Mrs. Dashwood l'accueillit mieux que poliment, avec la bienveillance que lui inspiraient sa propre gratitude et les éloges que sir John avait faits de lui. Cet entretien, du reste, ne manqua pas de donner au visiteur une haute idée de l'élégante et paisible atmosphère qui régnait dans cette maison. Et il put ressentir un peu du bonheur et de la concorde qui unissaient celles dont cet accident venait de lui faire faire la connaissance. Pour ce qui était d'éprouver le charme de leurs personnes, point n'eût été besoin d'une seconde visite.

Miss Dashwood était d'une complexion délicate; ses traits étaient réguliers et l'ensemble qu'ils formaient fort agréable. Marianne était, elle, plus jolie encore. Sa tournure, quoique moins parfaite que celle de sa sœur, frappait davantage, car elle était plus grande. Et elle avait un si charmant visage que, lorsqu'on lui appliquait l'épithète courante de jolie, la vérité était bien moins offensée qu'elle ne l'est ordinairement en pareil cas. Elle avait la peau brune, mais si diaphane que son teint paraissait extrêmement brillant. Tous ses traits étaient réguliers, son sourire doux et attachant, et, dans ses yeux très noirs, brillaient une vie, un esprit, une ardeur qu'on ne pouvait guère voir sans être séduit. Leur expression ne se révéla pas tout de suite à Willoughby à cause de l'embarras où la jetait le souvenir de son aventure. Mais, après que cette première impression se fut dissipée, lorsqu'elle constata qu'à sa parfaite éducation il unissait la franchise et la vivacité, quand elle l'entendit surtout déclarer qu'il était passionnément épris de musique et de danse, elle lui lança un tel regard d'approbation qu'il se sentit à l'aise pour dire tout ce qui lui venait à l'esprit au cours de sa visite.

Il n'y avait qu'à mentionner quelques-uns de ses amusements favoris pour qu'elle se lançât immédiatement dans la conversation. Elle ne pouvait garder le silence quand de telles questions venaient en discussion et elle n'y apportait ni timidité ni réserve. Ils découvrirent promptement que leur goût pour la danse et la musique était semblable et qu'ils avaient la même façon d'apprécier tout ce qui s'y rapportait. Ainsi encouragée, elle se lança sur le chapitre des lectures. Elle mettait en avant ses auteurs favoris et en parlait avec tant de complaisance et d'enthousiasme qu'à moins d'être tout à fait insensible, il était impossible à un jeune homme de vingt-cinq ans de ne pas se laisser convaincre. Et l'excellence de telles œuvres lui apparaissait éclatante même s'il n'y avait jamais pris jusqu'alors le moindre plaisir. Leurs goûts se ressemblaient de façon frappante. Ils adoraient les mêmes livres, les mêmes passages et, si quelque divergence se faisait jour dans leurs opinions, si quelque discussion s'élevait, cela ne durait qu'un instant : le temps pour Marianne de lancer un argument plus solide, un regard plus éclatant. Il acquiesçait à toutes ses décisions, partageait tous ses enthousiasmes, et, bien avant la fin de la visite, ils causaient ensemble avec la familiarité de vieilles connaissances.

— Eh bien, Marianne, dit Elinor aussitôt après son départ, je trouve que vous avez bien employé votre matinée. Vous vous êtes déjà renseignée sur les opinions de Mr. Willoughby sur presque toutes les questions d'importance. Vous savez ce qu'il pense de Cowper et de Scott ; vous savez qu'il apprécie la beauté comme il se doit et il vous a assuré qu'il n'admirait pas Pope plus qu'il ne le faut. Mais, à ce rythme, votre intimité deviendra vite impossible : vous aurez épuisé tous les sujets de conversation. A votre prochaine entrevue, il ne vous restera qu'à vous mettre d'accord sur la question des arts plastiques et celle du remariage et, alors, vous n'aurez plus rien à vous demander.

— Elinor ! s'écria Marianne. Est-ce bien ce que vous dites là ? Est-ce juste ? Mes idées sont-elles si étroites ? Mais je vois ce que vous voulez dire. J'ai été trop à l'aise, trop heureuse, trop franche ! J'ai manqué aux formes habituelles des convenances. J'ai été ouverte et sincère là où j'aurais dû être réservée, sans esprit, lourde et décevante. Si je n'avais parlé que du temps et de l'état des chemins et pris la parole que toutes les dix minutes, je me serais épargné ce reproche.

— Mon amour, dit sa mère, il ne faut pas vous fâcher contre Elinor, ce n'est qu'une plaisanterie. Je serais la première à la gronder si je la croyais capable de vouloir vous gâter le plaisir que vous avez pris à parler avec votre nouvel ami.

Marianne fut aussitôt apaisée.

Mr. Willoughby, de son côté, donna la preuve du plaisir qu'il trouvait à les voir en faisant naître d'incessantes occasions de rencontres. Il venait chaque jour. La santé de Marianne servit d'abord de prétexte ; mais la façon de plus en plus encourageante dont il fut reçu rendit ce prétexte inutile avant que l'état de Marianne eût cessé de le rendre vraisemblable. Elle était confinée pour quelques jours à la maison ; mais jamais retraite forcée n'avait été moins ennuyeuse. Willoughby était un jeune homme de talent, avec une imagination prompte, un esprit vif, des façons ouvertes et affectueuses. Il avait exactement tout ce qu'il fallait pour gagner le cœur de Marianne ; car, à tout cela, il joignait non seulement un physique captivant, mais une animation spontanée que l'exemple de Marianne exaltait et augmentait et qui le recommandait par-dessus tout à l'affection de cette dernière.

Peu à peu, sa compagnie devint, pour elle, le plus exquis des plaisirs. Ils lisaient, ils parlaient, ils chantaient ensemble. Il était fort doué pour la musique et il lisait à haute voix avec toute la sensibilité et l'esprit qui manquaient malheureusement à Edward.

Aux yeux de Mrs. Dashwood, il était aussi parfait qu'à ceux de Marianne et Elinor ne trouvait rien à blâmer chez lui si ce n'est une certaine manière, qui enchantait, au contraire, Marianne, de dire, à tout propos, ce qu'il pensait sans égard aux personnes et aux circonstances. En se formant et énonçant précipitamment des opinions sur les autres, en sacrifiant la politesse due à tous au plaisir qu'il prenait à l'objet unique où son cœur s'attachait et en faisant fi trop aisément des formes de la civilité mondaine, il montrait un manque de mesure qu'Elinor ne pouvait approuver en dépit de tout ce que Marianne et lui pouvaient lui dire.

Marianne commença à s'apercevoir que le désespoir qui l'avait saisie à seize ans et demi à l'idée qu'elle ne trouverait jamais un homme répondant à son idéal de perfection avait été prématuré et sans fondement. Willoughby était exactement ce qu'en ces fâcheux moments aussi bien qu'en des périodes plus brillantes elle avait imaginé comme vraiment digne de son attachement.

Sa mère, qui ne pensait pas à la fortune lorsqu'elle envisageait un mariage pour ses filles, finit, dès la fin de la semaine, par souhaiter que celui-ci se réalisât. Elle se flattait d'avoir ainsi gagné deux gendres en la personne d'Edward et de Willoughby.

Le penchant du colonel Brandon pour Marianne, qui avait été si tôt découvert par ses amis, devint visible pour Elinor au moment où ceux-ci cessèrent de s'en occuper. Leur attention et leur verve s'étaient reportées sur son heureux rival. Les railleries qui avaient accablé le colonel, avant qu'elles fussent justifiées, cessèrent à partir du moment où, justement, son inclination commença à prêter à sourire comme tous les sentiments vraiment sincères.

Elinor finit bien par reconnaître que, en effet, il avait pour Marianne cette inclination que Mrs. Jennings avait signalée sans raison. Car, si Mr. Willoughby était attiré vers Marianne par une grande similitude de goûts, l'opposition non moins frappante de leurs caractères n'empêchait pas le colonel Brandon de l'aimer aussi. Elle le constata avec peine : que pèserait un homme de trente-cinq ans, silencieux et renfermé, en face d'un brillant jeune homme de vingt-cinq ? Comme elle n'y pouvait rien, elle aurait préféré trouver Brandon indifférent. Elle avait pour lui de l'affection ; en dépit de sa gravité et de sa réserve, elle le trouvait intéressant. Il était d'un caractère doux, quoique sérieux, et sa réserve semblait plutôt provenir de chagrins cachés que d'une disposition naturelle à la mélancolie. Sir John avait fait quelques allusions à ses malheurs et à des déceptions passées, qui la confirmaient dans son impression et elle éprouvait pour lui du respect et de la compassion.

Peut-être le plaignait-elle et l'estimait-elle d'autant plus qu'il était traité légèrement par Willoughby et Marianne ; ceux-ci, prévenus contre lui parce qu'il n'était ni gai ni jeune, semblaient résolus à méconnaître son mérite.

— Brandon, dit un jour Willoughby comme il était question de lui, appartient précisément à cette espèce de gens dont tout le monde dit du bien et dont personne ne se soucie, que tout le monde est heureux de voir, mais dont personne ne songe à parler.

— C'est justement ce que je pense de lui, s'écria Marianne.

— Eh bien, je ne vous en félicite pas, dit Elinor, car vous êtes tous deux injustes. Toute la famille, au Park, le tient en haute estime, et, moi-même, je ne l'ai jamais rencontré sans chercher à engager la conversation avec lui.

— Votre suffrage, répliqua Willoughby, plaide certainement en sa faveur ; mais, pour ce qui est de l'estime que lui portent les autres, ce serait plutôt, en soi, un reproche. Qui voudrait avoir le malheur de plaire à des femmes comme lady Middleton et Mrs. Jennings ? C'est se vouer à l'indifférence générale.

— Mais, peut-être, la prévention de gens comme vous et Marianne sert-elle de correctif. Si l'éloge dans la bouche de lady Middleton et de sa mère peut constituer un blâme, le blâme dans la vôtre peut bien être pris pour un éloge, car ces dames ne montrent pas plus de discernement que vous de modération et de justice.

— Pour la défense de votre protégé, vous allez jusqu'à l'injure.

— Mon protégé, comme vous dites, est un homme de bon sens, et le bon sens m'attire toujours. Oui, Marianne, même chez un homme entre trente et quarante ans. Il a vu beaucoup de gens, il a été à l'étranger, il a lu, et c'est un esprit réfléchi. Je l'ai trouvé capable de me donner des renseignements sur beaucoup de choses et il a toujours satisfait à mes demandes avec l'empressement d'un bon naturel.

— C'est-à-dire, s'écria Marianne avec mépris, qu'il vous a dit que, dans l'est de l'Inde, le climat est chaud et qu'on y est incommodé par les moustiques.

— Il me l'aurait dit sans aucun doute si je le lui avais demandé ; mais il se trouvait que c'était des choses sur lesquelles j'étais déjà édifiée.

— Peut-être, dit Willoughby, ses observations auraient-elles pu s'étendre jusqu'à l'existence des nababs, des gazelles dorées et des palanquins.

— Je prends la liberté de croire que « ses » observations se sont étendues plus loin que « votre » candeur. Mais pourquoi lui en voulez-vous ?

— Je ne lui en veux pas. Je le considère, au contraire, comme un homme fort respectable, qui a l'estime de tout le monde et dont personne ne s'occupe ; qui a plus d'argent qu'il n'en peut dépenser, plus de temps qu'il n'en peut employer, et deux habits neufs chaque année.

— Ajoutez, s'écria Marianne, qu'il n'a ni génie, ni goût, ni esprit, que son intelligence n'a pas d'éclat, ses sentiments pas d'ardeur et sa voix pas d'expression.

— Vous vous prononcez tellement en bloc sur ses imperfections, répliqua Elinor, et avec une telle force d'imagination que tout ce que je pourrai ajouter en sa faveur sera, en comparaison, froid et insipide. Je puis seulement dire que c'est un homme sensé, bien élevé, fort instruit, de rapports agréables et ayant, il me semble, bon cœur.

— Miss Dashwood ! s'exclama Willoughby, c'est mal de votre part. Vous essayez de me désarmer par la raison et de me convaincre malgré moi. Mais vous n'y arriverez pas. Vous me trouverez aussi obstiné que vous êtes subtile. J'ai trois raisons irréfutables pour ne pas aimer le colonel Brandon : il m'a menacé de la pluie un jour où je voulais qu'il fasse beau ; il a trouvé à redire aux ressorts de ma voiture et je ne puis pas lui persuader de m'acheter ma jument brune. Si cela peut vous faire plaisir pourtant d'apprendre que je le considère à tous autres égards comme irréprochable, je suis prêt à en convenir. Et, en échange de cet aveu qui me coûte un peu, vous ne pouvez me refuser le privilège de le détester autant que jamais.

11

Mrs. Dashwood et ses filles n'auraient pu s'imaginer, quand elles arrivèrent dans le Devonshire, qu'elles se trouveraient aussi vite tant de façons d'occuper leur temps. Elles étaient, alors, loin de penser qu'elles recevraient des invitations et des visites si fréquentes qu'il ne leur resterait que peu de loisirs pour les occupations sérieuses. Ce fut pourtant le cas. Dès que Marianne fut rétablie, les réceptions et les parties de campagne prévues par sir John furent mises à exécution. Les réunions dansantes au Park commencèrent et les promenades sur l'eau se succédèrent autant que le permit un octobre pluvieux. Willoughby était de toutes les réunions de ce genre, et l'atmosphère qui y présidait était exactement ce qu'il fallait pour resserrer son intimité avec les Dashwood. Elles lui fournissaient l'occasion d'apprécier les mérites de Marianne, de lui marquer son admiration croissante, et de trouver, dans son attitude envers lui, l'assurance la plus marquée de son affection.

Leur attachement mutuel n'avait rien de surprenant pour Elinor. Elle aurait seulement aimé qu'il s'affichât moins et, une ou deux fois, elle se hasarda à suggérer à Marianne l'opportunité d'un peu de retenue. Mais Marianne avait horreur de toute réserve quand elle n'était pas absolument obligatoire; et retenir l'expression de sentiments qui étaient innocents en eux-mêmes lui semblait constituer une peine bien inutile. Elle y voyait même une méprisable concession de la raison aux préjugés. Willoughby pensait de même; et leur conduite, à tout instant, était une illustration de leurs opinions.

En sa présence, elle n'avait d'yeux pour personne d'autre. Tout ce qu'il faisait était bien. Tout ce qu'il disait était juste. Si les soirées au Park se terminaient par une partie de cartes, il trichait envers les autres et envers lui-même pour lui procurer une bonne main. Si la danse était à l'ordre du jour, ils dansaient ensemble la moitié du temps, et quand il leur fallait s'arrêter pendant une ou deux danses, ils prenaient grand soin de rester côte à côte et n'adressaient la parole à presque personne. Evidemment, pareille attitude leur attirait d'innombrables railleries ; mais le ridicule ne les faisait pas rougir et ils semblaient n'en faire presque aucun cas.

Mrs. Dashwood entrait dans tous leurs sentiments avec une chaleur qui ne lui laissait pas le loisir d'en freiner les démonstrations excessives. Pour elle, tout cela n'était que la conséquence naturelle d'une forte affection dans un esprit jeune et ardent.

C'était la saison du bonheur pour Marianne. Son cœur était dévoué à Willoughby, et sa tristesse d'avoir quitté Norland trouvait beaucoup plus de compensation qu'elle ne l'aurait cru possible. La présence de son nouvel ami apportait de grands agréments à son séjour dans le Devonshire.

Elinor n'était pas aussi heureuse. Son cœur n'était pas aussi à l'aise et elle ne s'amusait pas autant dans les réunions. Celles-ci ne lui fournissaient aucun compagnon pour lui faire oublier ce qu'elle avait laissé derrière elle et apaiser ses regrets.

Ni lady Middleton ni Mrs. Jennings ne pouvaient remplacer les entretiens qu'elle avait perdus. Cette dernière, qui était une intarissable bavarde, avait beau l'avoir prise tout de suite en amitié, sa conversation ne lui suffisait pas. Elle avait déjà répété, trois ou quatre fois, l'histoire de sa vie à Elinor ; et, si la mémoire de celle-ci avait été à la hauteur de ses moyens d'information, elle aurait pu dire, dès le début de leurs relations, quels avaient été tous les faits et gestes de Mr. Jennings, la manière dont s'était déroulée sa dernière maladie et ce qu'il avait dit à sa femme quelques minutes avant de mourir.

Lady Middleton était d'un commerce plus agréable que sa mère, en ceci seulement qu'elle était moins bavarde. Il ne fallut pas beaucoup d'attention à Elinor pour se rendre compte que sa réserve procédait simplement d'un tempérament apathique et que le bon sens n'avait rien à y voir. Elle se comportait de même avec sa mère et son mari ; et, en conséquence, elle n'appelait pas la sympathie et ne la désirait pas davantage. Elle n'avait rien à dire un jour qu'elle n'eût dit le jour précédent. Elle était toujours aussi insipide, car son esprit était toujours le même. Bien qu'elle ne s'opposât pas aux réunions qu'organisait son mari et y parût même, toujours, accompagnée de ses deux aînés, veillant à ce que tout se passât bien, elle paraissait n'y pas prendre plus de plaisir qu'à la solitude. Elle ajoutait si peu à l'agrément des autres par sa présence et la part qu'elle prenait à la conversation, que ceux-ci ne se rendaient quelquefois compte qu'elle était là que par les marques de sollicitude qu'elle donnait de temps en temps à sa turbulente nichée.

Parmi toutes ses nouvelles connaissances, le colonel Brandon était le seul dont les talents inspirassent à Elinor quelque respect.

En dehors de lui, elle ne voyait personne qui méritât de l'amitié et dont la compagnie fût agréable. Willoughby était hors de cause. Son admiration et son amitié, et même une amitié fraternelle, lui étaient tout acquises ; mais c'était un amoureux. Toutes ses attentions étaient pour Marianne et un homme moins bien doué mais moins amoureux aurait été certainement plus agréable. Le colonel Brandon, malheureusement pour lui, n'avait pas les mêmes raisons de ne penser qu'à Marianne.

En causant avec Elinor, il se consolait de la totale indifférence que lui manifestait sa sœur.

La compassion d'Elinor pour lui augmentait à mesure qu'elle trouvait plus de raisons de croire qu'il avait déjà fait la douloureuse expérience d'un amour malheureux. Ce soupçon lui était venu de quelques mots qui lui étaient échappés un soir au Park, où, d'un commun accord, ils étaient restés assis ensemble pendant que les autres dansaient. Ses yeux étaient fixés sur Marianne et, après un silence de quelques minutes, il avait dit avec un faible sourire :

— Votre sœur, je crois, n'admet pas qu'on puisse aimer deux fois.

— Non, reprit Elinor, ses opinions sont tout à fait romantiques.

— Ou, plutôt, elle considère la chose comme impossible.

— Je le crois. Seulement, comment s'est-elle formé cette idée sans réfléchir au caractère de son propre père qui s'est marié deux fois ? Je n'en sais rien. Mais il lui suffira de quelques années pour conformer ses opinions au bon sens et à l'expérience ; et alors, elles seront plus faciles à comprendre pour tout le monde et même pour elle-même !

— En effet, c'est probablement ce qui se passera, répondit-il. Et pourtant, il y a quelque chose de si aimable dans les préjugés d'un jeune esprit qu'on regrette de les voir céder pour faire place à des idées plus généralement répandues.

— Je ne puis partager ce point de vue, dit Elinor. Il y a de tels inconvénients attachés à des sentiments comme les siens que tous les charmes de l'enthousiasme et de l'ignorance ne peuvent être mis en balance. Toutes ses théories ont une malheureuse tendance à faire absolument fi des convenances. Et une meilleure connaissance du monde est certainement ce que je lui souhaite le plus !

Après une courte pause, il reprit :

— Votre sœur ne fait-elle aucune distinction suivant les cas et juge-t-elle toujours également criminel d'aimer deux fois ? Ceux qui ont été déçus dans leur première tendresse, soit par l'inconstance de l'être qu'ils aimaient, soit par la faute des circonstances, sont-ils condamnés à rester également indifférents tout le reste de leur vie ?

— A vrai dire, je ne suis pas au courant du détail de ses principes. Tout ce que je sais, c'est que je ne lui ai jamais entendu admettre qu'un cas de ce genre soit excusable.

— Ceci, dit-il, ne peut pas se soutenir ; mais une conversion, un changement total de sentiments… non, non, il ne faut pas le souhaiter, car lorsque les romantiques délicatesses d'une jeune âme sont refoulées, il advient si souvent qu'elles sont remplacées par des opinions vulgaires et dangereuses ! Je parle par expérience. J'ai autrefois connu une personne dont le caractère et l'esprit ressemblaient beaucoup à ceux de votre sœur, qui pensait et jugeait comme elle, mais à qui un changement forcé, par une série de circonstances malheureuses…

Là, il s'arrêta net, donnant à penser qu'il en avait trop dit ; son attitude permit des suppositions qui, sans cela, n'auraient jamais traversé l'esprit d'Elinor. La « personne » aurait probablement passé sans attirer l'attention, s'il n'avait pas convaincu miss Dashwood que ce qui la concernait ne devait pas s'échapper de ses lèvres. Dans ces conditions, il ne fallait qu'un léger effort d'imagination pour rattacher son émotion au tendre souvenir d'un ancien amour. Elinor n'alla pas plus loin. Mais Marianne, à sa place, ne se serait pas contentée de si peu. Toute l'histoire se serait immédiatement formée dans son active imagination et tout aurait concouru à lui donner l'aspect de la plus mélancolique aventure de cœur.

12

Comme Elinor et Marianne se promenaient ensemble le lendemain matin, cette dernière fit part à sa sœur d'une nouvelle qui, en dépit de tout ce que celle-ci savait déjà sur l'imprudence et sur le manque de jugement de sa sœur, la surprit par son extravagance. Marianne lui annonça, avec la plus grande joie, que Willoughby lui avait fait cadeau d'un cheval qu'il avait élevé lui-même dans sa propriété du Somersetshire et qui était parfaitement dressé pour une amazone. Elle n'avait pas réfléchi que sa mère n'avait pas l'intention d'entretenir un cheval, que, si ce cadeau venait à la faire changer d'avis, il lui en faudrait acheter un autre et engager un domestique pour le monter, et ensuite bâtir une écurie pour le loger. Elle avait accepté le présent sans hésitation, et c'est avec transport qu'elle l'annonça à sa sœur.

— Il va envoyer tout de suite son groom dans le Somersetshire pour cela, ajouta-t-elle, et quand il sera arrivé, nous monterons chaque jour. Nous pourrons nous en servir à tour de rôle. Imaginez-vous, ma chère Elinor, le délice de galoper sur ces collines !

Très peu disposée à s'éveiller de ce rêve de félicité, elle eut beaucoup de peine à se rendre compte des fâcheuses réalités qui en seraient l'inévitable suite et, pendant quelque temps, refusa de les admettre. Pour ce qui était d'un domestique de plus, la dépense n'était qu'une bagatelle ; maman, certainement, ne ferait pas d'objection, et n'importe quel cheval conviendrait pour lui ; il pourrait toujours en emprunter un au Park ; quant à l'écurie, le premier hangar venu serait suffisant. Elinor se risqua alors à élever un doute sur la convenance qu'il y avait à accepter un tel présent d'un homme qu'elles connaissaient si peu, ou, du moins, de si fraîche date. C'était trop.

— Vous vous trompez, Elinor, dit-elle avec chaleur, en supposant que je ne connais que très peu Willoughby. Il n'y a pas longtemps, c'est vrai, que nous nous sommes rencontrés, mais à part vous et maman, il n'y a personne au monde que je connaisse mieux que lui. Ce n'est pas le temps ou l'occasion qui déterminent l'intimité, c'est une question de disposition. Sept ans ne suffiraient pas à certaines gens pour arriver à se connaître, et, pour d'autres, c'est trop de sept jours. Je trouverais plus inconvenant d'accepter un cheval de mon frère que de Willoughby. De John, je ne sais presque rien, et nous avons vécu des années ensemble. Mais pour Willoughby, mon opinion est faite depuis longtemps.

Elinor jugea bon de ne pas insister davantage sur ce point. Elle connaissait le caractère de sa sœur. S'opposer à elle sur un sujet aussi délicat ne ferait que l'ancrer davantage dans sa propre opinion. Mais, en faisant appel à son affection pour sa mère, en lui faisant toucher du doigt les ennuis que cette indulgente mère s'attirerait si (comme ce serait probablement le cas) elle donnait son consentement à ce supplément de dépenses, elle arriva facilement à persuader Marianne ; et celle-ci promit de ne pas exposer sa mère à la tentation d'une aussi dangereuse complaisance en lui faisant part de cette offre. En conséquence, il fut convenu qu'elle dirait à Willoughby, la prochaine fois qu'elle le verrait, qu'il fallait y renoncer.

Elle tint parole ; et quand Willoughby vint au cottage, le même jour, Elinor l'entendit lui exprimer à voix basse son regret d'être obligée de revenir sur son acceptation. Elle donna, en même temps, les raisons de ce changement et elles étaient telles que toute insistance de sa part était impossible. Il n'en laissa pas moins percer son désappointement, et, après l'avoir exprimé avec vivacité, il ajouta, toujours à voix basse :

— Mais, Marianne, le cheval est toujours à vous, quoique vous ne puissiez pas vous en servir pour le moment. Je ne ferai que le garder jusqu'au moment où vous pourrez le réclamer. Lorsque vous quitterez Barton pour vous établir vous-même d'une façon définitive, la Reine Mab vous accueillera.

Elinor avait saisi ce dialogue et, dans l'ensemble de son discours, dans le ton de sa voix, dans sa façon d'appeler sa sœur par son prénom, elle discerna immédiatement les marques d'une intimité si marquée, d'une compréhension si directe, qu'on ne pouvait douter qu'il n'y eût entre eux une entente totale. Dès ce moment, elle ne douta pas qu'ils ne se fussent engagés l'un à l'autre ; et la seule surprise qu'elle en éprouva fut de constater qu'avec des caractères aussi ouverts que les leurs, ils eussent laissé au hasard le soin de révéler ce lien.

Margaret lui fit, le jour suivant, un récit qui plaçait encore la chose plus en lumière. Willoughby avait passé avec eux la soirée précédente et Margaret, restée quelque temps seule dans le salon avec lui et Marianne, avait eu l'occasion de faire des remarques que, de son air le plus important, elle communiqua à sa sœur aînée quand elles se retrouvèrent ensemble.

— Oh ! Elinor, s'écria-t-elle, j'ai un grand secret à vous dire au sujet de Marianne. Je suis sûre qu'elle épousera bientôt Mr. Willoughby.

— Vous avez répété cela tous les jours depuis leur première rencontre sur la colline ! Ils ne se connaissaient pas, je crois, depuis une semaine, que vous étiez sûre qu'elle portait son portrait pendu à son cou ; vérification faite, il se trouva que c'était seulement la miniature de notre grand-oncle.

— Oui, mais il s'agit vraiment d'autre chose. Je suis sûre qu'ils vont se marier bientôt, car il a une boucle de ses cheveux.

— Faites attention, Margaret, ce sont peut-être les cheveux d'un grand-oncle à lui.

— Non, certainement, Elinor, ce sont ceux de Marianne, j'en suis bien sûre, je l'ai vu les couper. La nuit dernière, après le thé, quand vous êtes sorties de la pièce, vous et maman, ils étaient aussi affairés que possible, chuchotant et parlant ensemble. Il avait l'air de lui demander quelque chose, et, ensuite, il s'est emparé de ses ciseaux et a coupé une longue boucle de ses cheveux, car ils étaient tous enroulés sur son dos. Ensuite, il l'a embrassée et l'a roulée dans un morceau de papier blanc qu'il a mis dans son portefeuille.

Devant de tels détails, appuyés sur une telle autorité, Elinor ne pouvait élever un doute, et elle n'en avait pas envie, car tout cadrait parfaitement avec ce qu'elle avait vu et entendu elle-même.

La sagacité de Margaret ne s'exerçait pas toujours d'une façon aussi satisfaisante, pas du moins aux yeux de sa sœur. Lorsque Mrs. Jennings l'entreprit, un soir, au Park, pour lui faire dire le nom du jeune homme qui était le préféré d'Elinor, ce qui était depuis longtemps pour elle un objet de grande curiosité, Margaret répondit, en se tournant vers sa sœur :

— Je ne dois pas le dire, n'est-ce pas, Elinor ? Là-dessus, naturellement, tout le monde se mit à rire et Elinor essaya d'en faire autant. Mais l'effort lui fut pénible. Elle savait à qui pensait Margaret et elle se troublait à l'idée que son nom devienne un objet de plaisanterie pour Mrs. Jennings.

Marianne la plaignit très sincèrement, mais elle fit à sa sœur plus de mal que de bien en devenant soudain toute rouge et en disant aigrement à Margaret :

— Rappelez-vous que, quelles que soient vos suppositions, vous n'avez pas le droit de les révéler.

— Je n'ai jamais fait de suppositions là-dessus, répliqua Margaret : je ne sais que ce que vous m'avez dit vous-même.

Cette réponse accrut l'hilarité de la compagnie et Margaret fut vivement pressée d'en dire davantage.

— Oh ! je vous en prie, miss Margaret, dites-nous tout. Comment s'appelle ce gentleman ?

— Je ne dois pas le dire, madame. Mais je sais bien qui c'est. Et je sais aussi où il est.

— Oui, oui, nous devinons où il est ; à sa maison de Norland sûrement. C'est le curé de la paroisse, je parie.

— Non, il n'est pas curé, il n'a pas de profession du tout.

— Margaret, dit Marianne avec une grande chaleur, vous savez bien que tout cela est de votre invention, et que cette personne n'existe pas.

— Eh bien, alors, il n'y a pas longtemps qu'il est mort, madame, car je suis sûre qu'il existait et son nom commence par un F.

Lady Middleton observa à cet instant qu'il pleuvait beaucoup et Elinor lui en fut particulièrement reconnaissante, encore qu'elle pensât bien que cette interruption n'avait pas la marque d'une attention particulière à son égard mais témoignait plutôt du manque d'intérêt que prenait Madame pour tous ces vulgaires sujets de plaisanterie dont se délectaient son mari et sa mère. Quoi qu'il en soit, le thème qu'elle avait mis en avant fut immédiatement repris par le colonel Brandon, toujours attentif à ménager les sentiments d'autrui ; et tous deux dirent au sujet de la pluie beaucoup de choses. Willoughby ouvrit le piano-forte et invita Marianne à s'asseoir devant ; ainsi, à force de diversions, le sujet fâcheux, finit par être écarté. Mais Elinor ne se remit pas aussi aisément de l'alarme dans laquelle il l'avait jetée.

On décida, ce soir-là, de faire le lendemain une excursion pour visiter un fort beau domaine, à douze milles environ de Barton, appartenant à un beau-frère du colonel Brandon. On ne pouvait y pénétrer sans la recommandation de ce dernier, le propriétaire qui était en voyage ayant laissé des ordres stricts à ce sujet. Le parc était très renommé et sir John, qui en faisait un éloge particulièrement chaleureux, pouvait passer pour assez bon juge, car, en dix ans, il avait organisé au moins deux excursions, chaque été, pour le visiter. Il y avait surtout une imposante pièce d'eau, on projetait d'y faire une partie de canotage qui devait constituer le clou des distractions matinales. On emporterait un repas froid, on n'emploierait que des voitures découvertes, rien ne serait négligé de ce qui peut rendre une partie de plaisir parfaitement réussie.

A quelques personnes de la compagnie, cependant, l'entreprise paraissait risquée à cette époque de l'année, et étant donné que, depuis une quinzaine, il pleuvait tous les jours. Aussi Mrs. Dashwood, qui avait déjà un rhume, se laissa-t-elle aisément persuader par Elinor de rester chez elle.

13

L'excursion projetée à Whitwell tourna d'une façon fort différente de celle à laquelle Elinor s'attendait. Elle comptait sur la pluie, la fatigue et le froid ; mais ce qui se passa fut plus décevant encore, car ils ne partirent pas du tout.

A dix heures, tout le monde était rassemblé au Park, en train de prendre le breakfast. La matinée s'annonçait plutôt bien, encore qu'il ait plu toute la nuit. Les nuages s'éparpillaient dans le ciel et le soleil se montrait fréquemment. Ils étaient tous en train et de belle humeur, impatients de s'amuser et résolus à surmonter pour cela tous les inconvénients et les désagréments possibles.

Pendant qu'ils étaient à table, on apporta le courrier. Parmi les lettres, il y en avait une pour le colonel Brandon. Il la prit, regarda l'adresse, changea de couleur et quitta immédiatement la salle à manger.

— Qu'arrive-t-il à Brandon ? demanda sir John.

Personne ne put répondre.

— J'espère qu'il n'a pas reçu de mauvaises nouvelles, dit lady Middleton. Il faut que ce soit quelque chose d'extraordinaire pour que le colonel ait quitté la table si brusquement.

Environ cinq minutes après, il revint.

— Pas de mauvaises nouvelles, colonel, j'espère ? dit Mrs. Jennings dès qu'il entra.

— Non, pas du tout, madame, je vous remercie.

— Etait-ce d'Avignon ? J'espère que ce n'était pas pour vous annoncer que votre sœur va plus mal.

— Non, madame, c'est de Londres, une simple lettre d'affaire.

— Mais comment l'écriture a-t-elle pu vous troubler à ce point, si c'est seulement une lettre d'affaire ? Allons, allons, colonel, ce n'est pas possible. Dites-nous la vérité.

— Chère madame, dit lady Middleton, pensez un peu à ce que vous dites.

— Peut-être vous annonce-t-on le mariage de votre cousine Fanny ? dit Mrs. Jennings sans faire attention au reproche de sa fille.

— Non, vraiment, pas du tout.

— Oh ! alors, je sais de qui c'est, colonel. Et j'espère qu'elle se porte bien.

— Que voulez-vous dire, madame ? dit-il pendant qu'un peu de rougeur montait à ses joues.

— Oh ! vous le savez bien.

— Je regrette particulièrement, dit-il en s'adressant à lady Middleton, d'avoir reçu cette lettre aujourd'hui, car il s'agit d'une affaire qui requiert ma présence immédiate à Londres.

— A Londres ! s'exclama Mrs. Jennings. Que pouvez-vous avoir à y faire à cette époque de l'année ?

— Personnellement, je regrette beaucoup, continua-t-il, d'être obligé de quitter une si agréable compagnie. Mais je suis surtout désolé de penser que ma présence était indispensable pour vous permettre l'entrée de Whitwell.

Quel coup c'était pour tout le monde !

— Mais si vous laissiez un mot pour le gardien, Mr. Brandon, dit vivement Marianne, ne serait-ce pas suffisant ?

Il secoua la tête.

— Il faut y aller, dit sir John. Nous ne pouvons pas abandonner maintenant cette promenade. Vous ne pouvez pas aller à Londres avant demain, Brandon, voilà tout.

— Je voudrais bien que cela pût s'arranger aussi facilement. Mais je ne puis retarder mon voyage d'un jour.

— Si vous vouliez seulement nous dire ce qu'est cette affaire, dit Mrs. Jennings, nous pourrions voir si on peut la retarder ou non.

— Vous n'auriez pas six heures de retard, dit Willoughby, si vous remettiez votre départ jusqu'à notre retour.

— Je ne puis risquer de perdre une heure.

Elinor entendit alors Willoughby dire à voix basse à Marianne :

— Il y a certaines gens qui ne peuvent pas souffrir une partie de plaisir. Brandon est de ce nombre. Je suis sûr qu'il avait peur de prendre mal et a inventé ce tour pour s'en tirer. Je parierais cinquante guinées que la lettre est de son écriture.

— Je n'en ai aucun doute, répondit Marianne.

— Mon cher Brandon, dit sir John, je sais depuis longtemps que lorsque vous avez décidé quelque chose il est impossible de vous faire changer d'avis. Cependant, je voudrais que vous reveniez à de meilleurs sentiments. Voyez, il y a là les deux demoiselles Carey arrivées de Newton, les trois demoiselles Dashwood, qui sont venues de leur cottage, et Mr. Willoughby, levé deux heures plus tôt que d'habitude. Tous pour aller à Whitwell.

Le colonel Brandon exprima de nouveau son regret d'être la cause de cette déception, mais en même temps déclara qu'elle était sans remède.

— Bien, mais alors, quand comptez-vous être de retour ?

— J'espère que nous vous reverrons à Barton, ajouta lady Middleton, dès qu'il vous sera possible de quitter Londres, et que l'excursion à Whitwell ne sera que partie remise.

— C'est bien aimable à vous, mais je suis dans une telle incertitude quant à la date de mon retour, que je n'ose prendre aucun engagement.

— Oh ! mais c'est qu'il faut qu'il revienne ! cria sir John. S'il n'est pas ici à la fin de la semaine, j'irai courir après lui.

— Oui, c'est cela, sir John, s'exclama Mrs. Jennings, et alors nous finirons peut-être par savoir quelle est cette affaire.

— Je n'aime pas à me mêler des ennuis des autres, je suppose que c'est une chose qu'il ne veut pas dire.

Les chevaux du colonel Brandon furent annoncés.

— Vous n'allez pas faire le trajet à cheval jusqu'à Londres, n'est-ce pas ? ajouta sir John.

— Non, seulement jusqu'à Honiton. Là, je prendrai la poste.

— Eh bien, puisque rien ne peut vous retenir, je vous souhaite un bon voyage. Mais vous feriez mieux de changer d'avis.

— Je vous assure que ce n'est pas possible.

Il prit alors congé de tout le monde.

— Aurai-je la chance de vous voir, vous et votre sœur, à Londres, cet hiver, miss Dashwood ?

— J'ai bien peur que non.

— Je dois alors vous dire adieu pour plus longtemps que je ne le voudrais.

A Marianne, il fit seulement un salut et ne dit rien.

— Allons, colonel, dit Mrs. Jennings, avant de partir, dites-nous ce que vous allez faire là-bas ?

Il lui souhaita le bonjour et quitta la salle, accompagné par sir John.

Chacun donna alors libre cours aux plaintes et aux lamentations auxquelles la politesse avait jusque-là mis un frein. Et ce fut à qui déplorerait le plus une déception aussi vexante.

— Je devine pourtant ce que c'est que cette affaire, dit Mrs. Jennings exultant.

— Vraiment, madame ? s'exclama-t-on de tous côtés.

— Oui, il s'agit de miss Williams, j'en suis sûre.

— Et qui est miss Williams ? demanda Marianne.

— Comment, vous ne savez pas qui est miss Williams ? Je suis sûre que vous en avez déjà entendu parler. C'est une parente du colonel, ma chère, une parente très proche. Nous n'avons pas à dire à quel point, de peur d'offusquer les jeunes filles.

Et baissant la voix d'un degré, elle s'adressa à Elinor :

— C'est sa fille naturelle.

— Vraiment ?

— Mais oui, et elle lui ressemble autant qu'il est possible. Je suis convaincue que le colonel lui laissera toute sa fortune.

Quand sir John fut de retour, il se joignit chaleureusement aux regrets unanimes qu'inspirait un si fâcheux contretemps ; mais, en guise de conclusion, il fit observer que, puisqu'on était tous réunis, il fallait faire quelque chose pour s'amuser; et après quelques échanges de vues, on se mit d'accord sur le fait que, sans remplacer Whitwell, une promenade en voiture à travers la campagne serait un pis-aller acceptable. On commanda alors les voitures : celle de Willoughby fut la première, et Marianne n'avait jamais paru si heureuse que lorsqu'elle y eut pris place. Il conduisit fort vite à travers le Park et ils furent bientôt hors de vue, et on n'eut plus de leurs nouvelles jusqu'à leur retour qui n'eut lieu qu'après celui de tous les autres. Tous deux semblaient ravis de leur course, mais ils se bornèrent à dire qu'ils étaient restés sur les routes tandis que les autres montaient sur les collines.

On décida qu'on danserait le soir et que tout le monde serait très joyeux tout le reste du jour. Quelques autres membres de la famille Carey vinrent pour le dîner et ils eurent le plaisir d'être une quinzaine à table, ce que sir John fit observer avec un grand contentement. Willoughby prit sa place habituelle entre les deux aînées des Dashwood, Mrs. Jennings était à la droite d'Elinor et ils n'étaient pas assis depuis quelques instants qu'elle se pencha derrière elle et Willoughby et dit à Marianne, assez haut pour être entendue d'eux :

— Je vous ai découverts en dépit de tous vos tours. Je sais où vous avez passé votre matinée.

Marianne rougit et demanda très vite

— Où était-ce donc, je vous prie ?

— Ne savez-vous pas, dit Willoughby, que nous nous sommes promenés dans ma voiture ?

— Oui, oui, monsieur l'imprudent, je le savais fort bien et j'étais résolue à savoir aussi « où » vous aviez été. J'espère que votre maison vous plaît, miss Marianne. Elle est vraiment grande, je le sais, et quand je viendrai vous y voir, je compte que vous l'aurez meublée à neuf, car elle laissait fort à désirer de ce côté lorsque j'y suis passée il y a six ans.

Marianne se détourna en grande confusion. Mrs. Jennings riait de bon cœur, et Elinor découvrit que, dans son ferme propos de savoir où ils avaient été, Mrs. Jennings avait fait interroger le groom de Mr. Willoughby par sa propre femme de chambre, et que, par cette méthode, elle avait su qu'ils étaient allés à Allenham et avaient passé là un temps considérable à se promener dans le jardin et à visiter la maison.

Elinor pouvait difficilement le croire. Il lui semblait improbable que Willoughby ait pu proposer à Marianne et la convaincre d'entrer dans la maison où se trouvait Mrs. Smith, avec qui elle n'avait pas la moindre relation.

Dès qu'on eut quitté la salle à manger, Elinor lui demanda ce qu'il en était et, à sa grande surprise, elle trouva que tout ce qu'avait dit Mrs. Jennings était parfaitement exact. Marianne était très fâchée qu'elle ait pu en douter.

— Pourquoi vous imaginer, Elinor, que nous ne serions pas allés là-bas ou que nous n'aurions pas visité la maison ? N'est-ce pas ce que vous aviez souvent souhaité faire vous-même ?

— Oui, Marianne, mais je n'aurais pas voulu y aller pendant que Mrs. Smith y était et sans autre compagnon que Mr. Willoughby.

— Mais Mr. Willoughby pourtant est la seule personne qui puisse avoir le droit de montrer cette maison ; et, comme il était en voiture découverte, il était impossible d'avoir un autre compagnon. Je n'ai jamais passé une matinée plus agréable de ma vie.

— Je crains, dit Elinor, que l'agrément d'une chose ne suffise pas à la rendre convenable.

— Au contraire, il n'y en a pas de plus forte preuve, Elinor. S'il y avait eu réellement inconvenance dans ce que j'ai fait, je m'en serais rendu compte sur le moment, car, lorsque nous faisons le mal, nous le sentons toujours, et, dès lors, je n'aurais pas pu avoir de plaisir.

— Mais, ma chère Marianne, puisqu'elle vous a déjà exposée à des remarques impertinentes, ne commencez-vous pas d'avoir des doutes sur la discrétion de votre conduite ?

— Si les remarques impertinentes de Mrs. Jennings sont la preuve d'une conduite indiscrète, nous péchons tous à tous les moments de notre vie. Je fais autant de cas de sa censure que de son estime. J'ai conscience de n'avoir fait aucun mal en me promenant dans le jardin de Mrs. Smith ou en visitant ses appartements. Tout cela sera un jour à Mr. Willoughby, et…

— S'ils devaient un jour être les vôtres, Marianne, vous n'auriez pas été plus fondée à faire ce que vous avez fait.

Elle rougit à cette allusion, mais visiblement elle lui faisait plaisir ; et, après avoir réfléchi profondément pendant dix minutes, elle revint vers sa sœur et dit avec une grande bonne humeur :

— Peut-être, Elinor, était-ce un peu inconséquent de ma part d'aller à Allenham ; mais Mr. Willoughby désirait particulièrement me faire connaître cet endroit, et c'est une charmante maison, je vous assure. Il y a un petit salon tout à fait délicieux au premier étage, tout à fait de la dimension qui convient pour qu'on puisse s'y tenir ordinairement. Avec un mobilier moderne, il sera tout à fait ravissant. Il est situé au coin de la maison avec des fenêtres des deux côtés. De celles qui donnent sur le jeu de boules, derrière la maison, la vue s'étend sur une belle pente boisée, et, des autres, on peut voir l'église du village et, par-derrière, ces hautes collines que nous avons si souvent admirées. Je ne l'ai pas vu à son avantage, car rien ne peut être plus négligé que son ameublement ; mais s'il était remis à neuf – l'affaire de deux cents livres, dit Willoughby – on en ferait une des plus agréables résidences d'été de toute l'Angleterre.

Si personne n'était venu l'interrompre, elle aurait décrit toutes les pièces de la maison avec le même plaisir.

14

La fin brusquée de la visite du colonel Brandon au Park et sa fermeté à en cacher la cause remplirent l'esprit de Mrs. Jennings et excitèrent sa curiosité pendant deux ou trois jours. Elle était passionnément curieuse, comme il est naturel chez une personne qui prenait l'intérêt le plus vif à tous les faits et gestes de chacune de ses connaissances. Elle cherchait, presque sans arrêt, la raison de ce départ, elle était sûre qu'il avait reçu de mauvaises nouvelles et passait en revue tous les genres de malheurs qui avaient pu fondre sur lui, avec la résolution bien arrêtée de n'en laisser échapper aucun.

— Ce doit être quelque chose de tout à fait fâcheux, j'en suis sûre, dit-elle. J'ai vu cela sur sa figure. Pauvre homme ! J'ai peur que ses affaires aillent mal ! La fortune de Delaford n'a jamais été estimée à plus de deux mille livres de revenu, et je crois que son frère lui a laissé ses affaires en désordre. Je pense qu'on l'a appelé pour des questions d'argent, comment pourrait-il en être différemment ? Je me demande ce que c'est. Je donnerais tout au monde pour le savoir. Peut-être s'agit-il de miss Williams, et, tout compte fait, je crois que c'est cela : il a paru si frappé quand j'ai mentionné son nom. Peut-être est-elle malade à Londres ; il n'y a rien de plus probable, car j'ai entendu dire qu'elle était d'une santé chancelante. Je parierais n'importe quoi qu'il est auprès d'elle. Il paraît moins vraisemblable qu'il ait en ce moment des embarras d'argent, car c'est un homme prudent, et, certainement, il a dû mettre ses affaires en ordre à l'époque. Je me demande ce que c'est ! Sa sœur va peut-être plus mal à Avignon et l'aura envoyé chercher. Cela cadrerait bien avec son départ précipité. Enfin, je lui souhaite, de tout mon cœur, de se tirer de ses embarras – et une bonne femme par-dessus le marché !

Ainsi cherchait, ainsi parlait Mrs. Jennings, changeant d'opinion à chaque nouvelle conjecture, car toutes lui semblaient également probables à mesure qu'elles s'offraient à son esprit. Elinor, quoique portant un réel intérêt au colonel Brandon, n'accordait pas à son départ soudain toute l'attention que Mrs. Jennings aurait souhaitée. A vrai dire, elle ne trouvait pas que cet événement justifiât un étonnement si prolongé et l'échafaudage de tant d'hypothèses. Mais, surtout, ses préoccupations étaient ailleurs. Elles devenaient de plus en plus vives en présence de l'extraordinaire silence gardé par Willoughby et sa sœur sur le sujet dont ils ne pouvaient ignorer à quel point il les intéressait toutes. A mesure que ce silence se prolongeait, chaque jour le rendait plus étrange et plus incompatible avec leur façon d'être à tous les deux. Pourquoi ne disaient-ils pas franchement à sa mère et à elle-même ce dont leur constante attitude ne permettait plus de douter ? Elinor ne pouvait l'imaginer.

Elle concevait facilement qu'ils ne puissent se marier tout de suite : Willoughby était indépendant, mais il n'y avait aucune raison de le croire riche. Sa fortune avait été estimée par sir John à un revenu d'environ six ou sept cents livres par an ; mais il vivait sur un pied tel que ce revenu pouvait difficilement suffire à ses dépenses, et lui-même s'était souvent plaint de sa pauvreté. Mais, quant à cet étrange parti pris de secret maintenu par eux au sujet de leur engagement et qui, en fait, ne cachait rien du tout, elle n'y comprenait rien. Et c'était chose si contraire à leurs habitudes que le doute entrait parfois dans son esprit au sujet de leurs fiançailles, et c'en était assez pour l'empêcher de poser la question à Marianne.

Il était impossible de leur montrer à toutes plus d'attachement que ne le faisait Willoughby. Envers Marianne, il déployait toute la tendresse particulière que peut inspirer un cœur épris, et, vis-à-vis du reste de la famille, c'étaient les attentions affectueuses d'un fils et d'un frère. Il avait l'air de considérer le cottage comme sa maison et de s'y plaire tout autant. Il y passait plus de temps qu'à Allenham, et, si une invitation générale ne les réunissait pas tous au Park, ses sorties matinales ne le conduisaient pas plus loin que le cottage où il passait le reste du jour assis à côté de Marianne avec son chien favori à ses pieds.

Certain soir, en particulier, une semaine environ après le départ du colonel Brandon, son cœur semblait plus que d'habitude s'ouvrir à un attachement sentimental pour tous les objets qui l'entouraient. Mrs. Dashwood ayant parlé de son dessein d'apporter au printemps des améliorations à la maison, il s'éleva vivement contre toute altération d'un logis que l'affection lui avait fait considérer comme parfait.

— Comment ! s'écria-t-il. Améliorer ce cher cottage ? Non, je n'y consentirai jamais. Il ne faut pas ajouter une pierre à ses murs, ni un pouce à sa hauteur, si l'on veut me faire plaisir.

— Ne vous inquiétez pas, dit miss Dashwood, on n'entreprendra rien de semblable, car ma mère n'aura jamais assez d'argent pour cela.

— J'en suis profondément satisfait, s'écria-t-il. Puisse-t-elle toujours être pauvre si elle ne doit pas mieux employer ses richesses.

— Grand merci, Willoughby ! Mais soyez certain que je ne voudrais pas contrarier votre attachement pour cette maison, ni celui de n'importe lequel autre de mes amis, pour toutes les améliorations du monde ! Vous saurez y compter. Tout ce que je pourrai avoir fait d'économies quand je ferai mes comptes au printemps, je le laisserai sans emploi plutôt que de m'en servir d'une façon si pénible pour vous. Mais êtes-vous donc tellement attaché à cette demeure que vous n'y trouviez vraiment aucun défaut ?

— Mais oui, dit-il, pour moi, rien n'y manque. Bien plus, j'estime que c'est le seul genre de demeure où l'on puisse trouver le bonheur ; et, si j'étais assez riche, je voudrais tout de suite démolir Combe et le rebâtir exactement sur le plan de ce cottage.

— Avec un escalier étroit et obscur et la cheminée de la cuisine qui fume, je suppose, dit Elinor.

— Oui, s'écria-t-il du même ton passionné, avec tout ce qui en fait partie, sans souci des avantages et des inconvénients, sans qu'on puisse y apercevoir le moindre changement. Alors, et alors seulement, dans de telles conditions, je pourrais me trouver aussi bien à Combe que je l'ai été à Barton.

— Je me flatte, répliqua Elinor, que, même avec l'inconvénient de meilleures chambres et d'un meilleur escalier, vous finiriez par trouver votre maison aussi parfaite que celle-ci vous paraît maintenant.

— Il peut y avoir des circonstances, dit Willoughby, qui me la rendent grandement chère ; mais cet endroit aura toujours mon affection à un titre qu'aucun autre ne pourra lui disputer.

Mrs. Dashwood regarda avec plaisir Marianne dont les beaux yeux fixés expressivement sur Willoughby montraient clairement comme elle le comprenait bien.

— Combien souvent j'ai formé le souhait, quand j'étais à Allenham il y a un an, que Barton Cottage fût occupé ! Je ne passais jamais devant sans admirer sa situation, et déplorer que personne ne l'habitât. Comme je m'attendais peu à ce que la première nouvelle que me donna Mrs. Smith quand je revins la dernière fois fût que Barton Cottage était loué ! J'en ressentis immédiatement une grande satisfaction, et je pris à la chose un intérêt que je ne puis expliquer que par une sorte de pressentiment du bonheur qui devait en résulter pour moi. N'était-ce pas cela, Marianne ? dit-il en s'adressant à elle sur un ton plus confidentiel.

Puis, reprenant sa voix ordinaire, il déclara :

— Et, maintenant, cette maison serait saccagée, Mrs. Dashwood. Vous lui enlèveriez sa simplicité par des améliorations imaginaires. Et ce cher petit salon où nous avons fait pour la première fois connaissance et où nous avons passé, depuis, tant d'heureux moments, vous le dégraderiez en le transformant en une espèce de passage : tout le monde traverserait cette pièce où ont été inclus, jusqu'à présent, mille fois plus de perfectionnement et de confort que n'en peut fournir l'appartement le mieux compris du monde.

Mrs. Dashwood l'assura derechef qu'aucune altération de ce genre n'aurait lieu.

— Vous êtes infiniment bonne, répondit-il chaleureusement. Votre promesse me met à l'aise. Etendez-la un peu plus loin et vous me rendrez heureux. Dites-moi que non seulement votre maison restera la même, mais que je vous trouverai toujours, vous et les vôtres, aussi inchangées que votre maison et que vous me regarderez toujours avec cette tendresse qui m'a rendu si cher tout ce qui vous appartient.

La promesse fut promptement donnée et l'attitude de Willoughby durant toute la soirée ne cessa de montrer à la fois son affection et son bonheur.

— Aurons-nous le plaisir de vous avoir demain à dîner ? demanda Mrs. Dashwood quand il prit congé. Je ne vous demande pas de venir le matin, car nous devons aller au Park rendre visite à lady Middleton.

15

La visite de Mrs. Dashwood à lady Middleton eut lieu le lendemain et deux de ses filles l'accompagnèrent ; mais Marianne s'excusa sous prétexte d'une vague occupation ; et sa mère, qui en conclut que Willoughby avait dû lui promettre, le soir précédent, de venir la voir pendant leur absence, la vit avec plaisir rester à la maison.

A leur retour de Park, elles trouvèrent la voiture et le groom de Willoughby qui l'attendaient devant le cottage et Mrs. Dashwood fut convaincue de l'exactitude de sa conjecture. C'était bien ce qu'elle avait pensé ; mais, en entrant dans la maison, elle se trouva en présence d'une chose tout à fait inattendue. Elle n'avait pas plutôt pénétré dans le passage que Marianne sortit en hâte du petit salon, donnant tous les signes de la plus vive affliction, un mouchoir sur ses yeux, et, sans les voir, se précipita dans l'escalier. Surprises et alarmées, elles entrèrent directement dans la pièce qu'elle venait de quitter : elles y trouvèrent Mr. Willoughby, seul, penché vers la cheminée, et leur tournant le dos. Il se retourna à leur entrée et sa contenance montra qu'il était, lui aussi, en proie à une vive émotion.

— Est-ce qu'il lui est arrivé quelque chose ? s'écria Mrs. Dashwood en entrant. Est-elle malade ?

— J'espère que non, répliqua-t-il, s'efforçant de paraître à l'aise. C'est moi qui voudrais bien plutôt être malade, car je suis en ce moment sous le coup d'un cruel désappointement.

— Désappointement ?

— Oui, car je ne puis tenir mon engagement envers vous. Ce matin, Mrs. Smith a exercé son pouvoir sur un cousin pauvre qui dépend d'elle, en m'envoyant à Londres pour affaires. En guise de divertissement, je suis venu vous dire adieu.

— A Londres ? Et vous partez ce matin ?

— A l'instant.

— C'est bien fâcheux. On ne peut refuser cela à Mrs. Smith, et ses affaires ne vous retiendront pas longtemps, j'espère.

Il rougit en répondant :

— Vous êtes bien aimable, mais je ne pense pas revenir immédiatement. Mes visites à Mrs. Smith ne se renouvellent que tous les ans.

— Mais Mrs. Smith est-elle votre seule connaissance ? Allenham est-il le seul endroit du voisinage où vous soyez le bienvenu ? N'avez-vous pas honte, Mr. Willoughby, et ne savez-vous pas que vous êtes toujours invité ici ?

Son embarras augmenta. Les yeux fixés sur le plancher, il répondit seulement :

— Vous êtes trop bonne.

Mrs. Dashwood, surprise, regarda Elinor, tout aussi étonnée. Pendant un moment, le silence régna. Mrs. Dashwood le rompit la première.

— J'ai seulement à ajouter, mon cher Willoughby, qu'à Barton Cottage, vous serez toujours le bienvenu. Je ne veux pas insister pour que vous reveniez immédiatement, parce que vous seul pouvez juger jusqu'à quel point cela conviendrait à Mrs. Smith ; et, sur ce point, je ne suis pas plus disposée à mettre en doute votre jugement qu'à mettre en question vos inclinations.

— Mes engagements en ce moment, répondit Willoughby avec embarras, sont d'une telle nature que je n'ose me flatter…

Il s'arrêta. Mrs. Dashwood était trop étonnée pour répondre et il y eut une nouvelle pause. Willoughby reprit la parole le premier et dit avec un faible sourire :

— C'est une folie de m'attarder ainsi. Je ne veux pas me tourmenter plus longtemps en restant au milieu d'amis dont je ne puis maintenant espérer la société.

Il prit alors congé et sortit. Elles le virent monter dans sa voiture, et une minute après il avait disparu.

Mrs. Dashwood était trop émue pour parler et quitta aussitôt le salon pour donner libre cours, dans la solitude, au chagrin et à l'inquiétude que lui donnait ce départ soudain.

Elinor se sentait au moins aussi mal à l'aise que sa mère. Elle se demandait avec anxiété et défiance ce qui s'était réellement passé. L'attitude de Willoughby en prenant congé, son affectation de gaieté, et, par-dessus tout, sa répugnance à accepter l'invitation de sa mère – une répugnance si étrange chez un amoureux et qui lui ressemblait si peu –, tout cela la troublait profondément. Elle craignit un moment que, de sa part, il n'y ait jamais rien eu de sérieux, et, l'instant d'après, que quelque malheureuse querelle ait surgi entre lui et sa sœur. La détresse montrée par Marianne, à sa sortie du salon, était telle qu'on pouvait raisonnablement croire à une sérieuse dispute. Mais semblable chose lui paraissait bien impossible quand elle réfléchissait à ce qu'était l'amour de Marianne pour Willoughby.

Mais, de quelque manière qu'ils se fussent séparés, l'affliction de sa sœur était indubitable, et elle éprouva la plus tendre compassion pour ce violent chagrin auquel Marianne ne se laissait pas seulement aller pour soulager ses nerfs, mais dans lequel elle se complaisait certainement et qu'elle se croyait obligée de cultiver.

Environ une demi-heure après, sa mère revint et, bien qu'elle eût les yeux rouges, son attitude n'était pas empreinte de tristesse.

— Notre cher Willoughby est maintenant à quelques milles de Barton, dit-elle en s'asseyant devant son ouvrage. Comme il doit avoir le cœur lourd pendant ce voyage !

— Tout cela est bien étrange ! Un départ si précipité ! Il semble que ç'a été l'œuvre d'un moment. Hier soir, il était si heureux avec nous, si joyeux, si affectueux ! Et maintenant, après dix minutes d'explication, il s'en va, et sans intention de retour. Il faut qu'il soit arrivé quelque chose d'autre que ce qu'il a allégué. Il parlait, il agissait comme s'il était un autre. Vous avez dû voir la différence aussi bien que moi. Que peut-il y avoir ? Se sont-ils disputés ? Sinon, d'où peut venir cette répugnance à accepter votre invitation ?

— Ce n'était pas l'envie qui lui en manquait, Elinor. Je l'ai très bien vu. Il ne pouvait pas l'accepter. J'ai bien réfléchi là-dessus, je vous assure, et je m'explique parfaitement tout ce qui, d'abord, m'a semblé aussi étrange qu'à vous.

— Vraiment ?

— Oui. Pour moi, je suis arrivée à une solution tout à fait satisfaisante. Mais vous, Elinor, qui aimez toujours à douter, cela, je le sais, ne vous satisfera pas, mais vous ne me ferez pas sortir de là. Je suis convaincue que Mrs. Smith soupçonne son penchant pour Marianne et le blâme (peut-être parce qu'elle a d'autres vues pour lui) et que, pour cette raison, elle cherche à l'éloigner, et que l'affaire qu'elle l'envoie traiter est une invention. Voilà ce qui est arrivé, j'en suis convaincue. Il doit savoir qu'elle n'approuve pas son choix et, ainsi, n'ose pas, pour le moment, lui avouer son engagement avec Marianne ; il se sent obligé, en raison de sa situation dépendante, de donner dans ses vues et de s'absenter du Devonshire durant quelque temps. Vous me direz, sans doute, que cela peut être vrai ou pas ; mais je ne veux écouter aucune subtilité tant que vous ne m'aurez pas donné une autre explication, aussi satisfaisante. Et maintenant, Elinor, qu'avez-vous à dire ?

— Rien, puisque vous avez prévu ma réponse.

— Alors, vous êtes d'avis que ce que je vous ai dit n'est pas sûr ? Oh ! Elinor, quel esprit incompréhensible est le vôtre ! Vous croyez toujours plutôt au mal qu'au bien. Vous préférez conclure au malheur de Marianne et à la faute de Willoughby plutôt que de trouver une excuse pour celui-ci. Vous avez décidé qu'il était à blâmer parce qu'il a pris congé de nous avec moins d'effusion qu'il n'en montrait ordinairement. Comme si cela ne pouvait pas passer pour une inadvertance ou être mis sur le compte de la dépression causée par une contrariété toute fraîche ! Faut-il rejeter toutes les probabilités parce que ce ne sont pas des certitudes ? Ne devons-nous rien à l'homme que nous avions tant de raisons d'aimer et pas le moindre motif de soupçonner ? Pourquoi écarter la possibilité de motifs indiscutables en eux-mêmes, mais impossibles à divulguer pendant un certain temps ? Et après tout, de quoi le suspectez-vous ?

— Je puis difficilement le dire moi-même. Mais le changement que nous venons de constater, à l'instant, chez lui entraîne inévitablement de fâcheux soupçons. Il y a cependant beaucoup de vérité dans ce que vous venez d'alléguer au sujet du crédit qu'on doit lui faire, et je souhaite ne porter sur quiconque qu'un jugement équitable. Willoughby, certainement, peut avoir eu de bonnes raisons pour se conduire ainsi, et j'espère que c'est le cas. Mais cela lui aurait ressemblé davantage de les expliquer tout de suite. Il peut arriver que le secret soit de mise en certains cas. Mais, chez lui, cela me surprend.

— Vous ne pouvez le blâmer pourtant de sortir de son caractère quand cela est nécessaire. Mais admettez-vous réellement la justesse de ce que j'ai dit pour sa défense ? Je suis heureuse, il est acquitté.

— Pas tout à fait. Il peut être à propos de cacher leurs fiançailles (s'ils sont fiancés) à Mrs. Smith, et, si c'est le cas, il est tout à fait raisonnable, pour Willoughby, de séjourner le moins possible ici pour le moment. Mais cela ne les excuse pas de s'être cachés de nous.

— S'être cachés de nous ? Ma chère enfant, comment pouvez-vous les accuser de dissimulation ? Voilà qui est étrange, en vérité, alors que vos regards leur reprochaient tous les jours leurs imprudences.

— Je n'ai pas besoin de preuves de leur affection, dit Elinor, mais bien de leur engagement.

— Je suis aussi certaine de l'un que de l'autre.

— Cependant, ni lui ni elle ne vous ont dit une syllabe à ce sujet.

— Je n'avais pas besoin de syllabes là où leurs sentiments parlaient si clairement. Toute son attitude, envers Marianne et envers nous, au moins pendant cette dernière quinzaine, ne montrait-elle pas qu'il la considérait comme sa future femme et qu'il avait, pour nous, les sentiments d'un proche parent ? N'avons-nous pas parfaitement compris tout cela ? Ne demandait-il pas constamment mon consentement par son regard, son attitude, son respect attentif et affectueux ? Mon Elinor, est-il possible de douter de leur engagement ? Comment pareille pensée peut-elle vous venir ? Comment supposer que Willoughby, persuadé comme il doit l'être de l'amour de votre sœur, ait pu la laisser, pour des mois peut-être, sans lui dire ses sentiments, qu'ils aient pu se quitter sans un mutuel échange de confidences ?

— Je confesse, dit Elinor, que toutes les circonstances, sauf une, militent en faveur de leur engagement, mais il y a tout de même leur total silence là-dessus, et, pour moi, cela l'emporte sur tout le reste.

— Comme c'est singulier ! Il faut vraiment que vous ayez une bien mauvaise opinion de Willoughby si, après tout ce qui s'est passé ouvertement entre eux, vous pouvez encore douter de la nature de leurs engagements. A-t-il joué la comédie dans son attitude envers votre sœur pendant tout ce temps ? Supposez-vous qu'elle lui est réellement indifférente ?

— Non, je ne crois pas cela. Il faut qu'il l'aime, et il l'aime, j'en suis sûre.

— Mais alors, c'est un étrange genre de tendresse, s'il peut la laisser avec cette indifférence, ce mépris de l'avenir que vous lui attribuez.

— Il faut vous rappeler, ma chère mère, que je n'ai jamais considéré la chose comme certaine. J'ai eu mes doutes, je le confesse ; mais ils vont en s'affaiblissant et ils pourront bientôt disparaître complètement. Si nous avons la preuve qu'ils sont bien d'accord, toutes mes craintes s'évanouiront.

— Une belle concession, en vérité ! Quand vous les verrez à l'autel, vous admettrez qu'ils vont se marier ! Esprit tracassier ! Je ne demande pas de telles preuves. Rien ne s'est produit, à mon avis, qui puisse justifier un doute ; on n'a rien cherché à cacher ; tout s'est passé constamment à découvert et sans réserve. Vous ne pouvez pas avoir d'hésitation sur les vœux de votre sœur. C'est donc Willoughby que vous suspectez. Mais pourquoi ? N'est-il pas un homme de cœur et un homme d'honneur ? Y a-t-il eu de l'inconstance, de son côté, pour vous alarmer ? Est-il perfide ?

— J'espère que non, je crois que non, s'écria Elinor. J'ai de l'affection pour Willoughby, une affection sincère, et un soupçon jeté sur sa loyauté ne peut pas vous être plus pénible qu'à moi. Cela m'est venu involontairement, et je ne veux pas m'y laisser aller. J'ai été impressionnée, je l'avoue, par le changement de ses manières : ce matin, il n'était pas lui-même et ne répondait pas cordialement à vos avances. Mais tout cela peut s'expliquer si l'état de ses affaires est tel que vous le supposez. Il venait de quitter ma sœur ; il avait été témoin de la désolation que lui causait son départ et il se trouvait obligé, de peur d'offenser Mrs. Smith, de résister à la tentation de revenir bientôt ; il se rendait compte qu'en déclinant votre invitation, en disant qu'il partait pour longtemps, il avait l'air d'agir d'une façon indélicate et suspecte, de rompre avec notre famille ; tout cela pouvait lui donner un air embarrassé et troublé. En pareil cas, un exposé franc et ouvert de ses difficultés aurait été plus à son honneur, je crois, et aurait en même temps mieux cadré avec son caractère... Mais je ne veux pas soulever des objections contre la conduite de quelqu'un sur un fondement aussi injuste à cause seulement d'une différence d'appréciation sur ce qui me semble à moi de plus juste et de plus correct.

— Vous vous exprimez très justement. Willoughby, certainement, ne mérite aucune suspicion. Bien que nous ne le connaissions pas depuis longtemps, il n'est pas étranger ici. Et qui a jamais parlé de lui à son désavantage ? S'il avait été à même d'agir avec indépendance, et de se marier immédiatement, il aurait été singulier qu'il ne nous ait pas mis tout de suite au courant de ses intentions ; mais ce n'est pas le cas. Par un certain côté, cet engagement s'est noué sous de fâcheux auspices, car leur mariage ne pourra se faire que dans un certain temps, et, même, il vaut mieux tenir la chose secrète, autant qu'il est encore possible.

Elles furent interrompues par l'entrée de Margaret, et Elinor eut alors tout le loisir de réfléchir aux observations de sa mère, de reconnaître que beaucoup d'entre elles offraient une grande probabilité, et de souhaiter qu'elles soient toutes justes.

Elles n'eurent aucune nouvelle de Marianne jusqu'au dîner, lorsqu'elle entra et prit sa place à table sans dire un mot. Ses yeux étaient rouges et gonflés, et il semblait qu'elle eût peine à retenir ses larmes. Elle évitait tous les regards, ne pouvait ni manger ni parler, et, au bout d'un certain temps, sa mère lui ayant pressé la main avec tendresse, le peu de courage qu'elle avait lui manqua. Elle fondit en larmes et quitta la pièce.

Ce violent accablement continua toute la soirée. Elle n'avait aucune force parce qu'elle n'avait aucun désir de se dominer. La plus légère allusion à une chose se rapportant à Willoughby l'abattait à l'instant ; et, quelle que fût l'attention anxieuse de sa famille à pénétrer et ménager ses sentiments, il leur était impossible, pour peu qu'elles prissent la parole, d'éviter tous les sujets que, dans son esprit, elle rapportait à lui.

16

Marianne ne se fût pas pardonné si elle avait pu dormir tant soit peu la première nuit après le départ de Willoughby. Elle aurait eu honte de regarder les siens en face, le lendemain matin, si elle ne s'était pas levée plus fatiguée que lorsqu'elle s'était couchée la veille au soir. Mais elle ne courut nullement le danger d'une telle disgrâce. Elle resta éveillée toute la nuit et en employa la plus grande partie à sangloter. Elle se leva ayant mal à la tête, incapable de parler, et sans la moindre envie de manger, désolant, à chaque instant, sa mère et ses sœurs, repoussant toute tentative de consolation de leur part. C'était là l'effet de sa vibrante sensibilité !

Quand le breakfast fut terminé, elle sortit seule et se promena dans le village d'Allenham, se livrant à l'évocation de son bonheur passé et se lamentant sur son malheur présent pendant la plus grande partie de la matinée.

Tout l'après-midi, elle continua à s'abandonner aux mêmes sentiments. Elle joua tous les airs favoris qu'elle avait coutume de jouer à Willoughby, tous ceux dans lesquels ils avaient souvent uni leurs voix et se tint devant l'instrument, contemplant chaque ligne de musique qu'il avait copiée pour elle, jusqu'à ce que son cœur fût accablé par la tristesse ; et elle continua chaque jour à entretenir ainsi sa douleur. Elle passait de nombreuses heures à son piano, occupée alternativement à chanter et à sangloter, la voix souvent totalement étouffée par les larmes. Dans les livres aussi bien qu'en musique, elle recherchait le tourment qu'un contraste entre le présent et le passé ne pouvait manquer de lui fournir. Elle ne lisait rien que ce qu'ils avaient lu ensemble.

Une telle violence d'affliction ne pouvait, cependant, se maintenir toujours à un pareil diapason ; au bout de quelques jours, elle se transforma en une mélancolie plus calme ; mais ses occupations, ses promenades solitaires et ses méditations silencieuses donnaient encore lieu, de temps en temps, à des effusions de chagrin plus vives que jamais.

Il n'arriva pas de lettres de Willoughby, et Marianne semblait n'en attendre aucune. Sa mère en fut surprise et Elinor commença également à s'inquiéter. Mais Mrs. Dashwood finissait toujours par trouver des explications satisfaisantes.

— Faites attention, Elinor, dit-elle. Bien souvent, sir John porte lui-même nos lettres à la poste et nous rapporte notre courrier. Nous sommes déjà tombées d'accord que le secret peut être nécessaire et il faut reconnaître qu'il ne pourrait être gardé si leur correspondance passe par ses mains.

Elinor ne put nier la justesse de cette observation, et elle essaya d'y trouver un motif suffisant pour leur silence. Mais il y avait un moyen si direct, si simple, et, à son avis, si efficace de savoir exactement où en étaient les choses et de faire ainsi disparaître immédiatement toute ambiguïté, qu'elle ne put s'empêcher de le suggérer à sa mère.

— Pourquoi ne pas demander tout de suite à Marianne, dit-elle, si elle est oui ou non fiancée à Willoughby ? Venant de vous, sa mère, et une mère si bonne et si tendre, la question ne peut pas l'offenser. Ce ne serait que le résultat naturel de votre affection pour elle. Elle se montrait si franche et si ouverte, surtout avec vous !

— Pour rien au monde, je ne poserai cette question. Supposez qu'ils ne soient pas fiancés, quelle souffrance lui infligerait une pareille demande ! De toute façon, rien ne serait moins généreux. Je perdrais sa confiance pour toujours en la forçant à confesser ce que, pour le moment, ils désirent ne faire connaître à personne. Je connais le cœur de Marianne. Je sais qu'elle m'aime tendrement et que je ne serai pas la dernière à connaître la vérité lorsque les circonstances en rendront la révélation possible. Je ne veux pas tenter de forcer les confidences de personne, et encore moins de ma fille, parce que le sens du devoir pourrait l'obliger contre son gré à me répondre.

Elinor trouva cette générosité exagérée eu égard à la jeunesse de sa sœur et insista, mais en vain ; le sens commun, la prudence, l'esprit de prévoyance les plus ordinaires, tout était submergé sous la délicatesse romantique de Mrs. Dashwood.

Il se passa quelques jours avant que le nom de Willoughby fût mentionné devant Marianne par quelqu'un de sa famille ; sir John et Mrs. Jennings, à vrai dire, n'y mirent pas tant de délicatesse, leurs remarques augmentèrent encore la peine de bien des heures déjà pénibles. Mais un soir, Mrs. Dashwood, prenant par hasard un volume de Shakespeare, s'écria :

— Nous n'avons pas encore fini *Hamlet*, Marianne, notre cher Willoughby est parti avant que nous ayons pu arriver au bout. Nous pourrions le mettre de côté, de sorte que, quand il reviendra... Mais peut-être faudra-t-il attendre des mois !

— Des mois ? s'écria Marianne profondément surprise. Non, quelques semaines.

Mrs. Dashwood regretta ce qu'elle venait de dire ; mais Elinor en fut heureuse parce que ses paroles avaient provoqué une réplique de Marianne qui exprimait toute sa confiance en Willoughby et montrait qu'elle était au courant de ses intentions.

Un matin, une semaine environ après son départ, on obtint de Marianne qu'elle se joignît à ses sœurs pour leur promenade ordinaire au lieu de sortir seule. Jusque-là, elle avait soigneusement écarté toute compagnie. Si ses sœurs se proposaient d'aller vers les collines, elle se glissait immédiatement sur les routes ; si elles parlaient de la vallée, elle grimpait rapidement les collines et jamais elle ne se trouvait avec les autres. Mais, à la fin, elle fut gagnée par les efforts d'Elinor qui désapprouvait grandement une si continuelle solitude. Elles parcoururent le chemin traversant la vallée en gardant presque constamment le silence, car les pensées de Marianne leur échappaient. Du reste, Elinor, qui était satisfaite d'être arrivée à un certain résultat, ne cherchait pas à aller plus loin.

A l'entrée de la vallée, là où la campagne, quoique encore opulente, était moins sauvage et plus dégagée, s'étendait devant elles un long ruban de route qu'elles avaient parcouru lors de leur arrivée à Barton. Parvenues en ce lieu, elles s'arrêtèrent pour regarder autour d'elles et examiner l'aspect de leur cottage, vu d'un endroit où elles n'avaient jamais eu l'occasion d'aller dans leurs excursions.

Parmi les objets qui s'offraient à leur vue, elles en découvrirent bientôt un qui était doué de mouvement : c'était un cavalier qui s'avançait dans leur direction. Au bout de quelques minutes, on distingua que c'était un gentleman et, un instant après, Marianne, transportée, s'écria :

— C'est lui, c'est sûrement lui. Je le reconnais.

Et elle allait se précipiter à sa rencontre quand Elinor l'arrêta.

— Vraiment, Marianne, je crois que vous vous trompez. Ce n'est pas Willoughby. Il n'est pas aussi grand que lui et il n'a pas son air.

— Si, si, s'écria Marianne, je suis sûre que c'est lui ! Son air, son petit cheval !... Je savais qu'il reviendrait vite !

Elle activait sa marche tout en parlant. Et Elinor, pour ne pas l'exposer au ridicule, car elle était quasi certaine que ce n'était pas Willoughby, hâta le pas pour rester à côté d'elle. Elles furent bientôt à trente yards du gentleman. Marianne regarda encore et son cœur défaillit. Et, se retournant brusquement, elle allait s'enfuir lorsque les voix de ses deux sœurs s'élevèrent pour la retenir, tandis qu'une troisième, à peu près aussi familière que celle de Willoughby, se joignit aux leurs pour l'arrêter et elle se retourna, surprise, pour voir et accueillir Edward Ferrars.

C'était bien la seule personne au monde à qui, en ce moment, elle pût pardonner de ne pas être Willoughby, le seul qui pouvait prétendre à recevoir un sourire de sa part. Le fait est qu'elle sécha ses larmes pour lui faire bon accueil et, devant le bonheur de sa sœur, elle oublia pour un moment son désappointement.

Il mit pied à terre, laissant son cheval à son domestique et descendit avec elles jusqu'à Barton qui était le but de sa visite.

Il fut accueilli, par tout le monde, avec la plus grande cordialité, spécialement par Marianne, qui mettait plus de chaleur à le recevoir qu'Elinor elle-même. Pour Marianne, cependant, la rencontre entre sa sœur et Edward ne fut que la continuation de cette inexplicable froideur qu'elle avait si souvent constatée dans leur attitude à Norland. Du côté d'Edward, spécialement, se manifestait une carence complète de tout ce qu'un amoureux doit paraître et dire en une telle occasion. Il était comme terrassé, semblait à peine sensible au plaisir de les voir, ne paraissant ni ravi ni gai, ne parlant que lorsqu'il y était forcé par des questions et n'accordant à Elinor aucune marque de sollicitude particulière. Marianne écoutait et regardait avec une surprise croissante. Elle commença à concevoir une sorte d'éloignement pour Edward, et cela eut pour résultat, comme il fallait s'y attendre avec elle, de l'engager à reporter ses pensées sur Willoughby dont les manières formaient un contraste suffisamment frappant avec celles de son éventuel beau-frère.

Après un court silence, qui suivit le premier moment de surprise et les demandes ordinaires en pareil cas, Marianne demanda à Edward s'il venait directement de Londres. Non, il se trouvait dans le Devonshire depuis une quinzaine.

— Une quinzaine ? répéta-t-elle, surprise qu'il soit demeuré si longtemps dans le même comté sans voir Elinor plus tôt.

Il ajouta, non sans paraître gêné, qu'il avait séjourné chez quelques amis près de Plymouth.

— Avez-vous été dernièrement dans le Sussex ? dit Elinor.

— J'étais à Norland, il y a un mois environ.

— Et comment se trouve le cher, cher Norland ? s'écria Marianne.

— Le cher, cher Norland, dit Elinor, ressemble probablement beaucoup à ce qu'il est toujours à cette époque de l'année, les bois et les chemins couverts de feuilles mortes.

— Oh ! s'écria Marianne, avec quels transports je les ai autrefois vues tomber ! Quel plaisir je prenais, en me promenant, à les voir rouler en averse sur moi, poussées par le vent ! Quels sentiments ne m'ont-elles pas inspirés, et la saison, et l'air que je respirais ! Maintenant, il n'y a personne pour y prendre garde. On les regarde seulement comme un embarras, on les balaie à la hâte et on les pousse aussi loin que possible de la vue.

— Ce n'est pas tout le monde, dit Elinor, qui a votre passion pour les feuilles mortes.

— Non, mes sentiments sont rarement partagés, rarement compris. Mais, quelquefois, ils le sont.

A ces mots, elle tomba quelque temps dans une rêverie, mais se reprenant de nouveau :

— Maintenant, Edward, dit-elle, appelant son attention sur le paysage, voici la vallée de Barton. Regardez-la et restez indifférent si vous le pouvez. Voyez ces collines ! Avez-vous vu rien de pareil ? Barton Park est à gauche, au milieu de ces bois et de ces plantations. Vous pouvez voir un coin de la maison. Et là, derrière la plus lointaine des collines, celle qui s'élève si haut, se trouve notre cottage.

— C'est une belle contrée, répliqua-t-il, mais ces bas-fonds doivent être boueux, l'hiver.

— Comment pouvez-vous penser à la boue avec de tels objets devant les yeux ?

— Parce que, dit-il en souriant, parmi ces beaux objets, je vois un chemin fort boueux.

« Comme c'est étrange ! » se dit Marianne à elle-même tout en marchant.

— Avez-vous un voisinage intéressant ici ? Les Middleton sont-ils des gens agréables ?

— Non, non, pas du tout, répondit Marianne, nous ne pouvions pas plus mal tomber.

— Marianne, s'écria sa sœur, comment pouvez-vous parler ainsi ? Comment pouvez-vous être aussi injuste ? C'est une très respectable famille, Mr. Ferrars, et ils se sont conduits, à notre égard, de la façon la plus amicale. Avez-vous oublié, Marianne, combien de jours agréables nous avons passés avec eux ?

— Non, dit Marianne à voix basse, ni combien de moments pénibles.

Elinor ne fit pas attention à cela et, portant son attention sur leur visiteur, essaya d'alimenter quelque conversation avec lui en parlant de leur présente résidence, de ses avantages, etc., lui arrachant par-ci, par-là, quelques questions ou remarques. Sa froideur et sa réserve la mortifiaient sérieusement, elle était peinée et à moitié fâchée ; mais, résolue à régler sa conduite envers lui plutôt sur le passé que sur le présent, elle évita toute apparence de ressentiment ou de déplaisir et le traita, comme il lui semblait qu'il devait être traité, en raison de sa situation d'allié de sa famille.

17

Mrs. Dashwood ne fut surprise qu'au premier moment en voyant Edward, car sa visite à Barton était, dans son opinion, la chose la plus naturelle. Aussi, la surprise fit-elle tout de suite place à la joie et aux expressions chaleureuses de bienvenue. Il reçut d'elle le plus gracieux accueil, et son embarras, sa froideur, sa réserve ne purent tenir contre une telle réception. Il avait commencé à s'en départir avant d'arriver à la maison et la cordialité communicative de Mrs. Dashwood fit le reste. Il était impossible qu'un jeune homme fût vraiment amoureux d'une de ses filles sans que ce sentiment déteignît sur elle et Elinor eut la satisfaction de voir bientôt Edward redevenir lui-même. Son affection pour elles toutes semblait se ranimer et il laissa voir l'intérêt qu'il prenait à leurs affaires. Il n'était pourtant pas dans son assiette. Il faisait l'éloge de leur maison, admirait le point de vue, se montrait aimable et attentionné ; mais il n'était toujours pas en train. Tout le monde s'en rendait compte et Mrs. Dashwood, attribuant son état d'esprit au manque de générosité de sa mère, s'occupait du service de la table, remplie d'indignation contre les parents égoïstes.

— Quels sont les projets de Mrs. Ferrars pour vous en ce moment ? dit-elle quand le dîner fut terminé et qu'ils furent réunis autour du feu. Etes-vous toujours destiné à devenir un grand orateur en dépit de vous-même ?

— Non. J'espère que ma mère est maintenant convaincue que j'ai aussi peu de talent que de goût pour la vie publique.

— Mais sur quoi s'établira votre célébrité ? Car vous devez être célèbre, pour satisfaire votre famille ; et, sans inclination pour le faste, sans goût pour la vie mondaine, sans profession et sans assurance, cela paraît devoir être difficile.

— Je ne l'essaierai pas. Je n'ai aucune envie d'être remarqué et j'ai de bonnes raisons pour m'attendre à ne l'être jamais. Grâce au ciel, on ne peut me forcer à avoir du génie et de l'éloquence.

— Vous n'avez pas d'ambition, je le sais bien. Tous vos vœux sont modérés.

— Aussi modérés que ceux de la plupart des gens, je crois. Je souhaite, comme tout le monde, être parfaitement heureux ; mais, comme pour tout le monde, il faut que ce soit à ma propre façon. Et la grandeur n'est pas ce qu'il me faut.

— Le contraire serait bien étrange ! s'écria Marianne. Qu'est-ce que la richesse et la grandeur ont à voir avec le bonheur ?

— La grandeur, non, dit Elinor, mais la fortune y est pour beaucoup.

— Elinor, quelle honte ! dit Marianne. L'argent peut seulement permettre au bonheur de s'épanouir. Au-delà du nécessaire, il ne peut apporter au cœur de satisfactions réelles. Je parle évidemment du vrai bonheur intime.

— Peut-être, dit Elinor en souriant, sommes-nous, au fond, du même avis. Ce que vous appelez le nécessaire et ce que j'appelle la richesse sont bien près l'un de l'autre. Et, au siècle où nous vivons, il faut bien reconnaître que, sans eux, toute espèce de confort extérieur est impossible. Vos idées sont seulement plus nobles que les miennes. Voyons, à quelle somme estimez-vous ce nécessaire ?

— A environ dix-huit cents livres ou deux mille livres par an, pas plus.

Elinor se mit à rire :

— Deux mille livres par an ? N'est-ce pas cela, la richesse ? Je ne m'étais pas trompée.

— Mais deux mille livres sont un bien modeste revenu, dit Marianne. Une famille ne peut guère se maintenir à moins. Je suis sûre que je ne demande rien d'extravagant. Il faut bien cela pour les domestiques indispensables, une voiture ou deux peut-être et une meute.

Elinor sourit de nouveau à entendre sa sœur décrire avec tant de précision leurs futures dépenses à Combe Magna.

— Une meute ! répéta Edward. Mais pourquoi une meute ? Tout le monde n'est pas chasseur.

— Je voudrais, dit Margaret sautant sur une nouvelle idée, que quelqu'un puisse nous donner à chacune une belle fortune.

— Oh ! oui, s'écria Marianne les yeux brillants d'animation, et le visage illuminé par la joie imaginaire de ce bonheur.

— Nous sommes tous unanimes à le souhaiter, je suppose, dit Elinor, en dépit de l'inutilité de la richesse.

— O ma chère, s'écria Margaret, comme je serais heureuse ! Je me demande ce que je pourrais en faire.

Marianne avait l'air de n'avoir aucune inquiétude sur ce point.

— Je serais bien embarrassée pour dépenser moi-même une grande fortune, dit Mrs. Dashwood, si mes enfants étaient tous riches et n'avaient pas besoin de mon aide.

— Vous pourriez entreprendre quelques embellissements dans la maison, dit Elinor, et je crois que votre embarras cesserait bientôt.

— Quelles magnifiques commandes partiraient d'ici pour Londres, dit Edward, si pareille chose arrivait ! Quel heureux jour pour les libraires, les marchands de musique et d'articles de peinture ! Vous, Mrs. Dashwood, passeriez une commande générale pour qu'on vous envoie toutes les nouveautés intéressantes parues en librairie, et, pour Marianne dont je connais l'élévation d'âme, il n'y aurait pas assez de musique à Londres pour la satisfaire. Et les livres ! Thomson, Cowper, Scott, elle les achèterait tous ; elle voudrait se procurer, je crois, tous les exemplaires pour les empêcher de tomber entre des mains indignes, et posséder tous les livres qui apprennent à admirer un vieil arbre tordu, n'est-ce pas, Marianne ? Excusez-moi, je suis vraiment impoli. Mais je voulais vous montrer que je n'ai pas oublié nos vieilles disputes.

— J'aime à m'entendre rappeler le passé, Edward, qu'il soit mélancolique ou gai, j'aime à l'évoquer, et vous ne m'offenserez jamais en parlant des jours écoulés. Vous êtes certainement dans le vrai en imaginant comment je dépenserais mon argent. Une partie au moins, ce qui serait mon argent de poche, servirait à augmenter ma collection de musique et de livres.

— Et le gros de votre fortune à servir des pensions aux auteurs ou à leurs héritiers.

— Non, Edward, j'aurais quelque autre chose à faire avec.

— Peut-être, alors, fonderiez-vous un prix pour la personne qui aurait écrit la meilleure défense de votre maxime favorite, qui veut qu'on ne puisse être amoureux qu'une fois dans sa vie – car j'imagine que votre opinion sur ce point n'a pas dû varier !

— Bien sûr que non. A mon âge, les opinions sont suffisamment arrêtées. Il est peu probable que je puisse, maintenant, rien voir ou entendre qui vienne les modifier.

— Marianne n'a pas changé, vous voyez, dit Elinor, elle est aussi ferme que jamais.

— Elle est devenue seulement un peu plus grave.

— Eh bien, Edward, dit Marianne, ce n'est pas à vous à m'en faire des reproches. Vous-même n'êtes pas très gai.

— Puissiez-vous le croire, répliqua-t-il avec un sourire. Mais, moi, la gaieté n'a jamais été dans mon caractère.

— Ni, je crois, dans celui de Marianne, dit Elinor. Elle est très ardente, très passionnée pour tout ce qu'elle fait, elle parle parfois beaucoup et avec vivacité, mais il ne lui arrive pas souvent d'être vraiment joyeuse.

— Je crois que vous avez raison, répliqua-t-il, et, pourtant, je l'avais toujours considérée comme telle.

— Je me suis souvent surprise moi-même à faire ce genre d'erreur, dit Elinor, à me méprendre sur quelque aspect d'un caractère; on s'imagine que les gens sont plus gais ou plus graves, plus ingénieux ou plus stupides qu'ils ne le sont en réalité, et il est difficile de dire comment et en quoi l'erreur a pris naissance. Parfois, on se fonde sur ce qu'ils disent eux-mêmes et, plus fréquemment, sur ce qu'en disent les autres, sans se donner à soi-même le loisir de réfléchir et de juger.

— Je croyais qu'il était juste, dit Marianne, de se laisser conduire uniquement par l'opinion des autres. Je croyais que notre faculté de juger nous avait été donnée uniquement pour être subordonnée aux opinions de nos voisins : ç'avait toujours été, jusqu'à aujourd'hui, votre doctrine.

— Non, Marianne, jamais. Ma doctrine n'a jamais tendu à l'asservissement de votre jugement. Tout ce que j'ai essayé d'influencer a été votre conduite. Il ne faut pas déformer mes idées. Je suis coupable, je le confesse, d'avoir souvent désiré vous voir traiter, en général, votre entourage avec plus d'égards ; mais quand vous ai-je conseillé d'en adopter tous les sentiments ou de vous conformer à leurs jugements sur des questions d'importance ?

— Vous n'avez donc pas pu amener votre sœur à adopter votre règle de conduite en matière de courtoisie mondaine, dit Edward à Elinor. N'avez-vous pourtant pas obtenu quelques petits résultats ?

— Tout au contraire, répliqua Elinor jetant un regard expressif du côté de Marianne.

— Sur cette question, poursuivit-il, je suis tout à fait de votre avis, mais j'ai peur que l'opinion générale ne penche plutôt vers celle de votre sœur. Je ne cherche jamais à choquer, mais je suis tellement timide que je semble souvent mal élevé alors que je me laisse seulement aller à ma lourdeur naturelle. J'ai souvent pensé que j'étais porté, par nature, à me plaire dans la compagnie des gens du commun. Je suis si peu à mon aise au milieu d'étrangers de la haute société !

— Marianne n'a pas l'excuse de la timidité pour ses manquements, dit Elinor.

— Elle connaît trop bien sa propre valeur pour être accessible à une fausse honte, répliqua Edward. D'une manière ou d'une autre, la timidité n'est que l'effet d'un sentiment d'infériorité. Si je pouvais me convaincre que mes manières sont parfaitement aisées et gracieuses, je ne serais pas intimidé.

— Mais vous resteriez encore réservé, dit Marianne, et c'est déjà trop.

Edward s'informa :
— Réservé ? Suis-je réservé, Marianne ?
— Oui, très.
— Je ne vous comprends pas, dit-il en rougissant. Réservé ? Comment ? De quelle façon ? Qu'ai-je donc à vous dire ? Que supposez-vous ?
Elinor le regarda, surprise de son trouble. Mais, cherchant à tourner la chose en plaisanterie, elle lui dit :
— Ne connaissez-vous pas assez ma sœur pour comprendre ce qu'elle veut dire ? Ne savez-vous pas que, pour elle, on est réservé lorsqu'on ne parle pas aussi abondamment qu'elle de ce qu'elle admire et qu'on ne s'en montre pas aussi passionnément épris ?
Edward ne fit aucune réponse. Sa gravité et son inquiétude reprirent complètement le dessus et il resta pendant quelque temps silencieux et sombre.

18

Elinor éprouva un grand chagrin à constater la mélancolie de son ami. Sa visite ne lui apportait qu'une satisfaction imparfaite, du moment que son propre plaisir à lui semblait si douteux. Il était clair qu'il était malheureux. Elle aurait voulu qu'il fût également évident qu'il la tenait toujours dans cette tendre préférence qu'il lui témoignait autrefois ; mais, jusqu'ici, la persistance de ce sentiment paraissait bien incertaine et la réserve de ses manières, à son égard, contredisait, à chaque instant, ce qu'une minute auparavant, un regard plus animé avait pu suggérer.

Le lendemain matin, il la rejoignit, ainsi que Marianne, au breakfast avant que les autres fussent descendues, et Marianne, toujours à l'affût de ce qui pouvait être agréable à sa sœur, s'arrangea pour les laisser bientôt seuls. Mais, avant d'arriver au milieu de l'escalier, elle entendit ouvrir la porte, et en se retournant, eut la surprise de voir Edward sortir à son tour.

— Je vais au village voir mes chevaux, dit-il, en attendant le breakfast. Je rentrerai tout à l'heure.

Edward revint plein d'une admiration toute fraîche pour les environs. En allant au village, il avait vu la vallée sous des angles particulièrement plaisants, et d'un peu plus haut que le cottage, on prenait un coup d'œil d'ensemble qui lui avait paru tout à fait charmant.

Un tel sujet devait immanquablement captiver l'attention de Marianne et elle commençait à décrire ses propres sentiments devant ces spectacles et à le questionner avec plus de détails sur ce qui l'avait particulièrement frappé, quand Edward l'interrompit en disant :

— Il ne faut pas chercher trop loin, Marianne. Rappelez-vous ; je ne connais rien au pittoresque et je vous choquerai par mon ignorance et mon manque de goût si j'en viens au détail. Je dirai des collines qu'elles sont escarpées alors qu'il faudrait les qualifier d'imposantes ; du relief, qu'il est étrange et bizarre tandis que vous le qualifierez de sauvage et de romantique ; des lointains, qu'ils sont hors de vue au lieu d'être fondus dans une molle brume. Il faut vous contenter de l'admiration que je puis honnêtement vous offrir. Je trouve ce pays tout à fait à mon goût. Les collines ont de hautes pentes, les bois semblent pleins de beaux arbres et la vallée paraît heureuse et cachée avec ses riches prairies et ses quelques fermes bien tenues répandues çà et là.

Tout cela répond exactement à ma conception d'un beau paysage parce que la beauté s'y allie à l'utilité; j'irai jusqu'à dire qu'il est pittoresque aussi, puisque vous l'admirez. Je puis aisément croire que la contrée est pleine de rocs et de promontoires, de mousse grisâtre et de broussailles, mais tout cela est perdu pour moi. Je n'ai pas l'âme d'un peintre.

— J'ai peur que ce ne soit que trop vrai, dit Marianne. Mais pourquoi vous en moquez-vous ?

— Je soupçonne, dit Elinor, que, pour éviter un genre d'affectation, Edward tombe ici dans un autre. Parce qu'il est persuadé que beaucoup de gens affichent plus d'admiration pour les beautés de la nature qu'ils n'en ressentent réellement, et que leur prétention l'irrite, il affecte une plus grande indifférence et moins de perspicacité à les découvrir que ce n'est réellement le cas. Il est délicat et veut avoir son genre d'affectation personnel.

— Il est très vrai, dit Marianne, qu'il est de mode de se pâmer devant un paysage. Chacun prétend être touché par la nature et essaie de la décrire avec le goût et l'élégance de celui qui, le premier, en découvrit et définit le pittoresque. Je déteste les jargons de toutes sortes et, quelquefois, j'ai gardé mon impression pour moi-même, rien que parce que je ne pouvais pas trouver à l'exprimer de façon originale.

— Je suis convaincu, dit Edward, que vous ressentez réellement, devant une belle perspective, tout le plaisir que vous affirmez ressentir. Mais, en retour, votre sœur doit admettre que je n'en ressens pas plus que je ne dis. Je goûte un beau point de vue, mais pas sur des principes de pittoresque. Je n'aime pas les arbres difformes, tordus, dévastés. Je les aime bien mieux lorsqu'ils sont droits, fermes et florissants. Je n'aime pas les cottages en ruine, à l'abandon. Je ne suis pas amoureux des orties, des chardons et des bruyères. J'ai plus de plaisir à voir une ferme modèle qu'une tour de guet, et une troupe de villageois heureux et bien tenus me plaît plus que les plus beaux bandits du monde.

Marianne regarda Edward avec stupéfaction et sa sœur avec pitié. Elinor se borna à rire.

Le sujet ne fut pas poussé plus loin, et Marianne resta pensive et silencieuse jusqu'à ce qu'un nouvel objet vînt soudain attirer son attention. Elle était assise auprès d'Edward. Celui-ci, en prenant la tasse de thé que lui tendait Mrs. Dashwood, tendit sa main de telle manière que fut visible, à l'un de ses doigts, un anneau portant enchâssée une boucle de cheveux.

— Je ne vous avais jamais vu porter une bague auparavant, Edward, s'écria Marianne. Ce sont des cheveux de Fanny ? Je me rappelle qu'elle vous en avait promis. Mais j'aurais cru qu'ils étaient plus noirs.

Marianne disait étourdiment ce qu'elle pensait ; mais quand elle vit la peine qu'elle avait faite à Edward, elle en fut plus touchée qu'Edward lui-même. Celui-ci rougit profondément et, jetant un coup d'œil furtif à Elinor, répondit :

— Oui, ce sont des cheveux de ma sœur. La monture a toujours pour effet de les faire paraître sous un jour un peu différent.

Elinor avait rencontré son regard et lui rendit un regard d'intelligence. Que les cheveux fussent à elle, elle le comprit aussi vite que Marianne ; la seule différence, dans leur conclusion, était que, tandis que Marianne croyait que c'était un don volontaire de sa sœur, Elinor avait conscience qu'Edward se les était procurés par une ruse qu'elle ignorait. Elle n'était, d'ailleurs, nullement disposée à s'en formaliser ; elle affecta de ne pas avoir fait attention à ce qui venait de se passer en mettant tout de suite la conversation sur un autre sujet. Mais elle se promit de saisir la première occasion d'examiner la bague et de s'assurer, de façon tout à fait certaine, que c'était bien exactement de ses cheveux qu'il s'agissait.

L'embarras d'Edward dura quelque temps et aboutit à le rendre plus profondément absent que jamais. Il fut particulièrement grave toute la matinée. Marianne s'adressa les plus sévères reproches pour ce qu'elle avait dit ; mais elle se serait bien plus facilement pardonné si elle avait su combien sa sœur avait été peu offensée.

Avant le milieu du jour, ils reçurent la visite de sir John et de Mrs. Jennings qui, ayant entendu parler de l'arrivée d'un gentleman au cottage, venaient en reconnaissance examiner ce nouvel hôte. Avec l'aide de sa belle-mère, sir John ne fut pas long à découvrir que le nom de Ferrars commençait par un F, ce qui voua Elinor à un déluge de railleries que seule la nouveauté de leurs relations avec Edward empêchait de se produire immédiatement. Mais, tout compte fait, elle apprit seulement, par quelques coups d'œil bien significatifs, à quel point leur perspicacité, guidée par les indications de Margaret, était fondée.

Sir John ne venait jamais chez les Dashwood sans les inviter à dîner au Park le lendemain ou à prendre le thé le soir. Dans le cas présent, pour mieux accueillir leur visiteur qu'il se mettait, ainsi, en devoir de distraire, il décida de cumuler les deux invitations.

— Venez donc prendre le thé chez nous ce soir, dit-il, car nous sommes tout à fait seuls, et, demain, il faut absolument que vous dîniez avec nous, car nous avons une nombreuse société.

Mrs. Jennings renchérit sur cette nécessité.

— Et qui sait si l'on ne pourra pas danser un peu ? dit-elle. Voilà qui peut vous tenter, miss Marianne.

— Une danse ? s'écria Marianne. Impossible. Qui pourrait danser ?

— Qui ? Mais vous-même, et les Carey, et les Whitaker, qu'est-ce qu'il y a ? Vous croyez que personne ne peut danser parce qu'une certaine personne, que je ne dois pas nommer, s'en est allée ?

— Je voudrais de tout mon cœur, s'écria sir John, que Willoughby fût encore parmi nous.

Ces mots et la rougeur de Marianne éveillèrent des soupçons nouveaux chez Edward.

— Et qui est Willoughby ? dit-il à voix basse à Mrs. Dashwood auprès de laquelle il était assis.

Elle lui fit une réponse brève. L'attitude de Marianne était plus instructive. Edward en vit assez pour comprendre ce que voulaient dire les autres. Ainsi s'éclairaient pour lui certaines expressions de Marianne qui l'avaient d'abord étonné. Après le départ de leurs visiteurs, il vint tout de suite à côté d'elle et lui glissa à voix basse :

— J'ai deviné. Puis-je vous dire ce que je crois ?

— Que voulez-vous dire ?

— Puis-je vous le dire ?

— Certainement.

— Bien. Alors, j'ai deviné quel gibier chasse Mr. Willoughby.

Marianne fut surprise et confuse, mais elle ne put s'empêcher de sourire de son innocente malice et, après un moment de silence, répondit :

— Oh ! Edward, comment pouvez-vous !… Mais un moment viendra, j'espère… vous l'aimerez, j'en suis sûre.

— Je n'en doute pas, répondit-il assez étonné par la chaleur et l'animation qu'elle avait mises dans sa réponse.

S'il n'avait pas cru qu'il ne s'agissait là que de quelque taquinerie sans fondement, jamais il ne se serait hasardé à faire allusion aux liens qui pouvaient unir Marianne et Willoughby.

19

Edward demeura une semaine au cottage. Mrs. Dashwood le pressait vivement de rester plus longtemps ; mais, comme s'il ne cherchait que les occasions de se faire de la peine à lui-même, il parut résolu à partir au moment où il se sentait le plus heureux d'être au milieu de ses amies. Son humeur, pendant les deux ou trois derniers jours, quoique encore très inégale, s'était grandement améliorée ; il prenait de plus en plus de goût pour la maison et ses environs, ne parlait jamais de son départ sans un soupir de regret, déclarait disposer entièrement de son temps, hésitait même pour savoir où il irait, en les quittant, mais, tout de même, affirmait qu'il fallait qu'il parte. Jamais semaine ne s'était écoulée aussi vite. Il pouvait à peine croire qu'elle fût passée. Il ne cessait de le répéter. Il disait aussi d'autres choses qui indiquaient le sens de ses pensées et donnaient un démenti à ses actions. Il ne se plaisait pas à Norland, il détestait Londres ; mais il fallait qu'il retournât à Norland ou à Londres. Il plaçait leur amitié au-dessus de tout et son plus grand bonheur était de se trouver au milieu d'elles. Cependant, il fallait qu'il les quittât avant la fin de la semaine, en dépit de leurs vœux et des siens, et sans rien qui l'y obligeât.

Elinor prit l'avis de sa mère sur cette façon étonnante d'agir ; en l'occurrence, il valut mieux qu'elle s'abusât sur l'irrésistible tendance de celle-ci à excuser toute étrangeté de la part de celui qu'elle considérait comme un fils. Désappointée, peinée comme elle l'était, et parfois choquée par son attitude équivoque envers elle, elle inclinait au total, cependant, à interpréter ses façons d'agir dans le sens candide et généreux que sa mère avait eu précédemment si grand-peine à lui faire accepter quand il s'agissait de Willoughby. Son manque d'entrain, d'ouverture, de fermeté devait, très naturellement, être imputé à son état de dépendance et à la connaissance plus complète qu'il avait des dispositions et des projets de Mrs. Ferrars ; la brièveté de sa visite, son obstination à maintenir sa résolution de départ avaient leur origine dans la même obligation, la même inévitable nécessité de temporiser avec sa mère. La vieille opposition bien connue entre le devoir et l'amour, entre les parents et les enfants, expliquait tout. Elle aurait été heureuse de savoir quand ces difficultés prendraient fin, quand cette opposition tomberait, quand Mrs. Ferrars reviendrait à de meilleurs sentiments, rendant à son fils la liberté de suivre son inclination. Mais elle laissait de côté ce vain souhait. Elle ne pouvait que reprendre confiance lorsqu'elle évoquait toutes les marques d'affection qu'Edward lui avait données par ses regards et ses paroles depuis qu'il était à Barton ; et, par-dessus tout, la preuve flatteuse qu'il en portait constamment à son doigt.

— Je crois, Edward, dit Mrs. Dashwood, au breakfast, le lendemain matin, que vous vous trouveriez bien plus heureux si vous aviez une profession pour occuper votre temps et donner un intérêt à vos projets et à vos actions. Il pourrait en résulter quelques inconvénients pour vos amis, certainement, car vous ne pourriez pas leur consacrer autant de temps. Mais, du moins, ajouta-t-elle en souriant, cela vous permettrait de savoir où vous devez aller quand vous les quittez.

— Je vous assure, répondit-il, que, pendant longtemps, j'ai eu, sur ce point, la même façon de voir que vous. Ç'a été, c'est encore, et ce sera toujours un grand malheur pour moi de n'avoir jamais été enchaîné à une occupation donnée. J'aurais tiré le plus grand profit d'une profession qui m'aurait occupé et apporté une certaine indépendance. Mais, malheureusement, mes propres exigences et celles de mes amis ont fait de moi ce que je suis : un être inoccupé et sans but. Nous n'avons jamais pu tomber d'accord sur le choix d'une profession. J'aurais eu du goût pour l'Eglise, et je continue d'en avoir. Mais, pour ma famille, ce n'était pas assez distingué. Elle me conseillait l'armée qui l'était beaucoup trop pour moi. On fit valoir le barreau comme suffisamment bien porté ; beaucoup de jeunes gens qui ont leur logement au Temple sont bien considérés, fréquentent les cercles élégants, et font sensation, en ville, dans leurs cabriolets. Mais je n'avais pas de goût pour l'étude – même superficielle – du droit dont ma famille se serait contentée. Et, quant à la marine, elle avait bien du prestige à mes yeux, mais j'étais trop âgé pour y entrer quand il en fut question pour la première fois. Pour finir, comme il n'était pas du tout nécessaire que j'eusse une profession, comme je pouvais être aussi brillant et aussi prodigue sans un habit rouge sur le dos, on décida qu'après tout, l'oisiveté était pour moi l'état le plus avantageux et le plus honorable ; et un jeune homme de dix-huit ans n'est pas, en général, si vivement porté au travail qu'il résiste beaucoup aux sollicitations des siens lorsqu'ils lui demandent de ne rien faire. En conséquence, j'entrai à Oxford, et j'ai été convenablement oisif depuis lors.

— Et la conséquence sera, je suppose, dit Mrs. Dashwood, puisque le loisir ne vous a pas procuré le bonheur, que vous dirigerez vos enfants vers toutes sortes d'entreprises, d'emplois, de professions et de commerces.

— Ils seront formés, dit-il d'un ton sérieux, à me ressembler aussi peu que possible, en pensée, en action, en condition, en tout.

— Allons, allons, tout cela est un accès de découragement, Edward. Vous êtes un mélancolique et vous vous figurez que quiconque ne vous ressemble pas doit être heureux. Tout le monde éprouve un certain chagrin quand il faut quitter des amis : cela ne dépend pas de l'éducation ni de la situation. Connaissez votre propre bonheur. Vous n'avez besoin que de patience, ou, pour employer un terme plus engageant, que d'espoir. Votre mère vous accordera, avec le temps, cette indépendance après laquelle vous soupirez ; c'est son devoir, c'est sa volonté, et ce sera, avant longtemps, sa joie d'empêcher que toute votre jeunesse soit gâchée et malheureuse. Combien quelques mois seulement peuvent changer de choses !

— Je défie le temps d'améliorer quoi que ce soit pour moi, répondit Edward.

Ce découragement, encore qu'il fût sans effet sur Mrs Dashwood, aggrava, pour tous, la peine de la séparation et laissa à Elinor, en particulier, une impression fâcheuse qu'elle ne put surmonter qu'avec des efforts et du temps. Mais, comme elle était déterminée à en venir à bout, et à ne pas montrer qu'elle souffrait plus du départ d'Edward que le reste de la famille, elle n'adopta pas la méthode de Marianne qui, réfugiée dans le silence, la solitude et l'inaction, n'était arrivée qu'à augmenter et fixer sa douleur. Leurs procédés différaient autant que leurs buts. Et chacune, du reste, arrivait ainsi à atteindre le sien.

Elinor s'assit à sa table de travail aussitôt qu'il fut sorti de la maison, s'employa activement tout le reste du jour, ne rechercha, ni évita de prononcer son nom, et parut s'intéresser, comme toujours, aux préoccupations générales de la famille. Si, par cette conduite, elle n'allégea pas sa propre peine, elle évita, au moins, de l'accroître inutilement et épargna à sa mère et à ses sœurs beaucoup d'inquiétude sur son compte.

Une pareille conduite, si exactement opposée à la sienne, ne parut pas plus méritoire à Marianne que la sienne ne lui avait semblé fautive. Pour elle, la maîtrise de soi s'analysait facilement : pour les sentiments profonds, elle était impossible ; pour les sentiments calmes, elle ne comportait aucun mérite. Que les sentiments de sa sœur fussent calmes, elle n'osait le nier, bien qu'elle rougît de le reconnaître ; et, quant à la force des siens, elle en donnait une preuve bien frappante en continuant à aimer et respecter cette sœur en dépit d'une conviction aussi mortifiante.

Sans se cacher de sa famille, sans s'enfermer systématiquement dans la solitude pour éviter tout le monde ou rester éveillée toute la nuit pour s'abandonner à la méditation, Elinor trouva que chaque jour lui apportait assez de loisir pour songer à Edward. Elle avait mille façons, suivant le moment ou l'état de son cœur, pour réfléchir sur sa conduite et y repensait tour à tour avec tendresse, pitié ou indécision parfois et blâme. Il y avait de nombreux moments où, sinon par l'absence de sa mère et de ses sœurs, au moins par la nature de leurs occupations, la conversation était impossible et tout se passait alors comme si elle jouissait de la solitude. Son esprit retrouvait inévitablement sa liberté, ses pensées n'étaient pas enchaînées ailleurs. Le passé et l'avenir de cet amour pouvaient lui apparaître, la captiver, et remplir sa mémoire ou nourrir sa réflexion et sa fantaisie.

Un matin, peu de temps après le départ d'Edward, elle était assise à sa table de travail, plongée dans une rêverie de ce genre, lorsqu'elle en fut tirée par l'arrivée de visiteurs. Elle se trouvait toute seule. Le bruit de la petite porte, à l'entrée de la pelouse, devant la maison, lui fit lever les yeux vers la fenêtre et elle aperçut une nombreuse compagnie qui se dirigeait vers l'entrée. Il y avait sir John et Lady Middleton, ainsi que Mrs. Jennings et, avec eux, deux autres personnes, un gentleman et une dame qui lui étaient totalement inconnus. Elle se trouvait près de la fenêtre et aussitôt que sir John l'aperçut, il laissa au reste de la société le soin de frapper à la porte, traversa la pelouse et l'obligea à ouvrir la croisée pour lui parler, bien que la distance entre la porte et la croisée fût si faible qu'il n'était pas croyable qu'il ne pût être entendu du groupe.

— Eh bien, dit-il, nous vous amenons quelques étrangers. Comment les trouvez-vous ?

— Chut ! ils vous entendent.

— Cela ne fait rien. Ce ne sont que les Palmer. Charlotte est vraiment bien, je vous assure. Vous pouvez la voir en vous penchant un peu de côté.

Elinor qui était certaine de la voir, dans quelques minutes, sans avoir à prendre cette liberté, le pria de l'excuser.

— Où est Marianne ? Est-ce qu'elle est partie parce que nous arrivons ? Je vois son piano ouvert.

— Elle est en promenade, je crois.

Ils furent alors rejoints par Mrs. Jennings qui n'avait pas eu la patience d'attendre que la porte soit ouverte pour raconter son histoire. Elle l'interpella à sa fenêtre.

— Comment allez-vous, ma chère ? Comment va Mrs. Dashwood ? Et où sont vos sœurs ? Comment ? Toute seule ? Vous serez heureuse d'avoir un peu de compagnie. J'ai amené mon autre fille et son mari pour vous voir. Figurez-vous qu'ils sont arrivés à l'improviste. Il avait semblé entendre une voiture, hier soir, quand nous prenions notre thé, mais jamais il ne me serait venu à l'esprit que ce fût eux. Je ne voyais pas qui ce pouvait être – à moins que ce ne soit le colonel Brandon qui revenait… Aussi je dis à John : « Il me semble que j'entends une voiture, peut-être que le colonel Brandon revient. »

Elinor fut obligée de la laisser au milieu de ses explications pour accueillir le reste de la société. Lady Middleton présenta les deux étrangers. Mrs. Dashwood et Margaret descendirent en même temps et tous s'assirent pour se regarder, les uns les autres, pendant que Mrs. Jennings continuait son histoire en traversant le corridor pour gagner le salon, escortée par sir John.

Mrs. Palmer était de quelques années plus jeune que lady Middleton et totalement différente sous tous les rapports. Elle était petite et dodue, avec une très jolie figure où se reflétait la plus belle humeur qu'on puisse imaginer. Ses manières n'étaient en aucune façon aussi distinguées que celles de sa sœur, mais beaucoup plus engageantes. Elle fit son entrée le sourire aux lèvres, sourit tout le temps de la visite quand elle n'éclatait pas de rire, et partit en souriant.

Son mari était un jeune homme de vingt-cinq ou vingt-six ans, à l'aspect grave, l'air plus élégant et plus posé que sa femme, mais moins porté à plaire aux autres et à se plaire avec eux. Il entra dans le salon avec un air d'importance, s'inclina légèrement devant les dames sans dire un mot, et, après leur avoir jeté un bref coup d'œil ainsi qu'à l'appartement, prit un journal sur la table et se plongea dans sa lecture jusqu'à son départ.

Mrs. Palmer, au contraire, constamment inclinée, par nature, à la courtoisie et à la gaieté, s'était à peine assise qu'elle fit éclater son admiration pour le salon et tout ce qui s'y trouvait.

— Oh ! que cette pièce est délicieuse ! Je n'ai jamais rien vu d'aussi étonnant ! Voyez donc, maman, comme elle a gagné depuis la dernière fois que nous l'avons vue ! Je l'avais toujours trouvée fort agréable, mais (se tournant vers Mrs. Dashwood), vous en avez fait, madame, quelque chose de si charmant ! Regardez donc, ma sœur, comme tout cela est délicieux ! Comme j'aimerais une semblable maison pour moi-même ! Ne l'aimeriez-vous pas, Mr. Palmer ?

Mr. Palmer ne répondit pas et ne leva même pas les yeux de son journal.

— Mr. Palmer ne m'entend pas, dit-elle en riant. Cela lui arrive quelquefois. C'est très amusant !

C'était là une idée nouvelle pour Mrs. Dashwood ; jamais elle n'aurait imaginé que l'inattention pût passer pour chose spirituelle et elle ne put s'empêcher de les regarder tous deux avec surprise.

Mrs. Jennings, pendant tout ce temps, parlait aussi fort qu'elle le pouvait et continuait, sans s'arrêter, le récit de leur surprise du soir précédent jusqu'à ce qu'elle ait tout dit. Mrs. Palmer rit de bon cœur à l'évocation de leur étonnement, et chacun répéta, à deux ou trois reprises, que ç'avait été une surprise tout à fait agréable.

— Vous pouvez croire combien nous étions tous heureux de les voir, ajouta Mrs. Jennings en se penchant vers Elinor et parlant bas comme si elle ne voulait être entendue que d'elle seule bien qu'elles fussent assises à l'opposé l'une de l'autre; mais, pourtant, je ne puis m'empêcher de regretter qu'ils aient voyagé aussi vite et fait une aussi longue étape! Car ils sont passés par Londres pour quelque affaire et vous comprenez (avec un coup d'œil significatif vers sa fille), cela ne lui valait rien dans son état. Je voulais qu'elle reste à la maison et se repose pendant la matinée mais elle a voulu venir avec nous; il lui tardait si fort de vous voir toutes.

Mrs. Palmer se mit à rire et dit que cela ne pouvait lui faire aucun mal.

— Elle s'attend à être délivrée en février, continua Mrs. Jennings.

Lady Middleton ne put souffrir plus longtemps pareille conversation et, en conséquence, prit sur elle de demander à Mr. Palmer s'il y avait quelque chose de neuf dans le journal.

— Non, rien du tout, répondit-il.

Et il se remit à lire.

— Voici Marianne qui arrive, cria sir John. Maintenant, Palmer, vous allez voir une jeune fille prodigieusement jolie.

Il se précipita dans le passage, ouvrit la porte d'entrée et l'introduisit lui-même. Mrs. Jennings, dès qu'elle apparut, lui demanda si elle n'avait pas été à Allenham. Mrs. Palmer, à cette question, se mit à rire de tout son cœur, pour montrer qu'elle en comprenait bien le sens. Mr. Palmer, qui avait levé les yeux à son entrée, la considéra quelques minutes, puis retourna ensuite à sa lecture. Mrs. Palmer aperçut ensuite les peintures suspendues aux murs. Elle se leva pour les examiner.

— Oh ! ma chère, comme c'est beau ! Mais oui, c'est délicieux ! Mais regardez, maman, comme c'est joli. Elles sont charmantes, je vous le déclare, je ne me lasserai pas de les regarder.

Et, là-dessus, elle se rassit et parut presque aussitôt en oublier l'existence.

Lorsque Lady Middleton se leva pour le départ, Mr. Palmer se leva aussi, posa son journal sur la table, s'étira et les regarda tous à la ronde.

— Mon amour, avez-vous dormi ? dit sa femme en riant.

Il ne lui répondit pas. Il observa, seulement, après avoir encore examiné la pièce, qu'elle était trop basse et que le plafond était de travers. Il fit alors sa révérence et partit avec les autres.

Sir John avait vivement pressé ces dames de passer la journée suivante au Park. Mrs. Dashwood, qui ne voulait pas dîner chez eux plus souvent qu'ils ne dînaient au cottage, refusa absolument pour son compte ; ses filles pouvaient faire comme elles voudraient. Mais elles n'éprouvaient nullement la curiosité de voir comment Mr. et Mrs. Palmer mangeaient leur dîner et n'attendaient d'eux aucun plaisir d'aucune sorte. Elles essayèrent, en conséquence, d'alléguer quelques excuses : le temps était incertain et ne paraissait pas tourner au beau. Mais sir John ne se tint pas pour battu, il leur enverrait la voiture et il faudrait qu'elles viennent. Lady Middleton aussi, bien qu'elle n'ait pas insisté auprès de leur mère, insista auprès d'elles. Mrs. Jennings et Mrs. Palmer joignirent leurs efforts, tous semblaient également désireux d'éviter de se trouver seuls en famille et les jeunes filles ne purent faire autrement qu'acquiescer.

— Pourquoi nous invitent-elles ? demanda Marianne dès qu'ils furent partis. Le loyer du cottage est, paraît-il, avantageux. Mais c'est trop le payer si nous devons dîner au Park chaque fois qu'il y a un invité chez eux ou chez nous !

— Ils n'ont pas l'intention d'être moins polis et aimables à notre égard, dit Elinor, que lorsqu'ils nous invitaient il y a seulement quelques semaines. Ce n'est pas leur faute si leurs réunions sont devenues ennuyeuses et mornes. C'est de notre côté qu'il vous faut chercher le changement.

20

Au moment où les demoiselles Dashwood, le jour suivant, entrèrent par une porte dans le salon du Park, Mrs. Palmer accourait par l'autre, paraissant aussi joyeuse et bien disposée que la veille. Elle leur tendit très affectueusement la main à toutes et exprima son grand bonheur de les retrouver.

— Je suis si heureuse de vous voir, dit-elle, s'asseyant entre Elinor et Marianne. Il fait si mauvais que j'avais peur que vous ne puissiez pas venir ce qui aurait été déplorable puisque nous repartons demain. Il nous faut partir, vous comprenez, car les Weston viennent chez nous la semaine prochaine. La décision de notre départ a été tout à fait brusque et je n'en savais rien jusqu'au moment où la voiture a été devant la porte. C'est alors que Mr. Palmer m'a demandé si je voulais venir avec lui à Barton. Il ne me dit jamais rien. Je suis si fâchée de ne pouvoir rester davantage ! Mais j'espère bien que nous pourrons nous revoir à Londres.

Elles durent couper court à cette espérance.

— Ne pas aller à Londres ? s'écria Mrs. Palmer en riant. Je serai bien étonnée si vous n'y allez pas. Je puis vous offrir la plus délicieuse maison du monde, porte à porte avec nous dans Hanover Square. Vous viendrez certainement, je suis sûre que j'aurai le grand plaisir de vous chaperonner quelque temps avant mes couches, si Mrs. Dashwood préfère ne pas aller dans le monde.

Elles la remercièrent, mais elles durent résister à toutes ses offres.

— Oh ! mon amour, dit Mrs. Palmer à son mari qui venait d'entrer, il faut que vous me veniez en aide pour persuader les demoiselles Dashwood de venir en ville cet hiver.

Son amour ne fit aucune réponse, et, s'étant incliné devant les dames, commença à parler du temps.

— Comme il est horrible ! dit-il. Un tel temps fait prendre en dégoût les gens et les choses. La pluie engendre la tristesse à la maison aussi bien qu'à l'extérieur. A quoi pense sir John de n'avoir pas un billard chez lui ? Que peu de gens ont donc le sens du confort ! Sir John est aussi stupide que le temps !

Le reste de la compagnie fit bientôt son entrée.

— Je crains, miss Marianne, dit sir John, que vous n'ayez pas pu faire votre promenade habituelle à Allenham aujourd'hui.

Marianne prit un air bien sérieux et ne répondit rien.

— Oh ! ne soyez pas si mystérieuse avec nous, dit Mrs. Palmer, car nous sommes bien renseignés, je vous assure, et j'admire beaucoup votre goût, car il est extrêmement bien de sa personne. Nous n'habitons pas très loin de lui à la campagne, comprenez-vous, pas à plus de dix milles, je crois.

— Trente plutôt, dit son mari.

— Ah ? Oh ! bien, cela ne fait pas grande différence. Je ne suis jamais allée chez lui, mais on dit que c'est très gentil.

— Le plus vilain endroit que j'aie jamais vu de ma vie, dit Mr. Palmer.

Marianne gardait le plus profond silence bien que sa contenance trahît l'intérêt qu'elle prenait à ce qu'on disait.

— Vraiment, il est si laid que ça? continua Mrs. Palmer. Alors, c'est un autre endroit qui est joli, je suppose.

Quand ils furent installés à table, sir John observa avec regret qu'ils n'étaient que huit en tout.

— Ma chère, dit-il à sa femme, c'est vraiment désolant que nous soyons si peu. Pourquoi n'avons-nous pas invité les Gilbert aujourd'hui ?

— Ne vous ai-je pas dit, sir John, quand vous m'en avez déjà parlé, que cela ne se pouvait pas ? Ils ont dîné avec nous dernièrement.

— Vous et moi, sir John, dit Mrs. Jennings, ne nous arrêtons pas à de telles vétilles.

— Alors, vous êtes bien mal élevés, s'écria Mr. Palmer.

— Mon amour, vous contredisez tout le monde, dit sa femme, riant comme à son habitude. Savez-vous que vous êtes passablement brutal ?

— Je crois ne contredire personne en disant que votre mère est mal élevée.

— Oui, vous pouvez me dénigrer tant que vous voudrez, dit la joyeuse vieille dame. Vous m'avez débarrassée de Charlotte et vous ne pouvez pas me la renvoyer maintenant. Aussi, j'ai l'avantage sur vous.

Charlotte rit de tout son cœur à l'idée que son époux ne pouvait pas la renvoyer et dit triomphalement qu'il lui importait peu qu'il la traitât ainsi puisqu'il était bien forcé de vivre avec elle. Il était impossible de trouver quelqu'un d'une aussi complète bonne humeur que Mrs. Palmer et aussi parfaitement décidée à tout prendre du bon côté. L'indifférence étudiée, l'insolence et le mauvais caractère de son mari ne la troublaient en rien ; et, quand il la grondait et la rudoyait, elle s'en amusait beaucoup.

— Mr. Palmer est si drôle ! dit-elle à l'oreille d'Elinor. Il est toujours de mauvaise humeur.

Elinor n'était pas portée, après l'avoir un peu observé, à admettre qu'il fût naturellement et sans effort aussi rustre et mal élevé qu'il cherchait à le paraître. Son caractère avait pu être un peu aigri en découvrant, comme beaucoup d'autres de son sexe, que, par l'aveugle impulsion qui l'avait attiré vers sa beauté, il était devenu le mari d'une femme très sotte ; mais elle savait que ce genre de faute était trop répandu pour qu'un homme sensé n'en prenne pas finalement son parti. C'était plutôt, croyait-elle, un désir de distinction qui le poussait à traiter tout le monde d'une façon méprisante et à dénigrer, en général, tout ce qui s'offrait à lui. C'était le désir de paraître supérieur aux autres. Le motif était trop commun pour qu'on en fût surpris. Mais les moyens employés, quelque efficaces qu'ils fussent pour établir sa réputation de mauvaise éducation, n'étaient propres à lui attacher personne, à l'exception de sa femme.

— Oh ! ma chère miss Dashwood, dit Mrs. Palmer bientôt après, j'ai une faveur à vous demander à vous et à votre sœur. Voudriez-vous venir passer quelque temps à Cleveland pour Noël ? Je vous en prie, et venez quand les Weston seront avec nous. Vous ne pouvez croire le plaisir que vous nous ferez. Ce sera tout à fait délicieux !

S'adressant à son mari :

— Mon amour, n'avez-vous pas envie d'avoir les Dashwood à Cleveland ?

— Certainement, répondit-il en ricanant, je ne suis venu dans le Devonshire que pour cela.

— Eh bien, reprit sa femme, vous voyez que Mr. Palmer vous attend, donc vous ne pouvez refuser de venir.

Elles déclinèrent énergiquement et résolument l'invitation.

— Mais je vous assure que vous pouvez et devez venir. Je suis sûre que tout vous plaira. Les Weston seront avec nous et ce sera tout à fait délicieux. Vous ne pouvez imaginer combien Cleveland est agréable ! Et tout sera si gai alors, car Mr. Palmer est tout le temps à courir le pays pour les élections. Et tant de gens, que je ne connais pas, viennent dîner avec nous, c'est tout à fait charmant. Mais le pauvre ! c'est si fatigant pour lui ! car il est obligé de plaire à tout le monde.

Elinor eut grand-peine à se contenir en affirmant qu'elle appréciait toute la dureté d'une pareille obligation.

— Comme ce sera amusant, dit Charlotte, s'il est au Parlement ! Y sera-t-il ? Comme je rirai ! Ce sera si drôle de voir tout le courrier qu'on lui adressera marqué d'un M.P. ! Mais, savez-vous, il dit qu'il ne me donnera jamais la franchise postale. Il déclare que non. Vous ne me la donnerez pas, Mr. Palmer ?

Mr. Palmer ne fit pas attention à elle.

— Il ne peut pas supporter qu'on m'écrive, vous comprenez, continua-t-elle. Il dit que c'est tout à fait choquant.

— Non, dit-il, je n'ai jamais rien dit d'aussi absurde. Ne me prenez pas pour cible de toutes vos plaisanteries.

— Et voilà ! Vous voyez comme il est drôle. C'est toujours comme cela avec lui. Quelquefois, il reste une demi-journée sans rien me dire, et puis il arrive avec quelque chose de si drôle – à propos de n'importe quoi.

Elle surprit beaucoup Elinor quand on fut de retour au salon en lui demandant si elle aimait vraiment beaucoup Mr. Palmer.

— Certainement, dit Elinor, il semble fort agréable.

— Bon. Je suis si heureuse que vous le trouviez. Je le pensais, il est si amusant ! Et vous lui plaisez excessivement, vous et vos sœurs, je puis vous le dire, et vous ne pouvez croire combien il serait désappointé si vous ne veniez pas à Cleveland. Je ne puis pas imaginer pourquoi vous n'accepteriez pas.

Elinor fut encore obligée de décliner son invitation, et, en changeant de sujet, elle mit fin à ses importunités. Elle jugeait probable que, vivant dans le même comté, Mrs. Palmer était en état de lui fournir quelques renseignements particuliers sur le caractère général de Willoughby, plus intéressants que ceux qu'elle avait pu glaner chez les Middleton qui, eux, ne le voyaient qu'en passant. Elle était fort désireuse d'avoir l'impression d'un tiers sur ses mérites, de façon à pouvoir écarter toute possibilité de crainte pour Marianne. Elle commença par demander s'ils voyaient souvent Mr. Willoughby à Cleveland et s'ils étaient intimement liés avec lui.

— Oh ! oui, ma chère, je le connais extrêmement bien, répondit Mrs. Palmer. Non pas que je lui aie jamais parlé, mais je l'ai souvent vu en ville. Pour une raison ou pour une autre, je ne me suis jamais trouvé à Barton pendant qu'il était à Allenham. Maman l'avait vu déjà une fois ici avant, mais j'étais avec mon oncle à Weymouth. Cependant, je puis dire que nous l'aurions beaucoup vu dans le Somersetshire ; seulement, par grande malchance, nous n'avons jamais été à la campagne ensemble. Il séjourne bien peu à Combe, je crois ; même s'il y était plus souvent, je ne crois pas, d'ailleurs, que Mr. Palmer lui rendrait visite, car il est dans l'opposition, vous comprenez, et, de plus, c'est si loin ! Je sais pourquoi vous me posez cette question. Votre sœur doit l'épouser. J'en suis heureuse, car alors, n'est-ce pas, je l'aurai pour voisine.

— Sur ma parole, répliqua Elinor, vous en savez là-dessus plus long que moi, si vous avez quelque raison de croire à cette union.

— Ne prétendez pas le contraire puisque vous savez que tout le monde en parle. Je vous assure que je l'ai entendu dire quand je suis passée à Londres.

— Chère Mrs. Palmer !

— Sur mon honneur, c'est vrai. J'ai rencontré le colonel Brandon, lundi matin, dans Bond street, juste au moment de notre départ et il me l'a dit formellement.

— Vous me surprenez beaucoup. Le colonel Brandon vous avoir dit cela ! Certainement, vous vous êtes trompée. Donner un pareil renseignement à une personne que cela n'intéressait pas, même si c'était vrai, voilà qui ne ressemble pas au colonel Brandon.

— Mais je vous assure que cela s'est passé ainsi. Tout compte fait, je vais vous dire comment. Quand nous l'eûmes rencontré, il revint sur ses pas et fit route avec nous ; et nous commençâmes à parler de mon frère et de ma sœur, et de choses et d'autres. Je lui dis : « Colonel, il y a une nouvelle famille à Barton Cottage, m'a-t-on dit, et maman m'a écrit qu'ils étaient très bien et qu'une des filles allait épouser Mr. Willoughby de Combe Magna. Est-ce vrai, je vous prie ? Car, certainement, vous devez être au courant puisque vous étiez dernièrement dans le Devonshire. »

— Et qu'a dit le colonel ?

— Oh ! il n'a pas dit grand-chose, mais il avait l'air de le croire, de sorte qu'à partir de ce moment, j'ai considéré la chose comme certaine. Ce sera d'ailleurs tout à fait charmant. Et à quelle époque ?

— Mr. Brandon était en bonne santé, j'espère ?

— Oh ! oui, tout à fait bien. Et tout plein d'éloges à votre égard ; il n'a pas arrêté de dire du bien de vous.

— J'en suis flattée. Il a l'air d'un excellent homme et je le trouve particulièrement agréable.

— Moi aussi. C'est un homme si charmant, que c'est une pitié qu'il soit aussi grave et si triste ! Maman dit qu'il était amoureux de votre sœur, lui aussi. Je puis vous affirmer que, s'il l'était, ce serait un grand compliment, car il ne s'attache pour ainsi dire à personne.

— Mr. Willoughby est-il bien connu dans votre région ? dit Elinor.

— Oh ! oui, extrêmement, c'est-à-dire, je ne crois pas que beaucoup de gens soient en relation avec lui parce que Combe Magna est si loin ! Mais tout le monde le trouve excessivement agréable, je vous assure. Personne ne se fait plus aimer que Mr. Willoughby partout où il va, et vous pouvez le dire à votre sœur. Elle a une chance phénoménale, sur mon honneur ; et lui n'en a pas moins, car elle est vraiment si jolie et agréable que rien ne peut être assez bon pour elle. Mais, cependant, je ne crois pas qu'elle soit sensiblement mieux que vous, je vous assure, je vous trouve toutes deux excessivement bien et Mr. Palmer aussi j'en suis sûre, bien que nous n'ayons pas pu le lui faire avouer devant vous.

Les renseignements de Mrs. Palmer sur Willoughby n'étaient guère positifs, mais tout témoignage en sa faveur, si insignifiant qu'il fût, lui faisait plaisir.

— Je suis si heureuse que nous ayons fini par faire connaissance, continua Charlotte. Et maintenant, j'espère que nous serons toujours grandes amies. Vous ne pouvez vous figurer combien il me tardait de vous voir ! Quelle charmante chose que vous puissiez vivre dans un cottage ! Il n'y a rien comme cela, sûrement. Et je suis si contente que votre sœur soit sur le point de se bien marier. J'espère que vous serez souvent à Combe Magna. C'est un joli endroit, tout compte fait.

— Connaissez-vous le colonel Brandon depuis longtemps ?

— Oh ! oui, il y a longtemps. Depuis le mariage de ma sœur. C'était un ami personnel de sir John. Je crois – elle baissa la voix – qu'il aurait été très heureux de m'épouser. Sir John et lady Middleton le désiraient beaucoup. Mais maman ne trouva pas le parti assez bon pour moi, autrement, sir John en aurait parlé au colonel et nous aurions été mariés tout de suite.

— Le colonel Brandon était-il au courant de la proposition de sir John à votre mère avant qu'il lui en eût parlé ? Vous a-t-il jamais donné des marques de ses sentiments ?

— Oh ! non, mais si maman n'avait pas fait d'objections, je crois bien qu'il aurait fort aimé cela. Il ne m'avait pas vue plus de deux fois, car c'était avant que je fusse sortie de pension. Tout de même, je suis plus heureuse comme je suis. Mr. Palmer est juste le genre d'homme que je préfère.

21

Les Palmer retournèrent à Cleveland, le lendemain, et les deux familles se trouvèrent de nouveau réduites à leurs propres ressources. Mais cela ne dura pas longtemps ; Elinor avait à peine écarté de sa mémoire le souvenir de leurs derniers visiteurs, elle s'était à peine remise de son étonnement devant le spectacle de Charlotte si heureuse sans raison, de Mr. Palmer se comportant si niaisement, malgré son intelligence, et de l'étrange contraste qui existe souvent entre mari et femme, quand le zèle infatigable de sir John et de Mrs. Jennings à se procurer de la société vint offrir de nouveaux sujets à son observation.

Au cours d'une excursion matinale à Exeter, ils avaient rencontré deux jeunes filles avec qui Mrs. Jennings eut la satisfaction de se découvrir une parenté, et cela suffit à sir John pour les inviter immédiatement à venir au Park, aussitôt que leurs engagements à Exeter auraient pris fin. Les engagements s'évanouirent aussitôt devant une pareille invitation et lady Middleton fut un peu alarmée, au retour de sir John, en apprenant qu'elle allait incessamment recevoir la visite de deux personnes qu'elle n'avait vues de sa vie, et de l'élégance ou au moins de la simple éducation desquelles elle n'avait aucune preuve ; car les assurances de son mari et de sa mère, à ce sujet, ne comptaient pour rien à ses yeux. Le fait qu'elles étaient aussi leurs cousines n'arrangeait pas les choses, bien au contraire ; et cela donnait du poids aux exhortations de Mrs. Jennings, lorsque celle-ci répétait à sa fille de ne point trop s'inquiéter de leur éducation car, « étant cousins, disait-elle, nous devons nous supporter les uns les autres ».

Cependant, comme il était maintenant impossible d'éviter leur visite, lady Middleton se résigna à cette idée avec toute la philosophie d'une femme bien élevée, se contentant simplement de donner à son époux une amicale réprimande à ce sujet, cinq ou six fois par jour.

Les jeunes filles arrivèrent ; elles ne parurent en aucune façon ni mal mises ni mal élevées. Leur toilette était très correcte, leurs façons civiles, elles se montraient enchantées de la maison et ravies du mobilier. Et il se trouva qu'elles raffolaient tellement des enfants que la bonne opinion de lady Middleton leur fut acquise une heure après qu'elles furent arrivées au Park. Elle déclara les trouver agréables, ce qui, pour Madame, valait une admiration enthousiaste. La confiance de sir John en son propre jugement fut exaltée par cet éloge animé et il fila directement vers le cottage pour annoncer aux Dashwood l'arrivée des demoiselles Steele et les assurer que c'étaient les plus agréables personnes du monde. Pareille recommandation, à vrai dire, ne signifiait pas grand-chose ; Elinor savait bien que les plus agréables personnes du monde pouvaient se rencontrer dans tous les coins de l'Angleterre et sous toutes les variétés possibles de forme, de figure, de caractère et d'intelligence. Sir John aurait voulu que toute la famille descendît immédiatement au Park pour contempler ses hôtes.

Homme bienveillant et philanthropique ! Il lui était pénible de garder, pour lui seul, même un cousin au troisième degré.

— Venez maintenant, dit-il, je vous en prie, venez, il vous faut venir, je déclare que vous viendrez. Lucy est extraordinairement gracieuse et de si bonne humeur, et si agréable ! Et toutes deux désirent, par-dessus tout, vous voir, car elles ont entendu dire à Exeter que vous étiez les plus belles créatures du monde. Et je leur ai dit que c'était entièrement vrai, et beaucoup plus encore. Vous en serez enchantées, j'en suis sûr. Elles ont apporté une pleine voiture de jouets pour les enfants. Comment pouvez-vous être assez contrariantes en ne venant pas ? En somme, vous êtes cousines, savez-vous, d'après l'usage. Vous êtes mes cousines, elles sont les cousines de ma femme, ainsi vous êtes apparentées.

Mais sir John ne l'emporta pas. Il put seulement obtenir la promesse de leur visite au Park dans un jour ou deux, et les quitta, stupéfait de leur indifférence, pour rentrer chez lui et vanter de nouveau leurs attraits aux demoiselles Steele comme il venait de leur vanter ceux des demoiselles Steele.

Lorsque la visite promise au Park eut lieu et qu'en conséquence elles furent présentées aux jeunes filles, elles ne trouvèrent rien de remarquable dans l'apparence de l'aînée, qui était âgée d'une trentaine d'années, avec une figure bien ordinaire et sans expression ; mais l'autre, qui n'avait pas plus de vingt-deux ou vingt-trois ans, leur donna l'impression d'une grande beauté. Elle avait de jolis traits avec un regard vif et perçant, et quelque chose de piquant dans son allure qui, sans être précisément de l'élégance et de la grâce, donnait de la distinction à sa personne. Leurs manières étaient particulièrement civiles et Elinor leur fit immédiatement crédit d'un certain bon sens quand elle vit avec quelles constantes et judicieuses attentions elles se rendaient agréables à lady Middleton. Avec les enfants, elles étaient continuellement en extase, exaltant leur beauté, recherchant leur attention, se prêtant à tous leurs caprices. Et tout le temps qui n'était pas pris par les demandes importunes que leur attirait cette politesse était employé à admirer tout ce que faisait lady Middleton, quand il arrivait à Madame de faire quelque chose, ou à copier les patrons de quelque nouvelle et élégante toilette dans laquelle elle leur était apparue le jour précédent et qui les avait jetées dans un ravissement sans fin.

Quand, pour faire sa cour, on spécule sur la tendresse et l'aveuglement d'une mère, on ne saurait jamais exagérer les éloges. Mais il faut reconnaître que la crédulité qu'ils rencontrent rend ceux-ci plus faciles à faire.

En conséquence, l'affection excessive et la patience des demoiselles Steele envers sa progéniture n'inspiraient pas la moindre surprise ni la moindre défiance à lady Middleton. Elle contemplait, avec une indulgence maternelle, toutes les impertinences et les tours pendables qu'enduraient de bonne grâce ses cousines. Elle vit leurs ceintures défaites, leurs cheveux tirés derrière leurs oreilles, leurs sacs à main fouillés, leurs couteaux et leurs ciseaux volés, et ne douta pas le moins du monde que le plaisir ne fût partagé. Rien ne la surprit, sinon de voir qu'Elinor et Marianne puissent rester tranquilles sans réclamer leur part de ces divertissements.

— John est tellement en train aujourd'hui, dit-elle, comme il s'emparait du mouchoir de miss Steele pour le jeter par la fenêtre. Il est malin comme un singe !

Et, bientôt après, comme le second garçon pinçait violemment un des doigts de la même victime, elle observa tendrement :

— Comme William est joueur ! Et voici ma douce petite Annamaria, ajouta-t-elle caressant amoureusement une fillette de trois ans, qui n'a pas fait de bruit depuis deux minutes, toujours si gentille et si tranquille ! On n'a jamais vu une aussi tranquille petite chose.

Mais, malheureusement, au milieu de ces embrassades, une épingle à cheveux de lady Middleton, effleurant le nez de l'enfant, tira de ce modèle de gentillesse de si violents hurlements qu'aucune créature professionnellement bruyante n'aurait guère pu en produire de plus forts. La consternation de la mère fut excessive ; mais elle ne put surpasser l'alarme des demoiselles Steele, et elles tentèrent, toutes trois, dans une conjoncture si critique, tout ce que l'affection pouvait imaginer pour calmer la douleur de la petite patiente. Sa mère la prit sur son sein, la couvrit de baisers ; la blessure fut lavée à l'eau de lavande par une des demoiselles Steele à genoux devant lady Middleton, tandis que l'autre lui remplissait la bouche de prunes au sucre. Devant un tel résultat, l'enfant était trop bien avisée pour cesser de crier. Elle continua donc de gémir et de sangloter vigoureusement, repoussa ses deux frères qui faisaient mine de la toucher et toutes leurs consolations réunies restaient inefficaces quand, heureusement, lady Middleton se rappela que, dans une scène semblable, la semaine dernière, une certaine marmelade d'abricots avait été appliquée avec succès pour un coup à la tempe. Le même remède fut proposé aussitôt pour la malheureuse égratignure et une légère interruption dans les cris de la jeune personne, dès qu'elle en entendit parler, leur donna lieu d'espérer qu'il ne serait pas rejeté. Elle fut, en conséquence, portée hors de la chambre dans les bras de sa mère, à la recherche de cette médecine, et comme les deux autres enfants décidèrent de la suivre bien que leur mère les eût instamment priés de rester là, les quatre jeunes filles furent laissées dans un calme que la chambre n'avait pas connu depuis plusieurs heures.

— Pauvre petite créature ! dit miss Steele, aussitôt qu'ils furent partis. Ç'aurait pu être un accident grave !

— Je ne vois pas trop comment, protesta Marianne, à moins que les circonstances aient été totalement différentes. Mais c'est une habitude que de prendre les choses au tragique quand il n'y a pas lieu !

— Quelle personne aimable que lady Middleton ! dit Lucy Steele.

Marianne garda le silence, il lui était impossible de dire le contraire de ce qu'elle pensait, même dans les occasions les plus banales ; et c'est, en conséquence, sur Elinor que retombait la tâche de mentir lorsque la politesse l'exigeait. Elle fit de son mieux, ainsi interpellée, pour parler de lady Middleton avec plus de chaleur qu'elle n'en ressentait, quoiqu'elle ne pût arriver au diapason de Lucy.

— Et sir John, lui aussi, s'écria la sœur aînée, quel homme charmant !

Ici aussi, l'éloge de miss Dashwood, étant seulement simple et juste, fut émis sans éclat. Elle observa seulement qu'il avait un caractère parfait et fort amical.

— Et quelle charmante petite famille ils ont ! Je n'ai jamais vu de ma vie d'aussi jolis enfants. J'en suis déjà folle et, à la vérité, j'ai toujours raffolé des enfants.

— Je l'aurais deviné, dit Elinor, d'après ce que j'ai vu ce matin.

— J'ai idée, reprit Lucy, que vous trouvez que les jeunes Middleton sont trop gâtés. Peut-être leur lâche-t-elle un peu la bride, mais c'est si naturel chez lady Middleton ; et, pour ma part, j'aime à voir les enfants pleins de vie et d'ardeur ; je ne puis supporter de les voir mous et tranquilles.

— J'avoue, répliqua Elinor, que, lorsque je suis à Barton, je ne puis haïr les enfants mous et tranquilles.

Une courte pause suivit cette déclaration et fut rompue par miss Steele qui semblait fort disposée à la conversation et qui dit, plutôt brusquement :

— Et comment trouvez-vous le Devonshire, miss Dashwood ? Je suppose que vous avez beaucoup regretté de quitter le Sussex.

Un peu surprise de la familiarité de cette question, ou, du moins, de la manière dont elle était formulée, Elinor répondit que c'était vrai.

— Norland est une résidence prodigieusement belle, n'est-ce pas ? ajouta miss Steele.

— Nous avons entendu sir John en faire d'extrêmes éloges, dit Lucy qui semblait juger nécessaire de s'excuser pour la hardiesse de sa sœur.

— Je crois que tous ceux qui l'ont vue doivent l'admirer, répondit Elinor, quoiqu'il soit peu croyable que personne estime sa beauté autant que nous.

— Et aviez-vous beaucoup de jeunes gens intéressants ? Je suppose que vous n'en avez pas autant dans cette région. Pour ma part, je trouve que c'est toujours un grand surcroît d'agrément.

— Mais d'où prenez-vous, dit Lucy, qui parut gênée pour sa sœur, qu'il n'y ait pas autant de jeunes gens aimables dans le Devonshire que dans le Sussex ?

— Certainement, ma chère, je ne veux pas dire qu'il n'y en ait pas ici. Je suis sûre qu'il y en a beaucoup à

Exeter. Mais, vous comprenez, comment puis-je savoir combien il y en avait à Norland ? J'avais seulement peur que les demoiselles Dashwood trouvent Barton ennuyeux, si elles n'y sont pas entourées d'autant de beaux jeunes gens qu'elles en ont l'habitude. Mais peut-être n'y faites-vous pas attention et vous trouvez-vous aussi bien sans eux qu'avec eux. Pour ma part, je trouve leur société bien agréable pourvu qu'ils s'habillent bien et soient bien élevés. Mais je ne puis supporter de les voir négligés et malpropres. Tenez, prenez Mr. Rose à Exeter, un jeune homme prodigieusement bien de sa personne, tout à fait dandy, clerc chez Mr. Simpson, vous connaissez ? Eh bien, s'il vous arrive de le rencontrer un matin, on ne peut pas le regarder. Je suppose que votre frère devait être aussi un dandy, miss Dashwood, avant son mariage, car il était si riche !

— Ma parole, je ne puis vous le dire, répondit Elinor, car je ne comprends pas très bien la signification de ce terme. Mais ce que je puis vous affirmer, c'est que, s'il a jamais été bel homme avant d'être marié, il doit l'être encore, car il n'a pas le moins du monde changé.

— Oh ! ma chère, les hommes mariés n'ont plus le temps d'être des dandys. Ils ont autre chose à faire !

— Mon Dieu, Anne, s'écria sa sœur, vous ne pouvez parler que de dandys. Vous allez faire croire à miss Dashwood que vous ne pensez pas à autre chose.

Et là-dessus, pour changer la conversation, elle se lança dans l'éloge de la maison et de son arrangement.

Cet échantillon des demoiselles Steele était suffisant. La liberté vulgaire et la folle sottise de l'aînée ne laissaient place à aucune qualité, et l'éclat du regard perçant de la plus jeune n'aveuglait pas Elinor sur son manque de réelle distinction et de simplicité ; elle quitta la maison sans aucun désir de les revoir l'une et l'autre.

Mais il n'en fut pas de même pour les demoiselles Steele. Elles arrivaient d'Exeter favorablement prévenues pour tout ce qui concernait sir John Middleton, sa famille et toute sa parenté, elles reportaient maintenant une proportion considérable de leur admiration sur ses jolies cousines qu'elles déclarèrent être les plus belles, les plus élégantes, les plus accomplies et les plus agréables personnes qu'elles eussent jamais rencontrées et avec lesquelles elles étaient particulièrement désireuses de faire plus ample connaissance. En conséquence, Elinor découvrait, bientôt, que faire plus ample connaissance était leur lot et qu'elles ne pouvaient y échapper ; car sir John appréciait beaucoup les demoiselles Steele, et il fallut accepter de passer une heure ou deux avec elles à peu près chaque jour. Sir John ne pouvait faire plus ; mais il ne soupçonnait pas qu'on pût demander davantage. Etre ensemble signifiait qu'on était intime et puisqu'il arrivait à les faire se rencontrer, il ne doutait absolument pas qu'une grande amitié ne se soit établie entre elles.

Il faut reconnaître qu'il fit tout ce qu'il put pour les mettre à l'aise, en faisant part aux demoiselles Steele de tout ce qu'il savait ou devinait concernant ses cousines. Et Elinor ne les avait pas vues deux fois que déjà l'aînée la félicitait de ce que sa sœur avait été assez heureuse pour faire la conquête d'un « jeune élégant » très distingué, depuis sa venue à Barton.

— Ce sera une belle chose, pour sûr, de la voir mariée si jeune et j'ai entendu dire que c'était tout à fait un dandy prodigieusement beau. J'espère que bientôt la même chance vous favorisera à votre tour, mais peut-être avez-vous déjà un bon ami sous roche ?

Elinor ne pouvait supposer que sir John avait négligé de la prévenir de ce qu'il pressentait au sujet d'Edward.

A vrai dire, c'était surtout sur les rapports d'Edward et d'Elinor qu'il faisait porter les traits de son esprit. Le sujet était plus neuf et laissait plus de part à l'hypothèse. Et, depuis la visite d'Edward, ils n'avaient jamais dîné ensemble sans qu'il ait bu à ses amours avec un air tellement significatif, et tant de signes et de clins d'œil qu'il ne pouvait manquer d'attirer l'attention générale. La lettre *F* avait, de même, été mise invariablement en avant et avait engendré tant de plaisanteries que cette lettre passait depuis longtemps pour être, aux yeux d'Elinor, la lettre la plus spirituelle de l'alphabet.

Les demoiselles Steele, comme Elinor s'y attendait, avaient maintenant le bénéfice de toutes ces plaisanteries, et, chez l'aînée, elles excitèrent une grande curiosité. Elle brûlait de connaître le nom du gentleman visé, et ce vœu, quoique souvent exprimé de façon intempestive, était parfaitement en harmonie avec le tour indiscret de son esprit et sa manie de se mêler des affaires de famille. Mais sir John ne laissa pas longtemps languir la curiosité qu'il avait eu tant de bonheur à éveiller, car il avait, au moins, autant de plaisir à révéler le nom en question que miss Steele à l'entendre.

— Son nom est Ferrars, dit-il dans un murmure très perceptible, mais, je vous en prie, ne le dites pas, c'est un grand secret.

— Ferrars, répéta miss Steele, Mr. Ferrars est donc l'homme heureux ? Quoi ! le frère de votre belle-sœur, miss Dashwood ? Un bien agréable jeune homme, certainement. Je le connais fort bien.

— Comment pouvez-vous parler ainsi, Anne ? s'écria Lucy qui, généralement, corrigeait toutes les assertions de sa sœur. Bien que nous l'ayons vu une ou deux fois chez mon oncle, c'est beaucoup trop prétendre que d'affirmer que nous le connaissons bien.

Elinor écoutait tout cela avec attention et surprise. Quel pouvait être cet oncle ? Où habitait-il ? Comment avaient-ils fait connaissance ? Elle aurait bien voulu que la conversation continuât sur ce sujet, bien qu'elle ne jugeât pas à propos de s'y joindre ; mais on n'en dit pas davantage, et pour la première fois de sa vie, elle pensa que Mrs. Jennings manquait de curiosité envers une intéressante possibilité d'information. La façon dont miss Steele avait parlé d'Edward augmentait sa curiosité ; elle lui avait semblé y apercevoir quelque chose de forcé. Il lui vint même l'idée que miss Steele savait ou faisait semblant de savoir quelque chose de désavantageux à l'égard d'Edward.

Mais sa curiosité fut vaine. Miss Steele ne fit plus d'autre observation à propos du nom de Mr. Ferrars quand sir John y faisait allusion ou en parlait ouvertement.

22

Marianne, qui n'avait jamais beaucoup d'indulgence pour tout ce qui avait couleur d'impertinence et de vulgarité, était à ce moment particulièrement mal disposée à se plaire avec les demoiselles Steele ou à encourager leurs avances. Et Elinor attribuait à cette froideur d'attitude, qui arrêtait à peu près toute tentative d'intimité de leur part, la préférence qu'elles lui témoignaient toutes deux et qui devint bientôt évidente. Lucy, particulièrement, ne manquait jamais une occasion d'engager la conversation avec elle ou de rendre leurs entretiens plus intimes en lui faisant part d'une manière franche de ses sentiments.

Lucy avait l'esprit naturellement pénétrant. Ses remarques étaient souvent justes et amusantes ; et, pour la voir pendant une demi-heure, Elinor la trouvait souvent agréable : mais ses facultés n'avaient reçu aucune aide de l'éducation. Elle était sans instruction, et son manque de culture intellectuelle, son ignorance des choses les plus communes, malgré tous ses efforts pour paraître à son avantage, ne pouvaient échapper à miss Dashwood. Elinor s'en rendait compte et regrettait pour elle qu'on eût laissé en friche des facultés dont une meilleure éducation aurait certainement pu tirer parti. Mais elle voyait aussi, avec beaucoup moins de commisération, le manque total de délicatesse, de rectitude et de fierté d'esprit que trahissaient ses attentions, son assiduité, ses flatteries envers ses cousines du Park. Elle ne pouvait avoir de plaisir durable dans la compagnie d'une personne qui unissait tant d'insincérité à tant d'ignorance. Son manque d'instruction mettait obstacle à tout véritable échange, et sa conduite avec ses semblables enlevait pratiquement toute valeur aux marques d'attention particulières qu'elle pouvait vous prodiguer.

— Vous allez trouver ma question singulière, je crois, dit Lucy un jour qu'elles allaient ensemble du Park au cottage, mais dites-moi, je vous prie, connaissez-vous personnellement la mère de votre belle-sœur, Mrs. Ferrars ?

Elinor trouva en effet la question vraiment singulière, et son attitude le laissa voir tandis qu'elle répondait n'avoir jamais vu Mrs. Ferrars.

— Vraiment ? répondit Lucy. J'en suis étonnée, car je pensais que vous auriez pu la voir à Norland quelquefois. Alors, peut-être ne pourrez-vous me dire quel genre de femme c'est ?

— Non, répondit Elinor, soucieuse de ne pas donner sa véritable opinion sur la mère d'Edward, et peu désireuse de satisfaire ce qui lui semblait une curiosité déplacée. Non, non, je ne sais rien d'elle.

— Je suis sûre que vous me trouverez fort étrange de m'informer ainsi d'elle, dit Lucy, fixant attentivement Elinor tout en parlant ; mais peut-être ai-je des raisons pour cela. Ah ! ma chère, je le voudrais tant ! J'espère cependant que vous me ferez l'honneur de croire que je n'ai pas l'intention d'être indiscrète.

Elinor fit une réponse polie et elles marchèrent quelque temps en silence. Lucy reprit la première la parole, pour revenir au même sujet, en disant avec quelque hésitation :

— Je ne puis souffrir l'idée que vous me croyiez indiscrète et curieuse ; certainement, je ne voudrais pour rien au monde être ainsi jugée par quelqu'un à l'opinion de qui j'attache autant d'importance. Mais je suis bien sûre de n'avoir absolument rien à craindre en me confiant à vous… Vraiment, je serais très heureuse d'avoir votre avis sur la façon de me comporter dans la situation difficile où je me trouve ; mais ce n'est pas une raison pour vous importuner. Je regrette que vous ne connaissiez pas Mrs. Ferrars…

— J'en suis fâchée, dit Elinor, très étonnée, surtout si mon opinion sur elle pouvait vous être de quelque utilité. Je vous avoue que je ne m'étais jamais figuré que vous ayez le moins du monde à faire avec cette famille, aussi, je suis toute surprise, il faut bien le dire, de vous voir si intriguée par le caractère de Mrs. Ferrars.

— Oui, bien sûr, cela ne m'étonne pas. Mais, si j'osais tout vous dire, vous seriez moins surprise.

Mrs. Ferrars n'est certainement rien pour moi, pour le moment, mais un temps peut venir – et il dépend d'elle que ce temps soit proche – où nous pourrons être très intimement rapprochées.

Elle baissait les yeux en disant cela, d'un air honteux et timide, mais non sans jeter un regard de côté sur sa compagne pour observer l'effet produit sur elle.

— Seigneur ! s'écria Elinor, que voulez-vous dire ? Seriez-vous liée avec Mr. Robert Ferrars ? Est-il possible ?

Elle n'éprouvait qu'un médiocre plaisir à l'idée d'une pareille belle-sœur.

— Non, répliqua Lucy, non, pas avec Mr. Robert Ferrars. Je ne l'ai jamais vu de ma vie ; mais – elle regarda fixement Elinor – avec son frère aîné.

Quels sentiments furent ceux d'Elinor à ce moment ? L'étonnement aurait été aussi pénible que violent, s'il n'avait été immédiatement suivi d'une complète incrédulité. Stupéfaite, elle se tourna en silence vers Lucy, incapable de deviner la raison ou l'objet d'une telle déclaration ; et, quoique troublée, elle resta ferme dans sa conviction et ne risqua point de tomber dans une attaque de nerfs ou de s'évanouir.

— Vous avez bien le droit d'être surprise, continua Lucy, car certainement, vous ne pouviez avoir aucune idée de cela ; je puis bien dire qu'il n'en a jamais soufflé le moindre mot à vous ni à votre famille, parce qu'il avait toujours été entendu que c'était un grand secret, et je suis sûre de l'avoir fidèlement gardé jusqu'à cette heure. Personne parmi mes relations n'en sait rien, excepté Anne, et je ne vous en aurais rien dit si je n'avais pas eu la plus grande confiance du monde dans votre discrétion. Mais, réellement, j'ai pensé que mon attitude en posant tant de questions au sujet de Mrs. Ferrars doit sembler si singulière qu'elle a besoin d'une explication. Et je ne pense pas que Mr. Ferrars m'en veuille lorsqu'il saura que je me suis confiée à vous, car je sais qu'il a la plus haute opinion de toute votre famille et qu'il vous regarde, vous et les autres demoiselles Dashwood, comme des sœurs.

Elle fit une pause.

Elinor, pendant quelques instants, garda le silence. Son étonnement devant ce qu'elle entendait était encore trop grand pour lui permettre d'articuler un mot ; mais, à la fin, se forçant à parler, et à parler prudemment, elle dit avec un calme qui cachait assez bien sa surprise et son angoisse :

— Puis-je vous demander si votre engagement date de loin ?

— Il y a quatre ans.

— Quatre ans ?

— Oui.

Elinor, quoique sérieusement ébranlée, se sentit encore incapable de le croire.

— J'ignorais jusqu'à l'autre jour que vous vous connaissiez seulement, dit-elle.

— Nos rapports, pourtant, datent de loin. Il a été longtemps sous la tutelle de mon oncle.

— Votre oncle ?

— Oui, Mr. Pratt. Ne lui avez-vous jamais entendu parler de Mr. Pratt ?

— Si, je crois, dit Elinor avec une tension d'esprit qui croissait en même temps que son émotion.

— Il est resté quatre ans chez mon oncle qui demeure à Longstaple, près de Plymouth. C'est là que nos relations ont commencé, car ma sœur et moi venions souvent chez mon oncle, et c'est là que nous nous sommes fiancés, bien qu'il fût à peine majeur. Il était presque toujours avec nous ensuite. J'hésitais beaucoup à m'engager, comme vous pouvez le croire, sans que sa mère soit prévenue et eût donné son consentement ; mais j'étais trop jeune pour être aussi prudente qu'il l'aurait fallu. Bien que vous ne le connaissiez pas autant que moi, miss Dashwood, vous l'avez assez vu pour comprendre qu'il puisse inspirer un sincère attachement.

— Certainement, répondit Elinor, sans savoir ce qu'elle disait.

Mais, après un moment de réflexion, elle ajouta avec la certitude retrouvée de l'honneur et de l'amour d'Edward et de la fausseté de sa compagne :

— Fiancée à Mr. Edward Ferrars ? J'avoue que je suis tellement surprise de ce que vous me dites, que..., je vous demande pardon, mais, sûrement, il doit y avoir quelque malentendu de personne ou de nom. Nous ne pouvons pas penser au même Mr. Ferrars.

— Vous ne pouvez vous tromper, s'écria Lucy en souriant. La personne dont je vous parle est bien Mr. Edward Ferrars, le fils aîné de Mrs. Ferrars de Park street, et le frère de votre belle-sœur, Mrs. John Dashwood. Vous devez admettre que je ne risque pas de me tromper sur le nom d'un homme dont tout mon bonheur dépend.

— Il est étrange, répondit Elinor, dans la plus cruelle perplexité, que je ne lui aie jamais entendu prononcer seulement votre nom.

— Non, eu égard à notre situation, il n'y a rien là d'étrange. Notre plus grand souci a été de tenir la chose secrète. Vous ne saviez rien de moi, ni de ma famille, par conséquent, il n'avait aucune raison pour mentionner mon nom devant vous. Et, comme il craignait spécialement que sa sœur vienne à suspecter quelque chose, il avait assez de motifs pour éviter de le prononcer.

Elle se tut. Toute l'assurance d'Elinor chavira. Mais son sang-froid ne l'abandonna pas.

— Il y a quatre ans que vous êtes fiancés ? dit-elle d'une voix ferme.

— Oui. Et Dieu sait combien plus longtemps peut-être nous avons à attendre ! Pauvre Edward ! Cela le met tout à fait hors de lui-même.

Et, tirant de sa poche une petite miniature, elle ajouta :

— Pour prévenir toute possibilité d'erreur, ayez la bonté de regarder ce portrait. Il ne le peint pas comme il faudrait, certainement, mais je pense, pourtant, que vous ne pouvez vous tromper sur la ressemblance. Je l'ai depuis un peu plus de trois ans.

Elle le lui mit dans les mains tout en parlant, et quand Elinor eut vu la peinture, quelque doute qu'elle voulût nourrir et quelque désir qu'elle ait eu de découvrir une tromperie dans tout cela, il lui fallut bien convenir de l'identité du modèle. Elle le lui rendit presque aussitôt, en convenant de la ressemblance.

— Je n'ai jamais pu, continua Lucy, lui donner mon portrait en échange, ce qui m'a beaucoup contrariée, car il en avait un si grand désir ! Mais je suis décidée à poser dès que j'en aurai l'occasion.

— Vous avez tout à fait raison, répondit Elinor avec calme.

Elles firent alors quelques pas en silence. Puis Lucy reprit la parole :

— Je suis sûre, dit-elle, je n'ai pas le moindre doute à avoir sur votre fidèle discrétion, car vous vous rendez compte de quelle importance c'est pour nous que notre engagement ne parvienne pas aux oreilles de sa mère ; en effet, j'en suis certaine, elle ne donnera jamais son consentement. Je n'aurai aucune fortune, et je crois que c'est une femme extrêmement orgueilleuse.

— Je n'ai certainement pas provoqué vos confidences, dit Elinor ; mais vous ne faites que me rendre justice en pensant qu'on peut se fier à moi. Votre secret est en sécurité ; mais pardonnez-moi si j'exprime quelque surprise devant une communication que rien ne nécessitait. Vous auriez dû, au moins, vous rendre compte que le fait de me mettre au courant n'ajoutait rien à votre sécurité.

En s'exprimant ainsi, elle observait attentivement Lucy, espérant que son attitude lui révélerait quelque chose, peut-être la fausseté d'une grande partie de ses dires, mais Lucy ne changea pas de contenance.

— J'avais bien peur d'être accusée de prendre une trop grande liberté en vous racontant tout cela. Je ne vous connais pas depuis longtemps, c'est certain, personnellement au moins, mais j'ai beaucoup entendu parler de vous et de votre famille ; et, dès que je vous ai vue, il m'a semblé me trouver devant une vieille connaissance. Et puis, dans le cas présent, je pensais que réellement je vous devais quelque explication après vous avoir tant interrogée sur la mère d'Edward ; et, hélas ! je ne connais nul être au monde dont je puisse prendre conseil. Anne est la seule personne qui soit au courant, et elle n'a pas de jugement ; certainement, elle me gênerait plutôt, car j'ai toujours peur qu'elle ne me trahisse. Elle ne sait pas tenir sa langue, comme vous avez dû vous en apercevoir ; et j'ai eu très grand peur l'autre jour, quand le nom d'Edward a été prononcé par sir John, qu'elle ne laisse tout échapper. Vous ne sauriez croire combien je suis tourmentée de tout cela. Je me demande comment je puis vivre après tout ce que j'ai souffert à cause d'Edward pendant ces quatre ans. Tout est en suspens, tout dans l'incertitude ! Je le vois si rarement, c'est à peine si nous pouvons nous rencontrer deux fois par an. Je ne m'explique pas comment mon cœur n'est pas brisé !

Ici, elle sortit son mouchoir; mais Elinor n'éprouva pas beaucoup de compassion.

— Parfois, continua Lucy après s'être essuyé les yeux, je me demande s'il ne vaudrait pas mieux pour nous deux de rompre entièrement. (En disant cela, elle fixait son interlocutrice.) Mais ensuite, à d'autres moments, je ne m'en sens pas le courage. Je ne puis supporter la pensée de le rendre si malheureux. Je sais l'effet que lui produirait une telle pensée ! Et à moi-même, il m'est si cher, que je ne sais si je pourrais supporter ce sacrifice. Dans une telle situation, que me conseillez-vous de faire, miss Dashwood ? Que feriez-vous vous-même ?

— Excusez-moi, répliqua Elinor stupéfaite par cette question, mais je ne puis vous donner aucun conseil. Dans de telles conjonctures, vous ne pouvez vous guider que sur votre propre jugement.

— Certainement, continua Lucy après que toutes deux furent restées silencieuses un moment, sa mère fera quelque chose pour lui un jour ou l'autre. Mais le pauvre Edward est si abattu par tout cela ! Ne l'avez-vous pas trouvé terriblement déprimé quand il est venu à Barton ? Il était si malheureux quand il nous a laissées à Longstaple pour venir vous voir, que je craignais que vous ne le trouviez vraiment malade.

— Il arrivait donc de chez votre oncle lorsqu'il est venu chez nous ?

— Mais oui. Il est resté une quinzaine avec nous. Avez-vous cru qu'il venait directement de Londres ?

— Non, répondit Elinor vivement frappée par chaque nouveau détail qui attestait la véracité des dires de Lucy. Je me rappelle qu'il nous a dit être resté une quinzaine chez des amis à Plymouth.

Elle se rappelait aussi combien elle avait été surprise, à ce moment, de ne lui entendre rien dire de plus au sujet de ces amis et d'avoir gardé un total silence, même sur leurs noms.

— Ne l'avez-vous pas trouvé terriblement déprimé ? répéta Lucy.

— Si, particulièrement au moment de son arrivée.

— Je le priais de prendre sur lui, de peur que vous ne soupçonniez ce qui en était ; mais il était si malheureux de ne pouvoir rester qu'une quinzaine avec nous, et il me voyait si affectée ! Pauvre ami ! J'ai bien peur qu'il ne soit encore dans le même état, car il m'écrit sur un ton pitoyable. J'ai eu de ses nouvelles juste au moment de quitter Exeter.

Elle tira une lettre de sa poche et montra négligemment la suscription à Elinor.

— Vous connaissez son écriture certainement, elle est charmante ; mais il n'a pas écrit aussi bien que d'habitude. Il était fatigué certainement, car il avait écrit longuement, remplissant tout son papier.

Elinor reconnut l'écriture et ne put douter plus longtemps. Le portrait, elle avait essayé de le croire, Lucy avait pu réussir à se le procurer, et ce pouvait ne pas être un cadeau d'Edward ; mais une correspondance entre eux ne pouvait exister que si elle s'appuyait sur un engagement positif ; rien d'autre ne pouvait l'autoriser. Pendant quelques instants, elle fut comme terrassée, son cœur défaillant, à peine pouvait-elle se tenir debout ; mais il fallait absolument se dominer, et elle réagit si énergiquement contre son sentiment d'oppression que son succès fut prompt et, sur le moment, complet.

— Nous écrire l'un l'autre, dit Lucy remettant la lettre dans sa poche, est notre seule consolation au cours de ces longues séparations. Oui, c'est vrai, j'ai une autre consolation avec son portrait ; mais le pauvre Edward n'a même pas cela. S'il avait seulement mon portrait, il dit qu'il serait heureux. Je lui ai donné une boucle de mes cheveux dans une bague la dernière fois qu'il est venu à Longstaple et cela lui a fait plaisir, m'a-t-il dit, mais pas autant qu'un portrait. Peut-être avez-vous remarqué sa bague ?

— Oui, dit Elinor d'un ton qu'elle réussit à rendre calme, mais sous lequel elle cachait une détresse qui dépassait tout ce qu'elle avait jamais éprouvé.

Elle était mortifiée, révoltée, confondue.

Heureusement pour elle, elles venaient d'atteindre le cottage, et la conversation n'alla pas plus avant. Après s'être arrêtées quelques minutes, les demoiselles Steele retournèrent au Park et Elinor eut le loisir de s'abandonner à ses réflexions et à sa douleur.

23

Quelque peu de confiance qu'elle eût dans la sincérité de Lucy, il lui était impossible, après y avoir sérieusement réfléchi, de la mettre en doute dans le cas présent, car on ne pouvait vraiment supposer qu'elle ait pu être assez folle pour inventer de toutes pièces ce qu'elle venait de raconter. Par conséquent, ce que Lucy affirmait être la vérité, Elinor ne pouvait pas, n'osait pas, le mettre plus longtemps en doute. Des deux côtés s'accumulaient une probabilité et des preuves auxquelles elle n'avait à opposer que ses propres désirs. L'occasion qui leur avait été offerte de se rencontrer dans la maison de Mr. Pratt était le fondement à la fois indiscutable et alarmant de toute leur aventure. Et la visite d'Edward à Plymouth, sa mélancolie, ses inquiétudes sur son avenir, son attitude incertaine vis-à-vis d'elle, la connaissance détaillée que possédaient les demoiselles Steele de Norland et de leur famille dont elle avait été souvent surprise, le portrait, la lettre, l'anneau, tout concordait. Un tel faisceau d'évidences écartait toute crainte de condamner injustement Edward et établissait, comme un fait impossible à écarter, la duplicité de sa conduite envers elle.

Son ressentiment à l'égard d'une telle conduite, son indignation d'avoir été sa dupe l'occupèrent pendant quelque temps tout entière ; mais, bientôt, surgirent d'autres idées, d'autres considérations. Edward l'avait-il vraiment trompée volontairement ? Avait-il feint, à son égard, un penchant qu'il n'éprouvait point ? Son engagement avec Lucy partait-il du cœur ? Non. Quoi qu'il ait pu se passer auparavant, elle ne pouvait croire que ce fût le cas actuellement... C'est à elle qu'allait tout son amour. Elle ne pouvait s'y tromper. Sa mère, ses sœurs, Fanny, tous s'en étaient aperçus à Norland ; ce n'était pas une illusion de sa propre vanité. Certainement, il l'aimait. Quel baume pour son cœur que cette certitude ! Et combien n'était elle pas inclinée à lui pardonner ! Il avait été blâmable, hautement blâmable de rester à

Norland quand il avait senti que son penchant pour elle l'emportait plus loin qu'il n'aurait fallu. Là-dessus, on ne pouvait le justifier. Mais, s'il lui avait fait tort, combien plus s'en était-il fait à lui-même ? Si elle était à plaindre, il était, lui, sans espoir. Son imprudence la rendait malheureuse pour un moment, mais lui semblait s'être ôté toute chance de jamais retrouver le bonheur. Avec le temps, elle pourrait recouvrer la tranquillité. Mais lui, qu'avait-il à espérer ? Pourrait-il jamais avoir une existence acceptable aux côtés de Lucy Steele ? En faisant abstraction de son amour pour elle, pourrait-il, avec sa loyauté, sa délicatesse, son esprit si cultivé, prendre son parti d'une femme comme Lucy, perfide, égoïste et sans instruction ?

La légèreté de la jeunesse avait dû naturellement l'aveugler sur tout, excepté sur sa beauté et la facilité de son caractère ; mais les quatre années suivantes qui, bien employées, font tant pour le développement du jugement, devaient lui avoir ouvert les yeux sur les lacunes de son éducation ; alors que ce même temps passé par Lucy dans un milieu plus commun et plus frivole lui avait peut-être ôté cette simplicité qui avait pu, dans sa toute première jeunesse, donner un certain caractère à sa beauté.

Dans l'hypothèse d'un mariage avec Elinor, l'opposition de Mrs. Ferrars avait semblé très considérable. Combien ne serait-elle pas plus acharnée quand il s'agirait d'une personne dont la situation, et même probablement la fortune, étaient bien inférieures encore. A la vérité, étant donné son absence de sympathie pour Lucy, elle prenait aisément son parti de ces obstacles ; mais c'était une situation mélancolique que d'être obligée, pour se consoler, de penser à toutes les difficultés qu'allait rencontrer cette pauvre fille !

A mesure que ces considérations se succédaient douloureusement dans son esprit, elle s'attendrissait sur Edward plus que sur elle-même. Soutenue par la conviction de n'avoir rien fait pour mériter son malheur actuel, et consolée par la croyance qu'Edward, de son côté, n'avait rien fait pour perdre son estime, elle se sentit capable, même à ce moment et sous la première impression de ce coup terrible, de se dominer assez pour écarter tout soupçon de la part de sa mère et de ses sœurs.

Elle y réussit tellement bien que, lorsqu'elle se retrouva à la table de famille, deux heures seulement après avoir vu s'écrouler ses plus chères espérances, personne n'eût pu supposer, d'après l'attitude des deux sœurs, qu'Elinor se consumait secrètement devant les obstacles qui devaient la séparer pour toujours de l'objet de son amour, et que Marianne, elle, se délectait intérieurement à évoquer les perfections d'un homme dont elle sentait le cœur entièrement à elle et qu'elle s'attendait à voir descendre de toutes les voitures qui passaient près de la maison.

La nécessité de cacher à sa mère et à Marianne ce qui lui avait été confié sous le sceau du secret, bien que l'obligeant à une attention continuelle, n'était pas une aggravation de sa peine. Au contraire, c'était pour elle un soulagement de n'avoir pas à leur apprendre ce qui les aurait si fort affligées. Il lui était ainsi épargné la douleur d'entendre condamner Edward. Entraînées par leur affection aveugle, sa mère et sa sœur n'auraient pas manqué de le faire, et elle ne se sentait pas capable de le supporter.

Elle savait qu'elle n'aurait tiré aucun secours de leurs entretiens ou de leurs conseils ; leur tendresse et leur chagrin auraient aggravé sa détresse et sa fermeté n'aurait puisé aucun encouragement dans leur exemple ou dans leur éloge. Elle était plus forte seule, et son bon sens la soutenait si bien que sa maîtrise d'elle-même était aussi sûre, son apparence de gaieté aussi invariable qu'il était possible de l'imaginer sous l'empire de regrets aussi poignants et aussi récents.

Si pénible qu'ait été pour elle sa première conversation sur ce sujet avec Lucy, elle éprouva bientôt le vif désir de la reprendre, et cela pour plus d'une raison. Elle désirait l'entendre répéter certains détails sur leurs fiançailles. Elle voulait aussi s'éclairer, plus à fond, sur les vrais sentiments de Lucy pour Edward et savoir s'il y avait quelque sincérité dans ses protestations d'amour envers lui. Et elle tenait particulièrement à convaincre Lucy, par son empressement à revenir sur le sujet, qu'elle ne s'y intéressait pas autrement qu'en amie, car elle craignait beaucoup de lui avoir donné lieu de soupçonner le contraire par son agitation involontaire au cours de leur entretien du matin.

Que Lucy fût portée à la jalousie envers elle, cela apparaissait comme bien probable ; il était évident qu'Edward avait dû toujours faire son éloge ; cela résultait non seulement de l'affirmation de Lucy, mais du fait que, ne la connaissant que depuis si peu de temps, elle s'était risquée à lui confier un secret dont elle confessait elle-même l'importance ; sans compter que les plaisanteries de sir John pouvaient bien avoir eu aussi quelque influence sur ses confidences. Mais, naturellement, alors qu'Elinor était si bien assurée de la réelle affection d'Edward, il n'était pas besoin d'aller chercher bien loin pour trouver normal que Lucy fût jalouse ; et, qu'elle le fût, sa confidence en était la preuve. Quelle autre raison aurait-elle pu avoir de lui révéler son secret, sinon d'affirmer devant elle ses droits antérieurs sur Edward et l'engager à s'écarter de lui à l'avenir ? Il ne lui était pas difficile de pénétrer ainsi les intentions de sa rivale. Elinor était, sans doute, résolue à agir fermement envers elle suivant les principes de l'honneur et de l'honnêteté ; elle saurait combattre son propre penchant pour Edward et se résoudre à le voir aussi peu que possible ; mais elle ne pouvait se refuser le plaisir d'essayer de convaincre Lucy que son cœur n'avait reçu aucune blessure. Et, comme elle n'avait rien à entendre de plus pénible que ce qu'elle avait déjà entendu, elle se sentait capable de revenir de nouveau sur tous les détails de leur conversation sans se troubler.

Mais ce ne fut pas dans les jours suivants qu'une occasion de ce genre put se rencontrer, bien que Lucy fût aussi bien disposée qu'elle-même à saisir la première qui se présenterait. En effet, le temps n'était pas souvent assez beau pour leur permettre une promenade où elles auraient pu facilement s'isoler des autres ; et, bien qu'elles se rencontrassent à peu près tous les soirs au Park ou au cottage, et surtout au Park, il ne faudrait pas supposer que ce fût pour s'y livrer à la conversation. Pareille idée ne pouvait entrer ni dans la tête de sir John ni dans celle de lady Middleton, et, par suite, il n'y avait guère de place que pour un entretien général, et pas du tout pour des confidences particulières. On se retrouvait pour manger, boire, rire en commun, jouer aux cartes ou à tout autre jeu, pourvu qu'il fût suffisamment bruyant.

Une ou deux réunions de ce genre avaient eu lieu sans apporter à Elinor aucune occasion de prendre Lucy à part, lorsque sir John vint au cottage, un matin, les supplier, au nom de la charité, de bien vouloir venir dîner ce jour-là avec lady Middleton, car il était obligé, lui-même, de se rendre au club à Exeter, et elle allait se trouver seule, avec sa mère et les deux demoiselles Steele. Elinor, prévoyant les occasions que lui donnerait une réunion tenue sous la direction calme et décente de lady Middleton, au lieu du désordre bruyant qui accompagnait toujours la présence de sir John, s'empressa d'accepter ; Margaret, avec la permission de sa mère, en fit autant, et Marianne, qui refusait toujours de se joindre à ces réunions, se laissa persuader par sa mère qui ne pouvait supporter la pensée de la voir privée d'une chance de distraction.

Toutes les trois vinrent donc, et lady Middleton fut heureusement préservée de l'effrayante solitude qui la menaçait. La réunion fut exactement aussi insipide qu'Elinor s'y attendait ; rien ne put être moins intéressant que toutes les conversations échangées à table et au salon ; après dîner, les enfants étaient restés avec eux, et, tant qu'ils furent là, elle était bien trop convaincue de l'impossibilité qu'il y avait à vouloir prendre Lucy à part pour rien tenter. Ils s'en allèrent seulement au moment où l'on emporta le plateau du thé. On installa alors la table de jeu et Elinor commença à se reprocher d'avoir cru qu'il était possible d'engager une conversation quelconque au Park. Tout le monde s'agitait en se préparant à un jeu général.

— Je suis heureuse, dit lady Middleton à Lucy, que vous n'ayez pas à finir ce soir la corbeille pour la pauvre petite Annamaria, car je suis sûre que cela vous fatiguerait les yeux de faire du filigrane à la lueur des bougies. Et nous ferons, à la chère petite, quelques gâteries pour lui faire oublier son désappointement demain ; j'espère qu'elle n'y fera pas grande attention.

Il n'en fallut pas plus. Lucy fut tout de suite au fait et répondit :

— Mais vous faites tout à fait erreur, lady Middleton, j'attendais seulement de savoir si vous pouviez organiser la partie sans moi, sans quoi je me serais déjà mise à mon filigrane. Je ne voudrais, pour rien au monde, désappointer le petit ange ; et, si vous avez besoin de moi au jeu, maintenant, je suis décidée à finir la corbeille ensuite.

— Vous êtes bien bonne, j'espère que cela ne vous fatiguera pas les yeux. Voulez-vous sonner pour qu'on apporte des bougies supplémentaires ? Ma pauvre petite fille serait cruellement déçue, je le sais, si la corbeille n'était pas finie demain, car j'ai eu beau lui dire qu'elle ne le serait pas, je suis sûre qu'elle y compte.

Lucy poussa aussitôt sa table de travail auprès d'elle et se rassit avec un empressement et une gaieté qui semblaient montrer qu'elle ne concevait de plus grand plaisir que de confectionner une corbeille en filigrane pour une enfant gâtée.

Lady Middleton proposa aux autres un whist. Personne ne fit d'objection, excepté Marianne qui, avec son naturel mépris des formes de la civilité ordinaire, s'exclama :

— Que Madame ait la bonté de m'excuser. Vous savez que je déteste les cartes. J'irai au piano-forte. Je ne l'ai pas touché depuis qu'il est accordé.

Et sans plus de cérémonie, elle se retourna et alla s'installer devant l'instrument. Lady Middleton parut remercier le ciel de l'avoir personnellement préservée de tenir jamais un tel langage.

— Marianne ne peut jamais rester bien longtemps loin de cet instrument, dit Elinor tentant d'atténuer l'offense, et je ne m'en étonne guère, car c'est un des meilleurs piano-forte que j'aie jamais entendus.

Les cinq autres étaient maintenant à leurs cartes.

— Peut-être, continua Elinor, si je me trouvais mise hors du jeu, pourrais-je aider miss Lucy Steele, en roulant les papiers pour elle ; il reste tellement à faire pour la corbeille, qu'il me semble qu'elle ne pourra pas la finir seule ce soir. Cela me plairait extrêmement si elle voulait accepter mon aide.

— Mais certes, je vous serais fort obligée pour cette aide, s'écria Lucy, car je vois qu'il reste plus de travail à faire que je ne croyais. Et ce serait désolant, après tout, de désappointer la chère Annamaria.

— Oh ! ce serait vraiment terrible, dit miss Steele. Chère petite âme, comme je l'aime !

— Vous êtes bien aimable, dit lady Middleton à Elinor, et si réellement vous avez plaisir à travailler, peut-être aimeriez-vous autant ne pas continuer à jouer jusqu'au prochain robre, ou bien préférez-vous prendre votre chance maintenant ?

Elinor s'empressa de profiter de la première de ces propositions et, ainsi, grâce à un peu de cette adresse que Marianne n'aurait jamais condescendu à employer, elle arriva à ses fins, tout en faisant plaisir à lady Middleton. Lucy lui fit place avec empressement, et les deux belles rivales se trouvèrent ainsi, côte à côte, à la même table et sous un flot d'harmonie, occupées au même travail. Le piano-forte devant lequel Marianne, plongée dans sa musique et ses propres pensées, avait complètement oublié la présence des autres personnes, se trouvait heureusement si près d'elles que miss Dashwood jugea qu'elle pouvait maintenant en toute sécurité, sous le couvert de ses sonorités, entamer le sujet qui l'intéressait, sans aucun risque d'être entendue des occupants de la table de jeu.

24

D'un ton ferme, quoique prudent, Elinor commença :

— Je ne mériterais pas la confidence dont vous m'avez honorée, si je ne sentais pas le désir de la voir se poursuivre ou si je n'éprouvais pas plus de curiosité sur son objet. Je n'ai donc pas à m'excuser d'y revenir à nouveau.

— Merci ! s'écria chaleureusement Lucy, pour avoir ainsi brisé la glace ; vous me mettez à l'aise, car j'avais un peu peur de vous avoir choquée par ce que je vous avais dit lundi.

— Me choquer ? Comment pouvez-vous le supposer ? Croyez-moi – et Elinor dit cela avec la plus grande sincérité –, rien ne peut être plus loin de mes intentions que de vous donner une pareille idée. Pouviez-vous avoir un motif de confiance qui ne fût honorable et flatteur pour moi ?

— Et pourtant, je vous assure, répliqua Lucy avec un regard significatif de son petit œil perçant, j'avais cru percevoir chez vous une froideur et un mécontentement qui me mettaient vraiment mal à l'aise. Je me sentais sûre de vous avoir fâchée, et je n'ai cessé de me faire des reproches, depuis lors, pour avoir pris la liberté de vous importuner avec mes affaires. Mais je suis bien heureuse de voir que c'était pure imagination de ma part et que vous ne me blâmez réellement pas. Si vous saviez quelle consolation ç'a été pour moi de soulager mon cœur en vous parlant de ce dont j'ai l'âme occupée à tous les moments de ma vie, votre pitié vous ferait passer sur toute autre considération, j'en suis sûre.

— Certainement, je crois facilement que vous avez dû éprouver un grand soulagement en me révélant votre situation, et vous pouvez être assurée que vous n'aurez jamais à le regretter. C'est, en effet, une chose bien pénible pour vous. Au milieu de tant de difficultés, vous devez avoir besoin de toute votre mutuelle affection pour ne pas y succomber. Mr. Ferrars, je crois, est entièrement sous la dépendance de sa mère ?

— Il a seulement deux mille livres à lui ; ce serait joli de se marier avec cela, et je serais prête, pour ma part, à abandonner, sans un regret, toute perspective d'un surplus. J'ai toujours été habituée à me contenter d'un petit revenu, et, pour Edward, je saurais me mesurer avec la pauvreté. Mais je l'aime trop pour le priver de tout ce que sa mère pourrait lui donner s'il faisait un mariage qui lui plaise. Il nous faut attendre, peut-être des années. Avec tout autre homme au monde, ce serait une perspective alarmante. Mais je sais bien que l'affection et la constance d'Edward sont à toute épreuve.

— Cette conviction doit certainement être tout pour vous. Et, sans aucun doute, il est également soutenu par une foi égale en vous. Si la force de votre attachement réciproque avait dû faillir, comme cela serait naturellement arrivé chez beaucoup d'autres gens et dans beaucoup d'autres circonstances au cours de ces quatre années, vous auriez été bien à plaindre.

Ici, Lucy la regarda, mais Elinor se garda soigneusement de donner par son attitude à ses paroles une expression particulière.

— L'amour d'Edward pour moi, dit Lucy, a été largement mis à l'épreuve par notre longue, si longue séparation depuis nos fiançailles. Il l'a si bien supportée que je serais impardonnable maintenant de douter de lui. Je puis assurer, en toute tranquillité, qu'il ne m'a pas donné un moment d'alarme, à ce sujet, depuis le début de nos relations.

Elinor ne sut au juste si elle devait sourire ou soupirer devant cette assertion.

Lucy continua :

— Je suis plutôt, par nature, d'un tempérament jaloux, et en raison de la différence de nos situations, de sa position si au-dessus de la mienne et de notre continuelle séparation, j'étais trop portée au doute pour ne pas reconnaître à l'instant la plus petite altération dans son attitude envers moi. Une dépression quelconque dans son humeur m'aurait tout de suite trouvée en éveil, ou s'il avait parlé d'une femme plus que d'une autre, ou si, d'une façon ou d'une autre, il avait paru moins heureux à Longstaple que d'habitude. Je ne prétends pas être particulièrement pénétrante et avisée en général, mais en pareil cas, je sais bien que je ne me serais pas trompée.

« Tout cela, pensa Elinor, est fort joli ; mais ni elle ni moi n'en sommes dupes. » Après un court silence, elle reprit :

— Mais formez-vous quelques projets ? Ou bien ne faites-vous rien d'autre que d'attendre la mort de Mrs. Ferrars, ce qui est vous réduire à une extrémité mélancolique et choquante ? Son fils est-il décidé à en passer par là et à subir le supplice de ces longues années d'attente qu'il va vous faire partager, plutôt que de courir en une fois le risque de son déplaisir momentané en lui révélant la vérité ?

— Si nous pouvions être certains que ce ne sera que pour un temps ! Mais Mrs. Ferrars est une femme très autoritaire, très orgueilleuse, et, dans le premier moment de sa colère, elle serait capable de léguer toute sa fortune à son fils Robert; et cette idée, vous comprenez, à cause d'Edward, m'empêche de précipiter les choses.

— A cause d'Edward et de vous-même, car, enfin, votre désintéressement passerait les bornes.

Lucy regarda encore Elinor et garda le silence.

— Connaissez-vous Mr. Robert Ferrars? demanda Elinor.

— Pas du tout, je ne l'ai jamais vu; mais je crois qu'il ne ressemble pas du tout à son frère, c'est un sot et un grand fat.

— Un grand fat, répéta miss Steele dont l'oreille avait saisi ces mots au milieu d'une pause de la musique de Marianne. Oh! elles parlent de leurs amoureux, je gage.

— Mais, ma sœur, s'écria Lucy, vous vous trompez, car nos amoureux ne se recrutent pas dans cette catégorie.

— Ah! pour ça, je puis bien vous garantir que celui de miss Dashwood n'en est pas un, dit Mrs. Jennings riant de tout son cœur, car c'est un des jeunes gens les plus modestes et les plus réservés que j'aie jamais vus. Mais, pour Lucy, c'est une créature si secrète, qu'il n'y a pas moyen de savoir qui elle aime.

— Oh! s'écria miss Steele, jetant à la ronde un regard significatif, je ne crains pas d'affirmer que le soupirant de Lucy est aussi modeste et réservé que celui de miss Dashwood.

Elinor rougit malgré elle. Lucy se mordit la lèvre et lança à sa sœur un regard courroucé. Un silence général régna quelque temps. Lucy y mit fin en disant à voix basse, bien que Marianne leur donnât en ce moment la puissante protection d'un magnifique concert :

— Je veux honnêtement vous faire part d'un projet que j'ai dernièrement conçu pour rendre notre situation supportable. En fait, je dois vous mettre dans le secret, puisque cela vous concerne. Je sais que vous connaissez assez Edward pour ne pas ignorer qu'il préfère l'Eglise à toute autre profession. Mon plan est donc qu'il se fasse ordonner aussi vite que possible. Par votre intercession que, j'espère, vous ne me refuserez pas, par amitié pour lui et aussi, peut-être, un peu pour moi, on pourrait persuader votre frère de lui donner la cure de Norland ; je sais qu'elle est très bonne et que le titulaire actuel n'a pas longtemps à vivre. Cela serait suffisant pour que nous puissions nous marier, et, pour le reste, nous nous fierions au temps et à la chance.

— Je serais toujours heureuse, répondit Elinor, de donner une marque d'estime et d'amitié à Mr. Ferrars ; mais ne croyez-vous pas que mon intermédiaire dans cette affaire est parfaitement inutile ? Il est le frère de Mrs. John Dashwood, c'est une recommandation suffisante pour son époux.

— Mais Mrs. John Dashwood n'approuvera pas le projet d'Edward d'entrer dans les ordres.

— Alors, je crains bien que mon intervention ne puisse pas servir à grand-chose.

Il y eut de nouveau un silence assez long. A la fin, Lucy s'exclama avec un profond soupir :

— Je crois que le plus sage serait de renoncer à tout cela. Nous sommes entourés de tous côtés de telles difficultés que ce serait peut-être préserver notre bonheur futur que d'accepter le chagrin d'une rupture. Mais vous ne me donnez pas votre opinion, miss Dashwood ?

— Non, répondit Elinor avec un soupir qui dissimulait mal l'agitation de son esprit, sur un tel sujet, je ne le ferai certainement pas. Vous savez fort bien que mon opinion ne serait d'aucun poids pour vous, à moins qu'elle ne soit conforme à la vôtre.

— Je vous assure que vous me calomniez, répondit Lucy du ton le plus solennel. Je ne connais personne dont je prise le jugement plus que le vôtre. Je crois réellement que si vous me disiez : « Je vous conseille, de toute façon, de rompre votre engagement avec Edward Ferrars, cela vaudrait mieux pour votre bonheur à tous deux », je m'y résoudrais immédiatement.

Elinor, rougissant, pour la future femme d'Edward, de son manque de sincérité, répondit :

— Un pareil compliment m'empêcherait de formuler aucune opinion sur ce sujet si j'en avais une. Vous mettez mon influence trop haut. Prendre sur soi de diviser deux êtres entièrement unis constitue une responsabilité trop lourde pour une personne indifférente.

— C'est également parce que vous êtes une personne indifférente, dit Lucy d'un air un peu piqué et en appuyant sur ces mots, que votre jugement a tant de poids pour moi. Si l'on pouvait supposer que vous êtes guidée, en quelque mesure, par vos propres sentiments, votre opinion serait sans valeur.

Elinor jugea plus sage de ne pas faire de réponse dans la crainte de provoquer entre elles un trop grand abandon et une trop grande familiarité, et prit, ou peu s'en faut, la détermination de ne plus jamais évoquer ce sujet. En conséquence, il y eut encore une autre pause de quelques minutes, et Lucy de nouveau parla la première :

— Viendrez-vous à Londres, cet hiver, miss Dashwood ? dit-elle avec son amabilité accoutumée.

— Certainement non.

— J'en suis fâchée, répondit l'autre, tandis qu'un éclair traversait ses yeux à cette nouvelle, j'aurais un tel plaisir à vous y rencontrer ! Mais je suis convaincue que vous irez tout de même. Certainement, votre frère et votre belle-sœur vous demanderont de venir les voir.

— S'ils m'invitaient, je ne pourrais pas accepter leur invitation.

— Comme c'est malheureux ! Je comptais tout à fait vous y rencontrer. Anne et moi devons aller voir, à la fin de janvier, des parents qui nous demandent cette visite depuis des années. Mais je n'y vais que pour rencontrer Edward. Il y sera en février ; sans cela, Londres n'aurait aucun charme pour moi et ne m'attirerait pas.

Elinor fut bientôt appelée à la table de jeu pour la fin du premier robre, et leur entretien confidentiel prit fin, ce dont ni l'une ni l'autre ne furent fâchées, car, des deux côtés, rien n'avait été dit qui les empêchât de se détester mutuellement moins qu'auparavant. Et Elinor s'assit à la table de jeu avec la mélancolique conviction que non seulement Edward n'avait aucune affection pour la personne qui allait être sa femme, mais qu'il n'avait même pas la perspective d'être à peu près heureux avec elle ; ce qui aurait pu être si elle avait eu une réelle affection pour lui. Car seul l'intérêt personnel pouvait pousser une femme à réclamer d'un homme l'exécution d'un engagement dont elle était si bien convaincue qu'il était excédé.

A partir de ce moment, Elinor ne revint jamais sur ce sujet ; et, quand il était abordé par Lucy, qui manquait rarement une occasion d'en parler et prenait particulièrement soin d'informer sa confidente de son bonheur toutes les fois qu'elle recevait une lettre d'Edward, elle ne faisait que des réponses calmes et prudentes et laissait tomber la conversation aussitôt que possible ; car elle jugeait que de tels entretiens étaient une concession que Lucy ne méritait pas et qui n'étaient pas sans danger pour elle-même.

La visite des demoiselles Steele à Barton Park se prolongea bien au-delà du terme d'abord fixé. Leur faveur grandissait, on ne pouvait s'y passer d'elles. Sir John ne voulait pas entendre parler de leur départ, et, en dépit de leurs nombreux et anciens engagements à Exeter, en dépit de l'absolue nécessité de les remplir qui devenait plus pressante à la fin de chaque semaine, on obtint d'elles qu'elles prolongent leur séjour au Park pendant près de deux mois et qu'elles assistent à la célébration en règle des fêtes de cette époque de l'année, dont l'importance est soulignée par un déploiement exceptionnel de bals et de dîners de gala.

25

Bien que Mrs. Jennings eût l'habitude de passer une grande partie de l'année chez ses enfants ou chez des amis, elle ne laissait pas d'avoir un domicile personnel. Depuis la mort de son mari qui s'était adonné, avec succès, au commerce dans un quartier moins élégant, elle passait chaque hiver dans une maison située dans une des rues qui avoisinaient Portman Square. Aux environs de janvier, elle commença à penser à ce séjour, et, un beau jour, elle demanda à l'improviste aux demoiselles Dashwood, qui ne s'y attendaient aucunement, de l'y accompagner. Elinor, sans faire attention au changement de couleur de sa sœur et à l'animation subite de son regard qui trahissait l'intérêt qu'elle prenait à cette proposition, formula immédiatement un refus poli et catégorique pour toutes deux, convaincue qu'elle exprimait leur volonté commune. La raison alléguée était leur ferme résolution de ne pas abandonner leur mère à cette époque de l'année. Mrs. Jennings fut assez surprise du refus et réitéra immédiatement son invitation.

— Oh ! Seigneur ! Mais je suis sûre que votre mère peut très bien se passer de vous et je vous supplie de me faire cette faveur, car j'y tiens tout à fait. Ne vous figurez pas que vous me gênerez le moins du monde, car je ne me dérangerai en rien pour vous. Je n'aurai qu'à envoyer Betty par la diligence, je suppose que je puis me risquer à cela. Nous tiendrons fort bien toutes trois dans ma voiture, et, quand nous serons en ville, si vous n'avez pas envie d'aller où j'irai, vous pourrez toujours sortir avec une de mes filles. Je suis sûre que votre mère n'y fera pas d'objection, car j'ai eu la main si heureuse en établissant mes filles, qu'elle doit me juger capable de me charger de vous. Et, avant que vous preniez congé, si je n'ai pas bien marié l'une de vous, il n'y aura pas de ma faute. Je dirai tout le bien possible de vous à tous les jeunes gens, vous pouvez y compter.

— J'ai idée, dit sir John, que miss Marianne ne refuserait pas si sa sœur aînée y consentait elle-même. Il est un peu fort qu'elle ne puisse prendre un petit plaisir si miss Dashwood n'en a pas envie. Aussi, je vous conseille à vous deux de vous embarquer pour Londres dès que vous vous sentirez fatiguées de Barton, sans en souffler mot à miss Dashwood.

— Certes, s'écria Mrs. Jennings, je serai immensément heureuse d'avoir la compagnie de miss Marianne avec ou sans miss Dashwood. Je dis toujours que plus on est plus on s'amuse. Il me semble que ce serait bien plus agréable, pour elles, d'être ensemble, parce que, si je les ennuie, elles pourront se parler l'une à l'autre et se moquer de mes manières derrière mon dos. Mais il faut que j'en aie au moins une, sinon les deux. Dieu me bénisse ! Comment voulez-vous que je vive seule, livrée à moi-même, moi qui ai toujours eu l'habitude d'avoir Charlotte à côté de moi pendant l'hiver ? Allons, miss Marianne, donnez-moi la main, marché conclu, et si miss Dashwood vient à changer d'avis, eh bien, ce sera pour le mieux !

— Je vous remercie, madame, je vous remercie sincèrement, dit Marianne avec chaleur, votre invitation vous vaudra pour toujours ma reconnaissance et elle me ferait un grand plaisir – oui, le plus grand plaisir possible – si je pouvais l'accepter. Mais je sais combien ce qu'Elinor a objecté est juste ; comment pourrais-je agir ainsi si je sais que ma mère, ma bien-aimée, mon excellente mère devait être moins heureuse, moins à son aise à cause de notre absence ? Oh ! non, rien ne peut me convaincre de l'abandonner. Il ne peut pas, il ne doit pas y avoir d'hésitation !

Mrs. Jennings répéta son affirmation que Mrs. Dashwood pouvait parfaitement se passer d'elles. Et Elinor, qui avait compris sa sœur, et savait à quel point elle était indifférente à tout ce qui n'était pas la possibilité de rencontrer de nouveau Willoughby, ne fit plus d'opposition directe au projet. Elle s'en remit simplement à la décision de sa mère, bien qu'elle n'espérât pas en recevoir grand appui dans les efforts qu'elle faisait pour empêcher un séjour, qu'elle n'approuvait pas en ce qui concernait Marianne, et que, pour son compte, elle avait des raisons personnelles de ne pas désirer. Mrs. Dashwood était toujours prête à accepter tout ce que désirait Marianne. Du reste, dans cette affaire, Elinor n'avait jamais pu éveiller la méfiance de sa mère, elle ne pouvait donc pas s'attendre à lui voir mettre quelque prudence dans sa conduite ; et elle n'osait pas donner les motifs de sa propre répugnance à aller à Londres.

Dans la poursuite de son idée fixe, Marianne, qui était si susceptible et détestait tant les manières de Mrs. Jennings, acceptait, cependant, la perspective de voir sa délicatesse continuellement blessée. Elinor le constatait et voyait là une preuve si forte, si pleine de l'importance unique que sa sœur attachait à ce voyage que, malgré tout ce qui s'était passé, elle en demeurait stupéfaite.

Mise au courant de l'invitation, Mrs. Dashwood, persuadée que ce déplacement serait la source de beaucoup d'amusement pour ses deux filles et se rendant compte, à travers toutes les attentions affectueuses de Marianne, combien la chose lui tenait à cœur, ne voulut à aucun prix que ses filles repoussassent cette invitation à cause d'elle; elle insista pour que toutes deux acceptassent immédiatement, et commença, avec son optimisme habituel, à exalter les avantages que tout le monde retirerait de cette séparation.

— Je suis ravie de ce projet, s'écria-t-elle, c'est exactement ce que j'aurais pu désirer. Margaret et moi en profiterons autant que vous. Quand vous et les Middleton serez partis, nous serons si tranquilles et si heureuses ici avec nos livres et notre musique ! Vous verrez les progrès qu'aura faits Margaret quand vous rentrerez ! Et j'ai aussi un petit projet d'amélioration pour vos chambres que je pourrai, pendant ce temps, mener à bien sans gêner personne. Il n'y a pas de doute que vous devez aller à Londres. Toutes les jeunes filles de votre condition doivent être familiarisées avec les façons et les distractions de la capitale. Vous serez sous la garde d'une brave femme maternelle dont l'affection pour vous ne fait aucun doute. Et, très probablement, vous verrez votre frère et, quelles que soient ses fautes ou les fautes de sa femme, quand je pense à son père, je ne puis supporter l'idée que vous restiez si entièrement étrangers les uns aux autres.

— Avec votre souci habituel de notre bonheur, dit Elinor, vous avez éliminé toutes les difficultés. Cependant, il en reste une qui, à mon sens, ne peut être levée si facilement.

Marianne perdit contenance.

— Eh bien, dit Mrs. Dashwood, que va suggérer la prudence de ma chère Elinor ? Quel formidable obstacle va-t-elle dresser ? D'abord, je ne veux pas entendre un mot au sujet de la dépense.

— Voici mon objection : malgré tout le bien que je pense de Mrs. Jennings, je ne crois pas que ce soit une personne dont la société puisse nous apporter beaucoup de plaisir et cela m'étonnerait qu'elle puisse nous introduire auprès de gens bien intéressants.

— C'est très vrai, répondit sa mère, mais vous ne serez que rarement seules avec elle et vous serez presque toujours en public avec lady Middleton.

— Si Elinor ne peut surmonter son peu de goût pour Mrs. Jennings, dit Marianne, du moins cela ne m'empêche pas d'accepter pour mon compte. Je n'ai pas de tels scrupules, et suis sûre de pouvoir supporter ce genre d'inconvénients sans grand effort.

Elinor ne put s'empêcher de sourire devant l'étalage de cette indifférence concernant les façons de quelqu'un avec qui, bien des fois, Elinor avait dû forcer Marianne à se conduire d'une manière à peu près polie ! Du reste, elle était décidée intérieurement, si sa sœur persistait dans ses projets de départ, à partir aussi ; elle ne jugeait pas bon d'abandonner Marianne à ses propres inspirations, ni de laisser Mrs. Jennings à la merci de Marianne pour lui tenir compagnie dans ses heures de solitude. Elle accepta d'autant plus facilement cette idée qu'Edward Ferrars, à ce qu'avait dit Lucy, ne devait pas être à Londres avant février, et que leur séjour aurait donc pris fin avant son arrivée, sans qu'il soit nécessaire de recourir à un départ précipité.

— Il faut que vous partiez toutes les deux, dit Mrs. Dashwood ; ces objections n'ont pas de sens. Vous prendrez beaucoup de plaisir à Londres, surtout si vous êtes ensemble. Et, si Elinor voulait bien condescendre à penser à tous les plaisirs qui l'attendent, elle en pourrait trouver de toutes sortes ; quand ce ne serait que l'occasion de devenir plus intime avec la famille de sa belle-sœur.

Elinor avait souhaité une occasion de tempérer l'idée que sa mère se faisait de ses rapports avec Edward, afin que le choc fût moins violent quand la vérité se révélerait. Devant cette invite, et sans compter beaucoup sur son succès, elle se força à entamer sa campagne, en disant du ton le plus calme qu'elle put :

— J'aime beaucoup Edward Ferrars et serai toujours très heureuse de le voir ; mais, pour le reste de la famille, il m'est tout à fait indifférent de jamais faire leur connaissance ou non.

Mrs. Dashwood sourit et ne dit rien. Marianne leva vers sa sœur un regard étonné, et Elinor conjectura qu'elle aurait aussi bien pu tenir sa langue.

On échangea encore quelques propos et l'on décida, à la fin, d'accepter franchement l'invitation. Mrs. Jennings en reçut la nouvelle avec une grande joie et de grandes démonstrations d'amabilité et de sollicitude. Le plaisir n'était pas pour elle seule : sir John était enchanté, car pour un homme dont le principal souci était de ne jamais se trouver seul, c'était quelque chose de grossir de deux unités le nombre des habitants de Londres. Même lady Middleton prit sur elle de s'en montrer satisfaite, ce qui était bien en dehors de ses habitudes. En ce qui concernait les demoiselles Steele et spécialement Lucy, elles n'avaient jamais été si heureuses de leur vie qu'en apprenant cette nouvelle.

Elinor s'accommoda de cet arrangement contraire à ses vœux avec moins de répugnance qu'elle ne l'avait craint. En ce qui la concernait personnellement, ce lui était maintenant chose indifférente d'aller à Londres ou non; et, voyant sa mère si entièrement satisfaite de ce projet et le bonheur de sa sœur devant cette perspective, bonheur qui rayonnait dans ses regards, sa voix et son attitude, toute son habituelle animation retrouvée, et plus encore, elle ne pouvait en regretter la cause et se serait reprochée d'en craindre les conséquences.

La joie de Marianne dépassait ce qu'on peut imaginer tant son esprit était agité par l'impatience du départ. Le seul frein à son enthousiasme était le regret de quitter sa mère; et, au moment de la séparation, sa douleur fut excessive. Sa mère n'était guère moins affligée. Elinor était la seule des trois qui parut ne pas considérer la séparation comme éternelle.

Leur départ eut lieu dans la première semaine de janvier. Les Middleton devaient suivre dans la huitaine. Les demoiselles Steele restaient au Park et ne devaient le quitter qu'avec le reste de la famille.

26

Elinor, en se trouvant en voiture avec Mrs. Jennings et commençant son voyage sous sa protection, ne put s'empêcher d'admirer le concours de circonstances qui les réunissait ainsi. La nouveauté de leurs relations, la disproportion de leurs âges, la différence de goûts qui existait entre elles et toutes les objections qu'elle avait faites à ce projet les jours précédents lui revenaient en mémoire. Mais ces objections avaient toutes été bousculées et écartées avec cette heureuse ardeur de la jeunesse qui distinguait également Marianne et sa mère. Et Elinor, en dépit des doutes qui l'assaillaient parfois sur la constance de Willoughby, ne pouvait rester témoin du transport qui remplissait l'âme de Marianne d'une attente délicieuse et se reflétait dans l'éclat de ses yeux sans faire un retour sur elle-même. Elle n'avait rien à espérer, aucun rêve à caresser et elle aurait volontiers échangé sa situation contre l'incertitude de celle de Marianne pour avoir en vue le même objet, la même possibilité de former des souhaits.

De toute façon, il ne devait, maintenant, s'écouler qu'un court, bien court espace de temps avant qu'on fût fixé sur les intentions de Willoughby. Selon toute probabilité, il était déjà à Londres. L'empressement de Marianne à y venir montrait sa conviction de l'y trouver. Et Elinor était décidée, non seulement à s'éclairer le plus possible sur son caractère par ses propres observations ou par les rapports d'autrui, mais aussi à scruter son attitude envers sa sœur avec la plus vive attention afin de savoir ce qu'il était et voulait réellement, et cela dès les premières rencontres. Si le résultat de ses investigations était défavorable, elle était bien déterminée à ouvrir les yeux à sa sœur; s'il en était autrement, ses efforts auraient alors un autre but. Elle devrait s'étudier à éviter tout retour égoïste sur elle-même et à bannir tout regret capable de diminuer la part qu'elle prenait au bonheur de Marianne.

Leur voyage dura trois jours et l'attitude de Marianne pendant le trajet fut un heureux présage de ce qu'on pouvait attendre, dans l'avenir, de sa complaisance et de sa façon de tenir compagnie à Mrs. Jennings. Elle se tint pendant presque tout le temps assise en silence, enfoncée dans ses propres méditations et ne parlant presque jamais de son propre mouvement, excepté quand quelque objet pittoresque s'offrait à leur vue et tirait d'elle une exclamation de plaisir qu'elle adressait exclusivement à sa sœur.

Pour corriger l'effet de cette conduite, Elinor prit immédiatement possession du rôle aimable qu'elle s'était assigné, s'occupa avec la plus grande attention de Mrs. Jennings, parla avec elle, rit avec elle et l'écouta autant qu'elle put; et, de son côté, Mrs. Jennings les traita toutes deux avec toute l'amabilité possible, s'inquiéta, en toute occasion, de leur bien-être et de leur plaisir, désolée seulement de ne pouvoir arriver à leur faire choisir leur dîner à l'hôtel et leur faire dire si elles préféraient le saumon à la morue, la poule bouillie aux côtelettes de veau. Elles arrivèrent en ville le troisième jour vers trois heures, contentes d'être délivrées, après un tel voyage, de leur emprisonnement, et disposées à jouir de tout le plaisir possible.

La maison était belle et bien meublée, et les jeunes filles furent immédiatement mises en possession d'un très confortable appartement. Il avait auparavant été celui de Charlotte et, sur la cheminée, se voyait encore un paysage en soies colorées de sa façon, et qui témoignait qu'elle n'avait pas passé tout à fait inutilement son temps, pendant sept ans, dans une grande école de la capitale.

Comme le dîner ne devait pas être prêt avant deux bonnes heures, Elinor décida d'employer ce temps à écrire à leur mère et s'installa à cet effet. Au bout de quelques instants, Marianne en fit autant.

— J'écris à la maison, Marianne, dit Elinor, ne feriez-vous pas mieux de retarder votre lettre d'un jour ou deux ?

— Je n'écris pas à ma mère, répondit Marianne précipitamment et comme si elle désirait éviter toute autre question.

Elinor n'insista pas, et fut aussitôt convaincue qu'elle écrivait à Willoughby ; elle en tira, tout de suite, cette conclusion que, si mystérieusement qu'ils aient conduit leur affaire, il fallait qu'ils fussent fiancés. Cette conviction, quoique ne lui donnant pas entière satisfaction, ne laissa pas que de la rassurer et elle continua sa lettre avec plus d'entrain. Marianne eut fini en quelques minutes ; ce ne pouvait être qu'un simple billet. Elle le plia, le cacheta et mit l'adresse avec précipitation. Elinor crut distinguer un grand *W* dans l'adresse et, dès qu'elle eut terminé, Marianne sonna pour appeler le domestique à qui elle donna l'ordre de faire porter la lettre. Tout fut ainsi réglé sur-le-champ.

Elle continua à montrer le même entrain, mais il s'y mêlait une ombre d'hésitation qui empêchait sa sœur de s'en réjouir sans mélange, et cette agitation augmentait à mesure que la soirée s'avançait. A peine put-elle manger à dîner. Et, quand, on fut de retour au salon, elle parut écouter anxieusement le bruit de chaque voiture.

Ce fut une grande satisfaction pour Elinor que Mrs. Jennings, fort occupée dans sa chambre, ne pût guère se rendre compte de ce qui se passait. On avait desservi, et Marianne avait déjà été plusieurs fois déçue par des coups frappés dans le voisinage, quand retentit, frappé cette fois à leur porte, un coup très fort qui ne pouvait être confondu avec aucun autre. Elinor eut la certitude que c'était l'annonce de l'arrivée de Willoughby et Marianne se précipita vers la porte. Tout était silencieux ; incapable de se contenir plus longtemps, elle ouvrit, avança de quelques pas dans l'escalier et, après avoir écouté une demi-minute, retourna dans le salon en proie à toute l'agitation que lui donnait la conviction de l'avoir entendu. Dans l'extase où elle était plongée, alors, elle ne put s'empêcher de s'écrier à Elinor : « C'est Willoughby, c'est lui ! », paraissant toute prête à se jeter dans ses bras, quand le colonel Brandon apparut.

Le choc était trop fort pour qu'elle conservât son calme et elle sortit immédiatement. Elinor était également déçue, mais en même temps, son estime pour le colonel Brandon la portait à le bien accueillir et elle était particulièrement choquée qu'un homme si attaché à sa sœur fût à même de voir que son arrivée ne lui apportait que chagrin et désappointement. Elle vit tout de suite qu'il s'en était aperçu. Et même l'attitude de Marianne, quittant brusquement la pièce, manifestement contrariée, l'avait tellement frappé qu'à peine put-il prendre sur lui d'adresser ses civilités à Elinor.

— Votre sœur est-elle malade ? demanda-t-il.

Elinor, en désespoir de cause, répondit que oui et parla de mal à la tête, de dépression, d'excès de fatigue et de tout ce qu'elle put imaginer pour expliquer décemment l'attitude de sa sœur.

Il l'écouta avec la plus grande attention, mais, paraissant se ressaisir, ne dit plus rien sur ce sujet, et se mit tout de suite à parler du plaisir qu'il éprouvait à les voir à Londres, lui posa les questions d'usage sur leur voyage et les amis qu'elles avaient laissés derrière elles.

La conversation continua sur ce ton calme avec aussi peu d'intérêt de part et d'autre, tous deux se trouvant également sans entrain, l'esprit occupé ailleurs. Elinor aurait bien voulu demander si Willoughby se trouvait à Londres, mais craignait de le froisser par une demande concernant son rival ; et, à la fin, pour dire quelque chose, elle demanda s'il était resté à Londres depuis son départ.

— Oui, répondit-il en marquant quelque embarras, pendant presque tout le temps. Je suis allé une ou deux fois à Delaford passer quelques jours, mais il m'a toujours été impossible de retourner à Barton.

Cette phrase, et la manière dont elle fut prononcée, lui rappela immédiatement toutes les circonstances de son départ, qui furent entourées de la curiosité et des suppositions de Mrs. Jennings. Elinor craignit que sa question n'impliquât, de sa part, une certaine indiscrétion qui était loin de sa pensée.

Mrs. Jennings arriva bientôt.

— Oh ! colonel, dit-elle avec l'empressement bruyant qui lui était habituel, je suis terriblement heureuse de vous voir. Je regrette de vous avoir fait attendre, mais j'ai été forcée de m'occuper un peu de moi, et d'arranger mes affaires, car il y a si longtemps que j'étais partie, et vous savez, on a toujours une foule de petites choses à faire après une longue absence. Et puis, il m'a fallu donner des instructions à Cartwright. Seigneur, depuis le dîner, je suis occupée comme une abeille. Mais dites-moi, colonel, comment avez-vous découvert que j'étais en ville aujourd'hui ?

— J'ai eu le plaisir de l'apprendre chez Mrs. Palmer où j'étais invité à dîner.

— Oh ! vraiment ? C'est très bien. Et comment va-t-on chez eux ? Et Charlotte, comment se trouve-t-elle ? Sa grossesse doit être maintenant bien avancée.

— Mrs. Palmer m'a paru en très bonne santé et je suis chargé de vous dire qu'elle viendra sûrement vous voir demain.

— Ah ! certainement, je le pense bien. Dites donc, colonel, j'ai amené deux jeunes filles, vous voyez, c'est-à-dire vous en voyez une, mais l'autre est ici quelque part. C'est votre amie Marianne que vous ne serez pas fâché de retrouver. Je ne sais pas comment vous vous arrangez avec elle, vous et Mr. Willoughby. Ah ! c'est une belle chose que d'être jeune et jolie ! J'ai été jeune autrefois, mais jolie, jamais, pas de chance pour moi. Et pourtant, j'ai eu un bon mari et je ne vois pas que toute la beauté du monde puisse procurer davantage. Ah ! le pauvre homme ! Voilà plus de huit ans qu'il est mort. Mais, colonel, qu'êtes-vous devenu depuis votre départ ? Et comment vont vos affaires ? Allons, allons, n'ayons pas de secret entre amis.

Il répondit avec son habituelle douceur à toutes ces demandes, mais sans en satisfaire aucune. Elinor commença à préparer le thé et Marianne fut forcée de reparaître.

Après son apparition, le colonel Brandon devint plus absorbé et silencieux qu'avant, et Mrs. Jennings n'arriva pas à le retenir longtemps. Aucun autre visiteur ne se présenta dans la soirée et ces dames furent d'accord pour aller se coucher de bonne heure.

Le lendemain, Marianne avait le visage rasséréné et content. Le désappointement de la veille semblait oublié dans l'attente de ce que ce jour allait amener. Peu de temps après qu'elles eurent terminé leur breakfast, la voiture de Mrs. Palmer s'arrêta à leur porte et, quelques minutes après, elle faisait son entrée en riant, si heureuse de les voir toutes qu'il était difficile de dire si elle avait plus de plaisir à revoir sa mère ou les demoiselles Dashwood.

Bien que ce fût la chose qu'elle avait espérée de tout temps, elle paraissait toute surprise de leur arrivée, et toute fâchée qu'elles aient accepté l'invitation de leur mère au lieu de la sienne, ce qui, d'ailleurs, ne l'empêcha pas d'affirmer qu'elle ne leur aurait jamais pardonné si elles n'étaient pas venues.

— Mr. Palmer sera si heureux de vous voir ! dit-elle. Que croyez-vous qu'il a dit quand il a su que vous veniez avec maman ? Je ne me rappelle plus maintenant, mais c'était quelque chose de si drôle !

Après une heure ou deux employées à ce que sa mère appelait une confortable causerie, autrement dit à toutes espèces de demandes faites par Mrs. Jennings au sujet des gens de leur connaissance et en rires sans cause de la part de Mrs. Palmer, celle-ci proposa que tout le monde l'accompagnât dans quelques boutiques où elle avait à faire ce matin. Mrs. Jennings et Elinor y consentirent volontiers, ayant elles-mêmes quelques emplettes en vue, et Marianne qui avait d'abord refusé finit par se laisser persuader.

Partout où elles allaient, Marianne était évidemment toujours à l'affût. Dans Bond street, en particulier, où elles avaient principalement à faire, ses yeux étaient toujours occupés à chercher ; et, dans toutes les boutiques où elles entrèrent, son esprit était également absent de tout ce qui était devant elle, de tout ce qui intéressait et occupait les autres. Agitée et mécontente comme elle l'était, sa sœur ne put jamais obtenir qu'elle donnât un avis sur n'importe quel article à acheter, même s'il devait leur servir à toutes deux ; rien ne lui procurait de plaisir, il lui tardait seulement d'être de nouveau à la maison. Elle eut peine à maîtriser son impatience devant la lenteur de Mrs. Palmer dont les regards s'attardaient devant tout ce qui lui paraissait joli, cher ou nouveau, portée à tout acheter, ne pouvant se déterminer pour rien, et perdant son temps en extase et en indécision.

Elles ne rentrèrent à la maison que tard dans la matinée et, aussitôt, Marianne monta l'escalier au galop. Quand Elinor la rejoignit, elle la trouva s'éloignant de la table avec un air d'affliction qui montrait que Willoughby n'était pas venu.

— On n'a pas laissé de lettre pour moi pendant que j'étais sortie ? demanda-t-elle au domestique qui arrivait portant les paquets.

La réponse fut négative.

— En êtes-vous tout à fait sûr ? insista-t-elle. Etes-vous certain qu'aucun domestique, aucun porteur n'a laissé de lettre ou de billet ?

L'homme confirma que non.

— Comme c'est bizarre ! dit-elle à voix basse et d'un ton qui marquait son désappointement tandis qu'elle retournait vers la fenêtre.

« Bien bizarre, en effet, se répéta intérieurement Elinor, regardant sa sœur avec inquiétude. Si elle n'avait pas su qu'il était en ville, elle ne lui aurait pas écrit comme elle l'a fait, elle aurait adressé sa lettre à Combe Magna ; et, s'il est en ville, comme c'est étrange qu'il ne vienne ni n'écrive ! O ma chère mère ! Vous avez eu tort de permettre qu'un engagement entre une enfant si jeune et un homme dont nous savions si peu soit traité d'une façon si douteuse, si mystérieuse ! Je brûle d'interroger, mais comment prendra-t-on mon intervention ? »

Elle décida, après quelque réflexion, que si les apparences continuaient à se présenter aussi mal pendant quelques jours, elle écrirait à sa mère pour insister de la façon la plus pressante sur la nécessité d'une enquête sérieuse à ce sujet.

Mrs. Palmer et deux dames âgées, amies intimes de Mrs. Jennings qui les avait rencontrées et invitées le matin, dînèrent avec elles. La maîtresse de maison les laissa peu de temps après pour aller à divers rendez-vous, et Elinor fut obligée d'organiser une table de whist. Marianne n'était bonne à rien dans ces occasions, n'ayant jamais voulu apprendre le jeu ; mais, quoique, par suite, elle pût disposer de tout son temps, l'après-midi ne fut en aucune façon plus agréable pour elle que pour Elinor, car il s'écoula tout entier dans l'anxiété de l'attente et l'amertume de la déception. Elle essayait parfois de lire pendant quelques minutes ; mais le livre était bientôt jeté de côté et elle revenait à l'occupation bien plus intéressante de marcher de long en large à travers la chambre, s'arrêtant un moment chaque fois qu'elle arrivait près de la fenêtre, dans l'espoir d'entendre le coup de marteau si longtemps désiré.

27

— Si le temps reste encore au beau, dit Mrs. Jennings quand elles se rencontrèrent au breakfast, le lendemain matin, sir John n'aura pas envie de quitter Barton la semaine prochaine ; c'est une chose pénible pour un chasseur de perdre un jour de plaisir. Les pauvres ! Je les plains toujours quand cela leur arrive ! Ils semblent prendre cela si à cœur !

— Voilà qui est vrai, s'écria Marianne d'un ton joyeux et en se dirigeant vers la fenêtre pour examiner le temps. Je n'y avais pas pensé. Un pareil temps doit retenir beaucoup de chasseurs à la campagne.

C'était une heureuse idée et sa bonne humeur lui revint.

— C'est un temps parfait pour eux, certainement, continua-t-elle en s'asseyant d'un air joyeux à la table du breakfast. Comme ils doivent prendre du plaisir ! Mais (et ici un léger retour d'anxiété) on ne peut compter qu'il dure longtemps ! A cette époque de l'année, et après une telle série de pluies, cela ne durera certainement pas longtemps. Le froid va bientôt arriver et, très probablement, il sera sévère. Dans un jour ou deux peut-être ; un temps si doux ne peut pas durer. Qui sait ? il gèlera peut-être cette nuit ?

— De toute façon, dit Elinor soucieuse d'empêcher Mrs. Jennings de lire dans les pensées de sa sœur aussi clairement qu'elle le faisait elle-même, je crois pouvoir dire que nous aurons sir John et lady Middleton en ville à la fin de la semaine prochaine.

— Certainement, ma chère, je vous le garantis, Mary en fait toujours à sa tête.

« Et maintenant, conjectura silencieusement Elinor, Marianne va écrire à Combe par le prochain courrier. »

Mais, si elle le fit, la lettre fut écrite et envoyée avec une discrétion qui trompa l'attention d'Elinor.

Elle était loin de se contenter de l'hypothèse que faisait Marianne, mais quel qu'en fût le bien-fondé, tant qu'elle voyait Marianne de bonne humeur, elle ne pouvait se sentir vraiment mal à l'aise. Et Marianne était de bonne humeur, enchantée de la température clémente et plus enchantée encore de la perspective d'une recrudescence de froid.

La matinée se passa principalement à déposer des cartes chez les connaissances de Mrs. Jennings pour les informer de sa présence en ville ; et Marianne fut tout le temps occupée de la direction du vent, épiant les variations du ciel et imaginant une altération dans la température.

— Ne trouvez-vous pas qu'il fait plus froid que ce matin, Elinor ? Il me semble qu'il y a une différence sensible. C'est à peine si je puis me réchauffer les mains avec mon manchon. Ce n'était pas la même chose hier. Les nuages paraissent se dissiper, le soleil va paraître dans un moment et nous aurons beau temps cet après-midi.

Elinor était à la fois amusée et peinée ; mais Marianne persévérait et voyait, chaque soir, dans l'éclat de la braise du feu, et, chaque matin, dans l'apparence de l'atmosphère, les symptômes certains de la froidure approchante. Les demoiselles Dashwood n'avaient pas plus de raisons de ne pas être satisfaites du genre de vie et des relations de Mrs. Jennings que de son attitude invariablement bienveillante. Tout dans ses arrangements domestiques était conduit sur le plan le plus libéral et, à l'exception d'un petit nombre de vieux amis avec lesquels, au regret de lady Middleton, elle n'avait jamais voulu rompre, elle ne voyait que des gens chez qui elle pouvait introduire ses jeunes amies sans la moindre gêne pour elles. Heureuse de se trouver mieux partagée sous ce rapport qu'elle ne l'espérait, Elinor était très disposée à passer sur le manque d'agrément véritable de leurs réunions du soir qui, à la maison ou en ville, étaient consacrées uniquement à jouer aux cartes.

Le colonel Brandon, qui était invité à la maison une fois pour toutes, était avec elles presque chaque jour : il venait pour voir Marianne et parler avec Elinor qui, souvent, trouvait plus de plaisir dans sa compagnie que dans toutes les autres occupations de sa journée, mais voyait, en même temps, avec grand chagrin la persistance de son inclination envers sa sœur. Elle craignait de la voir redoubler. Elle souffrait de constater l'attention qu'il mettait à observer Marianne ; son état d'esprit était certainement pire qu'à Barton.

Une semaine environ après leur arrivée, il devint certain que Willoughby était arrivé aussi. Sa carte se trouvait sur la table quand elles revinrent de leur sortie matinale.

— Mon Dieu ! s'écria Marianne, il est venu pendant que nous étions dehors.

Elinor, heureuse de savoir qu'il était bien à Londres, se hasarda alors à dire :

— Comptez-y, il viendra encore demain.

Mais Marianne semblait à peine l'entendre et, comme Mrs. Jennings entrait, elle s'esquiva avec la précieuse carte.

Cet événement qui avait réconforté Elinor accrut encore l'agitation de Marianne. A partir de ce moment, son esprit ne connut plus de repos ; l'attente de le voir à toute heure du jour la rendait incapable de faire quoi que ce soit. Elle insista pour rester à la maison, le matin suivant, quand les autres sortirent.

Elinor ne pensa, durant toute la matinée, qu'à ce qui pourrait se passer à Berkeley street pendant leur absence. Un seul regard jeté sur sa sœur, à leur retour, fut suffisant pour lui faire comprendre que Willoughby n'avait pas réitéré sa visite. Une lettre venait d'être apportée et se trouvait sur la table.

— Pour moi ? s'écria Marianne en se précipitant.

— Non, mademoiselle, pour ma maîtresse.

Mais Marianne, peu convaincue, s'en empara.

— C'est bien pour Mrs. Jennings. Que c'est agaçant !

— Vous attendiez donc une lettre ? dit Elinor incapable de garder plus longtemps le silence.

— Oui… un peu… pas beaucoup.

Après une courte pause :

— Vous n'avez pas confiance en moi, Marianne ?

— Oh ! Elinor, ce reproche de vous ! De vous qui n'avez confiance en personne !

— Moi ? répliqua Elinor, confondue. Mais sincèrement, Marianne, je n'ai rien à dire.

— Ni moi, répondit vivement Marianne, nos situations sont donc pareilles. Nous n'avons rien à nous dire ; vous, parce que vous ne vous livrez pas, et moi, parce que je ne cache rien.

Elinor, accablée par ce reproche de réserve qu'elle n'avait pas la liberté de réfuter, ne sut comment, dans cette situation, insister pour que Marianne lui ouvrît son cœur.

Mrs. Jennings arriva bientôt et ayant ouvert sa lettre en donna lecture à haute voix. Elle était de lady Middleton, annonçant leur arrivée à Conduit street le soir précédent et demandant à sa mère et à ses cousines de venir lui tenir compagnie le lendemain soir. Des affaires du côté de sir John et un fort rhume du sien les empêchaient de venir à Berkeley street. L'invitation fut acceptée. Mais, quand arriva l'heure du rendez-vous et alors que la plus simple politesse exigeait que toutes deux accompagnassent Mrs. Jennings, Elinor eut les plus grandes difficultés à persuader sa sœur de les suivre, car elle n'avait encore rien reçu de Willoughby et, par suite, était aussi peu disposée à prendre du plaisir au-dehors qu'à courir le risque de manquer sa visite.

Elinor constata, à l'issue de la visite, que le changement de place n'altère pas le caractère ; car, bien qu'il fût à peine arrivé à Londres, sir John s'était efforcé de réunir autour de lui près de vingt jeunes gens et de leur donner l'amusement d'un bal. C'était une chose que lady Middleton, pourtant, n'approuvait pas. A la campagne, on pouvait admettre une sauterie improvisée ; mais, à Londres, où la réputation d'élégance avait plus de prix et était moins facile à obtenir, c'était trop risquer, pour le plaisir de quelques jeunes filles, que de laisser répandre le bruit d'un petit bal de neuf couples donné par lady Middleton avec deux violons et une simple collation.

Mr. et Mrs. Palmer étaient de la réunion. Mr. Palmer, qu'elles n'avaient pas encore vu depuis leur arrivée à Londres (car il avait grand soin d'éviter toute apparence de politesse envers sa belle-mère, et, en conséquence, ne lui rendait jamais visite), affecta de ne pas remarquer leur entrée. Il leur jeta un coup d'œil rapide comme s'il ne savait pas qui elles étaient et fit un simple signe de tête à Mrs. Jennings sans quitter l'autre extrémité de la pièce. Marianne jeta un coup d'œil circulaire sur l'appartement en entrant. C'en fut assez : il n'était pas là, et elle s'assit, aussi peu disposée à prendre du plaisir qu'à en donner aux autres. Au bout d'une heure, Mr. Palmer s'approcha nonchalamment des demoiselles Dashwood pour leur exprimer sa surprise de les voir en ville. Celles-ci savaient bien qu'il était au courant de leur arrivée puisqu'il en avait informé lui-même le colonel Brandon et avait même dit quelque chose de si drôle à ce sujet.

— Je vous croyais toutes deux dans le Devonshire, dit-il.

— Vraiment ? répondit Elinor.

— Et quand y retournez-vous ?

— Je ne sais pas.

Et la conversation s'arrêta là.

Jamais de sa vie Marianne n'avait eu aussi peu envie de danser que ce soir, et jamais cet exercice ne l'avait fatiguée autant. Elle s'en plaignit en revenant à Berkeley Street.

— Ah ! ah ! dit Mrs. Jennings, nous en savons bien la raison. Si certaine personne que je ne veux pas nommer avait été là, vous n'auriez pas été fatiguée du tout ; et, à parler franchement, ce n'est guère aimable à lui de ne pas être venu à votre rencontre, alors qu'il était invité.

— Invité ? s'écria Marianne.

— C'est ce que m'a dit ma fille, car il paraît que sir John l'a rencontré quelque part dans la rue ce matin.

Marianne ne dit plus rien, mais parut cruellement frappée. Dans cette situation, Elinor, brûlant de faire quelque chose pour venir en aide à sa sœur, décida d'écrire le lendemain matin à sa mère, espérant qu'en éveillant sa sollicitude pour la santé de Marianne, elle obtiendrait qu'elle se livrât à cette enquête qui avait été si longtemps ajournée ; et elle fut d'autant plus portée à donner suite à cette idée qu'elle trouva Marianne le lendemain, aussitôt après le breakfast, occupée à écrire à Willoughby, du moins le supposa-t-elle, car à qui d'autre aurait-elle pu écrire ?

Vers le milieu du jour, Mrs. Jennings s'absenta pour affaires, et Elinor commença aussitôt sa lettre, pendant que Marianne, trop agitée pour s'occuper, trop angoissée pour causer, se promenait d'une fenêtre à l'autre ou s'asseyait devant le feu, plongée dans une méditation mélancolique. Elinor fut très pressante dans sa requête à sa mère, racontant tout ce qui s'était passé, ses soupçons sur l'inconstance de Willoughby, la suppliant, par tous les motifs de devoir et d'affection, de demander à Marianne une explication sur leur véritable situation.

Elle avait à peine fermé sa lettre qu'un coup frappé à la porte annonça une visite, et le colonel Brandon fut introduit. Marianne, qui l'avait aperçu de la fenêtre et qu'offusquait toute compagnie, quelle qu'elle fût, avait disparu avant qu'il entrât. Il paraissait encore plus grave que d'habitude et, bien qu'il eût exprimé d'abord sa satisfaction de trouver miss Dashwood seule, comme s'il avait quelque chose de particulier à lui dire, s'assit et demeura quelque temps sans dire un mot. Elinor, persuadée qu'il avait à lui faire quelque communication concernant sa sœur, attendait impatiemment qu'il commençât. Elle n'éprouvait pas cette impression pour la première fois. A plusieurs reprises déjà, il avait commencé par une observation comme : « Votre sœur ne paraît pas bien aujourd'hui », ou : « Votre sœur semble déprimée », et parut sur le point ou de révéler ou de demander quelque chose qui la concernait particulièrement.

Après quelques minutes de silence, il finit par demander, non sans un certain trouble, s'il pouvait lui offrir ses félicitations. Elinor n'était pas préparée à une telle question et, n'ayant aucune réponse prête, dut recourir à l'expédient banal et commode de lui demander ce qu'il voulait dire. Il répondit en essayant de sourire :

— Les fiançailles de votre sœur avec Willoughby sont connues de tout le monde.

— C'est impossible, répliqua Elinor, car sa propre famille les ignore.

Il parut surpris.

— Je vous demande pardon, je crains que ma demande ait été indiscrète ; mais je ne supposais pas qu'il y eût secret, puisqu'ils correspondent ouvertement et que leur mariage fait l'objet de toutes les conversations.

— Comment est-ce possible ? Qui vous en a parlé ?

— Beaucoup de gens, certains que vous ne connaissez pas, d'autres avec lesquels vous êtes intimes, Mrs. Jennings, Mrs. Palmer et les Middleton. Mais encore ne les aurais-je peut-être pas crus, car lorsqu'on ne souhaite pas être convaincu d'une chose, on trouve toujours des raisons d'en douter, si je n'avais pas vu, par hasard, dans les mains du domestique qui vient de m'introduire une lettre adressée à Mr. Willoughby, de l'écriture de votre sœur. Je venais m'informer, mais j'étais convaincu avant d'avoir posé la question. Tout est-il définitivement arrêté ? Est-il impossible de… ? Mais je n'ai aucun droit, je n'ai aucune chance de réussir… Excusez-moi, miss Dashwood, je crois que j'ai eu tort d'en dire autant ; mais je ne sais guère quel parti prendre et j'ai la plus grande confiance en votre prudence. Dites-moi que c'est une chose absolument décidée, qu'on ne peut essayer… bref, que tout ce qu'on peut faire est de garder le secret, si tant est que ce soit possible.

Ce discours qui équivalait à avouer directement à Elinor son amour pour sa sœur l'affecta vivement. Elle ne trouva rien à répliquer immédiatement et, même, lorsqu'elle eut recouvré ses esprits, elle hésita un moment sur la réponse convenable. Elle était si peu renseignée sur le réel état des choses entre Willoughby et sa sœur, qu'en essayant de donner une explication, elle risquait aussi bien d'en dire trop que pas assez. De toute façon, elle était convaincue que l'amour de Marianne pour Willoughby ne laissait au colonel Brandon aucune chance de succès, quel que dût être le sort de cet amour ; et, en même temps, désirant éviter le moindre blâme, elle trouva plus prudent et plus charitable, tout compte fait, d'en dire plus qu'elle n'en savait et n'en croyait réellement. Elle reconnut, en conséquence, que, bien qu'ils ne lui eussent jamais indiqué exactement dans quels termes ils étaient l'un vis-à-vis de l'autre, elle n'avait aucun doute sur leur mutuel attachement et, qu'en conséquence, leur correspondance ne la surprenait pas.

Il l'écouta en silence et avec attention, et quand elle eut fini de parler, il se leva aussitôt et dit d'une voix émue :

— A votre sœur, je souhaite tout le bonheur imaginable ; à Willoughby, qu'il cherche à la mériter.

Il prit congé aussitôt.

Cette conversation n'apporta rien à Elinor qui fût de nature à tempérer son inquiétude sur d'autres points ; au contraire, elle resta sous l'impression mélancolique de la tristesse du colonel Brandon sans pouvoir même en souhaiter la fin, car elle était trop anxieuse au sujet de l'événement qui devait la confirmer.

28

Rien n'arriva dans les trois ou quatre jours suivants pour faire regretter à Elinor ce qu'elle avait fait en recourant à sa mère, car Willoughby ne vint pas et n'écrivit pas. Elles furent invitées ensuite à accompagner lady Middleton à une soirée où Mrs. Jennings ne pouvait se rendre à cause de l'indisposition de sa fille Charlotte ; et Marianne, tout à fait découragée, insoucieuse de sa toilette, paraissant aussi peu désireuse de sortir que de rester, se préparait pour cette soirée sans une lueur d'espoir ni un signe de plaisir. Elle s'assit, après le thé, devant le feu du salon, jusqu'au moment de l'arrivée de lady Middleton, sans bouger ni changer une seule fois d'attitude, perdue dans ses pensées et insensible à la présence de sa sœur ; et quand, enfin, on leur dit que lady Middleton les attendait à la porte, elle tressaillit comme si elle avait oublié la soirée.

Elles arrivèrent en temps voulu à destination et, aussitôt que le leur permit la file des voitures, descendirent, montèrent les escaliers, entendirent annoncer leurs noms à haute voix d'un vestibule à un autre et pénétrèrent dans un salon splendidement éclairé, bondé de monde, et où régnait une chaleur intolérable. Quand elles eurent payé leur tribut de politesse en saluant la maîtresse de maison, il leur fut permis de se mêler à la foule et de prendre leur part de la chaleur et de la gêne que leur arrivée devait nécessairement accroître. Après quelque temps passé à parler peu et à agir encore moins, lady Middleton s'assit à une table de jeu, et, comme Marianne n'éprouvait pas l'envie de circuler, elle et Elinor, ayant heureusement trouvé des chaises, se placèrent à peu de distance d'elle.

Elles n'étaient pas installées depuis longtemps qu'Elinor aperçut Willoughby, en conversation très animée avec une jeune femme d'aspect extrêmement élégant. Leurs regards se rencontrèrent bientôt, et il s'inclina immédiatement mais sans chercher à lui adresser la parole, ni à s'approcher de Marianne, bien qu'il ne pût pas ne pas la voir, et il continua à s'entretenir avec la même dame. Elinor se retourna d'un mouvement machinal vers Marianne, pour voir si elle s'en était aperçue. A ce moment, celle-ci vit Willoughby et, soudainement transportée de joie, elle se serait, tout de suite, précipitée vers lui, si sa sœur ne l'avait retenue.

— Dieu du ciel !… s'écria-t-elle, il est ici, il est ici ! Oh ! pourquoi ne me regarde-t-il pas ? Pourquoi ne puis-je pas lui parler ?

— Je vous en prie, je vous en prie, contenez-vous, supplia Elinor, et ne laissez pas voir à tout le monde vos sentiments. Peut-être ne vous a-t-il pas encore aperçue.

C'était, cependant, plus qu'elle ne pouvait croire elle-même. Marianne, en un pareil moment, non seulement ne pouvait pas se contenir, mais était incapable d'y songer. Elle s'assit et une impatience éperdue se peignit sur tous ses traits.

A la fin, il se retourna de nouveau et les regarda toutes deux. Elle se dressa et, prononçant son nom d'un ton affectueux, lui tendit la main. Il s'approcha, et s'adressant à Elinor plutôt qu'à Marianne, comme s'il désirait éviter son regard et ignorer son attitude, s'enquit d'une façon hâtive de Mrs. Dashwood puis demanda depuis combien de temps elles étaient à Londres. Elinor, perdant toute sa présence d'esprit devant un tel discours, fut incapable d'articuler un mot, mais sa sœur donna immédiatement libre cours à ses sentiments. Sa figure s'empourpra et elle s'écria, d'une voix qui trahissait la plus vive émotion :

— Dieu du ciel ! Willoughby, qu'est-ce que cela signifie ? N'avez-vous pas reçu mes lettres ? Ne me tendrez-vous pas la main ?

Il ne put alors s'en dispenser, mais il sembla que ce contact lui fut pénible, et il ne tint sa main qu'un instant. Pendant tout ce temps, il s'efforçait manifestement de se composer une attitude. Elinor, qui l'observait, vit sa physionomie prendre une expression plus tranquille. Après une pause, en effet, il parla avec calme :

— J'ai eu l'honneur de passer à Berkeley street, mardi dernier, et j'ai beaucoup regretté de n'avoir pas eu la chance de vous rencontrer ainsi que Mrs. Jennings. Ma carte n'a pas été perdue, j'espère ?

— Mais n'avez-vous pas reçu mes lettres ? s'écria Marianne, au comble de l'angoisse. Il y a quelque erreur, j'en suis sûre, quelque affreuse erreur. Qu'est-ce que cela signifie ? Dites-moi, Willoughby, pour l'amour de Dieu, dites-moi ce qu'il y a !

Il ne répondit pas, sa figure changea et tout son embarras revint ; mais comme si, en rencontrant les yeux de la jeune dame avec laquelle il s'entretenait tout à l'heure, il eût senti la nécessité pressante de réagir, il se domina encore, et après avoir dit : « Oui, j'ai eu le plaisir de recevoir l'annonce de votre arrivée en ville dont vous avez eu l'obligeance de me prévenir », il se retira en hâte pour rejoindre son amie.

Marianne, affreusement pâle et ne pouvant plus se tenir, se laissa tomber sur une chaise, et Elinor, s'attendant à la voir défaillir à tout moment, s'efforça de la dissimuler à l'attention des autres, pendant qu'elle lui faisait respirer des sels.

— Allez le trouver, Elinor, dit-elle aussitôt qu'elle put parler. Forcez-le à venir à moi. Dites-lui que je veux le voir encore – qu'il faut que je lui parle à l'instant. Je n'aurai pas de repos, je ne puis avoir un moment de paix jusqu'à ce que tout cela soit expliqué… quelque affreuse méprise… Oh ! allez le trouver tout de suite.

— Comment pourrais-je faire ? Non, ma bien-aimée Marianne, il faut attendre… Il n'y a pas place ici pour une explication. Attendez seulement demain.

Ce ne fut pourtant qu'avec peine qu'elle l'empêcha de se mettre elle-même à sa poursuite ; quant à lui persuader de dompter son trouble, d'attendre au moins, avec une apparence de calme, qu'elle puisse lui parler avec plus d'intimité et plus utilement, c'était chose impossible, car Marianne continuait à donner carrière à sa douleur à voix basse, par des exclamations de désespoir. Bientôt, Elinor vit Willoughby quitter la salle par la porte donnant sur l'escalier et, en prévenant Marianne de son départ, invoqua l'impossibilité de lui parler encore ce soir comme un nouvel argument pour l'engager au calme. Marianne demanda aussitôt à sa sœur de prier lady Middleton de la ramener à la maison car elle se sentait trop malheureuse pour demeurer une minute de plus.

Lady Middleton, bien qu'au milieu d'un robre, informée que Marianne était indisposée, était trop polie pour s'opposer un seul instant à son désir de rentrer ; elle passa ses cartes à quelqu'un et elles partirent aussitôt qu'elles eurent trouvé leur voiture. Durant leur retour à Berkeley street, Marianne était plongée dans un désespoir silencieux, trop accablée même pour pleurer ; mais comme, par bonheur, Mrs. Jennings n'était pas à la maison, elles purent se rendre tout de suite dans leur chambre, où un cordial la rendit un peu à elle-même. Elle fut bientôt déshabillée et au lit, mais, comme elle paraissait désireuse d'être seule, sa sœur la laissa et, tout en attendant le retour de Mrs. Jennings, eut le loisir de réfléchir à ce qui venait de se passer.

Que quelque chose comme une promesse ait existé entre Willoughby et Marianne, elle n'en pouvait douter, et il paraissait également clair que Willoughby n'était plus disposé à la tenir; car, même pour permettre que Marianne pût encore nourrir un espoir, il était impossible de croire à une méprise ou un malentendu quelconque. Seul, un complet renversement de sentiments pouvait être invoqué. Son indignation aurait été encore plus forte, si elle n'avait pas remarqué cet embarras qui semblait indiquer une espèce de remords et empêchait Elinor de croire qu'il eût été assez pervers pour s'être joué dès le début et sans aucun dessein sérieux des sentiments de sa sœur. L'absence pouvait avoir affaibli son inclination et son intérêt pouvait l'avoir écartée, mais que cette inclination eût existé d'abord, elle ne pouvait arriver à en douter.

Et, en ce qui concernait sa sœur, elle ne pouvait réfléchir, sans le plus profond chagrin, sur les angoisses dans lesquelles l'avait jetée une rencontre aussi malheureuse et sur celles encore plus cruelles qui en seraient probablement la conséquence. Sa propre situation gagnait à la comparaison, car tant qu'elle pourrait estimer Edward, au fond de son cœur, même si l'avenir devait les séparer, elle en goûterait toujours une grande consolation. Mais tout ce qui pouvait envenimer le chagrin de Marianne semblait s'être réuni exprès pour le porter au suprême degré et pour terminer leurs rapports par une séparation finale et par une rupture immédiate avec lui sans réconciliation possible.

29

Le jour suivant, avant que la femme de chambre ait allumé le feu ou que le soleil ait réussi à briller dans une froide et brumeuse matinée de janvier, Marianne, déjà à moitié habillée, était prostrée dans l'embrasure d'une fenêtre, profitant du peu de lumière qui filtrait au travers pour écrire aussi vite que le lui permettait un continuel flot de larmes. C'est dans cette situation qu'Elinor, réveillée par son agitation et ses sanglots, la trouva d'abord, et, après l'avoir observée anxieusement quelques instants, elle lui dit, du ton le plus compatissant :

— Marianne, puis-je vous interroger ?

— Non, Elinor, répondit-elle, ne me demandez rien. Vous saurez tout, bientôt.

L'espèce de calme désespéré avec lequel elle prononça cette phrase ne dura pas plus longtemps qu'il n'en fallut pour la dire, et elle retomba immédiatement dans l'excès de son affliction. Il fallut quelques minutes avant qu'elle pût revenir à sa lettre et les fréquentes explosions de douleur qui l'obligeaient encore, par intervalle, à poser sa plume prouvaient assez qu'elle se sentait presque certaine d'écrire pour la dernière fois à Willoughby.

Elinor l'observait de la façon la plus discrète possible ; elle aurait essayé de la consoler et de la tranquilliser davantage si Marianne ne lui avait demandé avec toute la violence d'une personne à bout de nerfs de ne lui parler pour rien au monde. Dans cet état, il valait mieux, pour elles deux, ne pas prolonger leur tête-à-tête. L'état d'esprit de Marianne ne lui permettait pas de rester un moment de plus dans sa chambre après qu'elle se fut habillée et comme elle avait besoin, à la fois, d'être seule et de changer perpétuellement de place, elle erra dans la maison jusqu'à l'heure du breakfast, évitant la vue de tout le monde.

A table, elle ne mangea pas et n'essaya pas de manger ; et tous les efforts d'Elinor tendirent, non à la presser, ni à la plaindre, ni même à paraître s'occuper d'elle, mais à concentrer sur elle-même toute l'attention de Mrs. Jennings.

Comme c'était le repas favori de cette dernière, elle s'y attarda longtemps, et elles venaient juste de le finir et de s'asseoir au bout de leur table de travail quand on apporta à Marianne une lettre. Elle s'en empara précipitamment et, pâle comme la mort, sortit immédiatement. Elinor qui comprit à son attitude, aussi clairement que si elle avait vu l'adresse, que la lettre venait de Willoughby, sentit son cœur défaillir au point qu'elle avait peine à tenir la tête droite et qu'elle mourait de peur d'attirer l'attention de Mrs. Jennings. Mais cette bonne dame, cependant, ne vit que ceci : Marianne avait reçu une lettre de Willoughby, ce qui lui fit l'effet d'une chose fort plaisante et qu'elle traita, en conséquence, en exprimant joyeusement le vœu que la destinataire la trouvât à son goût. Quant à la détresse d'Elinor, elle était trop affairée à mesurer la longueur des laines destinées à son ouvrage pour s'en apercevoir le moins du monde et, continuant tranquillement la conversation aussitôt que Marianne eut disparu, elle dit :

— Ma parole, je n'ai jamais vu de ma vie une jeune fille aussi furieusement éprise. Mes filles n'étaient rien auprès d'elle et, pourtant, elles étaient passablement folles ; mais Marianne est une créature tout à fait hors d'elle-même. J'espère, du fond du cœur, qu'il ne va pas la laisser languir plus longtemps ; c'est tout à fait pénible de lui voir cet air si souffrant et abandonné. Dites-moi, à quand le mariage ?

Elinor, quoique moins disposée que jamais à parler, devant une attaque aussi directe, se força à répondre et dit, en s'efforçant de sourire :

— Mais, réellement, madame, êtes-vous persuadée des fiançailles de ma sœur avec Mr. Willoughby ? Je croyais que c'était un jeu de votre part, mais une question aussi nette semble impliquer davantage et, en conséquence, je dois vous prier de ne pas vous illusionner plus longtemps. Je vous assure que rien ne me surprendrait plus que d'entendre dire qu'ils vont se marier.

— Fi donc ! Fi donc ! miss Dashwood ! Comment pouvez-vous dire cela ? Ne savons-nous pas tous que c'était une chose décidée, qu'ils étaient amoureux fous l'un de l'autre du premier moment où ils se sont rencontrés ? Ne les ai-je pas vus tous les jours ensemble dans le Devonshire et tout le long du jour ? Est-ce que je ne sais pas que votre sœur est venue à Londres avec moi pour acheter ses habits de noces ? Allons, allons, cela ne prend pas. Ce n'est pas parce que vous êtes si discrète à ce sujet qu'il faut croire que personne d'autre n'y voit clair. Il n'en est rien, je puis vous l'assurer, car toute la ville le sait depuis longtemps ; j'en parle à tout le monde et Charlotte aussi.

— En vérité, madame, dit très sérieusement Elinor, vous vous trompez. Certainement, vous nous rendez un très mauvais service en répandant ce bruit et vous vous en rendrez compte bien que vous ne vouliez pas me croire en ce moment.

Mrs. Jennings ne fit qu'en rire, mais Elinor n'eut pas le courage d'en dire plus et, brûlant de savoir, en tout cas, ce que Willoughby avait écrit, se hâta vers leur chambre où, en ouvrant la porte, elle trouva Marianne étendue sur son lit, presque anéantie de douleur, une lettre à la main, tandis que deux ou trois autres étaient éparses à côté d'elle. Elle s'approcha, mais sans prononcer une parole, et s'asseyant sur le lit, prit sa main et la baisa affectueusement plusieurs fois, et laissa enfin éclater ses sanglots, à peine moins violents que ceux de Marianne. Cette dernière, quoique incapable de parler, parut sentir toute la tendresse de cette attitude, et, après un moment ainsi passé en communion de sentiment, mit toutes les lettres dans les mains de sa sœur; puis, se couvrant la face de son mouchoir, s'abandonna à l'excès de son désespoir. Elinor, sachant bien qu'il fallait laisser libre cours à une telle douleur, si pénible qu'en fût le spectacle, attendit que l'excès de sa souffrance se soit un peu calmé et, prenant alors la lettre de Willoughby, lut ce qui suit :

« Bond street, janvier.

« Chère Mademoiselle,

« Je viens d'avoir l'honneur de recevoir votre lettre pour laquelle je vous prie d'agréer mes sincères remerciements. Je suis très fâché d'apprendre qu'il y a eu dans mon attitude, la nuit dernière, quelque chose qui n'a pas eu votre approbation et, quoique tout à fait incapable de découvrir à propos de quoi j'ai été assez malheureux pour vous offenser, je vous en demande pardon en vous adjurant que ce fut tout à fait involontaire de ma part. Je ne puis jamais me rappeler mes précédentes relations avec votre famille dans le Devonshire sans en éprouver le plus vif plaisir. Je me flatte que celui-ci ne sera jamais entamé par aucun malentendu. J'éprouve une estime très sincère pour toute votre famille. Mais, si j'ai eu le malheur de faire croire que je ressentais quelque chose de plus que ce que je voulais exprimer, je dois me reprocher de n'avoir pas été assez retenu dans l'expression de cette estime. Que je n'aie jamais voulu laisser entendre autre chose, vous l'admettrez aisément, lorsque vous saurez que mon cœur était, depuis longtemps, engagé ailleurs et que, d'ici quelques semaines, je crois, mon mariage sera célébré. C'est avec un grand regret que j'obéis à votre ordre et vous retourne les lettres dont vous m'avez honoré ainsi que la boucle de cheveux que vous m'aviez si obligeamment offerte.

« Je suis, chère Mademoiselle, votre très humble et très obéissant serviteur.

« John Willoughby. »

Avec quelle indignation miss Dashwood prit connaissance d'une telle lettre, on peut l'imaginer. Quoique certaine, avant de l'ouvrir, d'y trouver la confession de son inconstance et la confirmation de leur séparation définitive, elle ne s'attendait pas à en endurer l'expression dans de tels termes ! Elle n'aurait pas supposé Willoughby capable d'écarter, à ce point, jusqu'à l'apparence de tout sentiment honorable et de toute délicatesse ; elle n'aurait jamais cru possible qu'il perdît les manières habituelles d'un gentleman au point d'envoyer une lettre aussi impudente et cruelle, une lettre qui, au lieu d'envelopper son désir de rupture d'expressions de regret, refusait de reconnaître sa forfaiture, niait avoir jamais ressenti un sentiment d'affection – une lettre dont chaque ligne était une insulte et qui affichait cyniquement, chez son auteur, la plus profonde bassesse.

Elle réfléchit, quelque temps, sur cette lecture avec un étonnement indigné ; puis elle relut la lettre plusieurs fois mais chaque examen ne servait qu'à augmenter son horreur pour celui qui l'avait écrite ; elle ressentait si amèrement sa conduite qu'elle n'osait prendre sur elle de parler : elle craignait de blesser encore davantage Marianne en traitant cette rupture non comme la perte d'un bonheur possible, mais comme la préservation du pire et du plus irréparable des malheurs : celui d'être liée, pour la vie, à un homme sans principes, comme la délivrance la plus réelle, la bénédiction la plus grande.

Elinor était profondément enfoncée dans sa méditation sur le contenu de la lettre et sur la dépravation de sentiment qui l'avait dictée. Elle n'était pas sans y pressentir l'influence qui émanait sans doute d'une personne particulièrement intéressée à voir les choses à sa manière.

Elle en oubliait la détresse présente de sa sœur, elle oubliait les trois lettres qu'elle tenait sur ses genoux sans les avoir lues, elle avait même complètement perdu la notion du temps, lorsque, entendant une voiture devant la porte, elle regarda par la fenêtre pour voir qui venait à une heure aussi matinale, et fut tout étonnée de voir la voiture de Mrs. Jennings, qui, elle le savait, avait été commandée pour une heure.

Résolue à ne pas quitter Marianne, quoique sans espoir de lui être utile pour le moment, elle s'empressa d'aller s'excuser auprès de Mrs. Jennings de ne pouvoir l'accompagner à cause de l'indisposition de sa sœur.

Mrs. Jennings, tout en montrant le plus joyeux scepticisme quant à la cause de cette indisposition, admit l'excuse sans difficulté, et Elinor, après s'être assurée de son départ, retourna à Marianne. Elle la trouva essayant de se lever de son lit et arriva juste à temps pour l'empêcher de tomber sur le plancher, en proie au vertige et aux étourdissements qui étaient les conséquences naturelles du régime qu'elle avait suivi ces derniers temps. Depuis nombre de jours, en effet, elle n'avait aucun appétit et elle passait à peu près ses nuits sans sommeil; maintenant que la fièvre de l'attente ne la soutenait plus, les résultats se faisaient sentir : une tête endolorie, un estomac affaibli, une dépression nerveuse générale. Un verre de vin qu'Elinor lui administra tout de suite la réconforta assez pour qu'elle fût en état de répondre, un peu, à la tendresse de sa sœur, en lui disant :

— Ma pauvre Elinor, que je vous rends malheureuse !

— Je voudrais seulement, répondit sa sœur, pouvoir faire quelque chose pour vous venir en aide.

Ce mot, comme l'aurait fait toute autre parole, fut trop pour Marianne, qui put seulement s'écrier, dans l'angoisse de son cœur, et avant de fondre en larmes :

— Oh ! Elinor, je suis vraiment malheureuse !

Elinor ne put garder plus longtemps le silence devant cet irrésistible torrent de douleur.

— Contenez-vous, ma chère Marianne, s'écria-t-elle, si vous ne voulez pas vous tuer vous-même et tous ceux qui vous aiment. Pensez à notre mère, pensez à sa souffrance en vous voyant malheureuse. A cause d'elle, il vous faut faire un effort.

— Je ne peux pas, je ne peux pas, cria Marianne; laissez-moi, laissez-moi, si je vous afflige; mais ne me torturez pas ainsi. Oh ! comme il est facile aux gens qui ne souffrent pas de parler de se dominer. Heureuse, heureuse Elinor, vous ne pouvez avoir une idée de ce que je souffre.

— Vous m'appelez heureuse, Marianne ! Ah ! si vous saviez ! Et pouvez-vous me croire heureuse quand je vous vois si cruellement frappée !

— Pardon, pardon, dit Marianne, en jetant les bras autour du cou de sa sœur. Je sais ce que vous éprouvez pour moi, je sais quel cœur vous avez ; mais, enfin, vous êtes, vous pouvez être heureuse ; Edward vous aime et qu'est-ce qui peut, oui, qu'est-ce qui peut vous enlever un bonheur pareil ?

— Beaucoup, beaucoup de circonstances, dit gravement Elinor.

— Non, non, non ! s'écria sauvagement Marianne. Il vous aime et, vous seule, vous ne pouvez pas avoir de peine.

— Je ne puis avoir de plaisir quand je vous vois en cet état.

— Et vous ne me verrez jamais autrement. Rien ne peut m'arracher à ma misère.

— Vous ne pouvez pas parler ainsi, Marianne. N'avez-vous pas de consolations, pas d'amis ? La perte que vous avez subie ne vous laisse-t-elle aucune consolation possible ? Si fort que vous souffriez maintenant, pensez à ce que vous auriez enduré si son caractère ne s'était découvert que plus tard, si votre engagement eût traîné des mois et des mois, comme il aurait pu arriver, avant qu'il ne se décide à le rompre. Chaque nouveau jour de confiance de votre part aurait rendu le coup plus cruel.

— Engagement ! s'écria Marianne. Mais il n'y a jamais eu d'engagement !

— Pas d'engagement !

— Non, il n'est pas aussi indigne que vous le pensez. Il n'a pas manqué à sa parole envers moi. C'était sous-entendu chaque jour, mais jamais nettement déclaré. Quelquefois, il me semblait que si, mais, jamais, il n'y avait rien de positif.

— Et vous lui écriviez ?

— Oui. Cela pouvait-il être mal, après tout ce qui s'était passé ? Mais je ne peux pas parler.

Elinor n'en dit pas davantage et, revenant aux trois lettres qui maintenant excitaient bien plus sa curiosité, s'empressa de les lire. La première, celle que sa sœur avait envoyée à son arrivée à Londres, était ainsi conçue :

« Berkeley street, janvier.

« Comme vous serez surpris, Willoughby, en recevant ce mot ! Et je pense que vous éprouverez un autre sentiment que la surprise quand vous saurez que je suis à Londres. Une occasion d'y venir, offerte par Mrs. Jennings, était une tentation à laquelle nous ne pouvions pas résister. Je souhaite que ce mot vous arrive à temps pour que vous puissiez venir ce soir, mais je n'y compte pas. De toute façon, je vous attends demain. Pour le moment, adieu.

« M. D. »

La seconde, qui avait été écrite le lendemain de la soirée dansante chez les Middleton, contenait ce qui suit :

« Je ne puis vous exprimer ma déception de vous avoir manqué avant-hier, ni aussi l'étonnement où je suis de n'avoir pas reçu de réponse à un mot que je vous ai envoyé, il y a une huitaine. J'ai attendu d'avoir de vos nouvelles, et, bien plus, de vous voir à toutes les heures du jour. Venez, je vous en prie, aussitôt que possible, m'expliquer la raison pour laquelle je vous ai attendu en vain. Il vaut mieux que vous veniez de bonne heure, car nous sortons généralement vers une heure. Hier soir, nous étions chez lady Middleton où l'on dansait. On m'a dit que vous aviez été invité. Mais est-ce possible ? Il faudrait que vous ayez bien changé depuis votre départ, si cela est vrai, et si vous n'êtes pas venu. Mais je ne veux pas croire cela possible et j'espère en recevoir bientôt l'assurance de vous-même.

« M. D. »

Voici ce que contenait la dernière lettre :

« Que faut-il que je croie, Willoughby, après votre attitude d'hier soir ? Je vous demande encore une explication. Je m'étais préparée à vous rencontrer avec une impatience que notre longue séparation rendait plus vive encore, tout au plaisir de retrouver notre intimité de Barton. J'ai pourtant été repoussée ! J'ai passé une nuit d'agonie à essayer de trouver des excuses à une conduite que je ne puis guère qualifier autrement qu'insultante, mais, bien que je n'aie pas pu arriver à vous en trouver, je suis toute prête à accueillir votre justification. On vous a peut-être mal informé ou trompé de propos délibéré, à mon sujet, ce qui m'aura perdue dans votre opinion. Dites-moi de quoi il s'agit, expliquez-moi vos motifs et je serai satisfaite si je puis vous donner des explications. Certes, je souffrirais d'être obligée de penser du mal de vous ; mais, s'il le faut, si je dois apprendre que vous n'êtes pas ce que nous avions cru, que votre amitié était feinte, que votre attitude à mon égard ne tendait qu'à me tromper, que cela soit dit aussitôt que possible. Je suis, en ce moment, dans un état d'indécision mortelle. Je souhaite vous voir lavé de tout reproche, mais la certitude contraire sera un repos à côté de ce que je souffre actuellement. Si vos sentiments ne sont plus ce qu'ils ont été, retournez-moi mes lettres et la boucle de cheveux qui est en votre possession.

« M. D. »

Que de telles lettres, si pleines d'affection et de confiance, aient pu recevoir une pareille réponse, Elinor, pour l'honneur de Willoughby, eût voulu ne pas le croire. Mais la condamnation qu'elle portait contre lui ne l'aveuglait pas sur l'inconvenance qu'il y avait, après tout, à les avoir écrites. Et elle déplorait silencieusement l'imprudence qui avait hasardé, sans nécessité, de telles preuves de tendresse, qu'aucun précédent n'autorisait et que l'événement avait si sévèrement condamné.

A ce moment, Marianne, voyant qu'elle avait fini de lire les lettres, lui fit observer qu'elles ne contenaient rien que n'importe qui n'eût écrit en pareille situation.

— Je me sentais, ajouta-t-elle, aussi solennellement engagée avec lui que si le lien légal le plus étroit nous avait unis l'un à l'autre.

— Je le crois, dit Elinor, mais, malheureusement, il ne sentait pas de même.

— Il l'aurait dû, Elinor. Semaine après semaine, il l'avait éprouvé un peu plus. Je le sais. Quelles que soient les raisons qui l'ont changé, et seules les plus affreuses calomnies ont pu le faire, je lui étais alors aussi chère que mon cœur pouvait le désirer. Cette boucle de cheveux, dont il fait maintenant si peu de cas, il la mendia avec les supplications les plus ardentes. Si vous aviez vu son regard, son attitude, si vous aviez entendu sa voix à ce moment ! Avez-vous oublié le dernier soir que nous avons passé à Barton ? Et le matin de notre séparation aussi ! Quand il me dit qu'il pourrait se passer plusieurs semaines avant que nous puissions nous revoir – son désespoir – pourrai-je jamais oublier son désespoir ?

Pendant un ou deux instants, elle n'en put dire davantage, mais, quand son émotion fut passée, elle ajouta, d'un ton plus ferme :

— Elinor, j'ai été cruellement traitée, mais pas par Willoughby.

— Ma bien-aimée, par qui donc alors ? Par qui peut-il avoir été poussé ?

— Par le monde entier, plutôt que par son propre cœur. Je croirais plutôt que toutes les créatures de ma connaissance se sont liguées pour me ruiner dans son opinion que d'admettre une telle cruauté. La femme dont il parle – quelle qu'elle soit – ou n'importe qui, en somme – excepté vous, ma chérie, maman et Edward –, peut avoir été assez barbare pour me calomnier. Vous trois à part, y a-t-il une créature au monde que je ne puisse suspecter plutôt que Willoughby dont je connais si bien le cœur ?

Elinor ne voulut pas discuter et répondit seulement :

— Quel que puisse avoir été ce détestable ennemi, ma chère sœur, frustrez-le de son triomphe pervers, en lui montrant combien vous êtes noblement soutenue par la conscience de votre innocence et de la droiture de vos intentions. C'est un orgueil raisonnable et louable que de faire face à pareille méchanceté.

— Non, non, s'écria Marianne, une douleur comme la mienne ne connaît pas l'orgueil. Peu m'importe qu'on sache que je suis malheureuse ! Que l'on triomphe de m'avoir réduite à cette extrémité, que ce soit évident à tout le monde ! Elinor, Elinor, ceux qui ne souffrent pas beaucoup peuvent être fiers et indépendants tant qu'ils voudront – ils peuvent résister à l'injure ou rendre coup pour coup –, mais moi, je ne puis pas. Il faut que je m'abandonne à ma douleur, que je la subisse, et tous ceux qui en voudront être témoins seront les bienvenus.

— Mais pour ma mère et pour moi...

— Je ferais plus que pour moi-même. Mais paraître heureuse quand je suis si misérable ! Oh ! qui peut demander une pareille chose ?

De nouveau, le silence retomba entre elles deux. Elinor allait pensivement du feu à la fenêtre et de la fenêtre à la cheminée, sans prendre garde qu'elle ne recevait pas de chaleur de l'un et ne voyait rien à travers l'autre ; et Marianne assise au pied du lit, la tête appuyée sur l'un des montants, tournait encore entre ses mains la lettre de Willoughby et, après avoir frissonné de nouveau à chaque mot, s'exclama :

— C'est trop ! Oh ! Willoughby, cela peut-il venir de vous ? Cruel, cruel, rien ne peut vous excuser. Elinor, rien ne le peut. Quoi qu'il eût pu entendre dire contre moi, est-ce qu'il n'aurait pas dû suspendre son jugement ? N'aurait-il pas dû m'en parler, me permettre de me justifier ? « La boucle de cheveux que vous m'aviez si obligeamment offerte... » (elle répétait les termes de la lettre) voilà qui est impardonnable. Willoughby, où aviez-vous le cœur, quand vous avez écrit ces mots ? Oh ! l'insolente cruauté ! Elinor, peut-on l'excuser ?

— Non, Marianne, en aucune façon.

— Et, maintenant, cette femme – qui sait ce que sa ruse a pu faire, depuis combien de temps elle l'a préméditée et combien elle l'a profondément calculée ? – qui est-elle ? Qui peut-elle être ? Quand l'ai-je jamais entendu parler d'une jeune femme à laquelle il s'intéressait ? Il n'en prononça pas le nom d'une seule devant moi, il ne m'entretenait que de moi-même.

Il y eut encore une pause. Marianne était en proie à une grande agitation. Elle en sortit en disant :

— Elinor, il faut rentrer à la maison. Il faut que j'y aille tranquilliser maman. Pouvons-nous partir demain ?

— Demain, Marianne !

— Oui, pourquoi rester ici ? Je n'étais venue qu'à cause de Willoughby. Et maintenant, qui se soucie de moi ? Qui s'en occupe ?

— Il serait impossible de partir demain. Nous devons à Mrs. Jennings plus que de la politesse. Et la simple politesse s'opposerait à un aussi brusque départ.

— Bien ! alors, à la rigueur, attendons un jour ou deux. Mais je ne peux pas m'attarder ici, je ne peux pas rester à endurer les questions et les remarques des autres gens. Les Middleton et les Palmer, comment pourrais-je supporter leur pitié ? La pitié d'une femme comme lady Middleton ? Oh ! qu'est-ce qu'*il* aurait dit de cela ?

Elinor lui conseilla de se coucher de nouveau, et, pour cette fois, elle obéit. Mais aucune attitude ne pouvait la mettre à l'aise et, ne pouvant trouver le repos ni du corps ni de l'esprit, elle changeait de position à chaque instant, jusqu'au moment où, devenant de plus en plus excitée, sa sœur ne put qu'avec difficulté la tenir dans son lit, au point que, pendant quelque temps, elle craignit d'être obligée d'appeler du secours. A la fin, cependant, elle consentit à prendre quelques gouttes d'un calmant qui produisirent leur effet. Et, jusqu'au retour de Mrs. Jennings, elle resta tranquille et immobile dans son lit.

30

Mrs. Jennings vint frapper à la porte de leur chambre dès qu'elle fut rentrée, et, sans attendre qu'on lui répondît, ouvrit et s'avança l'air réellement inquiet.

— Comment vous trouvez-vous, ma chère enfant ? dit-elle du ton le plus compatissant à Marianne qui détourna le visage sans essayer de répondre.

« Comment va-t-elle, miss Dashwood ? Pauvre petite, elle a l'air bien mal. Ce n'est pas étonnant. Hélas ! ce n'est que trop vrai. Il doit se marier bientôt – un propre-à-rien ! Je ne puis le supporter ! Mrs. Taylor m'a appris cela, il y a une demi-heure ; elle le tenait d'une amie intime de miss Grey elle-même, autrement je ne l'aurais certainement pas cru et j'ai failli tomber de mon haut. " Eh bien, lui ai-je déclaré, tout ce que je puis dire, c'est que, si c'est vrai, il s'est abominablement conduit envers une jeune fille de ma connaissance et je lui souhaite de tout mon cœur que sa femme lui rende la vie dure. " Et je le dirai toujours, vous pouvez compter là-dessus, ma chère. On n'a pas idée de voir un homme se conduire de cette façon, et, si jamais je le retrouve, il entendra ses vérités comme cela ne lui est pas arrivé souvent. Mais vous avez une ressource, ma chère miss Marianne, il n'est pas le seul jeune homme distingué au monde et, avec votre joli visage, vous ne manquerez jamais d'admirateurs. La pauvre petite ! Je ne veux pas la troubler plus longtemps, il vaut mieux qu'elle pleure maintenant tout son saoul et que ce soit fini. Heureusement, les Parry et les Sanderson doivent venir ce soir, comme vous le savez, cela la distraira. »

Là-dessus, elle sortit sur la pointe des pieds, comme si elle supposait que le bruit pût augmenter l'affliction de sa jeune amie.

Marianne, à l'étonnement de sa sœur, décida de dîner avec eux. Elinor, elle-même, l'en dissuada. Mais non, elle voulait descendre, elle supporterait cela très bien, et l'on ferait moins de commentaires sur elle.

Elinor, heureuse de la voir, pour un moment, touchée par une telle raison, ne s'y opposa pas davantage, bien qu'elle eût peine à croire qu'elle pourrait se tenir à table ; et, préparant sa toilette aussi bien qu'elle put, tandis que Marianne était au lit, elle se tint prête à l'accompagner à la salle à manger dès qu'on les appellerait.

Une fois là, bien qu'ayant très mauvaise mine, Marianne mangea et fut plus calme que sa sœur ne l'espérait. Si elle avait essayé de parler, ou si elle avait seulement remarqué la moitié des attentions aussi bienveillantes que maladroites de Mrs. Jennings à son égard, ce calme n'aurait pu se maintenir, mais pas une syllabe ne s'échappa de ses lèvres et, perdue dans ses pensées, elle ignora complètement ce qui se passait autour d'elle.

Elinor, qui rendait justice à la bonté de Mrs. Jennings, bien que l'expression en fût souvent bien gênante et frisât parfois le ridicule, se chargea, à la place de sa sœur, de la remercier et de lui retourner ses politesses. Cette bonne âme voyait Marianne malheureuse et estimait qu'il fallait tout faire pour adoucir sa peine. En conséquence, elle la traitait avec toute l'indulgente bonté d'une mère pour un enfant chéri, le dernier jour de ses vacances. Marianne devait avoir la meilleure place près du feu, il fallait la tenter par tout ce qu'on pouvait trouver dans la maison de friandises délicates et l'amuser en lui racontant toutes les nouvelles du jour.

Si Elinor n'avait pas trouvé, dans la sombre contenance de sa sœur, une barrière à toute gaieté, elle aurait fini par se laisser entraîner à suivre Mrs. Jennings dans son entreprise de guérir un chagrin d'amour par une abondance de gâteaux, d'olives et un bon feu. Cependant, dès que Marianne finit par prendre conscience de ses continuelles attentions, elle ne put demeurer plus longtemps. Avec une exclamation précipitée de douleur, et, après avoir fait signe à sa sœur de ne pas la suivre, elle se leva et sortit précipitamment.

— Pauvre âme ! s'écria Mrs. Jennings dès qu'elle eut disparu, quelle peine elle me fait ! Et elle est partie sans avoir fini son vin ! Ni les cerises sèches ! Seigneur ! il semble que rien ne lui fasse du bien. Certainement, si je savais qu'il y eût quelque chose qu'elle aime, je l'enverrais chercher à l'autre bout de la ville. Oh ! c'est bien ce qu'il y a de plus inconcevable pour moi qu'un homme puisse traiter ainsi une enfant si charmante ! Mais quand il y a abondance d'argent d'un côté et pas grand-chose de l'autre, Dieu vous bénisse ! les hommes font peu de cas du reste.

— Cette personne, miss Grey – c'est bien ainsi que vous l'appelez –, est très riche ?

— Cinquante mille livres, ma chère. L'avez-vous jamais vue ? Une personne élégante, distinguée, dit-on, mais pas belle. Je me rappelle très bien sa tante, Biddy Henshawe, elle avait épousé un homme très fortuné. Mais ils sont tous riches dans la famille. Cinquante mille livres ! Et, d'après tout ce qu'on dit, cela vient juste à point, car on affirme qu'il est à bout de ressources. Pas étonnant ! Il jetait assez de poudre aux yeux avec sa voiture et sa meute ! Et je sais bien que cela ne sert à rien de parler, mais quand un jeune homme, quel qu'il soit, arrive et courtise une jolie fille et lui promet mariage, qu'a-t-il à faire de rendre sa parole seulement parce que ses affaires ne vont pas et qu'une plus riche est prête à l'épouser ? Pourquoi, en pareil cas, ne pas vendre ses chiens, louer sa maison, congédier son personnel et réformer, tout de suite, son train de vie ? Je suis bien sûre que notre Marianne était disposée à attendre jusqu'à ce que tout ait été réglé. Mais voilà comment va le monde aujourd'hui : les jeunes gens ne veulent rien sacrifier en matière de plaisir.

— Savez-vous quel genre de personne est miss Grey ? Passe-t-elle pour aimable ?

— Je n'en ai jamais entendu dire de mal, mais, à vrai dire, je n'en ai presque jamais entendu parler ; sauf ce que m'a dit Mrs. Taylor ce matin, qu'un jour miss Walker lui avait confié qu'elle pensait que Mr. et Mrs. Ellison ne seraient pas fâchés de la voir mariée parce qu'elle et Mrs. Ellison ne s'entendaient pas.

— Et qui sont les Ellison ?

— Ses tuteurs, ma chère. Mais, maintenant, elle est émancipée et peut choisir elle-même ; et elle a fait un joli choix !

Et après une pause :

— Et maintenant ? Votre pauvre sœur est allée dans sa chambre, je suppose, pour se livrer à sa douleur. Est-ce qu'on ne pourrait pas faire quelque chose pour la réconforter ? Pauvre chérie, il semble vraiment cruel de la laisser toute seule. Tout à l'heure, nous allons avoir quelques amis et cela la distraira un peu. A quoi pourrons-nous jouer ? Elle n'aime pas les cartes, je sais. Mais n'y a-t-il pas un jeu de société qui l'intéresserait ?

— Chère madame, il est inutile que vous vous donniez de la peine à ce sujet. Marianne, j'en suis sûre, ne descendra pas de sa chambre ce soir. Je la persuaderai, si je peux, de se coucher de bonne heure, car je suis certaine qu'elle a besoin de repos.

— Eh bien ! je crois que c'est ce qu'il y aura de mieux pour elle. Qu'elle commande son souper et qu'elle aille au lit. Seigneur ! Ce n'est pas étonnant qu'elle ait paru si triste et si mal en train depuis une semaine ou deux, car je suppose que cela couvait depuis ce temps-là. Et cette lettre arrivée aujourd'hui a été le coup de grâce. Pauvre créature ! Bien sûr, si j'en avais eu l'idée, je ne l'aurais pas plaisantée là-dessus pour tout l'or du monde. Mais vous comprenez bien que je ne pouvais pas me douter de pareille chose. J'étais convaincue qu'il s'agissait d'une lettre d'amoureux, et vous savez que les jeunes gens aiment bien qu'on les taquine à ce sujet. Seigneur ! ce que sir John et mes filles vont être navrés de cette nouvelle ! Si je n'avais pas été aussi troublée, je serais passée à Conduit street en rentrant et je leur aurais raconté la chose. Mais je les verrai demain

— Il sera inutile, j'en suis sûre, que vous avertissiez Mrs. Palmer et sir John de ne jamais nommer Mr. Willoughby ou de faire la moindre allusion à ce qui s'est passé devant ma sœur. Leur délicatesse naturelle leur dira assez combien il serait cruel d'avoir l'air, devant elle, de savoir quoi que ce soit ; quant à moi, vous comprendrez facilement, chère madame, qu'il me sera agréable que l'on m'en parle le moins possible.

— Seigneur, oui, je le comprends. Ce doit être terrible pour vous d'en entendre parler ; et, pour votre sœur, certainement pour rien au monde, je n'en dirai mot devant elle. Vous avez vu que je ne lui en ai rien dit à dîner. Et sir John et mes filles n'en feront rien non plus, car ils sont très attentifs à ces choses-là – spécialement si je leur donne un avertissement, ce que je ferai certainement. Pour ma part, je pense que le moins qu'on puisse dire sur ce sujet-là est le mieux, c'est d'autant plus vite enterré et oublié. Et quel bien cela peut-il faire d'y revenir toujours ?

— Dans le cas présent, cela ne peut faire que du mal, plus peut-être que dans d'autres cas du même genre, car ici les circonstances sont telles que, dans l'intérêt de tous ceux qui ont été mêlés à cette affaire, il n'est pas souhaitable qu'elle fasse l'objet des commentaires du public. Je dois, cependant, rendre cette justice à Mr. Willoughby : il n'a pas manqué à un engagement positif envers ma sœur.

— Oh ! mon Dieu ! ma chère, n'allez pas le défendre ! Pas d'engagement positif vraiment ! Après l'avoir emmenée à Allenham House, et avoir fait le plan des appartements qu'ils devaient occuper !

Elinor, en ce qui concernait sa sœur, ne pouvait pas insister davantage et elle ne se croyait pas obligée de le faire en ce qui concernait Willoughby. Si Marianne, en effet, avait beaucoup à perdre à une explication totale de la vérité, Willoughby y gagnerait certainement peu. Après un court silence, Mrs. Jennings, avec la gaieté naturelle de son tempérament, partit sur un autre aspect de la question.

— Eh bien, ma chère, le proverbe est vrai qui dit qu'un mauvais vent ne souffle pas pour tout le monde, car ce sera tant mieux pour le colonel Brandon. C'est lui qui l'aura, à la fin, mais oui : rappelez-vous bien ce que je vous dis : je prédis qu'ils seront mariés à l'été. Seigneur ! ce qu'il va jubiler en apprenant ces nouvelles ! J'espère qu'il viendra ce soir. A tout point de vue, c'est un bien meilleur parti pour votre sœur. Deux mille livres par an, sans aucune dette ni embarras – excepté la petite fille, tout de même. Oui, je l'avais oubliée, mais on peut la mettre en apprentissage à bon compte et alors qu'est-ce que cela signifie ? Delaford est une belle résidence, je puis vous l'affirmer, exactement ce que j'appelle une belle vieille demeure, avec tout le confort et l'agrément possibles ; il y a un jardin entièrement clos de murs qui porte en espaliers les meilleurs arbres fruitiers du pays. Et tout un bois de mûriers dans un coin ! Comme nous nous sommes régalées de fruits, Charlotte et moi, la dernière fois que nous y sommes allées. Et puis, il y a un pigeonnier, des viviers délicieux et un bien joli canal, et, en somme, tout ce qu'on peut désirer ; bien plus, c'est tout près de l'église et à un quart de mille de la barrière de la route, de sorte qu'on ne s'ennuie jamais. Vous n'avez qu'à aller vous installer dans un bouquet d'ifs qui est derrière la maison, vous pouvez voir toutes les voitures qui passent. Oh ! c'est un joli endroit ! Un boucher tout près dans le village et le presbytère à un jet de pierre. Pour mon goût, c'est mille fois mieux que Barton Park, où ils sont obligés de faire trois milles pour les provisions et n'ont pas de voisin plus proche que votre mère. Bon, je vais mettre le colonel en éveil aussitôt que je pourrai. Un clou chasse l'autre, n'est-ce pas ? Si nous pouvions seulement lui ôter Willoughby de la tête ?

— Oui, pourvu que nous puissions y arriver, madame, dit Elinor, ce sera bien, avec ou sans le colonel Brandon.

Elle se leva là-dessus et alla rejoindre Marianne, qu'elle trouva, comme elle s'y attendait, dans sa chambre, penchée, dans une silencieuse détresse, sur les maigres débris d'un feu, qui éclairait seul la pièce jusqu'à l'arrivée d'Elinor.

« Vous feriez mieux de me laisser » fut tout ce que sa sœur reçut en guise d'accueil.

— Je vous laisserai, dit Elinor, si vous consentez à vous mettre au lit.

Elle refusa d'abord, par un caprice de malade impatientée. Sur les instances aussi pressantes qu'amicales de sa sœur, elle finit cependant par se laisser persuader. Elinor la vit poser sa tête endolorie sur l'oreiller et eut la satisfaction, en la quittant, de constater qu'elle était sur le point de glisser dans le sommeil.

Dans le salon, où elle était retournée, elle fut bientôt rejointe par Mrs. Jennings, tenant à la main un verre plein.

— Ma chère, dit-elle en entrant, je viens de me rappeler que j'avais, dans la maison, un certain vieux vin de Constance auquel on ne goûte jamais – et j'en ai apporté un verre pour votre sœur. Mon pauvre mari ! Comme il y tenait ! Chaque fois qu'il avait une attaque de goutte, il disait que rien au monde n'était capable de lui faire plus de bien. Portez-le à votre sœur.

— Chère madame, répondit Elinor, souriant à la pensée de la différence des maux auxquels s'appliquait le même remède, comme vous êtes bonne ! Mais je viens à l'instant de quitter Marianne au lit et je l'espère sur le point de s'endormir. Et, comme je pense que rien ne peut lui être plus profitable que le repos, si vous le permettez, c'est moi qui vais boire le vin.

Mrs. Jennings, tout en regrettant de n'être pas arrivée cinq minutes plus tôt, fut satisfaite de cette solution ; et

Elinor, en buvant le vin, réfléchit que, encore que son efficacité contre la goutte fût pour l'instant de peu d'importance pour elle, ses pouvoirs calmants sur un cœur endolori pouvaient être aussi essayés avec autant de raisons sur elle-même que sur sa sœur.

Le colonel Brandon arriva au moment du thé, et à la façon dont son regard chercha Marianne, Elinor pensa qu'il n'espérait ni ne désirait la trouver là, et, en un mot, qu'il était déjà au courant de la raison de son absence. La même pensée ne vint pas à Mrs. Jennings, car, aussitôt après son entrée, elle alla à la table que présidait Elinor et lui murmura :

— Le colonel semble aussi grave que jamais. Il ne sait rien, dites-le-lui, ma chère.

Un instant après, il approcha sa chaise près d'elle et avec un regard indiquant qu'il était parfaitement au courant, demanda des nouvelles de sa sœur.

— Marianne n'est pas bien, dit-elle. Elle a été indisposée tout le jour, et nous l'avons persuadée de rester au lit.

— Peut-être alors, avança-t-il en hésitant, ce que j'ai appris ce matin pourrait être exact; il pourrait y avoir plus de vrai que je ne l'ai cru d'abord.

— Qu'avez-vous entendu dire ?

— Qu'un gentleman dont j'ai toute raison de penser... bref, un homme que je croyais engagé, mais comment vous dire ?... Si vous le savez déjà comme c'est certain, il vaut mieux le taire.

— Vous voulez parler, répondit Elinor en se forçant au calme, du mariage de Mr. Willoughby avec miss Grey. Oui, nous savons tout. Il semble que c'est le jour des révélations pour tout le monde, car c'est ce matin que nous en avons été informées. Mr. Willoughby est incompréhensible ! Où l'avez-vous appris ?

— Dans une boutique de libraire à Pall Mall où j'avais à faire. Deux dames attendaient leur voiture, et l'une d'elles racontait à l'autre le prochain mariage, d'une voix qui cherchait si peu à se dissimuler qu'il m'était impossible de ne pas l'entendre. Le nom de Willoughby, John Willoughby, fréquemment répété, me frappa d'abord et la suite fut une affirmation positive que tout était maintenant arrangé pour son mariage avec miss Grey. Ce n'était plus un secret : il devait avoir lieu dans quelques semaines ; et l'on donnait de nombreux détails sur les préparatifs et d'autres choses de ce genre. Je me rappelle surtout ceci qui me permettait d'identifier encore mieux la personne : aussitôt après la cérémonie, ils devaient se rendre à Combe Magna, sa propriété dans le Somersetshire. Je n'en revenais pas ! Je ne puis vous décrire ce que j'éprouvais. Cette dame si communicative, je demandai ensuite qui elle était, car j'étais resté dans la boutique après son départ ; je sus que c'était une Mrs. Ellison. J'ai appris, ensuite, que c'était le nom du tuteur de miss Grey.

— C'est exact. Mais avez-vous su aussi que miss Grey a cinquante mille livres ? Voilà une explication, ou bien il n'y en a pas.

— Cela se peut ; mais Willoughby est capable… au moins je pense…

Il s'arrêta un moment, puis d'un ton mal assuré :

— Et votre sœur, comment a-t-elle… ?

— Le coup a été très dur. Tout ce que je puis espérer, c'est que sa douleur sera aussi brève qu'elle est violente. Ça a été et c'est encore une cruelle affliction. Jusqu'à hier, elle n'avait jamais douté de lui ; et maintenant même, peut-être ; mais je suis à peu près convaincue qu'il ne l'a jamais réellement aimée. Il a été vraiment perfide, et, à quelques égards, il semble qu'il y a chez lui une véritable dureté de cœur.

— Ah ! oui, c'est vrai ! dit le colonel Brandon. Mais – il me semble que vous venez de le dire – votre sœur n'envisage pas tout à fait les choses comme vous.

— Vous connaissez ses dispositions, et vous pouvez croire à quel point elle souhaiterait ardemment de le justifier si c'était possible.

Il ne fit pas de réponse, et, bientôt après, on enleva les plateaux du thé, on prit place pour le jeu, et le sujet fut nécessairement abandonné. Mrs. Jennings avait observé avec plaisir leur conversation et s'attendait à voir la communication de miss Dashwood produire sur le colonel Brandon un effet si heureux qu'il l'aurait instantanément transformé en un homme dans la fleur de la jeunesse, comblé d'espoir et de bonheur. Elle constata avec étonnement qu'il demeurait, tout le reste de la soirée, plus sérieux et préoccupé que jamais.

31

Après une nuit où elle dormit mieux qu'elle ne s'y était attendue, Marianne se réveilla le lendemain matin avec le sentiment de la même détresse que lorsqu'elle avait fermé les yeux.

Elinor l'encouragea, autant que possible, à parler de ce qu'elle ressentait. Et, avant que le breakfast fût prêt, elles étaient revenues sur le sujet dans tous les détails, avec la même ferme conviction et les mêmes affectueux conseils du côté d'Elinor, et, de la part de Marianne, avec la même impétuosité de sentiments et la même versatilité d'opinion. Parfois, elle se persuadait que Willoughby était aussi infortuné et innocent qu'elle-même et, à d'autres moments, perdait toute consolation devant l'impossibilité de l'excuser. Tantôt elle était absolument indifférente à l'opinion du monde entier, tantôt elle voulait s'en isoler pour toujours quand elle ne décidait pas de lutter contre avec énergie. Sur un seul point, cependant, elle ne variait pas, quand il en était question : elle voulait éviter, autant que possible, la présence de Mrs. Jennings et était déterminée à garder le silence toutes les fois qu'il lui faudrait la supporter. Son cœur se soulevait à l'idée que Mrs. Jennings pourrait compatir à ses maux.

— Non, non, non, c'est impossible ! criait-elle. Elle ne peut pas me comprendre. Sa gentillesse n'est pas de la sympathie. Son bon caractère n'est pas de la tendresse. Tout ce qu'elle désire, c'est d'avoir matière à bavarder et elle s'intéresse à moi uniquement pour cela.

Elinor n'avait pas besoin de cette preuve pour être certaine de l'injustice que sa sœur apportait souvent dans son appréciation de la conduite des autres par suite du raffinement de son esprit, et de la trop grande importance qu'elle attachait aux délicatesses de sa vive sensibilité et aux grâces d'une exquise politesse. Comme une bonne moitié du monde – à supposer que cette moitié fût aussi intelligente et bonne – Marianne, avec de grands talents et d'excellentes dispositions, n'était ni raisonnable ni tolérante. Elle attendait des autres qu'ils eussent les mêmes opinions et les mêmes sentiments qu'elle-même et jugeait de leurs façons d'agir par l'effet immédiat produit sur elle.

Là-dessus, pendant que les deux sœurs étaient dans leur chambre après le breakfast, un incident se produisit qui vint mettre Mrs. Jennings plus bas encore dans l'estime de Marianne. A cause de son état de faiblesse, en effet, il se trouva que ce fut une nouvelle source de chagrin pour elle, bien que la conduite de Mrs. Jennings eût été guidée par les meilleures intentions.

Tenant une lettre au bout de sa main tendue, et d'un air gai et souriant à l'idée qu'elle annonçait une bonne nouvelle, elle entra dans la chambre en disant :

— Maintenant, ma chérie, je vous apporte quelque chose qui certainement va vous faire plaisir.

C'en était assez pour Marianne. En un instant, son esprit imagina une lettre de Willoughby, pleine de tendresse et de contrition, expliquant tout ce qui s'était passé, satisfaisante, convaincante, suivie immédiatement de Willoughby lui-même, faisant précipitamment irruption dans sa chambre, prosterné à ses pieds et renforçant, par l'éloquence de ses yeux, les assurances de sa lettre. Cette œuvre d'un instant fut détruite par l'instant suivant. L'écriture de sa mère, jusque-là toujours la bienvenue, était sous ses yeux : et, dans la déception atroce qui remplaça l'extase d'un espoir presque réalisé, elle souffrit plus qu'elle n'avait souffert jusqu'à ce moment.

Aucun langage à sa portée dans ses moments de plus grande éloquence ne pouvait flétrir assez la cruauté de Mrs. Jennings et elle ne put formuler ses reproches autrement que par ses larmes qui coulèrent avec une violence passionnée. Sous cette forme, ces reproches furent entièrement perdus pour celle qui en était l'objet et qui, après de nombreuses manifestations de sympathie, se retira, l'invitant encore à puiser du réconfort dans la lettre de sa mère.

Mais la lettre, lorsqu'elle eut recouvré assez de calme pour la lire, ne lui apporta guère de satisfaction. Toutes les pages étaient remplies de Willoughby. Sa mère, toujours confiante dans l'engagement de ce dernier, et se fiant aussi chaleureusement que jamais à sa constance, s'était seulement déterminée, sur les instances d'Elinor, à demander à Marianne de s'ouvrir davantage à elle sur leur situation exacte à tous deux et cela avec une si grande tendresse pour elle, tant d'affection pour Willoughby et une telle foi dans leur futur bonheur mutuel qu'elle sanglota désespérément pendant toute la lecture.

Toute son impatience de se retrouver de nouveau chez elle lui revint. Sa mère lui était plus chère que jamais ; plus chère à cause de l'excès de confiance qu'elle plaçait, à tort, en Willoughby, et la pauvre petite ne voyait pas le moment d'être partie. Elinor, ne se sentant pas capable de décider s'il valait mieux pour Marianne être à Londres ou à Barton, ne lui conseilla rien, si ce n'est de patienter jusqu'à ce qu'elles aient reçu l'avis de leur mère, et elle finit par obtenir de sa sœur qu'elle attendît jusque-là.

Mrs. Jennings les laissa plus tôt que de coutume, car elle ne pouvait pas être tranquille tant que les Middleton et les Palmer ne seraient pas en état de déplorer l'événement autant qu'elle-même, et, refusant fermement l'offre d'Elinor de l'accompagner, elle partit seule tout le reste de la matinée. Elinor, le cœur bien lourd, consciente de la peine qu'elle allait causer et se rendant compte, par la lettre de sa mère à Marianne, combien elle avait eu tort de faire fond sur cet appui, se mit à écrire à Mrs. Dashwood un récit de ce qui s'était passé, en lui demandant ses directives pour l'avenir ; pendant que Marianne, revenue au salon après le départ de Mrs. Jennings, suivait le travail de sa sœur, la plaignait d'être attelée à une tâche aussi ingrate, et se désolait avec encore plus de tendresse en pensant à l'effet qu'elle produirait sur sa mère.

Un quart d'heure environ s'était passé de cette façon lorsque Marianne, dont les nerfs ne pouvaient en ce moment supporter un bruit imprévu, fut secouée par un coup frappé à la porte.

— Qui cela peut-il être ? s'écria Elinor. Si tôt ! Je pensais que nous étions sûres de n'être pas dérangées.

Marianne alla voir à la fenêtre.

— C'est le colonel Brandon ! dit-elle avec dépit. Avec lui, on n'est jamais sûr d'être tranquille.

— Il n'entrera pas, puisque Mrs. Jennings est sortie.

— Je ne m'y fierai pas, reprit Marianne en se dirigeant vers sa chambre. Un homme qui ne sait que faire de son temps ne se fait pas scrupule de le faire perdre aux autres.

L'événement prouva que sa conjecture était exacte, quoique fondée sur une injustice et une erreur, car le colonel Brandon entra ; et Elinor, convaincue que le seul motif de sa venue était son inquiétude au sujet de Marianne, inquiétude que révélaient le trouble et l'angoisse répandus sur sa physionomie et la façon brève mais angoissée dont il s'enquit de ses nouvelles, ne put excuser la légèreté du jugement porté sur lui par sa sœur.

— J'ai rencontré Mrs. Jennings dans Bond street, dit-il après les premiers compliments échangés, et elle m'a engagé à venir. Je me suis d'autant plus aisément laissé convaincre que je pensais vous trouver seule, ce que je souhaitais vivement. Mon but – mon vœu – mon seul vœu en formant ce souhait – était offrir un réconfort – non, je ne veux pas dire un réconfort, un réconfort actuel, mais un apaisement pour votre sœur.

L'intérêt que je lui porte, ainsi qu'à vous-même et à votre mère, voulez-vous m'autoriser à vous le prouver en vous mettant au courant de certaines choses que seul un intérêt vraiment sincère, un vif désir d'être utile… Je crois que je suis fondé à agir ainsi, j'y ai si longuement réfléchi que je ne puis me persuader qu'il y ait du mal à cela.

Il fit une pause.

— Je vous comprends, dit Elinor. Vous avez à me dire, sur le compte de Mr. Willoughby, quelque chose de nature à nous éclairer sur son vrai caractère. Une telle confidence est la plus grande marque d'amitié que vous puissiez donner à Marianne. Ma gratitude vous est acquise pour toute information tendant à ce but, et elle, elle vous en sera également reconnaissante avec le temps. Je vous en prie, je vous en prie, dites-moi ce dont il s'agit.

— Vous allez le savoir, et, pour être bref, quand je quittai Barton en octobre dernier… mais non, vous ne comprendriez pas, il faut prendre les choses de plus haut. Vous allez me trouver un bien mauvais narrateur, miss Dashwood. Je ne sais vraiment pas où commencer. Je crois qu'il sera nécessaire que je vous parle d'abord de moi-même, le plus brièvement possible. Sur un pareil sujet (il soupira profondément) je ne suis guère tenté de m'étendre…

Il s'arrêta un moment pour se recueillir, puis, non sans avoir encore soupiré, continua.

— Vous avez probablement tout à fait oublié une conversation – je ne puis supposer qu'elle vous ait frappée – que nous avons eue, un soir, à Barton Park – c'était le soir où l'on dansait –, dans laquelle je fis allusion à une personne que j'avais connue autrefois et qui ressemblait, jusqu'à un certain point, à votre sœur Marianne.

— Je puis vous assurer, répliqua Elinor, que je ne l'ai pas oubliée.

Cela parut lui faire plaisir. Il continua :

— Si je ne me laisse pas entraîner par l'incertitude, la partialité d'un tendre souvenir, il y a, entre elles, une très grande ressemblance, aussi bien au moral qu'au physique ; c'est la même chaleur de cœur, la même fantaisie et vivacité d'esprit. Cette personne était une de mes proches parentes, orpheline dès l'enfance et sous la tutelle de mon père. Nous étions à peu près du même âge et, dès l'enfance, nous avions été camarades de jeu. Je ne puis me rappeler une époque où je n'aimais pas Eliza ; et l'affection que je lui portais, à mesure que nous avancions en âge, était si ardente que, peut-être, en me voyant tel que je suis maintenant, grave, solitaire et triste, vous me jugeriez incapable de l'avoir jamais ressentie. Ses sentiments pour moi étaient, je crois, aussi fervents que ceux de votre sœur pour Willoughby, et furent aussi malheureusement déçus quoique pour une cause différente. A seize ans, je la perdis pour toujours. On la maria – contre son inclination – à mon frère. Elle avait une grande fortune et les affaires de ma famille étaient très embarrassées. Et c'est là, j'en ai bien peur, tout ce qu'on peut dire pour expliquer la conduite de celui qui était à la fois son oncle et son tuteur. Mon frère ne la méritait pas ; il ne l'aima même jamais. J'avais espéré que son affection pour moi la soutiendrait contre toutes les difficultés, et il en fut, en effet, ainsi pendant quelque temps ; mais, à la fin, la misère de sa situation – car elle subissait une dure contrainte — vint à bout de sa résolution, et bien qu'elle m'eût promis que rien… mais comme je raconte mal ! Je ne vous ai pas dit comment les choses s'étaient passées. Nous étions sur le point de nous enfuir ensemble en Ecosse. La trahison ou l'étourderie d'une servante de ma cousine dévoila nos projets. On m'exila chez un parent éloigné, et on ne lui laissa, à elle, ni société, ni amusement, ni liberté, jusqu'à ce que mon père eût gagné la partie. Je m'étais trop fié à mon courage et le coup fut sévère. Mais, si son mariage eût été heureux, j'étais alors si jeune que quelques mois auraient suffi à me faire accepter la chose, ou, tout au moins, maintenant je n'aurais pas à la déplorer.

« Mais ce ne fut pas le cas. Mon frère n'avait aucun égard pour elle ; il ne comprenait rien à son genre de vie et, de prime abord, il la traita avec mépris. Le résultat sur un esprit aussi jeune, aussi ardent et inexpérimenté que celui de Mrs. Brandon ne fut que trop naturel. Elle se résigna d'abord à toute la misère de sa situation ; elle eût pu persévérer, si elle n'avait pas eu à surmonter encore les regrets que je lui avais laissés. Mais comment s'étonner qu'avec un tel mari, sans un ami pour la conseiller ou l'arrêter – car mon père ne survécut que peu de mois à leur mariage, et je me trouvais avec mon régiment dans l'est de l'Inde –, elle ait pu faillir ? Si j'étais resté en Angleterre, peut-être… mais j'avais pensé que, pour notre bonheur à tous deux, il valait mieux que je m'éloigne d'elle pendant quelques années et j'avais permuté dans ce but. Le choc que son mariage m'avait donné, continua-t-il (et sa voix trahissait la plus grande agitation), n'était qu'une bagatelle, un rien, à côté de ce que je ressentis, environ deux ans après, en apprenant leur séparation. C'est cela qui a mis ce voile de tristesse sur ma vie – et, même maintenant, le souvenir de ce que j'ai souffert… »

Il ne put en dire plus, et, se levant précipitamment, marcha pendant quelques minutes à travers la pièce.

Elinor, émue par son récit et plus encore par sa détresse, ne trouvait rien à dire. Il vit sa sollicitude et, venant à elle, lui prit la main, la pressa, et la baisa avec un respect plein de gratitude. Après quelques instants passés silencieusement à se maîtriser, il fut en état de poursuivre avec sang-froid.

— Quand je retournai en Angleterre, il s'était écoulé près de trois ans depuis cette malheureuse période. Mon premier soin, à peine débarqué, fut naturellement de la rechercher. Mais cette recherche fut aussi infructueuse que mélancolique. Je ne pus faire plus que de découvrir la trace de son premier séducteur, et j'avais toute raison de craindre qu'elle ne l'eût quitté que pour s'enfoncer plus profondément dans une vie déréglée. La pension légale que lui servait mon frère ne correspondait pas à sa fortune et j'appris de ce dernier que, depuis quelques mois, elle avait délégué ses droits à un tiers. Il supposait – et il pouvait le faire avec le plus grand calme – que son extravagance et la détresse qui en était la conséquence l'avaient obligée à sacrifier cette pension pour subvenir à quelque nécessité pressante.

« A la fin, cependant, et six mois après mon retour en Angleterre, je la découvris. J'étais allé, par hasard, dans une prison pour dettes, voir un de mes anciens serviteurs tombé dans l'infortune ; et là, dans cette même prison, et pour les mêmes motifs, je trouvai mon infortunée belle-sœur, si changée, si flétrie, rongée par toutes sortes de cruelles épreuves ! A peine pouvais-je me figurer que cette figure douloureuse, maladive, était bien celle de la gracieuse jeune fille, florissante et respirant la santé que j'avais adorée jadis. Ce que j'endurai en la revoyant ainsi… mais je n'ai aucun droit de blesser votre sensibilité en essayant de vous la décrire, je vous ai déjà fait assez de peine. Elle était, selon toute apparence, au dernier degré de la consomption ; dans une telle situation, je considérais cela comme un grand réconfort. Elle ne pouvait plus rien attendre de la vie, sinon qu'elle lui donnât le loisir de se préparer convenablement à la mort. Et cette grâce lui fut accordée. Je pus la voir transportée dans un appartement convenable et entourée des soins nécessaires. Je la vis chaque jour tout le reste de sa brève existence. Je fus près d'elle à ses derniers moments. »

Il s'arrêta encore pour reprendre courage ; et Elinor exprima ses sentiments dans une exclamation de tendre intérêt sur le sort de sa malheureuse amie.

— J'espère, reprit-il, que votre sœur ne pourra pas s'offenser de la ressemblance que j'ai cru trouver entre elle et ma pauvre parente malchanceuse. Leurs destins, leurs fortunes ne peuvent être les mêmes. Et, si le bon naturel de l'une avait été secondé par un esprit plus ferme, ou par un mariage plus heureux, elle aurait pu être tout ce que vous verrez que l'autre sera.

« Mais où tend cela ? J'ai l'air de vous avoir attristée pour rien. Ah ! miss Dashwood, un sujet comme celui-là – sur lequel je garde le silence depuis quatorze ans – qu'il est dangereux de l'aborder ! Je vais tâcher de me résumer, d'être plus concis.

« Ma belle-sœur me laissa le soin de son unique enfant, une petite fille, alors âgée de trois ans. Elle l'aimait et l'avait toujours gardée auprès d'elle. C'était, pour moi, un cher, un précieux dépôt ; et j'en aurais volontiers accepté la charge dans le sens le plus strict, en veillant moi-même à son éducation, si nos situations respectives l'eussent permis. Mais je n'avais ni famille ni maison ; en conséquence, ma petite Eliza fut placée à l'école. J'allais l'y voir toutes les fois que je le pouvais, et, après la mort de mon frère (survenue environ cinq ans après et qui me rendit maître des propriétés de la famille), elle vint souvent me voir à Delaford.

« Je la présentais comme une parente éloignée. Mais je sais bien qu'en général on me soupçonnait de lui tenir de plus près. Il y a trois ans (elle venait d'atteindre ses quatorze ans), je l'avais retirée de l'école pour la placer sous la garde d'une dame très respectable habitant dans le Dorsetshire, qui avait en pension quatre ou cinq jeunes filles à peu près du même âge, et, pendant deux ans, je n'avais eu qu'à me louer de cette situation. Mais, à la fin de février, il y a environ douze mois, elle disparut subitement ; sur son vif désir, je lui avais, imprudemment, ainsi que la suite l'a démontré, donné la permission d'aller à Bath avec une de ses jeunes compagnes qui allait tenir compagnie à son père obligé de séjourner dans cette ville pour raison de santé. Je tenais ce dernier pour un homme sérieux et j'avais bonne opinion de sa fille, meilleure qu'elle ne le méritait car, avec une discrétion aussi obstinée que mal placée, elle ne voulut rien dire, refusa toute indication quoique certainement au courant de tout. Son père, homme bien intentionné, mais peu avisé, ne savait, je crois, réellement rien ; car il restait généralement confiné chez lui pendant que les jeunes filles allaient librement en ville et liaient connaissance avec qui elles voulaient ; et il s'efforça de me faire partager la conviction où il était que sa fille était entièrement étrangère à l'affaire. Bref, tout ce que je pus savoir, c'est qu'elle était partie ; pendant huit longs mois, je ne pus faire sur tout le reste que des conjectures. Vous pouvez imaginer ce que je pensai, ce que je craignis et aussi combien je souffris. »

— Seigneur ! s'écria Elinor, est-il possible que Willoughby…

— Les premières nouvelles que je reçus, continua-t-il, me furent apportées par une lettre d'elle que je reçus fin octobre. On me la fit suivre de Delaford, et je la reçus le matin de notre excursion projetée à Whitwell. Et c'est la raison pour laquelle j'ai quitté Barton si subitement d'une façon qui a dû paraître étrange à tout le monde, et qui a dû, je crois, choquer quelques personnes. Mr. Willoughby laissa clairement voir, à ce moment, combien il blâmait l'impolitesse avec laquelle je privais brusquement toute la société du plaisir qu'elle s'était promis. Il ne se doutait pas alors que j'étais appelé au secours de celle qu'il avait rendue pauvre et misérable.

« Mais l'eût-il su, cela aurait-il empêché quelque chose ? Aurait-il été moins gai ? Aurait-il pris moins de plaisir aux sourires de votre sœur ? Non, il avait déjà fait tout ce qu'un homme d'honneur ne doit pas faire. Il avait laissé la jeune fille qu'il avait détournée de son devoir dans la plus grande détresse, sans un logis acceptable, sans espoir, sans amis, ignorant son adresse. Il l'avait quittée, lui promettant de revenir. Il ne revint pas, n'écrivit pas, ne fit rien pour l'aider. »

— Voilà qui passe tout ! s'exclama Elinor.

— Vous connaissez, maintenant, son caractère – prodigue, dissipé, et bien pire. Sachant tout cela, comme je le sais depuis plusieurs semaines, vous devinez ce que j'ai pu éprouver en voyant votre sœur aussi éprise de lui que jamais, et déterminée à l'épouser. Oui, vous devinez quels étaient mes sentiments envers vous tous. Lorsque, à ma visite, la semaine dernière, je vous trouvai seule, je pris la résolution de savoir la vérité, incertain sur la conduite à tenir quand je la connaîtrai. Mon attitude, à ce moment, a dû vous paraître étrange, mais vous devez maintenant la comprendre. Vous laisser tous courir vers une telle déception, voir votre sœur... mais que pouvais-je faire ? Je n'avais pas l'espoir d'intervenir avec succès. Et, quelquefois, il m'arrivait de penser que l'influence de votre sœur pourrait encore réformer Willoughby. Mais, maintenant, après une conduite si déshonorante, qui peut dire quels étaient ses desseins sur elle ? Quoi qu'il en soit, cependant, elle peut, à présent, et, sans doute, elle le fera, se féliciter de ce qui lui est arrivé en comparant sa position avec celle de ma pauvre Eliza. Elle n'a qu'à se représenter la situation malheureuse et sans espoir de cette pauvre enfant, avec un amour pour lui aussi fort que le sien et le tourment d'un remords qui ne cessera qu'avec sa vie. La comparaison lui sera sûrement profitable. Elle verra que sa propre souffrance n'est rien, puisqu'elle n'a rien à se reprocher et que sa réputation est intacte. Au contraire, la sympathie de ses amis ne peut que s'accroître par la part prise à son infortune et le respect pour son courage à la supporter.

« Je laisse cependant à votre discrétion le soin de voir ce que vous devez lui dire à ce sujet. Vous êtes mieux placée que personne pour savoir quel en sera l'effet ; mais, certainement, si je n'avais pas cru, du fond du cœur, que cela pouvait lui servir et adoucir ses regrets, je ne me serais jamais permis de vous importuner du récit de mes chagrins intimes, au risque de paraître avoir voulu faire mon apologie aux dépens des autres. »

Elinor répondit à ce discours par les plus chaleureux remerciements et l'assura qu'elle partageait son espoir que Marianne retirerait un profit certain de cette communication.

— Rien ne m'a fait plus de peine, dit-elle, que ses efforts pour l'excuser, car son esprit serait bien moins troublé si elle avait la parfaite conviction de son indignité. Maintenant, bien qu'elle doive en avoir d'abord un surcroît de douleur, je suis sûre que bientôt elle se sentira mieux.

Après un court silence, elle demanda :

— Avez-vous revu Mr. Willoughby depuis que vous l'aviez quitté à Barton ?

— Oui, répliqua-t-il gravement. Une fois. Une rencontre était inévitable.

Elinor, saisie par son attitude, lui jeta un regard anxieux :

— Comment ! Voulez-vous dire que… ?

— Je ne pouvais pas le rencontrer d'une autre manière. Eliza, avec beaucoup de peine, avait fini par m'avouer le nom de son séducteur ; et, quand il rentra en ville, une quinzaine après moi, nous nous rencontrâmes à un endroit désigné, lui pour défendre, moi pour punir sa conduite. Aucun de nous deux ne fut blessé, de sorte que l'affaire ne s'ébruita pas.

Elinor répugnait à cette prétendue nécessité, mais vis-à-vis d'un homme et d'un soldat, elle ne jugea pas convenable d'exprimer un blâme.

Après une pause, le colonel Brandon reprit :

— Telle a été la malheureuse ressemblance entre le sort de la mère et celui de la fille ! Et, dans les deux cas, j'ai bien mal réussi dans mon rôle de gardien.

Se rappelant bientôt qu'Elinor devait avoir envie de rejoindre sa sœur, il prit congé, non sans avoir reçu l'expression de sa reconnaissance et la laissant remplie de pitié et d'estime pour lui.

32

Quand bien des détails de cette conversation eurent été répétés par miss Dashwood à sa sœur, comme ils le furent bientôt, leur effet ne fut pas entièrement celui qu'elle en attendait. Non que Marianne parût douter de leur entière vérité. Elle écouta tout avec l'attention la plus grande, ne fit ni d'objections ni de remarques, n'essaya aucunement d'excuser Willoughby et sembla même montrer par ses pleurs qu'elle jugeait pareille tâche impossible. Mais, bien que cette attitude persuadât Elinor que la conviction de sa culpabilité avait pénétré son esprit, bien qu'elle constatât avec satisfaction que sa sœur n'évitait plus le colonel Brandon lors de ses visites, et lui adressait même, spontanément, la parole avec une nuance de respect et de pitié, bien que son esprit fût moins surexcité qu'au début, elle ne paraissait pas moins profondément atteinte. La violence de sa passion s'était calmée, mais elle restait plongée dans un sombre abattement. Elle souffrait de la perte de ses illusions sur le caractère de Willoughby plus qu'elle n'avait souffert de la perte de son amour ; la séduction et l'abandon de miss Williams, la détresse de cette pauvre fille, et le doute planant sur ce que ses desseins avaient pu être jadis vis-à-vis d'elle-même pesaient si lourdement sur son cœur qu'elle ne pouvait prendre sur elle de communiquer ses sentiments même à Elinor, et en s'abandonnant à son chagrin en silence, elle affligeait plus sa sœur qu'elle ne l'aurait fait en les lui confiant le plus ouvertement et le plus souvent possible.

Dire ce qu'éprouva et ce que dit Mrs. Dashwood en recevant la lettre d'Elinor et en lui répondant serait seulement donner une répétition de ce qu'avaient déjà ressenti ses filles, sa déception étant à peine moins grande que celle de Marianne et son indignation peut-être plus forte que celle d'Elinor. De longues lettres d'elle se succédaient rapidement pour dire tout ce qu'elle souffrait et ce qu'elle pensait, pour exprimer à Marianne sa tendre sollicitude, et essayer de lui faire supporter courageusement cette infortune. Il fallait que l'affliction de Marianne fût bien profonde pour que sa mère pût parler de courage ! et il fallait que les regrets auxquels elle lui demandait de ne pas s'abandonner eussent une origine aussi mortifiante qu'humiliante !

Contre l'intérêt de sa propre tranquillité, Mrs. Dashwood avait décidé qu'il valait mieux pour Marianne, dans ces conjonctures, être partout ailleurs qu'à Barton, où tout ce qui l'entourerait lui rappellerait le passé de la façon la plus pénible et placerait, tout le temps, sous ses yeux, le souvenir de Willoughby. Elle recommanda à ses filles en conséquence de n'écourter à aucun prix leur séjour chez Mrs. Jennings dont la durée, sans avoir été jamais exactement précisée, devait, dans l'esprit de tout le monde, être de cinq à six semaines. Une diversité de société, qu'on ne pourrait trouver à Barton, s'y rencontrerait inévitablement, et pourrait peut-être, elle l'espérait, arracher parfois Marianne à ses pensées. Si peu qu'elle fût disposée à en profiter, pour le moment, elle pourrait peut-être y prendre cependant quelque intérêt et un peu de distraction.

Quant au risque de rencontrer encore Willoughby, sa mère considérait qu'elle en était aussi bien garantie à Londres qu'à la campagne, puisque tous ceux qui pouvaient se dire leurs amis avaient dû rompre avec lui. Ils ne pourraient jamais se rencontrer de propos délibéré ; la négligence ne pouvait les exposer à cette surprise, et un hasard était même moins à craindre dans la foule de Londres que dans la solitude de Barton où ils risquaient de se trouver face à face pour peu que Willoughby ait l'idée d'aller à Allenham à l'occasion de son mariage ; visite, du reste, que Mrs. Dashwood, la prévoyant d'abord comme probable, s'était promptement accoutumée à considérer comme certaine.

Elle avait encore une autre raison pour désirer que ses filles restassent où elles étaient. Une lettre de son beau-fils lui avait annoncé que lui et sa femme seraient à Londres avant le milieu de février, et elle jugeait convenable qu'elles voient quelquefois leur frère.

Marianne avait promis de suivre les avis de sa mère et elle s'y soumit, en conséquence, sans opposition, bien qu'ils fussent entièrement différents de ce qu'elle avait souhaité, qu'elle les jugeât entièrement mal fondés, et qu'en lui prescrivant de rester à Londres, elle la privât du seul soulagement possible à sa détresse, la sympathie personnelle et agissante de sa mère. Sans compter qu'elle se trouvait condamnée à vivre au milieu d'une société qui ne lui laisserait pas un moment de tranquillité.

Mais elle tirait un grand motif de consolation du fait que ce qui était un mal pour elle deviendrait un bien pour sa sœur. De son côté, Elinor, prévoyant qu'elle ne pourrait pas éviter de rencontrer Edward, se consolait en pensant que, bien que la prolongation de leur séjour allât contre sa propre tranquillité, cette solution était préférable pour Marianne à un retour immédiat dans le Devonshire.

Elle ne se départit pas de sa vigilance à éviter que le nom même de Willoughby fût mentionné devant

Marianne. Celle-ci, sans en rien savoir, en recueillit tous les avantages ; car ni Mrs. Jennings, ni sir John, ni même Mrs. Palmer n'y firent jamais allusion devant elle. Elinor aurait bien voulu que cette exclusion s'étendît jusqu'à elle-même, mais c'était impossible et elle devait, tous les jours, écouter l'expression de leur indignation à tous.

Sir John n'aurait pas cru cela possible : un homme dont il avait toujours eu tant de raisons de penser du bien ! Un garçon d'un si bon naturel ! Il n'y avait pas, croyait-il, un meilleur cavalier en Angleterre ! C'était une chose incroyable ! Il l'envoyait au diable de tout son cœur ! Il n'échangerait plus un mot avec lui, pour rien au monde, où qu'il le rencontrât ! Non, même pas s'ils se trouvaient côte à côte à l'affût, dans les bois de Barton, deux heures durant ! Quel misérable ! Quel trompeur ! La dernière fois qu'ils s'étaient rencontrés, il venait de lui offrir un petit chien de sa chienne Folley. Et finir ainsi !

Mrs. Palmer, à sa façon, était également irritée.

Elle était résolue à rompre toutes relations avec lui et remerciait le ciel de ce qu'elle ne l'avait jamais connu. Elle aurait voulu, de tout son cœur, que Combe Magna ne fût pas si près de Cleveland ; mais cela ne signifiait rien, car c'était beaucoup trop loin pour voisiner ; elle le détestait tellement qu'elle était décidée à ne jamais plus prononcer son nom, et elle se promettait de dire à tout le monde quel propre-à-rien il était.

Le surplus de la sympathie de Mrs. Palmer se dépensa à se renseigner sur tous les détails du prochain mariage et à les communiquer à Elinor. Elle fut bientôt en état de dire quel carrossier avait fourni la nouvelle voiture, quel peintre faisait le portrait de sir Willoughby et dans quelle boutique on pouvait admirer la robe de noces de miss Grey.

Le calme et le détachement poli de lady Middleton dans la circonstance furent un soulagement pour Elinor trop souvent accablée par la tapageuse sympathie des autres. C'était un grand repos d'esprit pour elle de sentir qu'elle n'excitait aucun intérêt chez une personne de son entourage ; de savoir qu'elle pouvait se trouver avec elle sans faire naître aucune curiosité, et aucune anxiété pour la santé de sa sœur.

Des circonstances momentanées peuvent parfois faire prêter à une qualité une valeur excessive : Elinor, à certaines heures, était si accablée par les condoléances qu'on lui prodiguait qu'elle finissait par croire que la bonne éducation était plus indispensable à l'agrément de la vie que la bonne volonté.

Lady Middleton exprimait son opinion sur l'affaire, environ une fois par jour, ou deux, si le sujet revenait sur le tapis, en disant : « Oh ! c'est affreux ! » et, grâce à cette formule, se trouva en état non seulement de voir, dès le début, les demoiselles Dashwood sans le moindre trouble mais bientôt d'éviter toute allusion à la chose ; et, ayant ainsi défendu la dignité de son sexe, et censuré nettement la perversion de l'autre, elle jugea qu'elle avait toute liberté de songer aux intérêts de ses propres réunions. En conséquence, elle décida (quoique cependant contre l'opinion de sir John) que puisque Mrs. Willoughby était une femme élégante et fortunée, il conviendrait d'échanger avec elle des cartes dès qu'elle serait mariée.

Les questions délicates et discrètes du colonel Brandon n'étaient jamais désagréables à miss Dashwood. Il avait largement gagné le privilège de s'entretenir avec elle de la déception de sa sœur, par le zèle amical qu'il avait déployé pour essayer de l'adoucir, et tous deux causaient toujours avec confiance. Sa grande récompense, pour le pénible aveu qu'il avait dû faire de ses chagrins passés et de sa présente humiliation, résidait dans le regard de pitié que Marianne jetait parfois sur lui et dans la douceur de sa voix toutes les fois (ce qui d'ailleurs n'arrivait pas souvent) qu'elle était obligée de lui parler ou qu'elle prenait sur elle de le faire spontanément. Il voyait par là que son dévouement lui avait valu un regain de bonne volonté à son égard, et Elinor en concevait l'espoir que les sentiments de sa sœur pourraient se développer par la suite.

Mais Mrs. Jennings, qui ne savait rien de tout cela, voyait seulement le colonel aussi grave que jamais, et ne pouvait l'amener à se déclarer, ni à la charger de se déclarer pour lui, commença, au bout de deux jours, à se dire que ce ne serait pas pour le milieu de l'été, mais pour la Saint-Michel et une semaine après, elle décida que rien ne se ferait. La bonne entente entre le colonel et miss Dashwood semblait plutôt indiquer que les mûriers, le canal et le berceau d'ifs seraient le lot de cette dernière ; et Mrs. Jennings avait, pour quelque temps, entièrement banni Ferrars de sa pensée.

Vers le commencement de février, quelques jours environ après la lettre de Willoughby, Elinor eut la pénible mission d'annoncer à sa sœur le mariage de ce dernier. Elle s'était arrangée pour être prévenue dès que la cérémonie aurait eu lieu, désirant ne pas en voir Marianne informée par les journaux qu'elle la voyait dévorer chaque matin.

Elle reçut la nouvelle avec fermeté ; ne fit aucune observation et, sur le moment, ne versa pas de larmes ; mais, au bout d'un moment, sa douleur éclata, et elle passa tout le reste du jour dans un état guère moins pitoyable que le jour où elle avait appris le projet de ce mariage.

Les Willoughby quittèrent la ville aussitôt après la cérémonie ; puisqu'il n'y avait plus de danger de les rencontrer, Elinor espéra alors pouvoir obtenir de sa sœur, qui n'avait pas encore quitté la maison depuis que le premier coup lui avait été porté, qu'elle s'accoutumât par degrés à sortir comme auparavant.

Vers cette époque, les deux miss Steele, récemment arrivées chez leurs cousins qui habitaient Bartlett's Buildings, dans le quartier de Holborn, firent à nouveau leur apparition dans le monde plus distingué de leurs amis. A Berkeley street, chacun leur fit l'accueil le plus empressé.

Elinor fut seule fâchée de les voir. Leur présence lui était toujours pénible et elle eut grand-peine à répondre gracieusement à l'expression de joie délirante que manifesta Lucy en la trouvant encore en ville.

— J'aurais été tout à fait déçue si je ne vous avais pas trouvée encore, répéta-t-elle à plusieurs reprises, en appuyant emphatiquement sur le dernier mot. Mais j'en étais sûre. J'étais quasi sûre que vous n'auriez pas encore quitté Londres, bien que, vous vous le rappelez, vous m'ayez dit, à Barton, que vous ne resteriez pas plus d'un mois. Je pensais bien alors que vous changeriez facilement d'avis au dernier moment. Ç'aurait été grand dommage de vous en aller avant l'arrivée de votre frère et de votre belle-sœur. Et, maintenant, j'en suis sûre, vous n'êtes plus pressée de partir. Je suis très heureuse que vous n'ayez pas tenu parole.

Elinor la comprit parfaitement et dut faire appel à tout son sang-froid pour faire comme si elle ne la comprenait pas.

— Et dites-moi, ma chère, dit Mrs. Jennings, comment avez-vous voyagé ?

— Pas en diligence, je vous assure ! s'écria miss Steele, d'un ton de vive allégresse ; nous sommes allées en poste tout le temps et nous avons eu un galant très élégant pour nous accompagner. Le Dr. Davies venait à Londres et nous avons pensé que nous pourrions prendre une chaise de poste avec lui ; il y a consenti bien aimablement et a payé dix ou douze shillings de plus que nous.

— Oh ! oh ! s'écria Mrs. Jennings, tout à fait bien vraiment ! Et le docteur est célibataire, je parie ?

— Maintenant, dit miss Steele, souriant avec affectation, tout le monde me plaisante à propos du docteur et je ne puis pas comprendre pourquoi. Mes cousins disent que j'ai fait une conquête ; mais, pour moi, j'affirme que je ne pense pas une minute à lui de toute la journée. « Tiens ! voilà votre amoureux !... » me dit mon cousin, l'autre jour, en le voyant traverser la rue pour venir à la maison. « Mon amoureux, vraiment ? », lui dis-je, « je ne sais ce que vous voulez dire, le docteur n'est pas mon amoureux ! »

— Allons, allons ! voilà qui est bon, mais cela ne prend pas, le docteur est l'élu de votre cœur, je le vois.

— Non, certes, répondit sa cousine, avec un empressement affecté, et je vous prie de dire le contraire, si jamais vous en entendez parler.

— Je suppose que vous allez vous installer chez votre frère et sa femme quand ils seront à Londres, dit Lucy, revenant à la charge après une interruption momentanée des hostilités.

— Non, je ne le crois pas.

— Oh ! si, je suis sûre que vous le ferez.

Elinor n'était pas d'humeur à prolonger la discussion.

— Comme c'est charmant à Mrs. Dashwood de consentir à se passer de vous si longtemps !

— Comment, longtemps ? dit Mrs. Jennings, s'interposant. Mais leur visite est à peine commencée !

Lucy fut réduite au silence.

— Je regrette de ne pas voir votre sœur, miss Dashwood, je regrette qu'elle ne soit pas bien, assura miss Steele, car Marianne avait quitté le salon à leur arrivée.

— Vous êtes bien bonne, ma sœur regrettera également de ne pas avoir eu le plaisir de vous voir ; mais elle a beaucoup souffert, ces derniers temps, de maux de tête qui lui rendent la compagnie et la conversation impossibles.

— Oh ! ma chère, que c'est malheureux ! Mais d'aussi vieux amis que Lucy et moi… Je pense qu'elle pourrait nous voir ; nous ne dirions pas un mot.

Elinor avec une grande politesse déclina la proposition : sa sœur était peut-être sur son lit ou dans son cabinet de toilette et, par conséquent, pas en état de se présenter.

— Oh ! si ce n'est que cela ! s'écria miss Steele, nous pouvons bien aller la voir.

Elinor commençait à trouver que l'impertinence dépassait les bornes ; mais elle n'eut pas à la souligner, car Lucy releva vertement le propos de sa sœur, ce qui, comme en maintes occasions semblables, sans ajouter grand-chose au charme des manières de l'une, avait l'avantage de corriger celles de l'autre.

33

Après quelque opposition, Marianne céda aux instances de sa sœur et consentit à sortir, un matin, avec elle et Mrs. Jennings pour une demi-heure. Elle mit, cependant, pour condition expresse qu'elle ne ferait pas de visites et les accompagnerait seulement chez Gray à Sackville street, où Elinor s'occupait de négocier l'échange de bijoux démodés de sa mère.

Quand elles descendirent de voiture devant la porte, Mrs. Jennings se rappela qu'il y avait, à l'autre bout de la rue, une dame à qui elle devait une visite ; et, comme elle n'avait rien à faire chez Gray, il fut décidé que, pendant que les jeunes filles feraient leurs affaires, Mrs. Jennings ferait sa visite et retournerait ensuite les prendre.

En montant les escaliers, les demoiselles Dashwood trouvèrent tant de monde devant elles dans le magasin qu'il n'y avait personne pour prendre leurs ordres ; elles furent donc obligées d'attendre. Tout ce qu'elles purent faire fut de s'asseoir près du premier comptoir qui paraissait devoir être bientôt libre ; il n'y avait qu'un gentleman devant le comptoir et Elinor n'était pas sans avoir calculé que, par politesse, il se hâterait de céder la place. Mais la justesse de son coup d'œil et la délicatesse de son goût l'emportaient de beaucoup sur sa courtoisie.

Il était en train de donner des ordres pour une boîte à cure-dents à son usage et, jusqu'à ce que la dimension, la forme et les ornements en eussent été arrêtés, il se fit montrer toutes les boîtes de la boutique, passant un quart d'heure à examiner et à critiquer chacune d'elles et, finalement, se décidant pour un modèle de sa propre invention. Jusque-là, il n'avait pris que le temps de jeter, aux deux dames qui attendaient, deux ou trois regards. Elinor en garda l'impression d'une personne et d'une figure d'une rare et parfaite insignifiance, quoiqu'il fût habillé à la dernière mode.

Marianne fit l'économie de la méprisante irritation et de l'agacement qu'aurait dû exciter sa façon impertinente de les regarder. Elle ne s'attacha pas, non plus, au ridicule de ses manières lorsqu'il déprécia, tour à tour, les différents coffrets qu'on lui présentait, car elle demeura parfaitement inconsciente de tout cela. Elle se trouvait, en effet, aussi à son aise dans la boutique de Gray que dans sa propre chambre pour concentrer ses pensées en elle-même et rester ignorante du monde extérieur.

A la fin, l'affaire fut décidée. L'ivoire, l'or et les perles, tout avait reçu sa place et le gentleman ayant fixé la date ultime jusqu'à laquelle il pouvait consentir à vivre sans la possession de sa boîte à cure-dents, mit ses gants avec une calme lenteur, et, jetant sur les demoiselles Dashwood un nouveau regard, mais qui semblait plutôt demander qu'exprimer l'admiration, s'en alla avec un air d'heureuse suffisance et d'indifférence affectée.

Elinor ne perdit pas de temps à régler son affaire et était sur le point d'en terminer quand un autre gentleman surgit à côté d'elle. Elle tourna les yeux vers lui, et, non sans quelque surprise, reconnut son frère. Le degré de leur affection et du plaisir qu'ils avaient à se rencontrer était juste ce qui pouvait convenir au cadre où ils se trouvaient. Mr. John Dashwood était réellement loin d'être fâché de revoir ses sœurs ; il en était même plutôt satisfait, et il demanda respectueusement et avec intérêt des nouvelles de leur mère.

Elinor apprit que Fanny et lui étaient à Londres depuis deux jours.

— J'aurais bien voulu venir vous voir hier, dit-il, mais c'était impossible, car il nous a fallu mener Harry voir les bêtes sauvages à Exeter Exchange, et nous avons passé le reste du jour avec Mrs. Ferrars. Harry s'est bien amusé. Ce matin, j'étais tout à fait décidé à venir chez vous, si j'avais pu trouver une demi-heure, mais on a toujours tant à faire quand on arrive ! Je suis venu commander un cachet pour Fanny. Mais, demain matin, j'espère bien pouvoir venir à Berkeley street et me faire présenter à votre amie Mrs. Jennings. Je sais qu'elle a une grosse fortune. Et les Middleton aussi, il faudra que vous me présentiez à eux. Ce sont des parents de ma belle-mère et je serai heureux de leur présenter mes hommages. Ce sont d'excellents voisins de campagne pour vous, je sais.

— Excellents, vraiment. Leurs attentions pour nous, l'amitié qu'ils nous témoignent dépassent tout ce que l'on peut dire.

— J'en suis extrêmement heureux, vraiment, extrêmement heureux. Mais c'est une chose tout à fait normale. Ces gens sont très à leur aise ; ils vous sont apparentés, et il est naturel qu'ils se montrent aimables avec vous et vous rendent ces menus services qui peuvent contribuer à l'agrément de votre vie. Et, ainsi, vous êtes bien installées dans votre petit cottage et vous ne manquez de rien ? Edward nous en a fait une description charmante ; la chose la plus parfaite en son genre qu'on puisse voir, dit-il, et il paraît que vous vous y plaisez énormément. Nous avons éprouvé une grande satisfaction à l'entendre, croyez-le bien.

Elinor se sentit un peu honteuse pour son frère ; et ne fut pas fâchée de pouvoir éviter de lui répondre, grâce à l'arrivée du cocher de Mrs. Jennings, venu pour leur dire que sa maîtresse attendait à la porte.

Mr. Dashwood les reconduisit jusqu'à l'entrée, fut présenté à Mrs. Jennings à la porte de sa voiture et, après avoir exprimé encore l'espoir de les voir le jour suivant, prit congé.

Il tint exactement parole. Il émit la prétention d'excuser l'absence de leur belle-sœur ; elle était si fort occupée avec sa mère que réellement elle n'avait le temps d'aller nulle part. Cela n'empêcha pas Mrs. Jennings de l'assurer qu'elle n'était pas femme à se formaliser : n'étaient-ils pas cousins ou quelque chose comme cela ? Elle promit qu'elle irait bientôt voir Mrs. Dashwood et lui amènerait Marianne et Elinor. Quant à lui, ses façons à leur égard, quoique parfaitement calmes, furent aimables ; envers Mrs. Jennings, il fit preuve d'une politesse attentive ; et le colonel Brandon étant arrivé peu après, il l'examina avec une curiosité qui semblait signifier qu'il attendait seulement de savoir s'il était riche pour lui consacrer les mêmes égards.

Après être resté une demi-heure, il demanda à Elinor d'aller avec lui jusqu'à Conduit street et de le présenter à sir John et lady Middleton. Il faisait bien beau et elle y consentit volontiers. Dès qu'ils furent sortis, les questions commencèrent.

— Qui est le colonel Brandon ? Est-il fortuné ?

— Oui, il a de très belles propriétés dans le Dorsetshire.

— J'en suis heureux. Il paraît un homme vraiment bien élevé, et je pense, Elinor, que je puis vous féliciter de la perspective d'un brillant établissement.

— Mon frère, qu'entendez-vous par là ?

— Il vous aime. Je l'ai observé de près, et j'en suis convaincu. Quel est le montant de sa fortune ?

— Deux mille livres de rente, je crois.

— Deux mille livres !

Et prenant sur lui de s'élever au plus haut sommet de la générosité, il ajouta :

— Elinor, je voudrais de tout mon cœur, pour vous, qu'il en eût le double.

— Je vous crois certainement, répondit Elinor, mais je suis tout à fait sûre que le colonel Brandon n'a pas la moindre envie de m'épouser.

— Vous vous trompez, Elinor ; vous vous trompez beaucoup. Avec très peu de peine, vous pouvez vous le gagner. Peut-être, à présent, n'est-il pas tout à fait décidé ; votre peu de fortune peut le faire hésiter ; ses amis doivent tous le mettre en garde à cet égard. Mais quelques petites attentions, quelques encouragements, que les femmes peuvent si aisément pratiquer, le fixeront en dépit de lui-même. Et il n'y a pas de raison pour que vous n'essayiez pas. Il n'y a pas lieu d'objecter d'attachement antérieur de votre côté ; vous savez que l'attachement dont il pourrait s'agir est tout à fait hors de question, les objections sont absolument insurmontables et vous avez trop de bon sens pour ne pas le voir. Le colonel Brandon, voilà l'homme qu'il vous faut ; et, de mon côté, je ne lui épargnerai aucune amabilité pour qu'il n'ait qu'à se louer de vous et de notre famille. C'est une union qui donnera satisfaction à tout le monde. C'est une chose (il baissa la voix comme pour une confidence de la plus haute importance) qui sera extrêmement heureuse pour tous.

Et, se recueillant, il ajouta :

— Je veux dire que vos amis désirent vivement vous voir bien établie. Fanny particulièrement, car elle prend vos intérêts très à cœur, je vous assure. Et sa mère aussi, Mrs. Ferrars, une excellente personne ; je suis sûr qu'elle en éprouverait un grand plaisir, elle me le disait encore l'autre jour.

Elinor ne daigna pas répondre.

— Ce serait bien remarquable, ajouta-t-il, véritablement curieux si Fanny mariait son frère, et moi ma sœur en même temps. Et ce n'est pas du tout impossible.

— Est-ce que Mr. Edward Ferrars, dit résolument Elinor, est sur le point de se marier ?

— Ce n'est pas encore décidé, mais c'est une chose en train. Il a une mère excellente ; Mrs. Ferrars, avec la plus grande générosité, lui assure mille livres par an si le mariage a lieu. Il s'agit de l'honorable miss Morton, la fille unique du défunt lord Morton, qui a trente mille livres ; une union vraiment souhaitable des deux côtés, et je ne doute pas qu'elle ne se réalise en temps voulu. Mille livres par an données une fois pour toutes, c'est un grand sacrifice pour une mère, mais Mrs. Ferrars a une conception si élevée des choses… Pour vous donner un autre exemple de sa générosité, l'autre jour, dès que nous sommes arrivés, s'avisant que nous n'avions pas beaucoup d'argent sur nous, pour le moment, elle a mis dans la main de Fanny deux cents livres en banknotes. Et ce n'est pas à mépriser car nous dépensons beaucoup ici.

Il s'arrêta pour lui laisser exprimer son assentiment et sa sympathie ; elle se força à lui dire :

— Vos dépenses à tous deux en ville et à la campagne doivent être certainement grandes, mais votre revenu est considérable.

— Pas autant, j'ose le dire, que beaucoup de gens le supposent. Je ne veux pas me plaindre, cependant ;

certainement, nous avons une belle fortune, et qui s'accroîtra avec le temps, je l'espère. La clôture de Norland Common, par exemple, qui est en cours, pour le moment, constituera une source sérieuse de profits. Et je viens de faire, il y a six mois, une petite acquisition : East Kingham Farm, vous voyez l'endroit, où vivait le vieux Gibson. Cette terre, je désirais l'avoir à tous les points de vue ; elle était si proche de ma propriété que j'ai pensé qu'il était de mon devoir de l'acheter. Je n'aurais pas eu la conscience tranquille si je l'avais laissée en d'autres mains. Mais ce sont des choses qui se payent et cela m'a coûté pas mal d'argent.

— Plus que la propriété ne valait réellement, pensez-vous ?

— Oh ! j'espère que non. J'aurais pu la revendre le même jour pour plus que je ne l'ai payée. Mais, en ce qui concerne le prix d'achat, j'aurais pu être très défavorisé, car les fonds publics étaient si bas, à ce moment, que si je n'avais pas eu la somme chez mon banquier, il m'aurait fallu vendre des valeurs avec une grosse perte.

Elinor ne put que sourire.

— Nous avons eu d'autres importantes et inévitables dépenses aussi en arrivant à Norland. Notre respectable père, comme vous le savez bien, avait légué à votre mère tous les objets de Stanhill qui se trouvaient à Norland – et ils avaient une grande valeur. Loin de moi l'idée de le critiquer d'avoir agi ainsi ; il avait le droit incontestable de disposer de son bien comme il l'entendait. Mais, en conséquence, nous avons été obligés de faire de nombreux achats de linge et de vaisselle, etc., pour remplacer ce qui avait été emporté. Vous pouvez juger, d'après toutes ces dépenses, combien nous sommes loin d'être riches, et combien les largesses de Mrs. Ferrars sont les bienvenues.

— Certainement, dit Elinor ; et, avec son appui, je pense que vous pourrez vivre jusqu'à ce que les circonstances soient tout à fait favorables.

— Un an ou deux nous mettront sur la bonne voie, répliqua-t-il gravement, mais, cependant, il reste beaucoup à faire. Il n'y a pas encore une pierre de posée pour la serre de Fanny, et le plan seul du jardin existe.

— Où doit être la serre ?

— Sur le tertre, derrière la maison. Les vieux noyers ont tous été abattus pour lui faire place. Ce sera un beau coup d'œil que l'on apercevra de beaucoup d'endroits du parc et le jardin qui s'étendra juste devant sera extrêmement joli. Nous avons nettoyé le sol de tous les vieux buissons qui encombraient le sommet d'un fouillis de verdure.

Elinor garda pour elle son chagrin et son blâme et rendit grâce intérieurement de ce que Marianne n'était pas là pour ressentir cette véritable provocation.

En ayant dit assez pour mettre en évidence sa pauvreté et rendre tout à fait invraisemblable l'idée qu'il pourrait, lors de sa prochaine visite chez Gray, acheter une paire de boucles d'oreilles pour chacune de ses sœurs, ses pensées prirent un tour plus riant et il se mit à congratuler Elinor d'avoir une amie telle que Mrs. Jennings.

— Elle a l'air, vraiment, d'une personne d'importance. Sa maison, son train de vie, tout annonce un revenu considérable, et c'est une connaissance qui, non seulement, vous a été très utile jusqu'à présent, mais qui, finalement, pourra être pour vous la source d'avantages substantiels. C'est certainement une grande faveur qu'elle vous a faite en vous invitant à Londres ; et, vraiment, il y a là l'indication d'un tel intérêt à votre égard qu'en toute probabilité, à sa mort, elle ne vous oubliera pas. Elle laissera certainement une grosse fortune.

— Rien du tout, à ce que je suppose, car elle n'a que son douaire, qui reviendra à ses enfants.

— Mais il n'est pas possible qu'elle dépense tout son revenu. Bien peu de gens, à moins que d'être tout à fait imprudents, agissent ainsi ; et tout ce qu'elle économise elle peut en disposer.

— Et ne trouveriez-vous pas plus naturel qu'elle en disposât en faveur de ses filles plutôt que de nous le donner ?

— Ses filles sont toutes deux extrêmement bien mariées, et je ne vois donc pas la nécessité qu'elle y pense davantage. Tandis que, à mon sens, en s'occupant, à ce point, de vous, et vous traitant de cette façon, elle vous a donné une sorte de droit à sa future générosité. Et c'est là une chose qu'une personne consciencieuse ne peut pas négliger. On ne peut rien voir de plus bienveillant que son attitude ; et elle ne peut guère se comporter ainsi sans se rendre compte des espoirs qu'elle encourage.

— Mais elle n'en a fait naître aucun chez les intéressées. En vérité, mon frère, votre souci de notre bien-être et de notre prospérité vous entraîne trop loin.

— Au fait, dit-il, semblant se ressaisir, certainement, les gens ne peuvent pas grand-chose les uns pour les autres, presque rien. Mais, ma chère Elinor, qu'arrive-t-il à Marianne ? Elle paraît bien mal en train, elle a perdu ses couleurs, elle a maigri. Est-elle malade ?

— Elle n'est pas bien, elle a souffert nerveusement, ces dernières semaines.

— J'en suis fâché. A l'âge qu'elle a, il n'y a rien comme une maladie, pour détruire à jamais la fleur de la jeunesse. La dernière fois que je l'ai vue, en septembre dernier, c'était la plus jolie personne que j'aie jamais contemplée, et la plus attirante. Elle avait ce genre de beauté qui plaît particulièrement aux hommes. Je me rappelle que Fanny disait qu'elle se marierait plus tôt et mieux que vous ; non pas qu'elle vous aime moins, mais c'est une impression qu'elle avait. Elle se sera trompée ; pourtant, je me demande si Marianne, maintenant, en mettant les choses au mieux, pourra épouser un homme de plus de cinq à six cents livres par an, et je serais bien étonné si vous ne faisiez pas beaucoup mieux ! Je ne connais pas grand-chose du colonel Brandon, mais, ma chère Elinor, je serais extrêmement heureux d'en connaître davantage ; comptez-nous, Fanny et moi, parmi les premiers et les plus heureux de vos invités.

Elinor essaya très sérieusement de le convaincre qu'il n'y avait pas d'apparence qu'elle épousât le colonel Brandon ; mais il prenait trop de plaisir à cette idée pour l'abandonner, et était vraiment résolu à rechercher l'intimité de ce gentleman et à travailler à la réalisation de leur union par toutes les attentions possibles. Il avait juste assez de regret de n'avoir rien fait pour ses sœurs, pour être extraordinairement soucieux de voir les autres faire le plus possible ; et une offre de mariage par le colonel Brandon, ou un legs par Mrs. Jennings étaient les moyens les plus simples de réparer sa propre carence.

Ils furent assez heureux pour trouver lady Middleton chez elle, et sir John arriva avant la fin de la visite. Il y eut force politesses échangées de part et d'autre. Sir John était toujours prêt à accueillir le premier venu, et bien que sir Dashwood ne parût pas beaucoup se connaître en chevaux, il le classa immédiatement comme un personnage très sympathique ; tandis que lady Middleton trouva qu'il avait assez d'élégance pour qu'il soit agréable de le fréquenter. Et sir Dashwood les quitta enchanté de tous les deux.

— Je vais avoir un charmant rapport à faire à Fanny, dit-il, comme il s'en retournait avec sa sœur. Lady Middleton est vraiment une femme très élégante ! Précisément le genre de femme que Fanny sera heureuse de connaître, et Mrs. Jennings aussi, une femme extrêmement bien, quoique pas aussi élégante que sa fille ; votre belle-sœur ne doit même avoir aucun scrupule à la voir, ce qui, je dois le dire, avait été un peu le cas ; car nous savions seulement que Mrs. Jennings était la veuve d'un homme qui avait acquis toute sa fortune en partant de très bas ; et Fanny et Mrs. Ferrars s'étaient mis dans l'idée que ni elle ni ses filles n'étaient des personnes à fréquenter. Mais je suis, maintenant, en état de les rassurer complètement.

34

Mrs. John Dashwood avait tant de confiance dans le jugement de son époux qu'elle alla voir le lendemain même Mrs. Jennings et sa fille, et cette confiance fut récompensée, car elle trouva digne de son attention la personne qui hébergeait ses belles-sœurs, et quant à lady Middleton, elle lui parut l'une des femmes du monde les plus accomplies.

Mrs. Dashwood plut également à lady Middleton. Il y avait chez toutes les deux un égoïsme et une sécheresse de cœur qui les attiraient mutuellement ; et elles communiaient, l'une, l'autre, dans une insipide correction et un manque complet d'intelligence.

Ces mêmes qualités qui recommandaient Mrs. John Dashwood à la bonne opinion de lady Middleton ne produisirent pas le même effet sur Mrs. Jennings ; à ses yeux, elle fit l'effet d'une petite femme prétentieuse, sans cœur, qui ne montrait aucune affection à ses belles-sœurs et ne trouvait presque rien à leur dire ; car, au cours d'une visite d'un quart d'heure à Berkeley street, elle resta bien sept minutes et demie sans ouvrir la bouche.

Elinor, bien qu'elle ne voulût pas poser de questions à ce sujet, aurait beaucoup voulu savoir si Edward était à Londres ; mais, pour rien au monde, Fanny n'aurait consenti à prononcer son nom devant elle, avant de pouvoir lui annoncer, en même temps, la conclusion de son mariage avec miss Morton. A moins que, d'autre part, les espoirs de son mari en ce qui concernait le colonel Brandon aient pris corps, elle les croyait encore si attachés l'un à l'autre qu'on ne pouvait prendre trop de précautions pour les séparer en paroles et en actes.

Le renseignement qu'elle ne voulait pas donner ne tarda pas à venir d'un autre côté. Lucy fit bientôt son apparition pour faire part à Elinor de sa douleur d'être séparée d'Edward bien qu'il fût arrivé à Londres avec Mr. et Mrs. Dashwood. Il n'osait venir à Bartlett's Buildings par crainte d'être surpris, et, malgré leur grande impatience de se voir, ils ne pouvaient que s'écrire.

Peu de temps se passa, avant qu'Edward ne confirmât lui-même cette nouvelle, en allant, deux fois, leur rendre visite à Berkeley street. Par deux fois, elles trouvèrent sa carte sur la table en revenant de leurs courses matinales. Elinor fut heureuse d'apprendre qu'il était venu et encore plus heureuse de ne pas s'être trouvée là.

Les Dashwood étaient si enchantés des Middleton que, bien que n'ayant guère l'habitude d'offrir quoi que ce soit, ils décidèrent de les prier à dîner, et, peu après qu'ils eurent fait connaissance, les invitèrent à Harley street où ils avaient loué, pour trois mois, un fort bel appartement. Leurs sœurs et Mrs. Jennings étaient invitées également. Sir John Dashwood avait eu soin de s'assurer le colonel Brandon qui, toujours heureux de se trouver avec les demoiselles Dashwood, reçut ses avances empressées avec quelque surprise, mais encore plus de plaisir. Ils devaient rencontrer Mrs. Ferrars. Mais Elinor ne put savoir si ses fils seraient de la partie. La perspective de la voir, cependant, était suffisante pour donner de l'intérêt à l'invitation ; elle pouvait maintenant affronter la mère d'Edward sans cette grande angoisse qui s'attachait, autrefois, pour elle à cette rencontre, et garder, croyait-elle, à son égard un parfait détachement. Mais son désir d'être en sa compagnie, sa curiosité de la connaître étaient aussi vifs que jamais.

L'intérêt qu'elle prenait, d'avance, à cette invitation ne tarda pas à augmenter beaucoup, quoique d'une façon peu agréable, quand elle apprit que les demoiselles Steele étaient également invitées.

Elles s'étaient si bien fait voir de lady Middleton, leurs assiduités les lui avaient rendues si agréables, que, bien que Lucy ne fût certainement pas élégante, et que sa sœur ne fût même pas bien élevée, elle se montra aussi empressée que sir John à les inviter pour une semaine ou deux à Conduit street, et, par une chance dont les demoiselles Steele s'applaudirent particulièrement, leur séjour était commencé depuis quelques jours quand arriva l'invitation des Dashwood.

Le fait, pour elles, d'être les nièces du gentleman qui avait eu la charge d'Edward Ferrars pendant de nombreuses années ne leur aurait certainement pas valu l'honneur de s'asseoir à la table de sa sœur ; mais elles y étaient cependant les bienvenues en qualité d'hôtes de lady Middleton ; Lucy brûlait depuis longtemps d'être personnellement connue de cette famille, de l'approcher pour s'en faire une idée plus exacte et se rendre mieux compte des difficultés qu'elle rencontrerait pour y entrer. Et elle n'était pas fâchée non plus de saisir cette occasion pour essayer de lui plaire. Aussi avait-elle été rarement aussi heureuse qu'en recevant la carte de Mrs. John Dashwood !

Sur Elinor, l'effet fut très différent. Elle se dit immédiatement qu'Edward, qui vivait avec sa mère, ne pouvait manquer d'être invité avec celle-ci à une réunion donnée par sa sœur ; et le revoir pour la première fois après tout ce qui s'était passé, en compagnie de Lucy... aurait-elle la force de l'endurer ?

Ces craintes n'étaient peut-être pas entièrement fondées en raison, et elles ne le furent pas en fait. Elle en fut délivrée, non par ses propres réflexions, mais par les soins officieux de Lucy, qui crut lui infliger un sévère désappointement en lui disant qu'Edward ne serait certainement pas à Harley street mardi, et crut même augmenter son chagrin en la persuadant qu'il se tenait à l'écart à cause de son extrême affection pour elle qu'ils étaient incapables de dissimuler quand ils se trouvaient ensemble.

Ce fameux mardi arriva qui devait mettre les deux jeunes filles en présence de cette formidable belle-mère.

— Plaignez-moi, chère miss Dashwood ! dit Lucy pendant qu'elles montaient l'escalier côte à côte, car les Middleton étaient arrivés presque en même temps que Mrs. Jennings et on les annonça ensemble. Il n'y a personne ici que vous qui puisse me comprendre. Je peux à peine me tenir. Oh ! mon Dieu ! Dans un moment, je vais voir la personne dont tout mon bonheur dépend. La personne qui sera peut-être ma mère.

Elinor aurait pu la rassurer immédiatement en lui laissant entendre que la personne qu'elles allaient aborder pourrait devenir la mère de miss Morton plutôt que la sienne ; mais elle n'en fit rien et l'assura, avec une grande sincérité, qu'elle la plaignait, ce qui étonna fort Lucy qui, quoique réellement mal à l'aise, comptait au moins être pour Elinor un objet d'irrésistible envie.

Mrs. Ferrars était une petite femme mince, se tenant droite jusqu'à l'exagération et d'un sérieux qui touchait à l'aigreur. Elle avait le teint jaune, la figure petite, sans beauté et naturellement dépourvue d'expression, mais une heureuse contraction de ses sourcils la sauvait de la banalité en lui donnant un air d'orgueil et de méchanceté. Elle ne parlait pas beaucoup, car, à l'inverse de beaucoup de gens, elle mesurait le nombre de ses paroles à celui de ses idées. Et des quelques syllabes qu'elle laissa tomber, aucune ne s'adressa à miss Dashwood, qu'elle regardait avec la résolution bien arrêtée de lui témoigner, en toute occasion, le plus d'antipathie possible.

Maintenant, cette attitude était indifférente à Elinor. Quelques mois avant elle en eût été péniblement affectée, mais il n'était plus au pouvoir de Mrs. Ferrars de la troubler et l'accueil tout différent qu'elle faisait aux demoiselles Steele, et qui semblait bien calculé pour l'humilier davantage, n'avait pour résultat que de l'amuser. Elle ne pouvait que sourire en voyant les particulières gracieusetés de la mère et de la fille envers Lucy, qui était bien la personne entre toutes que, si elles avaient été au courant de son rôle, elles auraient eu le plus de désir de mortifier ; et c'était elle, au contraire, dont elles ne pouvaient rien craindre, qui était l'objet de leur surveillance pointilleuse. Mais, tout en se riant intérieurement de les voir se mettre en frais si mal à propos, elle ne pouvait s'empêcher de réfléchir sur la folle étroitesse d'esprit dont procédait leur conduite et, en observant, en outre, les attentions étudiées avec lesquelles les demoiselles Steele mendiaient leurs bonnes grâces, elle ne pouvait s'empêcher de les mépriser profondément toutes quatre.

Lucy était toute transportée d'être si honorablement distinguée ; et miss Steele désirait seulement, pour être au comble du bonheur, qu'on l'entreprît sur le Dr. Davies.

Le dîner fut de grande classe, les serviteurs nombreux et tout témoignait, chez la maîtresse de maison, du désir de briller et révélait chez le maître les moyens de la satisfaire. En dépit de toutes les améliorations et embellissements qu'il avait entrepris à Norland, en dépit des millions de livres qu'il avait failli vendre à perte, on ne découvrait aucun signe de cette indigence à laquelle il avait essayé de faire croire, aucune pauvreté n'apparaissait si ce n'est dans la conversation ; mais là, le déficit était considérable. John Dashwood ne trouvait pas grand-chose à dire et sa femme encore moins. Mais cela ne tirait pas à grande conséquence, car c'était tout à fait le même cas pour la plupart de leurs invités, qui cumulaient à l'envi tous les défauts qui peuvent rendre les gens désagréables, manquant à la fois de bon sens naturel ou acquis, d'élégance, d'esprit et de modération.

Quand les dames passèrent au salon après dîner, cette déficience parut plus évidente encore car les hommes avaient quelque peu alimenté la conversation en parlant politique et en s'entretenant de leurs affaires et de leurs chevaux, mais de pareils sujets manquaient aux conversations féminines et un seul sujet occupa la société jusqu'au café : la comparaison entre la taille d'Harry Dashwood et de William, le second fils de lady Middleton, qui étaient à peu près du même âge.

Si les deux enfants avaient été là, rien n'aurait été plus facile que de les mesurer ; mais comme il n'y avait qu'Harry, ce n'étaient, des deux côtés, que des assertions conjecturales et chacun pouvait également rester sur ses positions et affirmer et réaffirmer, tant qu'il voulait, son opinion.

Les intéressés se divisaient ainsi qu'il suit :

Chacune des deux mères, quoique réellement convaincue, en son for intérieur, que son fils était le plus grand, se décida poliment en faveur de l'autre.

Les deux grand-mères, avec non moins de partialité, mais plus de sincérité, furent également empressées à soutenir la cause de leur propre descendant.

Lucy, qui désirait autant plaire aux parents de l'un que de l'autre, exprima cette idée que les deux enfants étaient remarquablement grands pour leur âge et qu'elle ne pouvait concevoir qu'il y eût entre eux la plus petite différence. Et miss Steele, avec encore plus d'adresse, donna son suffrage, aussi énergiquement que possible, successivement en faveur de l'un et de l'autre.

Elinor, ayant une fois exprimé son opinion en faveur de William, en quoi elle choqua Mrs. Ferrars et encore plus Fanny, ne vit pas la nécessité de la renforcer en la répétant ; et Marianne, lorsqu'on lui demanda la sienne, les choqua tous en déclarant qu'elle n'avait pas d'avis à donner, parce qu'elle ne s'était jamais avisée d'y penser.

Avant son départ de Norland, Elinor avait peint une bien jolie paire d'écrans pour sa belle-sœur. On venait précisément de les faire monter et on les avait apportés dans l'appartement qu'ils occupaient. John Dashwood, quand il rentra avec les autres gentlemen dans le salon, y jeta les yeux et, s'en emparant, les tendit obligeamment au colonel Brandon.

— C'est l'œuvre de ma sœur aînée, dit-il, et vous qui êtes un homme de goût, vous l'apprécierez, j'en suis sûr ; je ne sais si vous avez déjà vu de ses œuvres, mais on lui reconnaît, en général, un véritable talent pour la peinture.

Le colonel, tout en déclinant toute prétention à être un connaisseur, admira chaleureusement les écrans, comme il l'aurait fait de n'importe quelle peinture de miss Dashwood. Et, la curiosité étant excitée, on fit le cercle tout autour d'eux. Mrs. Ferrars, ne sachant pas que c'était l'œuvre d'Elinor, demanda spécialement à les voir ; et après qu'ils eurent reçu l'approbation flatteuse de Mrs. Middleton, Fanny les présenta à sa mère, ne manquant pas en même temps de l'informer qu'ils étaient l'œuvre de miss Dashwood.

— Hum ! dit Mrs. Ferrars, c'est très joli, et sans y jeter un regard, les rendit à sa fille.

Peut-être Fanny pensa-t-elle un moment que sa mère avait dépassé les bornes, car rougissant un peu elle dit aussitôt :

— Ils sont très bien, Maman, n'est-ce pas ?

Mais alors la peur la prit d'avoir été elle-même trop polie, trop encourageante, car elle ajouta tout de suite :

— Ne trouvez-vous pas qu'ils rappellent un peu le style de miss Morton ? Elle peint délicieusement. Que son dernier paysage était beau !

— Oui, très beau, mais elle peint extrêmement bien.

Marianne n'en put supporter davantage ; Mrs. Ferrars lui avait déjà grandement déplu ; et cet éloge aussi intempestif d'une autre aux dépens d'Elinor, encore qu'elle n'eût aucune idée de sa vraie signification, provoqua instantanément de sa part une vive réplique.

— Voilà une admiration d'un genre bien spécial ! Que vient faire cette miss Morton ? Qui de nous la connaît ou s'en occupe ? C'est d'Elinor qu'il s'agit, et dont nous parlons.

Ayant ainsi parlé, elle prit les écrans des mains de sa belle-sœur pour les admirer elle-même comme ils méritaient de l'être.

Mrs. Ferrars parut aussi courroucée que possible et, devenant plus rogue que jamais, riposta par cette amère philippique :

— Miss Morton est la fille de lord Morton !

Fanny se montrait aussi très fâchée et son mari était glacé de crainte devant l'audace de sa sœur. Elinor était bien plus peinée de la sortie de Marianne que de l'incident qui en avait été l'occasion. Mais les yeux du colonel Brandon fixés sur Marianne montraient qu'il ne voulait voir que le beau côté de la chose : la chaleureuse affection dont elle faisait preuve et qui ne pouvait supporter de voir une sœur offensée même à propos d'une question insignifiante.

L'émotion de Marianne n'était pas calmée. La froide insolence affectée par Mrs. Ferrars dans son attitude envers sa sœur lui semblait devoir apporter à Elinor toute la peine et la détresse que sa propre sensibilité blessée lui faisait envisager avec horreur ; et, poussée par un violent élan d'affection, elle alla, après un moment, à côté de la chaise d'Elinor, lui passa le bras autour du cou et, appuyant sa joue contre sa joue, dit d'une voix basse mais passionnée :

— Chère, chère Elinor, ne faites pas attention à eux. Ne vous rendez pas malheureuse à cause d'eux !

Elle ne put en dire davantage ; elle avait perdu tout empire sur elle-même et, cachant sa figure contre l'épaule de sa sœur, elle fondit en larmes. Toute l'attention se tourna vers elle et la consternation fut presque générale. Le colonel Brandon se leva et vint à elle sans savoir ce qu'il faisait. Mrs. Jennings, avec un très intelligent : « Ah ! pauvre chérie ! », lui passa immédiatement son flacon de sels ; et sir John se sentit une rage si désespérée contre l'auteur de cette catastrophe nerveuse qu'il quitta immédiatement son siège pour s'asseoir à côté de miss Steele et lui donner, en confidence, un bref aperçu de toute cette pénible affaire.

En quelques minutes pourtant, Marianne recouvra suffisamment ses esprits pour mettre fin à l'incident et reprendre sa place, bien qu'elle restât tout le reste de la soirée sous l'impression de ce qui venait de se passer.

— Pauvre Marianne ! dit à voix basse son frère au colonel Brandon aussitôt qu'il put accaparer son attention. Elle est loin d'avoir une aussi bonne santé que sa sœur, elle est très nerveuse. Elle n'a pas la constitution d'Elinor, et vraiment il faut avouer qu'il y a quelque chose de pénible pour une jeune fille qui a été une beauté à voir s'enfuir toutes ses séductions. Vous ne le croiriez peut-être pas, mais Marianne était merveilleusement jolie, il y a quelques mois ; aussi belle qu' Elinor. Vous voyez maintenant qu'elle a tout perdu…

35

Elinor avait satisfait sa curiosité à l'égard de Mrs. Ferrars. Elle avait trouvé, en elle, tout ce qui pouvait rendre indésirable une union entre les deux familles. Elle avait pu suffisamment apprécier son orgueil, son étroitesse d'esprit, sa prévention à son égard, pour se rendre compte des complications et du retard qu'elle aurait apporté au mariage même si Edward eût été libre par ailleurs. Et, pour son propre compte, elle se félicitait presque qu'un obstacle majeur la préservât d'avoir à souffrir de quelque autre projet de Mrs. Ferrars. Elle se sentait heureuse de ne pas avoir à endurer ses caprices et de ne pas être obligée de gagner ses bonnes grâces. Et, si elle ne pouvait se résigner à savoir Edward rivé à Lucy, du moins décida-t-elle que si Lucy avait été plus intéressante, il y aurait eu de quoi se réjouir de leur engagement.

Mais elle s'étonnait que Lucy pût être à ce point séduite par les politesses de Mrs. Ferrars ; elle ne pouvait croire que son intérêt et sa vanité l'aveuglassent au point que les attentions qui semblaient ne s'adresser à elle que parce qu'elle n'était pas Elinor lui parussent un compliment à son adresse. Mieux encore, comment pouvait-elle tirer un encouragement d'une préférence qui ne lui était donnée que parce qu'on ignorait sa vraie position ? C'était pourtant ainsi : non seulement cette conviction se lisait, ce soir-là, dans ses yeux, mais encore elle la proclama elle-même ouvertement le lendemain ; car, sur sa demande expresse, lady Middleton la déposa le matin à Berkeley street où elle espérait avoir la chance de trouver Elinor seule, pour lui dire son bonheur.

Elle eut, en effet, cette chance, car un message de Mrs. Palmer, arrivé bientôt après, obligea Mrs. Jennings à sortir.

— Ma chère amie, s'écria Lucy aussitôt qu'elles furent ensemble, je viens vous entretenir de mon bonheur. Peut-on rien imaginer de plus flatteur que l'accueil de Mrs. Ferrars hier soir ? Comme elle a été merveilleusement aimable ! Vous savez combien je tremblais à la pensée de la voir ; mais, dès que je lui ai été présentée, elle a montré tant d'affabilité qu'on dirait réellement qu'elle a un caprice pour moi. Etait-ce bien cela ? Vous avez tout vu, n'avez-vous pas eu tout à fait la même impression ?

— Elle a été certainement très polie avec vous.

— Polie ! N'avez-vous pas vu quelque chose de plus que de la politesse ? J'ai trouvé qu'il y avait beaucoup plus que cela ; une préférence marquée, par rapport à toutes les personnes présentes ! Ni orgueil ni hauteur, et votre belle-sœur aussi était dans des dispositions toutes semblables, toute bonne grâce et affabilité.

Elinor aurait voulu parler d'autre chose, mais Lucy la pressa encore de lui dire si elle trouvait sa satisfaction fondée et Elinor fut obligée de s'expliquer.

— Sans aucun doute, si elles avaient connu votre engagement, rien n'aurait pu être plus flatteur que la façon dont on vous a reçue, mais comme ce n'était pas le cas…

— J'étais sûre que vous alliez me dire cela, répondit tout de suite Lucy ; mais il n'y avait aucune raison pour que je paraisse plaire à Mrs. Ferrars, si je ne lui plaisais pas, et lui plaire, tout est là. Vous ne me ferez pas changer d'idée. Je suis sûre que tout finira bien, et qu'il n'y aura pas du tout les difficultés que je craignais.

Mrs. Ferrars est une femme charmante, et votre belle-sœur aussi. Oui, vraiment, ce sont des femmes exquises. Je suis étonnée de ne vous avoir jamais entendu dire combien Mrs. Dashwood était agréable.

A cela, Elinor n'avait aucune réponse à faire et n'en essaya aucune.

— Etes-vous malade, miss Dashwood ? Vous semblez déprimée, vous n'êtes pas bien ?

— Je ne me suis jamais mieux portée.

— Je m'en réjouis de tout mon cœur, mais, réellement, vous n'en avez pas l'air. Je serais navrée de vous voir malade, vous qui avez été mon plus grand soutien en ce monde. Dieu sait ce que je serais devenue sans votre amitié.

Elinor, sans grande conviction, essaya de faire une réponse polie. Mais Lucy s'en montra satisfaite car elle répliqua aussitôt :

— En vérité, je suis parfaitement convaincue de l'intérêt que vous me portez, et, avec l'amour d'Edward, c'est mon plus grand soutien. Pauvre Edward ! Mais, maintenant, les choses s'arrangent, nous allons pouvoir nous rencontrer et assez souvent, car lady Middleton s'est éprise de Mrs. Dashwood, aussi je compte bien que nous serons souvent à Harley street. Edward y passe la moitié de son temps avec sa sœur ; et, de plus, lady Middleton et Mrs. Ferrars vont être en relations. Mrs. Ferrars et votre belle-sœur ont eu la bonté de me dire, l'une et l'autre, plus d'une fois, qu'elles seraient heureuses de me voir. Elles sont tout à fait charmantes. Certainement, si jamais vous avez l'occasion de parler de moi à votre belle-sœur, vous ne pourrez trop insister sur le bien que je pense d'elle.

Mais Elinor n'était pas disposée à lui donner cet espoir. Lucy continua :

— Je suis sûre que si j'avais déplu à Mrs. Ferrars, je l'aurais vu tout de suite. Par exemple, si elle ne m'avait fait qu'un salut de politesse, sans dire un mot, si, ensuite, elle ne m'avait jamais adressé un regard aimable. Vous voyez ce que je veux dire. Si elle avait ainsi affecté de m'ignorer, j'aurais abandonné la partie comme désespérée. Je n'aurais pas pu le supporter. Car, lorsqu'elle déteste quelqu'un, c'est pour de bon.

Elinor fut dispensée de répondre à cette expression courtoise de triomphe, car la porte s'ouvrit, tout d'un coup. On annonça sir Ferrars et Edward parut.

Ce fut un moment vraiment difficile et leur contenance à tous trois en témoigna. Ils parurent affolés ; Edward parut plus disposé à se retirer qu'à entrer. La conjoncture la plus désagréable, sous sa forme la plus fâcheuse et que chacun d'eux était le plus disposé à éviter, s'était produite. Non seulement ils se trouvaient réunis mais encore sans la ressource d'une quatrième personne. Les dames se remirent les premières. Ce n'était pas le rôle de Lucy de se mettre en avant ; en conséquence, après avoir fait un léger salut, elle garda le silence.

Mais la tâche d'Elinor était plus compliquée, et elle avait tellement à cœur, tant pour eux que pour elle, de faire pour le mieux qu'elle se contraignit, après un moment de recueillement, à recevoir Edward de façon aisée et ouverte ; et, par un nouvel effort, elle tâcha de se montrer plus accueillante encore. Elle ne voulut pas admettre que la présence de Lucy ou la conscience de quelque tort à son égard l'empêchassent de dire à Edward qu'elle était heureuse de le voir et qu'elle avait beaucoup regretté de ne pas être à la maison, lorsqu'il était venu auparavant. Elle ne craignit pas d'avoir pour lui les égards qui lui étaient dus, comme ami et presque comme parent, malgré le regard inquisiteur de Lucy, qu'elle voyait attentivement fixé sur eux.

Cet accueil redonna quelque assurance à Edward et il prit le temps de s'asseoir; mais son embarras dépassait celui des deux jeunes filles. Sa situation, du reste, s'expliquait en partie quoique son sexe aurait dû lui permettre de le surmonter; son cœur n'avait pas le calme indifférent de Lucy et il n'avait pas la conscience aussi à l'aise qu'Elinor.

Lucy, avec un air résolument effacé, semblait déterminée à ne rien faire pour faciliter les choses et ne prenait pas part à la conversation ; et presque tout ce qui fut dit venait d'Elinor, qui fut obligée de donner spontanément toutes sortes de détails sur la santé de sa mère, leur arrivée en ville, etc., dont Edward aurait dû s'enquérir, ce qu'il ne songeait pas à faire.

Ses efforts ne s'arrêtèrent pas là; car, bientôt, elle décida, sous prétexte d'aller chercher Marianne, de les laisser ensemble; ce qu'elle fit réellement, et de la façon la plus obligeante, car elle s'attarda exprès plusieurs minutes dans le vestibule avant d'aller trouver sa sœur. Quand celle-ci fut prévenue, la joie du tête-à-tête cessa pour Edward. Car Marianne fit immédiatement irruption dans le salon. Son plaisir de le voir fut comme tous ses sentiments, vif en lui-même et dans sa façon de se manifester. Elle l'aborda la main tendue et sa voix exprimait une affection fraternelle.

— Cher Edward ! s'écria-t-elle. Voilà un vrai bonheur, et qui console de bien des choses !

Edward tenta de répondre à cet accueil comme il convenait, mais devant de tels témoins il n'osait dire la moitié de ce qu'il pensait. On s'assit de nouveau, et le silence régna encore quelques instants, tandis que Marianne promenait de tendres et éloquents regards d'Edward à Elinor, regrettant seulement que leur bonheur mutuel fût troublé par la présence importune de Lucy. Edward prit la parole le premier et ce fut pour remarquer l'altération des traits de Marianne et exprimer la crainte que le séjour de Londres ne lui fût pas favorable.

— Oh ! ne vous inquiétez pas de moi, répliqua-t-elle avec chaleur, bien qu'elle eût les larmes aux yeux ; ne vous occupez pas de ma santé. Elinor va bien, vous voyez. Ce doit être assez pour vous deux.

Cette remarque n'était pas de nature à mettre Edward et Elinor plus à l'aise, ni à lui concilier les bonnes grâces de Lucy, qui lança à Marianne un regard dépourvu de bienveillance.

— Aimez-vous Londres ? dit Edward, désirant passer à un autre sujet.

— Pas du tout. J'en attendais grand plaisir mais je n'en ai retiré aucun. Le seul, c'est de vous voir, Edward. Et, Dieu merci, vous êtes toujours le même.

Elle s'arrêta, personne ne prit la parole.

— J'y pense, Elinor, dit-elle soudain. Nous devrions charger Edward de nous reconduire à Barton. Dans une semaine ou deux, je suppose que nous serons sur le point du départ ; et je suis convaincue qu'Edward ne refusera pas de se charger de nous.

Le pauvre Edward balbutia quelque chose ; mais personne ne sut ce qu'il avait dit et il ne le savait pas lui-même. Toutefois, Marianne, qui vit son embarras et pouvait aisément y trouver en elle-même une raison, fut parfaitement satisfaite et parla bientôt d'autre chose.

— Quelle soirée nous avons passée, Edward, à Harley street, hier ! Si ennuyeuse, si mortellement ennuyeuse ! Mais j'en ai plus à vous dire là-dessus que je ne puis le faire maintenant.

Et, avec cette admirable discrétion, elle différa, jusqu'au moment où ils pourraient se voir plus intimement, l'assurance qu'elle trouvait leur mutuelle parenté plus désagréable que jamais et qu'elle éprouvait pour sa mère une particulière aversion.

— Mais pourquoi n'étiez-vous pas là, Edward ? Pourquoi n'êtes-vous pas venu ?

— J'étais retenu ailleurs.

— Ailleurs ! Mais qu'importait quand il s'agissait de revoir de tels amis.

— Peut-être, miss Marianne, s'écria Lucy, prompte à prendre sa revanche, pensez-vous que les jeunes gens ne tiennent jamais leurs engagements quand ils n'en ont pas envie, qu'il s'agisse des grands ou des petits.

Elinor fut très irritée, mais Marianne parut totalement insensible à l'allusion, car elle répliqua tranquillement :

— Mais non, certainement, car, à parler sérieusement, je suis sûre que c'est par conscience qu'Edward n'est pas venu à Harley street. Et je crois réellement qu'il a la conscience la plus délicate du monde : la plus délicate à remplir tous ses engagements, si minimes soient-ils, et si opposés qu'ils puissent être à ses intérêts et à son plaisir. Personne ne craint plus que lui de faire de la peine, de décevoir une attente. C'est l'être le plus incapable d'égoïsme que j'aie jamais vu. C'est ainsi, Edward, et je le dirai. Quoi ! vous ne voulez pas entendre votre apologie ? Alors, vous ne pourrez jamais être de mes amis ; car ceux qui veulent avoir mon amitié et mon estime doivent subir ouvertement mes éloges.

La nature de cet éloge, dans le cas présent, se trouvait particulièrement mal adaptée aux sentiments des deux tiers de ses auditeurs, et était si peu amusante pour Edward qu'il se leva bientôt pour prendre congé.

— Partir si vite ! dit Marianne. Mais, Edward, cela ne se peut pas.

Et, le tirant un peu à part, elle lui souffla sa conviction que Lucy ne s'attarderait pas longtemps. Mais même cette assurance ne suffit pas, car il s'en alla. Et Lucy, qui n'aurait pas quitté la place, même si sa visite avait duré deux heures, partit bientôt après.

— Qu'est-ce qui peut nous l'amener si souvent ? dit Marianne après son départ. N'a-t-elle pas vu que nous désirions la voir partir ? Comme c'était ennuyeux pour Edward !

— Pourquoi donc ? Nous sommes tous ses amis et Lucy est celle qu'il connaît depuis le plus longtemps. Il est bien naturel qu'il ait autant de plaisir à la voir qu'à nous voir.

Marianne la regarda fermement et dit :

— Vous savez, Elinor, que c'est là une façon de parler que je ne puis supporter. Si vous voulez seulement que je vous contredise, et je suppose que c'est le cas, il faut vous rappeler que je serai la dernière personne au monde à le faire. Je ne puis me prêter à cette plaisanterie qui consiste à me faire démontrer ce que vous savez aussi bien que moi.

Là-dessus, elle quitta la pièce, et Elinor n'osa la suivre pour lui en dire davantage ; car, liée comme elle l'était par sa promesse de secret envers Lucy, elle ne pouvait lui donner l'explication qui l'aurait convaincue. Tout ce qu'elle put espérer fut qu'Edward ne les exposât pas souvent, l'un et l'autre, au chagrin d'avoir à entendre les allusions intempestives de Marianne, ainsi qu'à une répétition plus ou moins complète des divers embarras où les avait mises leur entrevue. Et elle avait toute raison d'y compter.

36

Peu de jours après cette rencontre, les journaux firent savoir au monde entier que la femme de Thomas Palmer avait heureusement mis au monde un fils et héritier.

Cet événement, qui importait tant au bonheur de Mrs. Jennings, changea temporairement l'emploi de son temps et influença, dans la même mesure, les engagements de ses jeunes amies ; en effet, comme elle souhaitait être, le plus possible, avec Charlotte, elle se rendait chez elle tous les matins dès qu'elle était habillée et ne rentrait que tard dans la soirée. Et les demoiselles Dashwood, à la demande expresse des Middleton, passaient toute la journée à Conduit street. Pour leur propre agrément, elles seraient volontiers restées, au moins le matin, chez Mrs. Jennings ; mais c'était une chose qu'on ne pouvait faire contre le vœu général. Leurs journées se passaient donc avec lady Middleton et les demoiselles Steele qui, en réalité, et malgré les apparences, n'appréciaient pas du tout leur compagnie.

Pour lady Middleton, elles étaient trop sensées pour être des compagnes désirables ; et les deux autres les considéraient d'un œil jaloux comme marchant sur leurs brisées, et prenant part aux travaux qu'elles entendaient monopoliser. Bien que rien ne pût être plus poli que l'attitude de lady Middleton envers Elinor et Marianne, au fond, elle ne les aimait pas du tout, parce qu'elles ne les flattaient, ni elle ni ses enfants. Elle ne pouvait croire, par ailleurs, qu'elles fussent bienveillantes parce qu'elle les croyait portées à la satire sans trop savoir, peut-être, ce que cela signifiait. C'était une formule de blâme en usage et facile à invoquer.

Leur présence était une gêne pour elle et pour Lucy. Leurs manières faisaient contraste avec la paresse de l'une et l'affairement de l'autre. Devant elles, lady Middleton avait honte de ne rien faire et Lucy, qui était fière, en temps ordinaire, des flatteries qu'elle imaginait et prodiguait autour d'elle, craignait, en leur présence, de s'attirer par là leur mépris.

Des trois, miss Steele était celle que leur présence gênait le moins. Et elles auraient pu la gagner complètement. Auraient-elles, l'une ou l'autre, consenti à lui faire un récit complet de tout ce qui s'était passé entre Marianne et Willoughby, elle se serait crue amplement payée du sacrifice de la meilleure place au coin du feu, que lui avait valu leur arrivée ; mais bien qu'elle ne se fît pas faute d'exprimer, devant Elinor, sa compassion pour sa sœur, et que, plus d'une fois, elle eût laissé tomber devant Marianne une réflexion sur l'inconstance des hommes, elle n'en tira rien, et se heurta, chez la première, à l'indifférence et, chez la seconde, au dégoût. Avec un moindre effort, elles auraient pu encore s'en faire une amie. Si elles l'avaient seulement entreprise à propos du docteur. Mais, pas plus que les autres, Elinor et Marianne ne pensaient à l'obliger, si bien que, lorsque sir John dînait au-dehors, elle risquait de passer la journée entière sans entendre, à ce sujet, d'autres railleries que celles qu'elle était assez bonne pour s'adresser à elle-même.

Toutes ces jalousies et ces mécontentements, cependant, restaient tellement ignorés de Mrs. Jennings qu'elle se figurait que c'était chose délicieuse pour les jeunes filles que cette compagnie ; elle les félicitait généralement, chaque soir, d'avoir évité si longtemps la compagnie d'une stupide vieille femme. Elle les retrouvait, quelquefois, chez sir John, quelquefois chez elle ; mais où que ce fût, elle arrivait toujours d'excellente humeur, remplie de satisfaction et d'importance, attribuant le bon état de Charlotte à ses propres soins, et prête à donner un compte exact et si minutieux de son état que miss Steele avait seule assez de curiosité pour désirer l'entendre. Une seule chose la chagrinait et elle s'en plaignait journellement : Mr. Palmer s'en tenait à l'opinion masculine commune, mais peu paternelle, que tous les enfants se ressemblent ; et, bien qu'elle-même pût clairement saisir, suivant les moments, la ressemblance la plus frappante entre le bébé et chacun des membres de la famille, elle n'arrivait pas à en convaincre son gendre ; et pas davantage à le persuader qu'il n'était pas du tout semblable à tous les enfants de son âge ; on ne pouvait même pas arriver à lui faire reconnaître cette simple vérité qu'il était le plus bel enfant du monde.

J'en viens maintenant à une infortune qui frappa John Dashwood dans cette période. Il s'était trouvé que, pendant la première visite que Mrs. Jennings et ses sœurs lui firent à Harley street, une autre de ses connaissances était entrée. Circonstance qui, en apparence, ne pouvait lui valoir aucun désagrément. Mais, tant que l'imagination des gens leur permettra de former de faux jugements sur notre conduite et de se décider sur de légers indices, nous serons toujours à la merci du hasard. Dans le cas présent, la dame dernière arrivée se laissa à tel point emporter au-delà de la vérité et même la simple vraisemblance, qu'au seul nom des demoiselles

Dashwood, et sachant qu'elles étaient les sœurs de Mr. Dashwood, elle en conclut tout naturellement qu'elles logeaient à Harley street, et cette méprise eut pour conséquence, au bout d'un jour ou deux, l'envoi de cartes d'invitations pour elles, ainsi que pour les John Dashwood, à une petite soirée musicale chez elle.

La conséquence en fut que Mrs. John Dashwood eut non seulement à subir l'inconvénient exorbitant d'envoyer sa voiture chercher les demoiselles Dashwood, mais, ce qui était bien pire, à endurer le crève-cœur d'avoir l'air de les traiter avec égards ; et qui sait si elles n'allaient pas s'attendre maintenant à sortir encore avec elle ? Sans doute, elle pourrait toujours les décevoir. Mais ce n'était pas assez ; car les gens obstinés dans une mauvaise voie prennent pour une injure la seule idée qu'ils pourraient s'en écarter.

On avait fini par habituer si bien Marianne à sortir chaque jour qu'il lui était devenu indifférent de rester ou non et elle se préparait tranquillement et machinalement pour chaque soirée, sans s'en promettre le moindre amusement, ignorant même, la plupart du temps jusqu'au dernier moment, où elle allait.

Elle était devenue si indifférente à son apparence et à sa parure qu'elle n'y accordait pas, durant tout le temps que durait sa toilette, la moitié de l'attention qu'y portait miss Steele, dans les dix premières minutes où elles se trouvaient ensemble lorsqu'elle avait terminé. Rien n'échappait à sa minutieuse observation et à sa curiosité ; elle n'avait de repos qu'elle n'eût connu le prix de chaque partie de son ajustement ; elle aurait pu dire le nombre de ses robes plus exactement que Marianne elle-même. Et elle ne désespérait pas de savoir avant son départ ce que lui coûtait par mois son blanchissage et ce qu'elle dépensait annuellement pour son entretien. Ces questions déplacées se terminaient généralement par un compliment qui, quoique visant à la flatter, était considéré par Marianne comme le comble de l'impertinence. Car, après avoir enduré un examen sur la valeur et la coupe de sa robe, la couleur de ses souliers et l'arrangement de sa coiffure, elle était presque sûre de l'entendre dire qu'elle était vraiment tout à fait élégante et qu'elle ne pourrait manquer de faire des conquêtes.

C'est sur un encouragement de ce genre qu'elle s'embarqua ce soir-là dans la voiture de son frère. Elles furent prêtes cinq minutes après que celle-ci fut rangée devant la porte, ponctualité qui n'était pas faite pour enchanter leur belle-sœur, laquelle les avait précédées chez son amie et comptait sur un retard de leur part qui lui aurait permis de se plaindre pour le tracas que cela lui apportait à elle-même et à son cocher.

La soirée n'offrit rien de particulier. La société, comme dans toutes les soirées musicales, comprenait beaucoup de personnes qui aimaient vraiment la musique et beaucoup d'autres qui n'y entendaient rien. Et les exécutants eux-mêmes étaient, comme d'habitude, à leur avis personnel et à ceux de leurs amis, les meilleurs amateurs d'Angleterre.

Comme Elinor n'était pas musicienne et n'affectait pas de l'être, elle ne se fit aucun scrupule de détourner les yeux du grand piano-forte et, sans se laisser arrêter par la présence d'une harpe et d'un violoncelle, de regarder à son aise tout ce qui se passait dans la salle. Ce faisant, il advint qu'elle découvrit dans un groupe de jeunes gens précisément le monsieur qui leur avait donné une conférence sur les boîtes à cure-dents chez Gray. Elle s'aperçut, bientôt après, qu'il la regardait et parlait familièrement à son frère; elle venait juste de se promettre qu'elle demanderait son nom à ce dernier lorsque tous deux se dirigèrent vers elle et Mrs. Dashwood et qu'on le lui présenta comme étant sir Robert Ferrars.

Il s'adressa à elle avec aisance, et fit un salut de tête qui lui confirma aussi pleinement que les mots auraient pu le faire qu'il était bien le fat accompli que lui avait décrit Lucy. Il aurait été préférable, pour elle, que son inclination pour Edward ait pu être basée moins sur son propre mérite que sur celui de ses parents les plus proches, car alors le salut de son frère aurait donné le dernier coup à ce que le mauvais accueil de sa mère et de sa sœur avait si bien commencé. Mais, bien qu'étonnée de la différence des deux frères, la nullité et la suffisance de l'un ne suffisaient pas à lui faire oublier la modestie et la valeur de l'autre.

La raison de leur différence, Robert la lui développa au cours d'un quart d'heure de conversation, car, parlant de son frère, et déplorant l'extrême gaucherie qui, croyait-il réellement, l'empêchait de fréquenter la bonne société, il l'attribua candidement et généreusement moins à une déficience naturelle qu'à la mauvaise chance qui lui avait valu une éducation privée; tandis que lui-même, sans rien de particulier, sans aucune supériorité positive de nature, simplement parce qu'il avait fréquenté une école publique, était devenu aussi capable qu'un autre de tenir sa place dans le monde.

— Sur mon âme, ajouta-t-il, je crois qu'il n'y a pas d'autres raisons et c'est ce que je dis souvent à ma mère, quand elle se plaint. « Chère madame, lui dis-je toujours, c'est chose facile à expliquer. Le mal est maintenant irréparable et c'est entièrement votre œuvre. Pourquoi vous êtes-vous laissé persuader par mon oncle, sir Robert, contre votre propre jugement, de mettre Edward aux mains d'un précepteur, au moment le plus critique de sa vie ? Si vous l'aviez seulement envoyé à Westminster comme moi-même, au lieu de le confier à Mr. Pratt, rien de tout cela ne serait arrivé. » Voilà exactement comment j'envisage la chose et ma mère est parfaitement convaincue de son erreur.

Elinor n'était pas disposée à combattre son opinion, parce que, quel que pût être son avis en général sur les avantages d'une école publique, elle ne pouvait songer avec plaisir au séjour d'Edward dans la famille de Mr. Pratt.

— Vous habitez le Devonshire, je crois, dit-il, abordant un nouveau sujet, dans un cottage près de Dawlish.

Elinor rectifia cette dernière assertion, et il parut plutôt surpris qu'on pût vivre dans le Devonshire sans vivre près de Dawlish. Il donna cependant sa plus vive approbation quant au genre de leur maison.

— Pour ma part, dit-il, j'aime excessivement les cottages ; ils offrent toujours tant de confort, tant d'élégance. Et j'affirme que si j'avais quelque argent à dépenser, j'achèterais un petit terrain et j'en construirais un moi-même, à une petite distance de Londres, où je pourrais aller de temps en temps, inviter quelques amis et prendre du bon temps. Je conseille toujours à ceux qui font bâtir, de bâtir un cottage. Mon ami lord Courtland vint me voir l'autre jour pour me demander mon avis et déploya devant moi trois plans différents. Il s'agissait de choisir le meilleur. « Mon cher Courtland, lui dis-je en les jetant immédiatement au feu, n'en adoptez aucun, mais bâtissez tout de suite un cottage. » Et je pense qu'il va finir par là. Il y a des gens qui s'imaginent qu'on n'a pas ses aises, qu'on manque de place dans un cottage, mais c'est une erreur. J'étais, le mois dernier, chez mon ami Elliott, près de Delaford. Lady Elliott voulait donner un bal, « Mais comment faire ? dit-elle. Mon cher Ferrars, dites-moi comment je peux m'arranger. Il n'y a pas une pièce dans le cottage qui puisse contenir dix couples, et où pourra-t-on souper ? » Je vis tout de suite qu'il n'y avait pas de difficulté, aussi je lui dis : « Chère lady Elliott, ne vous inquiétez pas. La salle à manger peut tenir dix-huit couples à l'aise ; on peut placer les tables à jeu dans le salon ; la bibliothèque pourra rester ouverte pour le thé et les autres rafraîchissements. Et servez le souper dans le salon. » Lady Elliott fut ravie de l'idée. Nous mesurâmes la salle à manger et nous trouvâmes qu'elle pouvait contenir exactement dix-huit couples ; de sorte que tout fut arrangé exactement d'après mon plan. Ainsi, voyez-vous, si les gens savaient seulement s'arranger, on pourrait trouver autant de confort dans un cottage que dans les plus grandes bâtisses.

Elinor convint de tout cela, car elle ne jugeait pas qu'il fût digne qu'on lui répondit sérieusement.

Comme John Dashwood ne s'intéressait pas plus que sa sœur à la musique, son esprit était également libre pour se fixer ailleurs. Et au cours de la soirée, il fut frappé d'une idée qu'au retour il communiqua à sa femme, pour avoir son approbation. La méprise de Mrs. Dennison, supposant que ses sœurs étaient chez lui, lui suggéra la pensée qu'il serait convenable de les inviter réellement pendant que Mrs. Jennings était retenue à l'extérieur par ses occupations. La dépense ne serait rien, ni l'embarras ; et c'était tout à fait le genre d'attention que sa conscience lui montrait nécessaire pour l'affranchir complètement de sa promesse à son père. Fanny fut saisie à l'énoncé de cette proposition.

— Je ne vois pas comment cela peut se faire, dit-elle, sans offenser lady Middleton, car elles passent toutes leurs journées avec elle. Si ce n'était cela, j'en serais extrêmement heureuse. Vous avez vu, par la façon dont je les ai prises avec moi à cette soirée, que j'étais toujours prête à avoir pour elles toutes les attentions en mon pouvoir. Mais elles sont en visite chez lady Middleton. Comment pourrai-je leur demander de la quitter ?

Son mari avec la plus grande déférence se refusa pourtant à voir la force de l'objection.

— Elles ont déjà passé une semaine dans ces conditions à Conduit street, et lady Middleton ne peut se fâcher de leur voir passer le même temps chez leurs proches parents.

Fanny réfléchit un moment, et reprit avec une vigueur toute fraîche :

— Mon amour, je les inviterais de tout mon cœur, si je le pouvais. Mais je venais justement de me décider à demander aux demoiselles Steele de passer quelques jours avec nous. Ce sont des jeunes filles de bonnes manières, très agréables ; et je pense que c'est une attention qui leur est due, leur oncle a été si bon pour Edward. Nous pourrons inviter vos sœurs une autre année, vous comprenez, mais les demoiselles Steele ne reviendront peut-être pas à Londres. Je suis sûre qu'elles vous plairont ; elles vous plaisent déjà ainsi qu'à ma mère, vous le savez et Harry les aime tant !

Mr. Dashwood fut convaincu. Il sentit la nécessité d'inviter les demoiselles Steele immédiatement et sa conscience fut tranquillisée par la résolution d'inviter ses sœurs une autre année ; en même temps, l'arrière-pensée lui vint que l'autre année rendrait l'invitation inutile, en amenant à Londres Elinor devenue la femme du colonel Brandon et que Marianne logerait naturellement avec eux.

Fanny, heureuse de son échappatoire et fière de l'inspiration soudaine qui la lui avait procurée, écrivit le lendemain matin à Lucy pour demander sa compagnie et celle de sa sœur à Harley street, aussitôt que lady Middleton pourrait se passer d'elles. C'en fut assez pour rendre Lucy réellement heureuse et avec quelques raisons. Une telle occasion de voir Edward et sa famille était par-dessus tout ce qu'il y avait de plus utile pour ses intérêts, et une telle invitation ce qu'il y avait de plus flatteur pour elle ! C'était un avantage dont elle ne pouvait user assez vite. Le séjour chez lady Middleton, jusque-là, n'avait eu aucune limite précise ; on découvrit soudain qu'il devait prendre fin dans deux jours.

Quand l'invitation fut montrée à Elinor, comme elle le fut dix minutes après sa réception, elle eut pour la première fois l'impression que Lucy avait quelque chance de voir réaliser ses espoirs. Car une telle marque aussi exceptionnelle de faveur, accordée après une si courte connaissance, semblait indiquer que la bonne volonté à son égard ne provenait pas seulement de la simple hostilité contre elle-même, et pouvait avec du temps et de l'adresse être conduite au point où Lucy désirait l'amener. Ses flatteries avaient déjà subjugué l'orgueil de lady Middleton et s'étaient fait jour jusque dans le cœur fermé de Mrs. John Dashwood ; de tels effets laissaient la porte ouverte pour de plus grands résultats.

Les demoiselles Steele se transportèrent à Harley street et tout ce qui parvint à Elinor de l'influence qu'elles y exerçaient fortifia ses présomptions. Sir John, qu'elles voyaient plus souvent, rapportait de tels récits de la faveur dans laquelle on les tenait que tout le monde en était stupéfait. Mrs. Dashwood, qui ne s'était jamais plu aussi complètement avec personne, leur avait donné à chacune un porte-aiguilles confectionné par quelque émigrant, appelait Lucy par son prénom, et ne voyait pas comment elle pourrait se séparer d'elle.

37

Mrs. Palmer se trouvait si bien, à la fin de la quinzaine, que sa mère ne trouva plus nécessaire de lui consacrer tout son temps, et, se contentant d'aller la voir deux fois par jour, revint à son ancien genre de vie, auquel elle trouva les demoiselles Dashwood prêtes à participer de nouveau.

Le troisième ou quatrième jour après leur réinstallation à Berkeley street, Mrs. Jennings, revenant comme de coutume de chez Mrs. Palmer, pénétra dans le salon où se trouvait Elinor, avec un air important qui annonçait des nouvelles extraordinaires; elle ne lui donna que le temps d'y penser que, déjà, elle justifiait ses pressentiments :

— Seigneur ! Chère miss Dashwood ! Savez-vous les nouvelles ?

— Non, madame. Qu'y a-t-il ?

— Une chose si extraordinaire ! Quand je suis arrivée chez Mrs. Palmer, j'ai trouvé Charlotte en grand émoi à cause du petit. Elle était sûre qu'il était vraiment malade. Il criait et se tortillait, et était tout couvert de boutons. Je l'examinai tout de suite et, mon Dieu ! ma chère, lui dis-je, ce n'est pas autre chose qu'une poussée de dents, et la nurse dit la même chose. Mais Charlotte n'était pas convaincue, et l'on a envoyé chercher sir Donavan. Heureusement, il rentrait précisément d'Harley street, de sorte qu'il vint directement et aussitôt qu'il eut vu le petit, il dit, comme nous, que le mal venait de ses dents, et Charlotte fut tranquillisée. Mais comme il s'en allait, il me vint à l'esprit, je ne sais pas comment, mais enfin il me vint à l'esprit de lui demander s'il ne savait rien de neuf. Alors, là-dessus, il fit quelques façons, prit un air grave, montra quelques réticences et finit par dire, d'un ton confidentiel :

— De peur que quelque rapport fâcheux n'arrive aux oreilles des jeunes filles dont vous avez la garde, au sujet de l'indisposition de leur belle-sœur, je crois devoir vous dire que je ne crois pas qu'il y ait de grande raison de s'alarmer, j'espère que Mrs. Dashwood se remettra très bien.

— Comment ! Fanny est malade ?

— C'est exactement ce que j'ai dit, ma chère. Comment ! Mrs. Dashwood est malade ? et, alors, tout s'est dévoilé, et l'affaire en long et en large, autant que j'ai pu l'apprendre, paraît être ceci. Sir Edward Ferrars, ce même jeune homme au sujet duquel j'avais l'habitude de vous plaisanter – mais, maintenant, à la façon dont les choses ont tourné, je suis terriblement heureuse qu'il n'y ait rien eu de sérieux –, à ce qu'il semble, était fiancé, depuis un an, à ma cousine Lucy. Voilà pour vous, ma chère ! Et pas une créature au monde n'en savait un mot excepté Nancy[1] ! Auriez-vous cru possible pareille chose ? Ce n'est pas étonnant qu'ils se soient épris l'un de l'autre ; mais qu'ils aient poussé les

1. Diminutif d'Anne. (*N.d.T.*)

choses si loin et sans que personne s'en doute, c'est cela qui est extravagant ! Je ne les ai jamais vus ensemble, autrement, je suis sûre que je l'aurais découvert tout de suite. Bon, et si la chose était tenue si secrète, c'était par crainte de Mrs. Ferrars. Et ni elle, ni votre frère, ni sa femme ne suspectaient quoi que ce soit, jusqu'à ce que, ce matin, la pauvre Nancy, qui, vous le savez, est une bonne créature, mais ne brille pas par la finesse, a dévoilé tout cela. « Mon Dieu ! s'est-elle dit, ils sont tous tellement épris de Lucy que, certainement, ils ne feront aucune difficulté... » Là-dessus, elle est allée trouver votre belle-sœur qui était occupée à sa broderie, et ne se doutant pas du tout de ce qui allait lui arriver. Figurez-vous qu'elle venait de dire à votre frère, il n'y avait pas plus de cinq minutes, qu'elle pensait à un mariage entre Edward et la fille d'un lord ou de quelqu'un de ce genre. J'ai oublié le nom. Là-dessus, vous pouvez penser quel coup pour sa vanité, son orgueil ! Elle est tombée immédiatement dans une crise nerveuse et a poussé de tels cris que votre frère, qui dans sa chambre à l'étage au-dessous était en train d'écrire une lettre à son intendant à la campagne, l'a entendue.

« Là-dessus, il est monté tout de suite et il y a eu une soirée terrible, car Lucy était arrivée sur ces entrefaites, ne s'attendant à rien. Pauvre fille ! j'ai pitié d'elle. Et je dois le dire, je crois qu'elle a passé un mauvais moment car votre sœur l'attrapait comme une furie et bientôt elle s'est évanouie. Nancy, elle, était tombée à genoux et pleurait amèrement. Et votre frère, lui, se promenait à travers le salon, disant qu'il ne savait que faire. Mrs. Dashwood déclara qu'elles ne devaient pas rester une minute de plus sous son toit et votre frère fut forcé de se mettre à genoux, lui aussi, pour la persuader de leur permettre d'attendre d'avoir fait leurs paquets. Alors, elle retomba dans sa crise et son mari eut si peur qu'il envoya chercher Mr. Donavan. Et sir Donavan trouva la maison dans tout ce brouhaha.

« La voiture était à la porte pour emmener mes pauvres cousines et, justement, elles y montaient au moment où il sortait, la pauvre Lucy, à ce qu'il m'a dit, était à peine en état de marcher, et Nancy à peu près aussi mal en point. Je vous l'affirme, je n'ai pas d'excuses pour votre belle-sœur, et je souhaite, de tout mon cœur, que ce mariage se fasse malgré elle. Seigneur ! Dans quel état sera le pauvre sir Edward quand il va apprendre tout cela ! Voir traiter son amour si ignominieusement ! Car on dit qu'il en est follement amoureux, comme il se peut bien. Si c'est une grande passion, je n'en serais pas étonnée, ni sir Donavan non plus. Lui et moi, nous avons beaucoup causé là-dessus ; et, le plus beau, c'est qu'il est encore revenu à Harley street, pour qu'il soit à portée lorsqu'on annoncera la chose à Mrs. Ferrars qu'on a envoyé chercher dès que mes cousines ont eu quitté la maison. Car votre belle-sœur est sûre qu'elle aura aussi une attaque de nerfs. Et c'est bien possible. Je ne les plains ni l'une ni l'autre. On n'a pas idée de gens faisant tant d'embarras à propos d'argent et de titres. Il n'y a pas une seule raison au monde pour que sir Edward et Lucy ne se marient pas ; car je suis certaine que Mrs. Ferrars peut fort bien doter son fils ; et quoique Lucy n'ait presque rien à elle, elle sait mieux que personne tirer le meilleur parti de tout ; et, j'ose dire que, si Mrs. Ferrars voulait seulement lui donner cinq cents livres par an, elle s'arrangerait pour paraître autant avec cela qu'une autre avec huit. Seigneur ! comme ce serait gentil s'ils pouvaient vivre dans un cottage comme le vôtre ou un peu plus grand, avec deux servantes et deux hommes ; je crois même que je pourrais leur avoir une femme de chambre car ma Betty a une sœur à placer qui ferait tout à fait leur affaire. »

Ici, Mrs. Jennings reprit haleine et, comme Elinor avait eu tout le temps de réfléchir, elle put faire les réponses et les observations que l'affaire réclamait. Elle était heureuse de constater qu'on ne la soupçonnait pas d'y avoir un intérêt particulier et elle se félicitait que Mrs. Jennings (comme elle l'avait longtemps souhaité) ait cessé de l'imaginer entièrement attachée à Edward et que Marianne ne fût pas là. Elle se sentit donc tout à fait en état de parler de l'affaire sans embarras et de donner son avis d'une façon, pensait-elle, tout à fait impartiale sur la conduite de chacun des intéressés.

Elle pouvait difficilement décider ce qu'elle attendait réellement de l'événement, bien qu'elle s'efforçât énergiquement de rejeter l'idée que tout pût finir autrement que par le mariage d'Edward et de Lucy. Il lui tardait de savoir ce que Mrs. Ferrars pourrait dire et pourrait faire bien qu'elle n'eût aucun doute sur son genre de réaction ; mais elle était bien plus en peine de savoir comment Edward se comporterait. De Lucy, elle s'en souciait fort peu, et, encore, ce peu n'était-il pas sans lui demander quelque effort ; quant aux autres, ils lui étaient indifférents.

Comme Mrs. Jennings ne pouvait parler d'autre chose, Elinor vit promptement la nécessité de préparer Marianne à cette conversation. Il ne fallait pas perdre de temps pour la détromper. Elinor résolut de la mettre en état d'en entendre parler par d'autres sans laisser voir aucun chagrin pour sa sœur et aucun ressentiment contre Edward.

C'était une tâche pénible. Elle allait ruiner ce qu'elle savait être la principale consolation de sa sœur et donner des détails sur Edward, qui risquaient de le perdre pour toujours dans sa bonne opinion. La ressemblance entre leurs situations, qui serait vivement ressentie par sa sœur, renouvellerait sa propre douleur. Mais, si ingrate que fût cette tâche, il fallait l'accomplir, et Elinor ne perdit pas de temps pour l'aborder.

Elle était bien loin de vouloir s'appesantir sur ses propres sentiments ou de se montrer plus affectée que Marianne ne pouvait le croire d'après la retenue qu'elle avait montrée depuis qu'elle connaissait l'engagement d'Edward envers Lucy.

Sa narration fut claire et simple, et bien qu'elle ne pût être exempte d'émotion, elle ne comporta ni violente agitation, ni plainte impétueuse. Elle laissa cela à son interlocutrice, car Marianne écouta avec horreur, et fit entendre d'extrêmes lamentations. Elinor était destinée à consoler les autres de ses propres malheurs aussi bien que des leurs. Et elle s'en acquitta volontiers en donnant toutes les assurances possibles de sa tranquillité d'esprit, et en défendant énergiquement Edward de tout autre reproche que celui d'imprudence.

Mais, pendant quelque temps, Marianne ne voulait croire ni l'une ni l'autre chose. Edward lui paraissait un second Willoughby ; et, comme Elinor reconnaissait l'avoir aimé très sincèrement, il lui semblait impossible qu'elle en souffrît moins qu'elle-même ! Quant à Lucy Steele, elle la considérait comme si totalement indigne d'amour, si absolument incapable de mériter l'attachement d'un honnête homme, qu'elle ne put, d'abord, croire possible qu'Edward l'eût jamais aimée et put encore plus difficilement l'absoudre de s'être laissé aller à une telle passion. Elle ne put jamais admettre que ce fût naturel. Et Elinor s'en remit, pour la convaincre, au seul remède possible, une meilleure connaissance de l'humanité.

Elle n'avait pu, d'abord, aller plus loin que de lui donner connaissance du fait même de l'engagement, et de l'époque dont il datait.

La sensibilité de Marianne avait fait explosion, l'empêchant d'entrer dans les détails ; et, pendant quelque temps, tout ce qu'elle put faire fut d'adoucir sa détresse, calmer ses alarmes et combattre son ressentiment. La première question qui lui permit d'aller plus avant fut :

— Depuis combien de temps le savez-vous, Elinor ? Vous a-t-il écrit ?

— Je le sais depuis quatre mois. C'est quand Lucy est venue à Barton, en novembre dernier, qu'elle m'a fait cette confidence sous le sceau du secret.

A ces mots, les yeux de Marianne exprimèrent un étonnement qu'elle ne put traduire en paroles. Après un moment de stupéfaction, elle s'écria :

— Quatre mois ! Vous saviez cela depuis quatre mois ?

Elinor le confirma.

— Comment, pendant que vous veniez à mon secours dans tout mon malheur, vous aviez déjà cela dans le cœur ! Et moi qui vous ai reproché votre bonheur !

— Ce n'était pas le moment de vous faire connaître combien c'était le contraire.

— Quatre mois ! répéta encore Marianne. Si calme, si joyeuse ! Qu'est-ce qui a pu vous soutenir ?

— Le sentiment que je faisais mon devoir. Ma promesse à Lucy m'obligeait au secret. Il fallait, par conséquent, éviter tout ce qui aurait pu faire soupçonner la vérité ; et je devais à ma famille et à mes amis de ne pas éveiller, à mon sujet, une sollicitude que je n'avais pas le moyen de calmer.

Marianne semblait plus accablée.

— J'ai souvent souhaité vous détromper, vous et ma mère, ajouta Elinor ; et, une ou deux fois, j'ai été sur le point de le faire. Mais, sans manquer à ma parole, il m'eût été impossible de vous convaincre.

— Quatre mois ! et cependant vous l'aimiez !

— Oui, mais je n'aime pas que lui, et, le bonheur des autres m'étant cher, j'étais heureuse de leur épargner le spectacle de mes souffrances. Maintenant, je ne veux pas que vous vous inquiétiez à cause de moi, car je vous assure que je ne souffre plus vraiment moi-même. J'ai, pour me soutenir, beaucoup de choses. J'ai conscience de n'avoir provoqué ma déception par aucune imprudence et je l'ai supportée de mon mieux sans l'augmenter. Je n'impute à Edward aucune faute véritable. Je voudrais qu'il fût très heureux. Et je suis tellement sûre qu'il fera toujours son devoir, que, bien qu'il puisse ressentir en ce moment quelque regret, je pense qu'à la fin cela pourra s'arranger. Lucy ne manque pas de bon sens et, sur ce fondement, on peut bâtir beaucoup de bien. Et, après tout, Marianne, quand on réfléchit à ce qu'il y a d'admirable dans l'idée d'un attachement constant et unique, et quand on imagine tout ce qui est inclus dans cette idée que le bonheur d'une personne dépend entièrement d'une autre, n'est-il pas concevable, n'est-il pas possible qu'il en soit ainsi ? Edward épousera Lucy et il épousera une personne supérieure physiquement et moralement à la moitié de son sexe ; et le temps et l'habitude l'amèneront à oublier qu'il ait jamais pensé à une autre qui valait mieux qu'elle.

— Avec une pareille façon de penser, dit Marianne, si, perdant ce que vous aimez le plus, vous pouvez si aisément le céder à une autre, votre résolution, votre pouvoir sur vous-même seront peut-être moins étonnants. Je commence à les comprendre.

— Je vous entends, vous ne pensez pas que j'aie beaucoup souffert ; mais pendant quatre mois, Marianne, j'ai vécu avec cette pensée, sans avoir la liberté d'en parler à quiconque, sachant que je vous rendrais très malheureuses ma mère et vous, quand je pourrais vous l'apprendre, et cependant dans l'impossibilité de vous y préparer. Cela m'avait été annoncé par la personne même dont l'engagement antérieur ruinait tous mes espoirs, et avec triomphe. Il fallait donc que je me défende des soupçons de cette femme en m'efforçant de paraître indifférente à ce qui me touchait le plus profondément. Et ce n'était pas tout. J'avais à être, à tous moments, la confidente de ses espoirs et de son enthousiasme. J'ai su que j'étais séparée d'Edward pour toujours sans avoir rien appris qui me fît moins désirer notre union. Rien n'avait entaché son honneur, rien ne prouvait qu'il eût cessé de m'aimer. J'ai eu à lutter contre la mauvaise volonté de sa sœur et l'insolence de sa mère et j'ai enduré la peine de mon attachement sans en avoir les avantages. Et tout cela a fondu sur moi à un moment où, comme vous ne le savez que trop, ce n'était pas mon seul motif de me plaindre. Si vous pouvez me croire capable de souffrir jamais, vous devez admettre que j'ai souffert alors. Le calme avec lequel je suis arrivée à envisager maintenant la chose, la résolution que j'ai prise de m'en consoler, ont été le résultat d'un effort constant et pénible. Cela ne s'est pas fait tout seul ; cela ne s'est pas fait tout seul au début, non, Marianne.

A ce moment, si je n'avais pas été liée au silence, peut-être rien n'aurait pu me retenir, non pas même ce que je devais aux êtres que j'aimais le plus, et je leur aurais montré ouvertement combien j'étais vraiment malheureuse.

Marianne fut tout à fait subjuguée.

— Oh ! Elinor, s'écria-t-elle, vous m'avez rendue odieuse à moi-même pour toujours. Comme j'ai été cruelle à votre égard ! Vous qui avez été mon seul soutien, qui avez partagé tous mes maux, qui paraissiez ne souffrir qu'à cause de moi. Est-ce là toute ma gratitude ? Est-ce là la seule récompense que je puisse vous offrir ? Parce que votre mérite était pour moi un vivant reproche, j'ai tout fait pour le méconnaître.

Cette confession fut suivie des plus tendres caresses. Dans l'état d'esprit où elle se trouvait amenée, Elinor n'eut aucune difficulté à lui faire faire toutes les promesses qu'elle désirait ; et, sur sa demande, Marianne s'engagea à ne jamais laisser percer, dans ses paroles, la moindre aigreur au sujet de cette affaire, à aborder Lucy sans manifester la plus légère hostilité, et même, en ce qui concernait Edward personnellement, si le hasard les faisait se rencontrer, à ne rien changer à son ordinaire cordialité. C'étaient de grandes concessions, mais, quand Marianne se sentait dans son tort, rien ne lui coûtait pour arriver à le réparer.

Elle remplit admirablement sa promesse d'être discrète. Elle écouta ce que Mrs. Jennings avait à dire, sur ce sujet, sans changer de visage, ne la contredit sur rien, et on l'entendit dire à trois reprises : « Oui, madame. » Elle écouta l'éloge de Lucy, sans agitation et, quand Mrs. Jennings fit allusion à l'affection d'Edward, il ne lui en coûta qu'un spasme dans la gorge. Devant de tels progrès de sa sœur, Elinor se sentait devenir capable d'affronter toutes les situations.

Le lendemain matin, une nouvelle occasion d'exercer sa patience lui fut fournie par une visite de son frère qui vint, de l'air le plus grave, les entretenir de cette horrible affaire et leur apporter des nouvelles de sa femme.

— Vous avez sans doute appris, dit-il, d'un ton solennel dès qu'il fut assis, la découverte vraiment choquante qui a eu lieu, hier, sous mon toit ?

Elles dirent oui d'un signe : le moment semblait trop solennel pour parler.

— Votre belle-sœur, continua-t-il, a affreusement souffert ; Mrs. Ferrars aussi ; bref, ç'a été une scène de détresse… ; mais j'espère que tout se calmera bientôt.

« Pauvre Fanny ! elle a eu les nerfs malades tout hier. Mais je ne veux pas vous alarmer outre mesure. Donavan dit qu'il n'y a rien à craindre. Sa constitution est bonne et rien n'égale sa volonté. Elle a tout supporté avec un courage angélique ! Elle dit qu'elle ne pensera jamais plus de bien de personne ; et ce n'est pas étonnant, après une telle déception ! Rencontrer tant d'ingratitude, là où l'on avait déployé tant de bienveillance, montré tant de confiance ! C'était par pure amabilité qu'elle avait invité ces jeunes filles chez elle ; simplement, parce qu'elles étaient bien élevées et seraient des compagnes agréables ; car, autrement, nous aurions préféré vous avoir invitées, vous et Marianne, pendant que votre excellente amie soignait sa fille. Se trouver récompensé de la sorte ! “ Je voudrais de tout mon cœur, disait la pauvre Fanny de sa manière affectueuse, que nous ayons invité vos sœurs à leur place. ” »

Là il s'arrêta pour attendre des remerciements, les ayant reçus, il continua :

— Ce que la pauvre Mrs. Ferrars a éprouvé, quand Fanny lui a révélé la chose, ne peut se décrire. Pendant qu'avec l'affection la plus sincère, elle préparait à son fils l'union la plus souhaitable, comment supposer qu'il pouvait être, de tout temps, engagé secrètement avec une autre personne ! Pareil soupçon ne pouvait l'effleurer ! Si elle avait suspecté une autre emprise, ce n'était certainement pas de ce côté. « Avec ces jeunes filles, au moins, protestait-elle, je croyais n'avoir rien à craindre. » Elle endurait une véritable agonie.

« Nous nous sommes consultés, cependant, sur ce que nous pourrions faire et, à la fin, elle décida qu'on devait appeler Edward. Il vint. Mais je regrette d'avoir à rapporter ce qui s'ensuivit. Tout ce que Mrs. Ferrars put lui dire pour l'inciter à rompre son engagement, appuyée également, comme vous pouvez bien le supposer par mes propres arguments et les instances de Fanny, n'eut aucun succès. Le devoir, l'affection, tout fut inutile. Je n'aurais jamais cru, auparavant, Edward si insensible. Sa mère lui fit part de ses intentions généreuses, au cas où il épouserait miss Morton ; elle lui dit qu'elle donnerait sa propriété de Norfolk, qui rapporte, impôts payés, mille livres au moins par an ; elle lui offrit, quand le cas lui parut désespéré, de porter le revenu à douze cents livres, et prit soin, au contraire, de lui décrire, s'il persistait dans cette union dégradante, la grande gêne qui résulterait pour lui. Elle protestait qu'il n'aurait, en tout et pour tout, que ses deux mille livres et qu'elle ne le verrait plus jamais. Et, bien loin de lui prêter la moindre assistance s'il voulait embrasser une profession pour améliorer ses moyens d'existence, elle ferait tout ce qu'elle pourrait pour entraver son avancement. »

Ici Marianne, dans une crise d'indignation, se tordit les mains en criant :

— Seigneur Dieu ! Est-ce possible !

— Vous avez bien raison, Marianne, répondit son frère, de vous étonner d'une obstination capable de résister à de tels arguments. Votre exclamation est bien naturelle.

Marianne allait répliquer, mais elle se rappela ses promesses et se retint.

— Tout cela, pourtant, continua-t-il, fut inutile. Edward ne dit pas grand-chose, mais ce qu'il dit fut tout ce qu'il y a de plus catégorique. Rien ne put l'amener à abandonner son engagement. Il s'y tint coûte que coûte.

— Eh bien, s'écria Mrs. Jennings dans une explosion de sincérité qu'elle ne pouvait plus contenir, il a agi en honnête homme. Je vous demande pardon, Mr.Dashwood, mais s'il s'était comporté autrement, c'eût été un misérable. L'affaire me concerne un peu, comme vous-même, car Lucy Steele est ma cousine, et je crois qu'il n'y a pas une meilleure fille au monde et qui mérite davantage d'avoir un bon mari.

John Dashwood fut grandement étonné ; mais il était calme de sa nature, peu porté à la provocation, et désirait n'offenser personne, surtout s'il s'agissait de quelqu'un de riche. Il répondit, en conséquence, sans aucune aigreur.

— Je ne voudrais en aucune façon parler irrespectueusement d'une de vos parentes. Miss Lucy Steele est certainement une jeune personne très estimable, mais, dans le cas présent, vous comprenez que cette union est impossible. Et le fait d'avoir contracté un engagement secret avec un jeune homme sous la garde de son oncle, et particulièrement avec le fils d'une femme aussi fortunée que Mrs. Ferrars, est peut-être en soi bien assez extraordinaire. Bref, je ne veux pas critiquer la conduite d'une personne à laquelle vous vous intéressez, Mrs. Jennings. Nous lui souhaitons tous la plus grande prospérité, et Mrs. Ferrars, dans toute l'affaire, s'est conduite comme devait le faire, en pareille circonstance, toute mère consciencieuse et bonne. Elle a été aussi digne que généreuse. Edward a choisi et j'ai peur que ce ne soit pas la meilleure part.

Marianne soupira, en proie à la même appréhension, et le cœur d'Elinor se fendit à la pensée d'Edward bravant les menaces de sa mère, pour une femme qui ne pouvait lui apporter aucun bonheur en échange.

— Bon, dit Mrs. Jennings. Et comment cela s'est-il terminé ?

— Je regrette d'avoir à le dire, madame, par la plus fâcheuse rupture. Edward est banni pour toujours de la pensée de sa mère. Il a quitté hier la maison, mais où est-il allé ? Est-il encore à Londres ? je n'en sais rien. Car, certainement, nous ne le chercherons pas.

— Pauvre jeune homme ! Et que va-t-il devenir ?

— Oui, vraiment, madame, que deviendra-t-il ? C'est une perspective mélancolique. Né avec la promesse d'une si belle fortune, je ne puis concevoir situation plus déplorable. L'intérêt de deux mille livres, comment un homme peut-il vivre là-dessus ? Et, lorsqu'on se rappelle qu'il pouvait, n'eût été sa propre folie, d'ici trois mois, recevoir deux mille cinq cents livres. Je ne puis imaginer une condition plus déplorable. Nous devons tous le plaindre ; et, d'autant plus, qu'il est tout à fait hors de notre pouvoir de lui venir en aide.

— Pauvre jeune homme ! s'écria Mrs. Jennings. Il sera toujours le bienvenu chez moi et il y trouvera le vivre et le couvert, et c'est ce que je lui dirai, si je puis le voir. Ce n'est pas juste qu'il vive par ses propres moyens dans des garnis et des auberges.

Le cœur d'Elinor battit de reconnaissance pour une telle bonté envers Edward, quoiqu'elle ne pût retenir un sourire devant la façon dont elle s'exprimait.

— S'il avait seulement voulu avoir autant de complaisance pour lui-même que ses amis en avaient pour lui, il pourrait, maintenant, être dans une situation convenable et ne manquerait de rien. Mais, à la façon dont les choses ont tourné, il n'est au pouvoir de personne de lui venir en aide. Et il y a encore une chose qui se prépare, et qui est pire que tout. Sa mère a décidé, par une inspiration bien naturelle, de mettre, immédiatement, sur la tête de Robert, ce qui aurait été la part d'Edward, s'il avait accepté ses conditions. Je l'ai laissée, hier, en conversation là-dessus avec son homme de loi.

— Bon ! dit Mrs. Jennings, voilà la vengeance ! Chacun à sa manière. Mais je ne crois pas que la mienne consisterait à doubler la part d'un fils parce que l'autre m'aurait déplu.

Marianne se leva et se mit à arpenter la chambre.

— Peut-il y avoir quelque chose de plus mortifiant, continua John, que de voir son plus jeune frère en possession d'une fortune qui aurait dû être la sienne ? Pauvre Edward ! Je le plains sincèrement.

Il passa encore quelques minutes à se répandre en lamentations de ce genre, avant de prendre congé ; et, ayant assuré à plusieurs reprises à ses sœurs qu'il ne voyait pas de danger sérieux dans l'indisposition de Fanny, et qu'elles n'avaient donc pas besoin de s'inquiéter à son sujet, il s'en alla, laissant les trois dames unanimes, cette fois, dans leur opinion, au moins en ce qui regardait la conduite de Mrs. Ferrars, des Dashwood et d'Edward.

L'indignation de Marianne éclata aussitôt qu'il eut quitté la pièce ; et, comme sa véhémence rendait toute réserve impossible à Elinor, et que Mrs. Jennings n'avait aucune raison de se modérer, elles ne se gênèrent pas pour critiquer vertement ce qui s'était passé.

38

Mrs. Jennings était très chaleureuse dans son éloge de la conduite d'Edward, mais Elinor et Marianne étaient seules à pouvoir apprécier toute l'étendue de son mérite. Elles seules savaient combien peu d'attrait avait pour lui la fiancée pour laquelle il luttait, et, à part la conscience de faire son devoir, quelle faible consolation lui restait, pour compenser la perte de sa fortune et de ses amis. Elinor était fière de sa loyauté. Marianne lui pardonnait toutes ses offenses en considération de son châtiment. Mais, bien que leur confiance mutuelle fût maintenant, par cette révélation publique, restaurée dans son intégralité, c'était un sujet qu'elles n'aimaient pas reprendre. Elinor l'évitait par principe, car les assurances trop chaleureuses et trop précises de Marianne ne faisaient que l'ancrer dans sa conviction que rien n'était changé dans les sentiments d'Edward à son égard, conviction qu'elle essayait d'écarter le plus possible de sa pensée. Et Marianne de son côté sentait bientôt son courage l'abandonner, à traiter un sujet qui la laissait toujours plus mécontente d'elle-même parce qu'il réveillait dans son esprit une comparaison inévitable entre la conduite d'Elinor et la sienne.

Elle sentait toute la force de ce rapprochement ; mais non comme sa sœur l'avait espéré pour en tirer un motif de se dominer. Elle en retirait les raisons d'un continuel remords, regrettait, de la plus amère façon, de n'avoir pas su se rendre maîtresse d'elle-même auparavant ; mais elle n'avait que la torture du repentir, sans espoir d'amendement. Elle était si déprimée qu'elle se croyait encore incapable d'efforts et, par suite, elle se démoralisait encore plus.

Pendant un jour ou deux, elles ne surent plus rien de ce qui se passait à Harley street ou à Bartlett's Buildings. Mais, bien qu'elles eussent assez de détails pour permettre à Mrs. Jennings de répandre partout l'affaire, sans en demander davantage, celle-ci avait décidé, tout de suite, de faire à ses cousines une visite de condoléances et d'enquête, aussitôt que possible ; et elle l'aurait déjà faite si elle n'en avait été empêchée par un flux inaccoutumé de visites.

Le troisième jour qui suivit l'annonce de la nouvelle était un dimanche et il faisait si beau que Kensington Gardens connut une grande affluence, bien qu'on ne fût qu'à la deuxième semaine de mars. Mrs Jennings et Elinor étaient du nombre des promeneuses, mais Marianne qui savait Willoughby encore à Londres, et tremblait toujours de le rencontrer, avait préféré rester à la maison, plutôt que de s'aventurer dans un endroit aussi fréquenté.

Une amie intime de Mrs. Jennings les rejoignit dès leur arrivée et Elinor ne fut pas fâchée de sa compagnie qui, retenant toute l'attention de sa vieille amie, lui permit à elle-même de se laisser aller en paix à ses réflexions. Elle ne vit ni les Willoughby ni Edward, et, durant un certain temps, ne rencontra personne qui put, de façon quelconque, grave ou plaisante, l'intéresser. Mais, à la fin, non sans quelque surprise, elle se trouva accostée par miss Steele qui, quoique manifestant un peu d'hésitation, exprima sa grande satisfaction de les rencontrer et, devant l'accueil particulièrement amical de Mrs. Jennings, laissa un moment les amis avec qui elle était pour se joindre à elles.

Mrs. Jennings souffla immédiatement à Elinor :

— Tirez-lui tout ce que vous pourrez, ma chère. Elle vous racontera tout si vous le lui demandez. Vous voyez que je ne peux pas quitter Mrs. Clarke.

Il fut cependant heureux pour la curiosité de Mrs. Jennings et aussi celle d'Elinor, qu'elle fût disposée d'elle-même aux confidences, car, autrement, on n'aurait rien appris.

— Que je suis heureuse de vous voir, dit miss Steele en la prenant familièrement par le bras, car je souhaitais, par-dessus tout, vous rencontrer.

Et baissant la voix :

— Je suppose que Mrs. Jennings a tout appris. Est-elle fâchée ?

— Pas du tout, j'en suis convaincue, en ce qui vous concerne.

— Voilà qui est bien. Et lady Middleton, est-elle fâchée ?

— Cela ne me paraît pas possible.

— J'en suis heureuse. Seigneur Dieu ! Je viens de passer de tels moments. De ma vie, je n'ai vu Lucy dans une pareille rage. Elle jura d'abord qu'elle ne ferait jamais plus rien pour moi de sa vie, mais elle est revenue, maintenant, à de meilleurs sentiments et nous sommes aussi bonnes amies qu'avant. Voyez, elle a fait ce nœud à mon chapeau, la nuit dernière, et y a ajouté une plume. Vous allez vous moquer de moi. Mais pourquoi ne parlerais-je pas de rubans roses ? Tant pis si c'est la couleur favorite du docteur. Je suis certaine, moi, que je n'aurais jamais su qu'il l'aimait mieux qu'une autre s'il ne lui était pas arrivé de me le dire ! Mes cousins se sont tant moqués de moi ! Vraiment, quelquefois, je ne sais quelle contenance prendre devant eux.

Elle s'était égarée sur un sujet où Elinor n'avait rien à dire, et elle jugea, par la suite, convenable de revenir sur celui du début de leur conversation.

— Oui, mais, miss Dashwood, continua-t-elle triomphalement, les gens disent que sir Ferrars a déclaré qu'il ne voulait plus de Lucy, et il n'y a rien de vrai, je puis vous l'assurer ; et c'est une honte de voir répandre de pareils propos. Quelle que puisse être l'idée de Lucy là-dessus, ce n'est pas l'affaire des autres d'aller proclamer cela comme certain.

— Je n'ai jamais entendu insinuer rien de semblable, je vous l'assure, dit Elinor.

— Oh ! non. Mais on l'a dit, je le sais bien, et plus d'une personne ; car miss Godby a dit à miss Sparks que personne ayant le sens commun ne pouvait s'attendre à voir sir Ferrars renoncer à une femme comme miss Morton avec trente mille livres de fortune, pour Lucy Steele qui n'a rien du tout, je le tiens de miss Sparks en personne. Et, de plus, mon cousin Richard lui-même a dit qu'au dernier moment il craignait bien que Mr. Ferrars ne fît faux bond ; et, comme Edward n'était pas venu chez nous depuis trois jours, je ne savais moi-même que penser. J'avais dans l'idée que Lucy croyait tout perdu car nous avons été renvoyées par votre frère mercredi et nous sommes restées jeudi, vendredi et samedi sans savoir ce que Edward était devenu. Un moment, Lucy songea à lui écrire, mais elle changea d'avis. Cependant, il est venu ce matin, comme nous rentrions de l'église; et, alors, tout s'est révélé : comment on l'avait appelé mercredi à Harley Street, comment sa mère et les autres l'avaient entrepris et comment il avait déclaré, devant eux, qu'il n'aimait que Lucy et ne voulait épouser personne d'autre qu'elle. Il avait été si malheureux de ce qui s'était passé qu'aussitôt sorti de chez sa mère, il était monté à cheval et avait galopé, de côté et d'autre, dans la campagne, et avait passé toute la journée de jeudi et celle de vendredi dans une auberge, à réfléchir sur le meilleur parti à prendre. Et, après y avoir bien pensé, il dit qu'il lui semblait que maintenant qu'il n'avait plus de fortune il ne croyait pas pouvoir exiger de Lucy l'accomplissement de ses promesses, qui serait tout à son détriment, car il ne lui restait que deux mille livres sans aucun espoir de rien d'autre; et s'il entrait dans les ordres, comme il en avait quelque idée, tout ce qu'il pourrait obtenir, c'était un poste de suppléant et comment vivre avec cela?

« Il était impossible qu'elle ne trouvât pas à mieux s'établir et, en conséquence, il la pria, si elle en avait la moindre envie, de tout rompre immédiatement et de le laisser se débrouiller tout seul. Je lui ai entendu dire tout cela de la façon la plus nette possible. Et c'était entièrement à cause d'elle et dans son intérêt qu'il parlait de se retirer et non pour lui-même. Je pourrais jurer qu'il n'a pas dit une syllabe indiquant qu'il fût fatigué d'elle, ou qu'il souhaitât épouser miss Morton, ou rien de semblable.

« Mais Lucy ne prêta pas l'oreille à ce langage. Et elle lui dit, tout de suite (avec beaucoup de phrases sur l'amour, la tendresse, vous savez, et tout le reste. Oh!

là, là ces choses-là, ça ne se répète pas, vous comprenez), elle lui dit donc, tout de suite, qu'elle n'avait pas le moins du monde envie de rompre, car elle pourrait vivre avec lui de rien et que si peu qu'il puisse avoir, elle en serait toujours contente, et un tas de choses de ce genre. Alors, il a montré un bonheur sans égal et ils ont décidé qu'il se ferait ordonner immédiatement et qu'ils attendraient, pour se marier, qu'il ait pu obtenir une cure.

« Mais je n'ai pu en entendre davantage, car mon cousin venait justement de m'appeler du rez-de-chaussée pour me dire que Mrs. Richardson était venue avec sa voiture pour prendre l'une de nous avec elle à Kensington Gardens ; il m'a donc fallu aller les interrompre pour demander à Lucy si elle voulait y aller, mais elle ne voulait pas quitter Edward et, en conséquence, je suis descendue, j'ai enfilé une paire de bas de soie et suis partie avec les Richardson. »

— Je ne comprends pas bien, dit Elinor, vous dites que vous êtes allée les interrompre. Mais n'étiez-vous pas dans la même pièce qu'eux ?

— Mais non, nous n'étions pas ensemble. Miss Dashwood, pensez-vous qu'ils allaient traiter leurs affaires de cœur en présence d'un tiers ? Fi donc ! Non, non ; ils étaient enfermés ensemble au salon et tout ce que j'ai appris, c'est en écoutant à travers la porte.

— Comment ? s'écria Elinor. Tout ce que vous venez de me dire, vous ne l'avez appris qu'en écoutant aux portes ! Je regrette bien de ne pas l'avoir su d'abord, car, certainement, je ne vous aurais pas permis de me raconter en détail une conversation que vous n'aviez pas le droit vous-même de connaître. Comment avez-vous pu agir si mal envers votre sœur ?

— Oh là ! là ! Cela n'a pas d'importance, je me tenais seulement près de la porte et j'ai entendu comme j'ai pu.

Je suis bien sûre que Lucy en aurait fait autant à ma place ; car, il y a un an ou deux, quand Marthe Sharpe et moi avions ensemble toute espèce de secrets, elle ne s'est jamais gênée pour se cacher dans un réduit ou derrière le manteau de la cheminée pour écouter ce que nous disions.

Elinor essaya de parler d'autre chose, mais miss Steele ne put rester deux minutes sans revenir au sujet qui lui tenait à cœur.

— Edward parle d'aller bientôt à Oxford, dit-elle, mais, pour le moment, il loge à Pall Mall. Quelle femme dénaturée que sa mère, n'est-ce pas ? Et votre frère et sa femme n'ont guère été aimables ! Pourtant, à vous, je ne veux pas me plaindre d'eux ; et, cependant, ils nous ont renvoyées chez nous dans leur propre voiture, ce que je n'aurais pas osé espérer. Et, pour mon compte, j'avais grande crainte que votre sœur aille nous réclamer les cadeaux qu'elle nous avait donnés un jour ou deux avant ; mais, pourtant, il n'en a pas été question et j'ai pris soin de cacher le mien. Edward avait quelque affaire à Oxford, à ce qu'il a dit, et il fallait qu'il aille y passer quelque temps ; après quoi, dès qu'il pourra se mettre en rapport avec un évêque, il sera ordonné. Je me demande quelle cure il pourra avoir ! Seigneur ! (et elle gloussait de rire), sur ma vie, je sais ce que vont dire mes cousins, quand ils en entendront parler. Ils me diront d'écrire au docteur pour qu'il donne à Edward le vicariat de sa nouvelle cure. Je sais bien qu'ils le diront. Mais, certainement, pour rien au monde, je ne ferai pareille chose. Mon Dieu, je leur dirai tout de suite : « Je ne comprends pas comment vous pouvez parler ainsi. Moi, écrire au docteur… Oh ! »

— Eh bien, dit Elinor, c'est une consolation d'être préparé au pire ; vous avez votre réplique toute prête.

Miss Steele était disposée à continuer sur le même sujet, mais l'approche de ses amies l'obligea à en aborder un autre.

— Oh ! là là ! voici les Richardson. J'avais encore beaucoup de choses à vous dire, mais je ne puis pas les laisser plus longtemps. Je vous assure qu'ils sont très aimables. Lui, gagne énormément d'argent, et ils ont leur voiture à eux. Je n'ai pas le temps de parler à Mrs. Jennings, mais dites-lui donc que je suis tout à fait heureuse de savoir qu'elle ne nous en veut pas, ni lady Middleton non plus. Et si vous étiez obligées de partir, et que Mrs. Jennings désire avoir de la société, certainement nous serions heureuses de venir chez elle aussi longtemps qu'elle voudra. Je suppose que lady Middleton ne va pas nous inviter davantage cette fois. Bonsoir ; je regrette que miss Marianne n'ait pas été là. Faites-lui bien mes amitiés. Et vous avez mis votre robe de mousseline à pois. Comment ? vous n'avez pas eu peur de la déchirer !

C'est sur cette réflexion qu'elle prit congé, car elle n'eut que le temps de faire ses adieux à Mrs. Jennings, avant d'être appelée par Mrs. Richardson, et elle laissa Elinor en possession de renseignements propres à alimenter quelque temps ses réflexions bien qu'elle n'eût, en somme, guère appris que ce qu'elle avait déjà envisagé comme probable. Le mariage d'Edward et de Lucy restait fermement décidé, et l'époque de sa réalisation demeurait absolument incertaine, ainsi qu'elle l'avait pensé. Tout dépendait, comme elle l'avait prévu, de l'obtention d'un poste, pour lequel il ne semblait pas avoir la moindre chance.

Dès qu'elles furent remontées en voiture, Mrs. Jennings s'empressa de demander des informations ; Elinor, qui répugnait à révéler ce qui lui venait d'une source aussi indiscrète, se contenta de lui répéter quelques détails, dont Lucy, dans son propre intérêt, devait désirer la divulgation. Le maintien de leur engagement et les moyens qu'ils envisageaient pour le réaliser, c'est à quoi elle borna ses indications. Ce qui amena de la part de Mrs. Jennings une remarque bien naturelle :

— Attendre d'avoir une cure ! Nous savons tous à quoi cela les mènera. Ils vont attendre un an et, voyant que rien ne vient, ils accepteront une suppléance de cinquante livres par an, et ils devront vivre avec cela, l'intérêt de ses deux mille livres, ainsi que le peu que miss Steele ou Mr. Pratt pourront leur donner. Et ils auront un enfant tous les ans. Que Dieu les assiste ! Comme ils vont être misérables ! Il faudra que je voie ce que je peux faire pour meubler leur maison. Je parlais, l'autre jour, de deux servantes et de deux domestiques. Non, non, il leur faut une robuste bonne à tout faire. La sœur de Betty ne pourra plus faire l'affaire maintenant.

Le lendemain matin, la poste apporta à Elinor une lettre de Lucy elle-même. Elle contenait ce qui suit :

« Bartlett's Buildings, mars.

« J'espère que ma chère miss Dashwood excusera la liberté que je prends de lui écrire, mais je sais que votre amitié pour moi vous fera accueillir, avec plaisir, de bonnes nouvelles de moi-même et de mon cher Edward, aussi je ne m'excuserai pas davantage. Mais je vous dirai tout de suite que, Dieu merci, bien que nous ayons terriblement souffert, nous sommes tout à fait bien maintenant, et aussi heureux que nous devons toujours l'être dans notre amour mutuel. Nous avons eu de grandes épreuves, de grandes persécutions, mais, par contre, en même temps, nous avons reconnu nos véritables amis – parmi lesquels vous n'êtes pas les derniers – dont je me rappellerai toujours la grande bienveillance ainsi qu'Edward à qui j'en ai parlé. Je suis sûre que vous serez heureuse d'apprendre et la chère Mrs. Jennings aussi, que j'ai passé deux heures bien heureuses avec lui, hier après-midi ; il n'a pas voulu entendre parler de rompre notre engagement, quoique je l'y aie vivement poussé par raison de prudence, comme c'était mon devoir, et que je fusse prête à le quitter sur-le-champ, s'il y avait consenti ; mais il m'a dit que cela n'arriverait jamais, qu'il ne ferait aucun cas de la colère de sa mère, pourvu qu'il conserve mon affection. Nos perspectives ne sont pas très brillantes, certainement, mais nous pouvons attendre et espérer mieux ; il sera bientôt ordonné ; et, s'il était jamais en votre pouvoir de le recommander à quelqu'un qui dispose d'un poste, je suis sûre que vous ne nous oublierez pas, et la chère Mrs. Jennings non plus. Je compte qu'elle dira une bonne parole pour nous à sir John ou à Mr. Palmer ou à quelque autre personne qui pourrait nous venir en aide. La pauvre Anne était bien à blâmer pour ce qu'elle a fait. Mais elle a cru faire pour le mieux, aussi je ne dis rien. J'espère que cela ne sera pas trop d'embarras pour Mrs. Jennings de venir nous voir ; si elle pouvait le faire un matin, ce serait une grande faveur et mes cousins seraient bien honorés de faire sa connaissance. J'arrive au bout de mon papier et vous prie de me rappeler, avec reconnaissance et respect au bon souvenir de Mrs. Jennings, de sir John et lady Middleton, ainsi que de leurs chers enfants, quand vous aurez l'occasion de les voir. Amitiés à miss Marianne.

« Je suis, etc. »

Aussitôt après avoir fini la lecture de cette lettre, Elinor remplit ce qui lui paraissait être le vœu de celle qui l'avait écrite en la mettant entre les mains de Mrs. Jennings, qui la lut à haute voix avec force commentaires satisfaits et élogieux.

— Très bien, vraiment ! Comme elle écrit agréablement. Oui, c'était bien la chose à faire de lui proposer de rompre s'il voulait. C'est tout à fait Lucy. Pauvre fille ! Je voudrais, de tout mon cœur, pouvoir lui donner une cure. Elle m'appelle sa chère Mrs. Jennings, vous voyez. C'est une bonne fille s'il en fut. Très bien, ma parole. Voilà qui est bien tourné. Oui, oui, j'irai la voir certainement. Comme elle est attentionnée, elle a pensé à tout le monde. Je vous remercie bien, ma chère, de me l'avoir montrée. C'est la plus jolie lettre que j'aie vue, elle fait autant honneur à l'esprit qu'au cœur de Lucy.

39

Il y avait maintenant plus de deux mois que les demoiselles Dashwood étaient à Londres et Marianne était de plus en plus impatiente de partir. Elle soupirait après l'air, la liberté, le calme de la campagne ; et il lui semblait que, s'il y avait un endroit, un seul, où elle puisse se trouver bien, c'était Barton. Elinor n'était guère moins désireuse d'y revenir, mais était seulement moins portée à un retour immédiat, à cause des difficultés d'un aussi long voyage que Marianne n'envisageait pas. Elle commença, cependant, à y penser sérieusement ; elle avait déjà fait part de leurs intentions à leur excellente hôtesse, qui y résistait de toute son éloquence, quand un plan fut suggéré qui, bien que les retenant un peu plus longtemps à Londres, lui parut bien préférable à tout autre. Les Palmer devaient revenir à Cleveland, vers la fin de mars, pour les vacances de Pâques ; et Mrs. Jennings ainsi que ses deux amies reçurent de Charlotte l'invitation la plus pressante de se joindre à eux. Cela n'aurait pas été, en soi, suffisant pour miss Dashwood, mais Mr. Palmer lui-même vint à la rescousse avec une grande politesse, ce qui, joint au très grand changement de ses manières à leur égard depuis qu'il avait su les malheurs de Marianne, l'amena à accepter avec plaisir.

Cependant, lorsqu'elle rendit compte à celle-ci de ce qu'elle avait fait, le premier mouvement ne fut pas très encourageant.

— Cleveland ! s'écria-t-elle très agitée. Non, je ne puis pas aller à Cleveland.

— Vous oubliez, dit doucement Elinor, que sa situation n'est pas… qu'il n'est pas dans le voisinage de…

— Mais c'est dans le Somersetshire. Je ne puis aller dans le Somersetshire. Là où avant je comptais aller… Non, Elinor, n'espérez pas me voir aller là…

Elinor n'essaya pas de lui démontrer qu'elle ferait bien de surmonter ses impressions ; elle s'efforça, seulement, de les combattre par d'autres. Elle lui représenta, en conséquence, que pareille mesure aurait l'avantage de fixer l'époque de leur retour près de leur chère mère qu'elle désirait par-dessus tout revoir, et cela d'une façon plus acceptable et plus sûre que de toute autre manière, et peut-être sans beaucoup plus de délai. De Cleveland, qui est à quelques milles de Bristol, la distance à Barton n'était que d'une journée – quoique d'une bonne journée – de voyage, et le domestique de sa mère pourrait facilement venir pour les emmener ; et, comme il n'y avait pas de raison pour que leur séjour à Cleveland se prolongeât au-delà d'une semaine, elles pourraient, au total, être rentrées chez elles dans trois semaines, ou peu s'en fallait. La sincère affection de Marianne pour sa mère triompha sans grande difficulté des périls imaginaires qu'elle s'était forgés.

Mrs. Jennings était si loin d'être lassée de ses hôtes qu'elle les pressa vivement de revenir avec elle à Londres en quittant Cleveland. Elinor lui en fut reconnaissante, mais resta ferme dans son dessein. Comme l'assentiment de leur mère fut vite obtenu, tout fut préparé aussi bien que possible, et Marianne trouva un certain soulagement à compter les heures qui la séparaient de son retour à Barton.

— Ah ! colonel ! je ne sais ce que nous allons devenir, vous et moi, sans les demoiselles Dashwood !

C'est ainsi que Mrs. Jennings accueillit le colonel Brandon à sa première visite après que le départ eut été décidé.

— Car elles veulent absolument rentrer chez elles directement en quittant les Palmer. Comme nous allons nous sentir seuls, à mon retour, Seigneur ! Nous allons rester plantés à bâiller l'un devant l'autre, aussi mornes que deux chats.

Peut-être Mrs. Jennings espérait-elle, par cette vigoureuse esquisse de leur futur ennui, le pousser à faire une déclaration qui lui donnerait le moyen d'y échapper. Dans ce cas, elle eut, peu après, une bonne raison de croire qu'elle y avait réussi ; en effet, profitant d'un moment où Elinor s'était approchée de la fenêtre pour prendre les dimensions d'une gravure qu'elle était en train de copier pour son amie, il la suivit d'un air particulièrement significatif et eut, avec elle, une conversation de plusieurs minutes. L'effet de ce discours sur son interlocutrice ne put pas davantage échapper à son observation car, bien qu'elle ne se fût pas abaissée à écouter leur conversation (elle avait même pour ne pas l'entendre pris place à côté du piano-forte sur lequel jouait Marianne), l'émotion évidente qui se lisait sur le visage d'Elinor ne pouvait cependant lui échapper. Elle paraissait, en effet, très agitée et prêtait tant d'attention aux paroles du colonel qu'elle avait abandonné ce qu'elle faisait.

Pour la confirmer encore plus dans ses espérances, pendant un intervalle où Marianne passait d'un morceau à un autre, elle ne put s'empêcher d'entendre quelques mots du colonel par lesquels il paraissait s'excuser du mauvais état de sa maison. Cela lui parut décisif. Elle s'étonnait bien un peu d'une pareille assertion, mais elle supposa que c'était en pareil cas une phrase de convenance. Elle ne put distinguer ce qu'Elinor répondit, mais elle jugea, au mouvement de ses lèvres, qu'elle ne voyait pas là d'objection sérieuse ; et elle la félicita intérieurement. Là-dessus, ils s'entretinrent encore quelques minutes sans que lui parvînt aucune syllabe. Puis un autre bienheureux arrêt de Marianne lui laissa surprendre ces mots prononcés d'une voix calme par le colonel :

— J'ai peur qu'il ne puisse se produire de sitôt.

Aussi étonnée que choquée par un propos aussi peu galant, elle fut sur le point de crier : « Seigneur ! mais où voyez-vous un empêchement ? » mais se retenant elle se borna à se dire intérieurement : « Voilà qui est fort étrange. Il n'a pourtant pas besoin d'attendre d'être plus vieux. »

Ce délai de la part du colonel, pourtant, ne parut pas offenser ou mortifier le moins du monde son aimable interlocutrice, car, leur conférence étant terminée et chacun s'en allant de son côté, Mrs. Jennings entendit distinctement Elinor dire d'une voix qui la montrait pénétrée de ce qu'elle disait :

— Je me sentirai toujours très reconnaissante.

Cette gratitude fit grand plaisir à Mrs. Jennings, qui s'étonna seulement que, après une telle parole, le colonel pût immédiatement prendre congé, comme il le fit, avec le plus grand sang-froid, et sans faire aucune réponse. Elle n'aurait jamais cru que son vieil ami pût se montrer un prétendant aussi indifférent.

Ce qui s'était réellement passé entre eux, le voici :

— J'ai appris, dit-il, avec grande compassion l'injustice que votre ami, Mr. Ferrars, a endurée de la part de sa famille ; car, si je comprends bien, ils l'ont entièrement renié pour avoir voulu persévérer dans son engagement avec une jeune fille très respectable. Ai-je été bien informé ? Est-ce cela ?

Elinor lui dit que oui.

— La cruauté, l'absurde cruauté, reprit-il avec émotion, qui consiste à vouloir séparer deux jeunes gens depuis longtemps attachés l'un à l'autre, est une chose terrible. Mrs. Ferrars ne se rend pas compte de ce qu'elle fait, ni de la violence dont elle se rend coupable envers son fils. J'ai vu Mr. Ferrars deux ou trois fois à Harley street et il m'a beaucoup plu. Ce n'est pas un jeune homme avec lequel on puisse lier rapidement connaissance, mais j'ai vu assez de lui pour lui vouloir personnellement du bien, et, à plus forte raison, puisqu'il est de vos amis. Je sais qu'il veut entrer dans les ordres. Voulez-vous être assez bonne pour lui dire que la cure de Delaford, qui vient d'être vacante, ainsi que me l'apprend une lettre reçue ce matin, est à sa disposition s'il veut l'accepter; et, en raison de la fâcheuse position où il se trouve on ne peut guère douter de sa réponse. Je voudrais seulement qu'elle fût plus importante : c'est un rectorat, mais petit; le dernier titulaire, je crois, n'en retirait pas plus de deux cents livres par an et, bien qu'il soit certainement susceptible d'amélioration, je crains que le revenu ne soit pas suffisant pour lui assurer une existence vraiment convenable. Tel qu'il est, cependant, j'aurais grand plaisir à présenter Mr. Ferrars à ce poste. Je vous prie de l'en assurer.

L'étonnement d'Elinor en recevant cette commission n'aurait pas été plus grand si le colonel lui avait demandé sa main. Le poste que, deux jours auparavant, elle eût considéré comme impossible à obtenir pour Edward se trouvait déjà prêt pour lui permettre de se marier. Et il fallait que le sort l'ait choisie, elle, Elinor, entre tous, pour le lui apporter. Son émotion était telle que Mrs. Jennings l'avait attribuée à une cause fort différente. Mais, quelque part que des sentiments moins purs, moins agréables, aient pu avoir à cette émotion, son estime et sa gratitude pour la générosité naturelle et l'amitié qui avaient poussé le colonel Brandon à cette action n'en furent pas moins vives et chaleureusement exprimées.

Elle le remercia de tout son cœur, parla des principes et du caractère d'Edward dont elle connaissait la valeur, et promit de faire la commission avec plaisir si réellement il préférait se décharger de cette agréable mission sur une autre. Mais, en même temps, elle ne pouvait s'empêcher de penser que nul n'était mieux désigné que lui pour cet office. Elle aurait voulu épargner à Edward le chagrin de lui en avoir l'obligation, à elle, et aurait été, personnellement, toute heureuse d'en être dispensée.

Mais le colonel Brandon ne voulait pas s'en charger, pour des raisons de délicatesse, et paraissait si désireux de passer par son intermédiaire qu'elle ne voulut, à aucun prix, s'en défendre davantage. Edward, croyait-elle, était encore à Londres et elle avait heureusement retenu son adresse donnée par miss Steele. Elle pouvait, en conséquence, l'informer dans la journée. Une fois la chose décidée, le colonel Brandon commença à parler de l'agrément personnel qu'il retirerait d'un voisinage aussi respectable et aussi agréable ; c'est alors qu'il expliqua, avec regret, que le presbytère était petit et quelconque, inconvénient qu'Elinor, ainsi que l'avait supposé Mrs. Jennings, traita légèrement pour autant qu'il la concernait.

— Je ne vois aucun inconvénient, dit-elle, à ce que la maison soit petite, car elle correspondra à leur revenu et à leur train de vie.

Le colonel, à ces mots, fut surpris de voir qu'elle pensait que cette présentation rendrait possible leur mariage. Au fond de lui-même, il ne supposait pas que la cure de Delaford pût fournir un revenu suffisant à quelqu'un habitué jusqu'alors à un certain train de vie.

— Ce petit rectorat ne peut donner à Mr. Ferrars que les moyens de vivre en célibataire ; il n'est pas suffisant pour lui permettre de se marier. Je regrette que mon influence n'aille pas plus loin, mais je ne puis guère faire davantage. Si cependant, par quelque chance imprévue, il était en mon pouvoir de faire plus pour lui, il faudrait que j'aie bien changé d'avis sur son compte, si je n'étais pas aussi prêt que maintenant à rendre service. Ce que je fais actuellement n'est rien vraiment, puisque cela l'avance si peu vers le principal, l'unique objet de ses désirs. Son mariage doit rester encore un bonheur lointain. J'ai peur qu'il ne puisse se produire de sitôt.

Telle était la phrase qui, comprise de travers, avait choqué la délicatesse de Mrs. Jennings. Mais, après le récit que nous venons de faire de ce qui s'était réellement passé entre le colonel Brandon et Elinor, au cours de leur entretien près de la fenêtre, la gratitude exprimée par cette dernière, au moment de leur séparation, paraîtra peut-être, au total, non moins fondée, ni moins justement formulée, que si elle avait eu sa source dans une offre de mariage.

40

— Eh bien, miss Dashwood, dit Mrs. Jennings avec un sourire entendu, aussitôt que le gentleman fut parti, je n'ai pas besoin de vous demander ce que vous a dit le colonel, car, bien que, sur mon honneur, j'aie essayé de me mettre hors de portée de voix, je n'ai pu m'empêcher d'en entendre assez pour comprendre de quoi il était question. Et je vous assure que je n'ai jamais de ma vie été si contente et je vous félicite de tout mon cœur.

— Je vous remercie, madame, dit Elinor. C'est un grand sujet de joie pour moi, et je suis très sensible à la bonté du colonel Brandon. Il n'y a pas beaucoup d'hommes qui auraient agi comme lui. Peu de gens ont un cœur aussi compatissant. Je n'ai jamais été aussi étonnée de ma vie.

— Seigneur ! ma chère, vous êtes vraiment modeste ! Je n'en ai pas été étonnée le moins du monde, car, depuis longtemps, je pensais qu'il n'y avait rien de plus probable.

— Vous jugez d'après votre connaissance générale du caractère généreux du colonel ; mais vous ne pouviez prévoir qu'une occasion se présenterait aussi vite de l'éprouver.

— Une occasion ! répéta Mrs. Jennings. Oh ! quant à cela, lorsqu'un homme s'est mis en tête pareille chose, l'occasion naît bien une fois ou l'autre. Eh bien, ma chère, je vous félicite encore ; et s'il doit jamais y avoir un couple heureux en ce monde, je saurai où il faut aller le chercher.

— Vous voulez dire qu'il faudra aller à Delaford à leur suite, dit Elinor, avec un faible sourire.

— Oui, ma chère, c'est bien ce que je dis. Quant à l'insuffisance de sa maison, je ne sais ce que le colonel veut dire, car elle est aussi bien que possible.

— Il disait qu'elle avait besoin de réparations.

— Bon, et à qui la faute ? Pourquoi ne la répare-t-il pas ? Qui donc peut le faire si ce n'est lui ?

Elles furent interrompues par le domestique annonçant que la voiture était à la porte et Mrs. Jennings, se préparant à sortir immédiatement, ajouta :

— Eh bien, ma chère, je suis obligée de partir avant d'avoir dit la moitié de ce que je voulais vous dire. Mais je me rattraperai ce soir, car nous serons tout à fait seules. Je ne vous propose pas de m'accompagner, car je pense bien que vous avez l'esprit trop plein de la chose pour souhaiter de la compagnie ; et puis, il doit vous tarder d'en parler à votre sœur.

Marianne était sortie avant le début de la conversation.

— Certainement, madame, je mettrai Marianne au courant ; mais, pour le moment, je n'en parlerai à personne d'autre.

— Oh ! très bien, dit Mrs. Jennings, un peu désappointée. Alors, vous ne voulez pas que je le dise à Lucy, car je compte aller aujourd'hui jusqu'à Holborn.

— Non, madame, je vous en prie, pas même à Lucy. Un jour de délai n'a pas d'importance et, jusqu'à ce que j'aie écrit à Mr. Ferrars, il ne faut y faire allusion devant personne. Je vais le faire tout de suite. Il importe de ne pas perdre de temps avec lui, car, certainement, il doit avoir beaucoup à faire au sujet de son ordination.

Ces mots stupéfièrent Mrs. Jennings. Pourquoi fallait-il que Mr. Ferrars fût averti si vite, elle ne le saisit pas d'abord. Mais un moment de réflexion lui suggéra une idée lumineuse, et elle s'écria :

— Oh là ! Je vous comprends. Vous avez choisi Mr. Ferrars. Mais tout est pour le mieux. Oui, pardi, il faut qu'il soit ordonné rapidement ; et vous me voyez bien heureuse que les choses soient aussi avancées entre vous. Mais, ma chère, n'est-ce pas un peu en dehors de votre rôle ? Ne serait-ce pas au colonel à écrire lui-même ? Certainement, il est tout désigné.

Elinor ne comprit rien au commencement de ce discours, mais elle ne jugea pas à propos de demander des explications. Elle répondit seulement à la conclusion.

— Le colonel Brandon est un homme si délicat qu'il préfère ne pas annoncer lui-même ses intentions à Mr. Ferrars, mais les lui faire communiquer par un tiers.

— Et, par conséquent, c'est vous qui êtes obligée de le faire. Tout de même, c'est une singulière délicatesse. Mais je ne veux pas vous déranger (Elinor se préparait à écrire). Vous savez, mieux que moi, ce que vous avez à faire. Là-dessus, bonjour, ma chère. Je n'ai rien entendu qui m'ait fait plus de plaisir depuis que Charlotte garde la chambre.

Elle partit là-dessus, mais revint un instant après.

— Je viens de penser à la sœur de Betty, ma chère. Je serai bien heureuse de lui procurer une si bonne maîtresse. Mais je ne suis pas bien sûre qu'elle puisse faire une bonne femme de chambre. Elle est excellente pour le ménage et la couture. Enfin, vous y penserez à loisir.

— Certainement, madame, répondit Elinor, ne comprenant pas grand-chose et plus pressée d'être seule que d'éclaircir ce point.

Comment entamer le sujet, comment s'exprimer dans sa lettre à Edward, c'était maintenant tout son souci. Leur situation particulière rendait difficile ce qui aurait été pour toute autre personne la chose du monde la plus simple ; mais elle craignait à la fois d'en dire trop et de ne pas en dire assez et restait hésitante devant son papier, la plume en l'air, lorsqu'elle fut interrompue par l'arrivée d'Edward en personne.

Il avait rencontré à la porte Mrs. Jennings sur le point de monter en voiture, au moment où il venait déposer une carte d'adieu ; et celle-ci, s'excusant de ne pas se retourner, l'avait forcé à entrer en lui disant que miss Dashwood était chez elle et désirait lui parler pour une affaire particulière.

Au milieu de sa perplexité, Elinor s'était tout de même félicitée en se disant que, si délicat qu'il fût de s'exprimer par lettre, une explication de vive voix eût été encore plus pénible. Et voilà que l'entrée inopinée de son visiteur venait justement de la mettre en face de cette nécessité. Son étonnement et sa confusion furent grands devant cette apparition soudaine.

Elle ne l'avait pas revu depuis que ses fiançailles avaient été rendues publiques, et, par conséquent, depuis qu'il la savait au courant. Sachant ce qu'elle en pensait et ce qu'elle avait à lui en dire, elle se sentit, pendant quelques minutes, particulièrement mal à l'aise. De son côté, il était fort malheureux et ils se trouvaient, l'un devant l'autre, dans un mutuel embarras.

Avait-il pensé à lui demander pardon d'être entré à l'improviste ? Il ne put se le rappeler. Mais, pensant tenir le bon bout, il lui fit des excuses en forme aussitôt qu'il eut recouvré la parole :

— Mrs. Jennings m'a dit, articula-t-il, que vous vouliez me parler, c'est, du moins, ce que j'ai compris, autrement je ne me serais pas introduit ici de cette façon, bien que j'eusse été pourtant très fâché de quitter Londres sans vous voir, vous et votre sœur ; d'autant que ce sera probablement pour assez longtemps. Il n'est pas probable, en effet, que j'aie le plaisir de vous rencontrer de sitôt. Je pars demain pour Oxford.

— Mais vous ne seriez certainement pas parti, dit Elinor (elle s'était ressaisie et était résolue à aborder aussitôt que possible le sujet qu'elle redoutait le plus), sans avoir reçu nos bons souhaits, même si nous n'avions pu vous les apporter nous-mêmes. Mrs. Jennings avait tout à fait raison, j'ai quelque chose d'important à vous dire, et j'allais vous écrire à ce sujet. Je suis chargée d'une agréable mission (elle respirait un peu plus précipitamment que d'habitude tout en parlant), le colonel Brandon, qui sort d'ici, désire vous informer, par mon intermédiaire, que, sachant que vous devez vous faire ordonner, il est très heureux de vous offrir la cure de Delaford qui vient d'être vacante et regrette seulement qu'elle ne soit pas plus importante. Laissez-moi vous féliciter d'avoir un tel ami et souhaiter comme lui que ce poste – il rapporte environ deux cents livres par an – devienne beaucoup plus important, de façon à vous rendre possible… à être plus qu'une situation transitoire pour vous… enfin, j'aurais souhaité qu'il vous permette de réaliser tous vos vœux de bonheur.

Ce que furent les impressions d'Edward, comme il ne put arriver à les exprimer lui-même, il ne faut pas s'attendre à ce que personne puisse le faire à sa place. Il laissa voir tout l'étonnement qu'une nouvelle aussi imprévue, aussi éloignée de sa pensée, ne pouvait manquer de lui donner, mais il ne put dire que ces trois mots :

— Le colonel Brandon !

— Oui, continua Elinor, s'affermissant maintenant que le plus fort était fait. Le colonel Brandon désire vous témoigner, par là, la part qu'il prend à ce qui vient de se passer, à la cruelle situation dans laquelle vous a placé l'injustifiable conduite de votre famille, sentiment que nous partageons tous, Marianne, moi et tous vos amis ; et c'est aussi une façon de vous prouver sa haute estime pour votre caractère en général, et sa particulière approbation pour votre attitude dans les circonstances actuelles.

— Le colonel Brandon, m'offrir une cure ! Est-ce possible ?

— Les mauvais procédés de votre famille font que vous vous étonnez de rencontrer, quelque part, un geste amical.

— Non, répliqua-t-il, avec un brusque élan ; non, pas en vous ; car je ne puis ignorer que c'est à vous, à votre bonté que je dois tout. Je le sens, je voudrais l'exprimer, si je pouvais, mais comme vous le savez, je ne suis pas orateur.

— Vous vous trompez beaucoup. Je vous assure que vous ne devez rien qu'à votre mérite, entièrement à votre mérite et à la juste appréciation qu'en a faite le colonel

Brandon. Je n'y ai été pour rien. Je ne savais même pas, avant qu'il m'en eût parlé, que la cure fût vacante ; et il ne m'était même jamais venu à l'esprit qu'il eût un poste de ce genre à sa disposition. En sa qualité d'ami de ma famille et de moi-même, il se peut, et je crois même que c'est exact, qu'il ait encore plus de plaisir à vous rendre ce service. Mais, sur ma parole, vous ne devez rien à mon intervention.

La vérité l'obligeait à admettre qu'elle y avait une petite part mais, en même temps, il lui répugnait tellement de se poser en bienfaitrice d'Edward qu'elle hésitait à le reconnaître ; ce qui, probablement, contribua à ancrer dans l'esprit de ce dernier le soupçon qui venait d'y entrer. En effet, quand Elinor eut fini de parler, il resta quelque temps profondément enfoncé dans ses pensées et, à la fin, il dit, en paraissant faire un effort :

— Le colonel Brandon semble un homme très remarquable et très respectable. C'est ainsi que j'en ai toujours entendu parler et votre frère, je le sais, l'estime beaucoup. C'est, certainement, un homme d'un jugement sûr et un parfait gentleman.

— Je suis certaine, répondit Elinor, que, quand vous aurez fait plus ample connaissance, vous trouverez que tout ce qu'on vous a dit sur son compte est exact. Et, puisque vous allez être très proches voisins (car je crois que le presbytère est à côté de sa maison), il est fort important qu'il en soit ainsi.

Edward ne répondit pas. Mais, quand elle eut tourné la tête, il jeta sur elle un regard si sérieux, si profond, si malheureux, qu'il semblait bien qu'il aurait souhaité, pour son avenir, que le presbytère et la maison fussent beaucoup plus éloignés l'un de l'autre.

— Le colonel Brandon, je crois, loge dans Saint James street, dit-il un moment après, en se levant de son siège.

Elinor lui indiqua le numéro de la maison.

— Je dois donc me dépêcher, pour lui apporter à temps ces remerciements que vous ne voulez pas accepter et l'assurer qu'il m'a rendu véritablement très heureux.

Elinor ne chercha pas à le retenir ; et ils se séparèrent, sur une chaleureuse assurance, de sa part, qu'elle ne cesserait de faire les vœux les plus cordiaux pour son bonheur en quelque situation qu'il puisse se trouver, tandis que, de son côté, il essayait, plutôt qu'il y réussissait, d'exprimer en retour les mêmes sentiments.

« Quand je le reverrai, se dit Elinor une fois la porte refermée sur lui, il sera le mari de Lucy. »

Et sur cette peu plaisante anticipation, elle s'absorba à évoquer le passé, se rappelant les paroles d'Edward, essayant de comprendre ses sentiments, et, de toute façon, réfléchissant sur les siens sans aucun plaisir.

Lorsque Mrs. Jennings rentra, bien qu'elle revînt de voir des gens qu'elle ne connaissait pas encore et eût, par conséquent, beaucoup de choses à dire sur eux, son esprit était tellement préoccupé du grand événement, qu'elle y revint dès qu'Elinor apparut.

— Eh bien, ma chère, s'écria-t-elle. Je vous ai envoyé le jeune homme. N'ai-je pas eu raison ? Et je suppose que vous n'avez pas eu grande difficulté à le convaincre. Vous ne pouviez guère le trouver disposé à refuser votre proposition.

— Non, madame, ce n'était pas probable.

— Bon, et quand sera-t-il prêt ? Car tout dépend de cela, il me semble.

— Vraiment, dit Elinor, je suis si peu au courant de ce genre de choses que j'aurais même de la peine à dire combien il faut de temps, ni quelle préparation est nécessaire. Mais je suppose que deux ou trois mois lui suffisent pour arriver à son ordination.

— Deux ou trois mois ? s'écria Mrs. Jennings. Avec quel calme vous prenez cela, ma chère ! Et le colonel pourra-t-il attendre deux ou trois mois, Dieu me bénisse ! je suis sûre que, pour moi, je n'aurais pas cette patience. Et, sans doute, je serais heureuse qu'on fît cette gracieuseté à ce pauvre Mr. Ferrars, mais cela n'a pas de sens d'attendre deux ou trois mois à cause de lui. On trouvera, certainement, quelqu'un qui fera aussi bien, quelqu'un qui soit déjà ordonné.

— Mais, chère madame, dit Elinor, à quoi pensez-vous ? Certainement, le seul but du colonel Brandon est d'être utile à Mr. Ferrars.

— Dieu vous bénisse, ma chère ! Certainement, vous n'allez pas me faire croire que le colonel Brandon vous épouse uniquement pour pouvoir donner dix guinées à Mr. Ferrars.

Après cela, le quiproquo ne pouvait plus continuer, et une explication s'ensuivit, qui leur procura à toutes deux beaucoup d'amusement sans rien enlever à leur satisfaction mutuelle, car Mrs. Jennings échangea seulement une satisfaction pour une autre, et encore ne perdit-elle pas l'espoir de voir se réaliser ses premiers vœux.

— Oui, oui, le presbytère est petit, dit-elle après que le premier moment de surprise et de satisfaction fut passé, et je crois qu'il est en mauvais état ; mais, d'entendre un homme s'excuser comme je me le figurais, à propos d'une maison qui, à ma connaissance, à cinq salons au rez-de-chaussée et peut contenir cinquante lits, d'après ce que m'a dit l'intendant ! Et auprès de vous qui vivez à Barton Cottage ! Cela semblait tout à fait ridicule. Mais, ma chère, il faudra que vous touchiez un mot au colonel, au sujet du presbytère, pour qu'il le mette en état avant l'arrivée de Lucy.

— A vrai dire, le colonel Brandon ne paraît pas avoir idée que le revenu de la cure leur permette de se marier.

— Le colonel est un nigaud, ma chère. Parce qu'il a deux mille livres de rente, il s'imagine que personne ne peut se marier à moins. Rappelez-vous ce que je dis : pourvu que Dieu me prête vie, j'irai rendre visite au presbytère de Delaford avant la Saint-Michel ; et, certainement, je n'irais pas si Lucy n'y était déjà.

Elinor était tout à fait de son avis et il lui semblait probable qu'ils n'attendraient pas plus longtemps.

41

Edward, ayant apporté ses remerciements au colonel Brandon, alla faire part de son bonheur à Lucy ; et tel en était l'excès au moment où il atteignit Bartlett's Buildings que Lucy put affirmer à Mrs. Jennings, revenue la voir le lendemain pour lui porter ses félicitations, qu'elle ne l'avait jamais vu si en train de sa vie.

Son propre bonheur et son propre entrain n'étaient pas moins certains ; et elle partageait de tout cœur l'espérance de Mrs. Jennings de les voir confortablement installés dans le presbytère de Delaford avant la Saint-Michel. En même temps, elle était si éloignée de contester à Elinor le crédit que lui avait supposé Edward, qu'elle parlait avec une reconnaissance chaleureuse de son amitié à leur égard, était prête à reconnaître toutes les obligations qu'ils lui avaient, et déclarait bien haut que, de la part de miss Dashwood, aucune démarche pour leur bien, présente ou future, ne la surprendrait jamais, car elle la croyait capable de faire tout au monde pour ceux qu'elle estimait réellement. Quant au colonel Brandon, elle n'était pas seulement disposée à le vénérer comme un saint, mais, de plus, était vraiment soucieuse de le voir traité en conséquence dans toutes ses affaires temporelles, préoccupée de voir le montant de ses dîmes porté au maximum, et secrètement bien décidée à profiter, le plus possible, pour son compte, à Delaford, de son personnel, de ses voitures, de sa vacherie et de son poulailler.

Il y avait maintenant près d'une semaine que John Dashwood était venu à Berkeley street et comme, depuis lors, elles n'avaient rien fait au sujet de l'indisposition de sa femme, que de s'informer, de loin, de ses nouvelles, Elinor commença à croire qu'il était nécessaire de lui faire une visite. C'était là, d'ailleurs, une obligation pour laquelle non seulement elle ne se sentait personnellement aucune inclination, mais pour l'accomplissement de laquelle elle ne reçut aucun encouragement de son entourage.

Marianne, non contente de refuser absolument, pour son compte, insista beaucoup auprès de sa sœur pour qu'elle s'en abstînt. Et Mrs. Jennings, tout en mettant comme toujours sa voiture au service d'Elinor, ressentait une telle antipathie pour Mrs. John Dashwood que même sa curiosité de voir comment l'avaient traitée les derniers événements, non plus que le vif désir qu'elle avait de l'affronter en prenant le parti d'Edward, ne purent lui faire surmonter sa répugnance à se trouver encore en sa compagnie. La conséquence fut qu'Elinor prit sur elle de rendre une visite pour laquelle elle ne se sentait aucun goût et de courir le risque d'un tête-à-tête avec cette femme qu'elle avait, plus que tous, les meilleures raisons de détester.

Mrs. Dashwood ne recevait pas; mais, avant que la voiture fût repartie, son mari vint à sortir. Il manifesta le plus grand plaisir en voyant Elinor, lui dit qu'il allait justement leur rendre visite à Berkeley street, et, lui assurant que Fanny serait très heureuse de la voir, l'invita à entrer.

Ils montèrent jusqu'au salon. Il n'y avait personne.

— Fanny est dans sa chambre, je suppose, dit-il. Je vais voir tout de suite, car je suis sûr qu'elle n'aura pas la moindre objection à vous recevoir, tout au contraire. Maintenant, surtout, bien que, d'ailleurs, Marianne et vous ayez toujours été de ses préférées. Pourquoi Marianne n'est-elle pas venue?

Elinor fournit une excuse quelconque.

— Je ne suis pas fâché de vous voir seule, reprit-il, car j'ai bien des choses à vous dire. Cette cure de Delaford, est-ce vrai? Le colonel Brandon l'a-t-il réellement donnée à Edward? J'en ai entendu parler, hier, par hasard, et j'allais chez vous pour m'en informer sûrement.

— C'est parfaitement vrai. Le colonel a donné à Edward la cure de Delaford.

— Réellement! Comme c'est étonnant! Ils ne sont pas parents. Ils ne se connaissaient pas, et ces postes-là valent aujourd'hui si cher! Que rapporte-t-il?

— Environ deux cents livres par an.

— Très bien. Et pour le droit de présentation à un poste de cette valeur, en supposant que le dernier titulaire ait été vieux et malade et le poste sur le point d'être vacant, il aurait pu demander, je crois bien, quatorze cents livres. Comment n'a-t-il pas réglé cela avant la mort de cette personne ? Maintenant, certainement, il est trop tard, mais un homme aussi sensé que le colonel Brandon je suis stupéfait qu'il se soit montré aussi imprévoyant à l'égard d'une éventualité si commune, si naturelle. Oui il faut reconnaître qu'il entre beaucoup d'imprévu dans le caractère de presque tous les gens. Je suppose, cependant, en y réfléchissant, que le cas pourrait s'expliquer ainsi : Edward serait là pour tenir le poste jusqu'à ce que la personne, à qui le colonel a réellement vendu le droit de présentation, soit en âge de l'occuper. Oui, oui, voilà le fait, soyez-en sûre.

Elinor, cependant, lui opposa une dénégation en toute connaissance de cause et, comme elle lui expliqua qu'elle avait été elle-même chargée de transmettre l'offre du colonel à Edward, et, par conséquent, devait en connaître les termes, il fut obligé d'accepter ce qu'elle lui disait.

— C'est vraiment étonnant ! s'écria-t-il après l'avoir écoutée. Quels pouvaient être les motifs du colonel ?

— Il n'en avait qu'un, très simple. Rendre service à Mr. Ferrars.

— Bon, quoi qu'il en soit du colonel Brandon, Edward a vraiment de la chance ! N'en parlez pas à Fanny, cependant. Car, bien que je ne le lui aie pas caché, et qu'elle ait supporté cela très bien, elle ne tient pas beaucoup à en entendre parler.

Elinor eut quelque peine à se retenir de faire observer qu'à son avis, Fanny pouvait avoir supporté, sans peine, une bonne fortune survenue à son frère, et qui ne pouvait, en aucune façon, l'appauvrir, ni elle, ni son fils.

— Mrs. Ferrars, ajouta-t-il, baissant la voix pour la mettre au diapason convenant à un objet si important, n'en sait rien, jusqu'à présent, et je crois qu'il vaut mieux le lui cacher aussi longtemps que possible. Lorsque le mariage aura eu lieu, j'ai peur qu'elle n'apprenne tout cela.

— Mais pourquoi tant de précautions ? Sans doute, on ne peut supposer que Mrs. Ferrars puisse éprouver la moindre satisfaction en apprenant que son fils a assez d'argent pour vivre ; cela est hors de question. Mais comment, étant donné l'attitude qu'elle a prise, peut-on supposer qu'elle en ressentira quelque chose ? Elle a renié son fils, elle l'a repoussé pour toujours, et a entraîné dans cette attitude tous ceux sur lesquels elle a une influence. Certainement, après avoir ainsi agi, on ne peut la supposer susceptible d'aucune impression de joie ou de chagrin à son sujet. Elle ne peut s'intéresser à rien de ce qui l'atteint. On ne peut supposer qu'elle se soit privée de l'appui d'un fils pour garder toute l'anxiété d'une mère !

— Ah ! Elinor ! dit John, vous raisonnez fort bien, mais vous ne connaissez pas la nature humaine. Quand ce déplorable mariage d'Edward aura lieu, tenez pour certain que sa mère en souffrira comme si elle ne l'avait jamais écarté d'elle, et, par conséquent, toutes les circonstances qui peuvent accélérer ce désastreux événement doivent lui être dissimulées autant que possible. Mrs. Ferrars ne pourra jamais oublier qu'Edward est son fils.

— Vous me surprenez, je pensais qu'il était, depuis ce temps, sorti pour ainsi dire de sa mémoire.

— Vous lui faites tout à fait tort. Mrs. Ferrars est la mère la plus affectueuse du monde.

Elinor garda le silence.

— Nous pensons, maintenant, dit Mr. Dashwood après une courte pause, à marier Robert à miss Morton.

Elinor, amusée par le ton d'importance grave et décisif de son frère, répondit simplement :

— La jeune fille, je suppose, n'a pas voix au chapitre dans cette affaire.

— Voix au chapitre ? Que voulez-vous dire ?

— Simplement, que je suppose, d'après votre manière de parler, que c'est la même chose pour miss Morton d'épouser Edward ou Robert.

— Certainement, il ne peut y avoir de différence. Car Robert, maintenant, à tous les points de vue, peut être considéré comme un fils aîné ; pour le reste, ils sont aussi bien de leur personne l'un que l'autre, et je ne vois pas que l'un soit supérieur à l'autre.

Elinor n'insista pas et John resta un moment sans parler. Ses réflexions aboutirent à ceci :

— Il y a une chose, ma chère sœur (et il lui prit amicalement la main, tandis qu'il prenait un ton confidentiel et solennel), une chose dont je puis vous assurer, et je sais qu'elle vous fera plaisir. J'ai de bonnes raisons de croire, oui, de bonnes raisons, sinon je ne le répéterais pas, car ce serait mal de revenir sur ce sujet… de bonnes raisons de penser, quoique Mrs. Ferrars ne me l'ait pas dit, mais je sais qu'elle s'en est ouvert à Fanny… de penser que, quelques objections qu'il y ait pu avoir contre… contre un certain projet, vous me comprenez, elle l'eût trouvé bien préférable et il ne lui aurait pas causé la moitié de la peine que celui-ci lui a occasionnée. J'ai été extrêmement heureux d'apprendre que Mrs. Ferrars considérait les choses de cette manière, ce qui est vraiment agréable pour nous tous, vous le comprenez.

« C'eût été, sans comparaison, le moindre mal, a-t-elle dit, et elle aurait été heureuse maintenant de s'en accommoder. Mais, bien entendu, tout cela est hors de question il n'y a plus à y penser ni à en parler. Pour ce qui est d'un mariage, cela n'a jamais été possible, et c'est bien fini. Mais, j'ai pensé que je devais vous le dire, parce que je savais combien cela vous ferait plaisir. Non que vous ayez rien à regretter, ma chère Elinor. Il n'y a aucun doute que vous ne réussissiez excessivement bien, aussi bien et peut-être mieux, toutes choses bien considérées. Avez-vous vu récemment le colonel Brandon ? »

Elinor en avait entendu assez, sinon pour flatter sa vanité, du moins pour l'énerver et l'agiter, aussi fut-elle heureuse d'échapper, par l'entrée de Mr. Robert Ferrars, à la nécessité d'ajouter personnellement quelque chose et à l'obligation d'en entendre davantage de son frère. Après avoir échangé avec lui quelques propos, Mr. John Dashwood, se rappelant que Fanny n'avait pas encore été informée de la présence de sa sœur, sortit pour aller la chercher, et Elinor eut tout loisir de faire plus ample connaissance avec Robert. Sa joyeuse insouciance, sa satisfaction béate de lui-même tandis qu'il bénéficiait, au préjudice de son frère disgracié, d'une libéralité aussi partiale et aussi injuste, acquise uniquement par sa conduite frivole et dissipée, achevèrent de donner à la jeune fille la plus mauvaise opinion de son cœur et de son esprit.

A peine avaient-ils été deux minutes ensemble qu'il mit la conversation sur Edward car, lui aussi, avait entendu parler de la cure de Delaford et montrait beaucoup de curiosité à ce sujet. Elinor refit le récit qu'elle avait déjà fait à John, et l'effet sur Robert, quoique très différent, ne fut pas moins frappant. Il se traduisit par une hilarité sans bornes. L'idée d'Edward devenu clergyman et vivant dans un petit presbytère l'amusait au-delà de toute expression ; et lorsqu'il en vint à s'imaginer, par là-dessus, Edward lisant les prières revêtu d'un surplis blanc, publiant les bans de mariage entre John Smith et Mary Brown, il lui parut qu'on ne pouvait rien concevoir de plus ridicule.

Elinor, attendant en silence et avec une imperturbable gravité la conclusion de ce discours inepte, ne put s'empêcher de tenir les yeux fixés sur lui avec un regard qui exprimait tout son mépris. Bien lui en prit, car elle en éprouva du soulagement, et il n'y comprit rien. Il quitta le ton plaisant pour le ton sérieux, non qu'il eût senti le reproche, mais de son propre mouvement.

— Nous pouvons tourner la chose en plaisanterie, dit-il à la fin, en quittant le rire affecté qu'il avait prolongé bien au-delà de son premier mouvement de gaieté, mais, sur mon âme, c'est une affaire déplorable. Pauvre Edward ! Il est ruiné pour toujours. Cela me fait beaucoup de peine, car je le tiens pour une excellente créature, un garçon qui a le meilleur fonds du monde. Vous ne pouvez pas en juger, miss Dashwood, par les brefs rapports que vous avez eus avec lui. Il est certainement un peu gauche par nature. Mais, vous le savez, tout le monde ne naît pas avec les mêmes aptitudes, la même facilité. Pauvre diable ! Dans un cercle d'étrangers, certainement, il fait pitié ! Mais, sur mon âme, je ne connais personne qui ait aussi bon cœur. Et je déclare, je proteste devant vous que je n'ai, jamais de ma vie, été aussi choqué que quand cet éclat s'est produit. Je ne pouvais pas le croire. Ma mère est la première personne qui m'en a informé, et moi, sentant que je devais prendre résolument parti, je lui dis immédiatement : « Chère madame, je ne sais ce que vous allez faire en cette occasion, mais, pour moi, je dois dire que, si Edward épouse cette jeune personne, je ne le verrai plus de ma vie. » C'est ce que j'ai dit immédiatement. Je n'ai jamais de ma vie été aussi indigné. Pauvre Edward ! Il est complètement perdu, mis pour toujours au ban de la bonne société. Mais, comme je l'ai dit tout de suite à ma mère, je n'en suis pas le moins du monde surpris ; on ne pouvait attendre autre chose du genre d'éducation qu'il avait reçu. Ma pauvre mère était à moitié folle.

— Avez-vous jamais vu la personne en question ?

— Oui, une fois, pendant qu'elle était à la maison. Il m'arriva d'entrer pour dix minutes. Et j'ai pu la voir suffisamment. La plus vulgaire demoiselle de province, sans allure, sans élégance, et sans grande beauté. Juste le genre de femme qui pouvait captiver ce pauvre Edward. Dès que ma mère m'eut appris son engagement, j'offris tout de suite de lui parler moi-même et de le dissuader de cette union. Mais, à ce moment-là, c'était trop tard pour rien faire, car, malheureusement, je n'étais pas au courant dès le début, et je n'ai rien su que lorsque l'éclat avait eu lieu à un moment où, vous comprenez, je ne pouvais plus intervenir. Mais, si je l'avais su quelques heures plus tôt, je crois que, très probablement, j'aurais pu faire quelque chose. Certainement, j'aurais présenté les choses à Edward sous leur vrai jour. « Mon cher ami, lui aurais-je dit, regardez bien ce que vous faites. Vous vous engagez dans l'union la plus déshonorante, et toute votre famille est unanime à la désapprouver. » Bref, je ne puis m'empêcher de croire qu'on aurait trouvé quelque moyen d'en sortir. Mais, maintenant, il est trop tard. Il est réduit à la misère, c'est certain. Absolument réduit à la misère.

Il venait d'énoncer cette conclusion avec la plus grande tranquillité quand l'entrée de Mrs. John Dashwood mit fin à ce sujet. Mais, bien que cette dernière n'en parlât jamais hors du cercle de sa famille, Elinor perçut à quel point son esprit était préoccupé, en notant une nuance d'embarras dans sa contenance, et un effort pour prendre à son égard une attitude aimable. Elle alla jusqu'à exprimer son regret qu'Elinor et sa sœur fussent sur le point de quitter la ville, car elle avait espéré les voir plus souvent, véritable effort de sa part, dans lequel son époux, qui l'avait accompagnée et était suspendu amoureusement à ses paroles, parut voir tout ce qu'on peut imaginer de plus gracieux et de plus tendre.

42

Une dernière et brève visite à Harley street, où Elinor reçut les félicitations de son frère sur la chance qu'elles avaient de voyager sans dépense jusqu'à une si grande proximité de Barton, et de voir le colonel Brandon les suivre à Cleveland dans un jour ou deux, termina les rapports de Mr. Dashwood et de ses sœurs à Londres ; et toutes les allusions à une prochaine rencontre à la campagne se bornèrent à une invitation du bout des lèvres par Fanny de venir à Norland, si jamais elles en avaient l'occasion, ce qui était bien la chose la plus improbable, et à un souhait plus chaleureux, quoique plus discrètement exprimé de la part de John à Elinor, de la voir bientôt à Delaford.

Cela l'amusa d'observer que toutes ses connaissances semblaient conspirer pour l'envoyer à Delaford, l'endroit du monde qu'elle avait le moins envie de visiter et où elle désirait le moins séjourner. Car, non seulement Mrs. Jennings et son frère s'accordaient pour y voir sa future résidence, mais Lucy elle-même, quand elle prit congé, l'invita d'une façon pressante à venir les voir.

Au début d'avril par un beau matin, les deux groupes des habitants d'Hanover Square et de Berkeley street sortirent de leurs résidences respectives, pour se rencontrer au rendez-vous sur la route. A cause de Charlotte et de son bébé, on devait mettre plus de deux jours à faire le voyage, tandis que Mr. Palmer et le colonel Brandon, voyageant plus rapidement, devaient les rejoindre à Cleveland peu après leur arrivée.

Marianne, si peu qu'elle ait eu d'instants heureux à Londres et si désireuse qu'elle fût de partir, ne put, quand le moment fut arrivé, dire adieu sans un grand chagrin à cette demeure où, pour la dernière fois, elle avait caressé à l'égard de Willoughby ces sentiments d'espoir et de confiance, maintenant anéantis à jamais. Et elle ne put s'empêcher de verser d'abondantes larmes à la pensée qu'elle quittait le lieu où il avait contracté de nouveaux engagements et formé de nouveaux projets, où elle n'avait aucune part.

La satisfaction d'Elinor, au moment du départ, était plus réelle. Elle n'avait aucun objet semblable sur lequel ses regrets puissent s'attarder; elle ne laissait, derrière elle, aucune personne dont elle ne pût se séparer pour toujours sans le moindre regret, elle était heureuse de se libérer de la persécution que constituaient pour elle les protestations d'amitié de Lucy, elle se félicitait d'emmener sa sœur sans que Willoughby l'ait revue depuis son mariage et mettait sa confiance en quelques mois de tranquillité à Barton pour rétablir la paix dans l'esprit de Marianne et achever de tranquilliser le sien.

Leur voyage se passa heureusement. Le second jour les amena dans cette contrée de Somerset, tour à tour chérie ou détestée, suivant le tour que prenait l'imagination de Marianne, et, dans la matinée du troisième jour, ils arrivèrent à Cleveland.

Cleveland était une grande maison moderne dominant une prairie en pente. Il n'y avait pas de parc, mais beaucoup de coins charmants, et, comme dans beaucoup d'autres domaines de cette importance, il y avait un bosquet et une allée couverte; un chemin de fin gravier entourant une plantation conduisait à l'entrée; les prairies étaient parsemées d'arbres. La maison, elle-même, était ombragée par des sapins, des frênes, des acacias, et un épais rideau de ces mêmes essences entremêlées de grands peupliers de Lombardie la séparait des communs.

Marianne pénétra dans la maison, le cœur chaviré d'émotion à l'idée qu'elle était seulement à dix-huit milles de Barton et à moins de trente de Combe Magna. Elle n'y était pas entrée depuis cinq minutes que, profitant de ce que les autres étaient tous occupés avec Charlotte à montrer le bébé à l'intendant, elle se glissa au-dehors, à travers les détours des bosquets qui commençaient à verdoyer agréablement, pour gagner une hauteur, près de là, couronnée par un temple grec. De là, ses yeux errant sur un large horizon de campagne dans la direction du sud-ouest pouvaient se reposer avec délices sur la ligne de collines la plus éloignée, et rêver que, de leurs sommets, elle pourrait voir Combe Magna.

Dans de tels moments de précieuse, d'inappréciable tristesse, elle ne pouvait assez se féliciter, tout en versant des larmes d'agonie, de se trouver à Cleveland ; et, tandis qu'elle s'en retournait à la maison, en faisant des détours, goûtant tout le bonheur d'être en liberté à la campagne et de se promener dans une libre et délicieuse solitude, elle prit la résolution de se livrer, pendant le temps qu'elle demeurerait chez les Palmer, au plaisir de ces courses solitaires.

Elle revint juste à temps pour se joindre aux autres au moment où ils partaient de la maison afin d'en explorer les environs immédiats, et le reste de la matinée fut amplement occupé à faire le tour du jardin potager, à examiner les fleurs des plantes grimpantes, à écouter les lamentations du jardinier sur la gelée, à flâner à travers les serres où la perte de ses plantes favorites, imprudemment exposées et brûlées par une gelée tardive, excita l'hilarité de Charlotte, et à visiter le poulailler, où les plaintes qu'elle entendit sur les poules qui avaient abandonné leurs nids ou avaient été enlevées par un chien, sur la perte subite d'une couvée pleine de promesse, procurèrent à Charlotte de nouvelles sources de joie.

Le temps était beau et sec, et Marianne, dans son plan de promenades, n'avait pas fait entrer, en ligne de compte, un changement de température possible durant son séjour à Cleveland. En conséquence, elle éprouva une grande surprise lorsqu'une pluie persistante l'empêcha de ressortir après dîner. Elle avait compté sur une promenade au crépuscule vers le temple grec, et, peut-être, dans tout le domaine, et une soirée simplement froide et humide ne l'en aurait pas détournée, mais une grosse pluie persistante ne pouvait, même pour elle, passer pour un temps favorable à la promenade.

La compagnie n'était pas nombreuse, et les heures s'écoulaient tranquillement. Mrs. Palmer avait son bébé, et Mrs. Jennings, son ouvrage. Elles causaient des amis qu'elles avaient laissés, des invitations de lady Middleton, et se demandaient si Mr. Palmer et le colonel Brandon iraient, ce soir, plus loin que Reading. Elinor, si peu qu'elle y fût intéressée, prenait part à la conversation, et Marianne qui, partout où elle se trouvait, avait toujours le talent de se faufiler jusqu'à la bibliothèque, si peu fréquentée qu'elle pût être en général par la famille, ne tarda pas à se procurer un livre.

Du côté de Mrs. Palmer, rien ne manquait de ce que peut une constante et amicale bonne humeur pour mettre ses hôtes à leur aise. Ses façons ouvertes et cordiales rachetaient largement ce manque de réflexion qui lui faisait souvent négliger les formes extérieures de la politesse ; son amabilité se peignait sur sa figure engageante ; et sa frivolité, quoique évidente, ne choquait pas, n'ayant rien d'apprêté ; Elinor lui aurait tout passé, sauf son rire.

Les deux gentlemen arrivèrent le lendemain assez tard pour le dîner, et constituèrent un agréable appoint pour la petite société dont ils varièrent à propos la conversation, que la longue réclusion d'une matinée de pluie ininterrompue avait fini par tarir à peu près.

Elinor avait si peu vu Mr. Palmer et, dans ce peu, avait trouvé une telle variété dans sa façon de s'adresser à elle et à sa sœur, qu'elle ne savait comment elle allait le trouver dans le cercle de sa propre famille. Elle constata, pourtant, qu'il se comportait tout à fait en gentleman vis-à-vis de tous ses hôtes et ne montrait de rudesse, à l'occasion, que vis-à-vis de sa femme et de sa belle-mère, elle découvrit qu'il était tout à fait capable de faire un compagnon agréable, et que, s'il ne l'était pas toujours, cela venait de son trop grand penchant à se croire aussi supérieur aux gens en général qu'il avait conscience de l'être en la société de Mrs. Jennings et de Charlotte. Pour le reste, son caractère et ses habitudes ne présentaient, autant qu'Elinor put le remarquer, rien d'inaccoutumé parmi les personnes de son sexe et de son monde. Il était délicat pour la nourriture, incertain pour ses heures ; il adorait son fils, tout en affectant de n'y pas faire attention ; et passait souvent ses matinées à jouer au billard alors qu'il aurait dû s'occuper de ses affaires. Au total, cependant, il lui plaisait plus qu'elle ne s'y était attendue, et, au fond du cœur, elle n'était pas fâchée qu'il ne lui plût pas davantage ; il ne lui était pas désagréable, en observant chez lui des traces d'épicurisme, d'égoïsme et d'affectation, de reposer sa pensée sur le souvenir d'Edward, de son tempérament généreux, de ses goûts simples et de sa défiance de lui-même.

Au sujet d'Edward, ou du moins de certaines choses le concernant, elle reçut des nouvelles par le colonel Brandon, qui avait été récemment dans le Dorsetshire. La considérant comme une amie désintéressée de Mr. Ferrars, et sa confidente, il l'entretint longuement du presbytère de Delaford, décrivit ce qui y manquait ainsi que ses projets pour le mettre en état. Son attitude, envers elle, à ce sujet, le plaisir qu'il avait ouvertement manifesté en la revoyant après une absence de dix jours seulement, son empressement à rechercher sa conversation et sa déférence pour ses avis pouvaient bien confirmer Mrs. Jennings dans sa conviction, et auraient pu la faire hésiter elle-même, si Elinor n'avait pas su, dès le début, que Marianne était réellement sa préférée.

Mais, en fait, l'idée ne l'en effleurait même pas, en dépit de ce que pensait Mrs. Jennings. Elle savait bien que, d'elles deux, elle était la meilleure observatrice, car c'était les yeux du colonel qu'elle observait, tandis que Mrs. Jennings s'attachait seulement à son attitude.

Et, tandis que ses regards d'anxieuse inquiétude vers Marianne, qui se plaignait de maux de tête et de maux de gorge à la suite d'un refroidissement, passaient entièrement inaperçus de la vieille dame, parce qu'ils s'exprimaient en silence, elle y lisait clairement les sentiments et l'alarme inutile d'un amoureux.

Deux délicieuses promenades au crépuscule le troisième et le quatrième jour de leur arrivée, non pas seulement sur le gravier bien sec des allées, mais dans tous les coins de la propriété, surtout les plus éloignés, là où la nature était plus sauvage, les arbres plus vieux, le gazon plus épais et plus humide, jointes à l'imprudence majeure qu'elle avait eue de garder ses bas et ses souliers mouillés, avaient causé à Marianne un refroidissement. Le mal était assez violent pour que, au bout d'un ou deux jours pendant lesquels elle essaya de le traiter par le mépris ou de le nier, il lui devînt impossible de ne pas l'avouer aux autres et à elle-même. Des conseils abondèrent de tous côtés et, comme d'habitude, elle les repoussa. Bien qu'elle fût accablée et fiévreuse, qu'elle eût les jambes lourdes, qu'elle toussât et souffrît de la gorge, elle persista à déclarer qu'une bonne nuit de sommeil suffirait à la remettre tout à fait et, à grand-peine, Elinor parvint, quand elle fut au lit, à lui faire prendre un ou deux remèdes des plus simples.

43

Marianne se leva le lendemain à son heure habituelle. A toutes les demandes, elle répondit qu'elle se trouvait mieux et essaya de se le prouver en se livrant à ses occupations accoutumées. Mais toute une journée passée à grelotter au coin du feu avec, sur ses genoux, un livre qu'elle n'avait pas la force de lire, ou à s'étendre, faible et languissante, sur un sofa, ne témoignait guère en faveur d'une amélioration. Et, lorsque à la fin, de plus en plus mal à l'aise, elle se décida à se coucher de bonne heure, le colonel Brandon s'étonna seulement du calme de sa sœur, qui, bien que s'étant occupée toute la journée à la soigner malgré elle, et l'ayant forcée à absorber un remède approprié pour la nuit, restait, comme Marianne, convaincue qu'une nuit de sommeil suffirait à la remettre, et ne s'était pas réellement inquiétée.

Une nuit agitée et fiévreuse, pourtant, apporta un démenti à ces prévisions ; et, lorsque Marianne, qui avait persisté à vouloir se lever, avoua qu'elle ne pouvait se tenir debout et se remit d'elle-même au lit, Elinor fut toute disposée à suivre l'avis de Mrs. Jennings et à envoyer chercher le docteur des Palmer.

Celui-ci vint, examina la patiente, et fit espérer à miss Dashwood que quelques jours suffiraient à rétablir la santé de sa sœur. Mais il déclara que la malade avait une tendance à l'infection et, à ce mot, donna aussitôt l'alarme à Mrs. Palmer pour son bébé. Mrs. Jennings, qui avait incliné, dès le début, à juger la maladie plus sérieuse que ne l'avait cru Elinor, prit très au sérieux l'indication de Mr. Harris et, confirmant Charlotte dans ses craintes et son désir de prendre des précautions, insista sur la nécessité pour elle de partir d'urgence avec l'enfant, et Mr. Palmer, bien qu'il déclarât leurs appréhensions sans fondement, trouva que l'anxiété de sa femme était trop forte pour s'y opposer.

En conséquence, leur départ fut décidé, et, une heure après l'arrivée de Mr. Harris, elle partit, avec son petit garçon et la nurse, pour la maison d'un proche parent de Mr. Palmer, à quelques milles de l'autre côté de Bath, où son époux, sur ses instances réitérées, promit de la rejoindre dans un jour ou deux, et où elle pressa également sa mère de l'accompagner; mais Mrs. Jennings, avec une bonté de cœur qui la fit vraiment aimer par Elinor, déclara fermement sa résolution de ne pas quitter Cleveland tant que Marianne serait malade et de tout mettre en œuvre pour tenir auprès d'elle la place de sa mère à qui elle l'avait enlevée; et Elinor trouva en elle, en toute occasion, la compagne la plus dévouée et la plus active, désireuse de partager toute la peine avec elle, et très souvent utile, par son expérience plus grande pour les soins à donner.

La pauvre Marianne, languissante et déprimée par sa maladie, ne put se flatter plus longtemps que le lendemain lui apporterait la guérison; et l'idée de ce que ce lendemain aurait pu lui apporter sans cette malencontreuse maladie ajoutait à son amertume; car c'était précisément ce jour-là qu'elles avaient décidé de partir pour rentrer chez elles, escortées par un domestique de Mrs. Jennings, pour surprendre leur mère le lendemain matin. Le peu qu'elle en dit consistait en lamentations sur cet inévitable délai; Elinor essayait de la réconforter et de lui faire croire, comme si elle le croyait elle-même, qu'il ne s'agissait que d'un léger retard.

La journée ne changea pas grand-chose à l'état de la malade; elle n'allait certainement pas bien, mais, enfin, son état n'empirait pas. Leur société s'était maintenant fort réduite; car Mr. Palmer, quoiqu'il eût préféré rester, tant par goût personnel qu'à cause de sa répugnance à paraître obéir aux ordres de sa femme, se laissa à la fin persuader par le colonel Brandon de remplir la promesse qu'il lui avait faite ; et, pendant qu'il se préparait au départ, le colonel Brandon lui-même, non sans prendre beaucoup sur lui, parla de s'en aller aussi. Mais la bonté d'âme de Mrs. Jennings lui suggéra des arguments fort acceptables contre ce projet, car renvoyer le colonel pendant que l'objet de son amour était dans une si grande inquiétude sur le compte de sa sœur était, dans sa pensée, ce qu'il pouvait y avoir de plus pénible pour tous les deux ; en conséquence, elle lui exposa immédiatement que sa présence à Cleveland lui était nécessaire, qu'elle avait besoin de lui pour jouer au piquet, le soir, pendant qu'Elinor était auprès de la malade, etc. ; et elle le pressa tellement de rester qu'il ne put résister plus longtemps à accorder une faveur qui satisfaisait à ses vœux les plus chers. D'autant plus que Mrs. Jennings fut chaleureusement appuyée par Mr. Palmer qui se sentait plus tranquille en laissant derrière lui une personne aussi capable d'assister ou de conseiller miss Dashwood dans toutes les occasions.

Naturellement, Marianne ignorait tout de ces arrangements. Elle ne soupçonnait pas qu'à cause d'elle, ses hôtes avaient été obligés de quitter Cleveland, sept jours à peine après leur arrivée. Elle ne fut pas surprise de ne pas voir Mrs. Palmer, et comme elle ne s'en inquiétait pas, elle ne prononça même pas son nom.

Deux jours s'étaient écoulés depuis le départ de Mr. Palmer, et la situation, avec quelques fluctuations, restait la même. Mr. Harris, qui venait chaque jour, parlait encore avec confiance d'un rétablissement rapide, et miss Dashwood était également optimiste. Mais les autres n'étaient pas aussi rassurés. Mrs. Jennings s'était mis en tête, dès le début, que Marianne ne pourrait jamais s'en tirer ; et le colonel Brandon, particulièrement prédisposé à écouter ses prophéties, n'était pas dans une disposition d'esprit à résister à leur influence. Il essayait de se rassurer en considérant que l'opinion du médecin rendait ses craintes absurdes ; mais les longues heures qu'il passait dans une entière solitude n'étaient que trop favorables à la floraison d'idées mélancoliques, et il ne pouvait chasser de son esprit la persuasion qu'il ne verrait plus jamais Marianne.

Le matin du troisième jour, pourtant, leurs sombres pronostics furent à peu près démentis, car Mr. Harris, dès son arrivée, déclara qu'il y avait un mieux sensible. Le pouls était plus fort, et tous les symptômes plus encourageants qu'à sa dernière visite. Elinor, dont les espoirs favorables se trouvaient confirmés, était tout à la joie. Elle se félicitait d'avoir, dans ses lettres à sa mère, suivi sa propre inspiration plutôt que celle de son entourage en plaçant, sous son vrai jour, l'indisposition qui les retenait à Cleveland et se voyait déjà fixant le jour de leur départ.

Mais la journée ne se termina pas aussi heureusement. Vers le soir, Marianne retomba plus fatiguée, plus agitée, plus mal à l'aise que jamais. Sa sœur, cependant, toujours optimiste, crut pouvoir simplement attribuer ce changement à la fatigue qu'elle avait éprouvée en se levant pour laisser refaire son lit ; et, après lui avoir soigneusement fait prendre la potion prescrite, elle la vit, avec satisfaction, sombrer dans un sommeil dont elle attendait les meilleurs résultats. Ce sommeil, moins paisible qu'Elinor ne l'aurait souhaité, se prolongea fort longtemps ; et, soucieuse d'en constater par elle-même l'effet, elle résolut de rester avec elle jusqu'à son réveil. Mrs. Jennings, ignorant qu'il y eût rien de nouveau, alla se coucher de très bonne heure ; sa femme de chambre était allée prendre quelque distraction chez l'intendante, et Elinor restait seule avec Marianne.

Celle-ci devint de plus en plus agitée; et sa sœur qui épiait, avec une attention sans relâche, ses continuels changements de position, et écoutait les plaintes fréquentes mais inarticulées qui s'échappaient de ses lèvres, se demandait s'il ne vaudrait pas mieux la tirer d'un sommeil si pénible, lorsque Marianne, éveillée soudain par quelque bruit, se dressa brusquement, criant avec une anxiété fébrile :

— Est-ce que maman arrive ?

— Pas encore, répondit sa sœur, dissimulant sa terreur et aidant Marianne à s'étendre de nouveau; mais elle sera bientôt là, je l'espère. Il y a loin d'ici à Barton, vous le savez bien.

— Mais elle ne doit pas passer par Londres, cria Marianne toujours sur le même ton. Je ne la verrai jamais si elle passe par Londres.

Elinor, alarmée, se rendit compte qu'elle n'avait pas toute sa connaissance, et tout en s'efforçant de la calmer, tâta anxieusement son pouls. Il était plus faible et plus rapide que jamais. Et Marianne continuant à appeler sa mère avec égarement, l'inquiétude l'envahit au point qu'elle prit la résolution d'envoyer chercher tout de suite Mr. Harris et d'envoyer un message à Barton pour sa mère. La pensée lui vint aussitôt de demander conseil au colonel Brandon sur ce dernier point. Et, après avoir sonné la femme de chambre pour la remplacer un moment auprès de sa sœur, elle alla en hâte au salon, où elle savait qu'il avait coutume de veiller jusqu'à une heure bien plus tardive.

Ce n'était pas le moment d'hésiter. Elle lui exposa immédiatement ses craintes et ses difficultés. En ce qui concernait les craintes, il n'avait ni courage, ni confiance pour essayer de les atténuer. Il les écouta, dans un abattement silencieux. Mais les difficultés furent aussitôt aplanies, car, avec un empressement qui semblait indiquer qu'il avait déjà pensé à ce qu'il faudrait faire en l'occurrence, il s'offrit lui-même à aller chercher Mrs. Dashwood. Les objections d'Elinor furent rapidement surmontées. Elle le remercia brièvement, mais chaleureusement, et pendant qu'il se hâtait pour envoyer un message à Mr. Harris, et commander immédiatement des chevaux de poste, elle écrivit quelques lignes destinées à sa mère.

L'appui d'un ami tel que le colonel Brandon d'un tel compagnon pour sa mère, comme elle l'appréciait en ce moment ! Un compagnon dont le jugement la guiderait, dont l'assistance la soutiendrait, et dont l'amitié lui ferait du bien ! Pour autant que pareil coup pourrait être amorti, sa présence, ses manières, son assistance y contribueraient.

Lui, pendant ce temps, quels que fussent ses sentiments, agit avec toute la fermeté d'un esprit rassis, prit aussi rapidement que possible les mesures nécessaires, et calcula exactement le moment où il pourrait être de retour. Pas un instant ne fut perdu. Les chevaux arrivèrent, plus tôt même qu'on ne les attendait, et le colonel Brandon, après lui avoir simplement pressé la main avec un regard expressif, et quelques mots prononcés trop bas pour qu'elle les entendît, sauta dans la voiture. Il était près de minuit, et elle retourna dans la chambre de sa sœur pour attendre l'arrivée du médecin et la veiller le reste de la nuit.

Ce fut une nuit également pénible pour toutes deux. Les heures s'écoulaient après les heures, dans l'insomnie et le délire pour Marianne, et dans une cruelle anxiété pour Elinor en attendant Mr. Harris. Ses craintes une fois éveillées furent d'autant plus fortes que sa tranquillité avait d'abord été plus grande ; et la servante qui l'assistait, car elle n'avait pas voulu faire appeler Mrs. Jennings, l'alarma encore plus en lui laissant entrevoir ce que sa maîtresse avait toujours pensé.

Les idées de Marianne restaient encore, par intervalles, fixées d'une façon incohérente sur sa mère et, chaque fois qu'elle mentionnait son nom, c'était un coup pour le cœur de la pauvre Elinor ; elle se reprochait d'avoir traité à la légère les débuts de cette maladie et, frustrée d'un espoir immédiat, s'imaginait que toute espérance était désormais vaine, qu'elle avait tardé trop longtemps, et se représentait la souffrance de sa mère, arrivant trop tard pour voir son enfant chérie, ou la trouvant sans connaissance.

Elle était sur le point d'envoyer encore quelqu'un chez Mr. Harris, et, s'il ne pouvait pas venir, de faire chercher un autre médecin, quand celui-ci arriva enfin vers cinq heures du matin. L'avis qu'il émit, pourtant, fit quelque peu passer sur son retard ; il admettait qu'il s'était produit dans l'état de sa malade une aggravation imprévue et fâcheuse, mais il ne pensait pas qu'il y eût un danger sérieux et parla de l'effet qu'allait produire un nouveau mode de traitement, avec une confiance qu'il communiqua, quoique à un moindre degré, à Elinor. Il promit de revenir dans deux ou trois heures et laissa la malade et son anxieuse compagne plus calmes qu'il ne les avait trouvées. Ce fut avec beaucoup de chagrin et mille reproches pour n'avoir pas été appelée que Mrs. Jennings apprit le lendemain ce qui s'était passé. Ses anciennes craintes, maintenant revenues et avec plus de fondement apparent, ne lui laissaient aucun doute sur l'issue de la maladie ; et, tout en cherchant à réconforter Elinor, sa conviction du danger couru par sa sœur ne lui permettait pas de parler d'espoir. Elle était réellement affligée. Le brusque déclin, la mort prématurée d'une enfant aussi jeune, aussi gracieuse que Marianne aurait excité la sympathie d'une personne moins directement intéressée. Mais elle avait d'autres droits à la compassion de Mrs. Jennings. Pendant trois mois, elle avait été sa compagne, elle était encore sous sa garde, elle savait qu'elle avait été gravement offensée, et très malheureuse. Elle avait aussi, sous les yeux, le spectacle de l'angoisse de sa sœur, sa préférée, et, quant à leur mère, lorsque Mrs. Jennings se disait que Marianne était probablement pour elle ce que Charlotte était pour elle-même, sa sympathie à l'égard de ses souffrances était profondément sincère.

Mr. Harris fut ponctuel pour la seconde visite, mais il fut désappointé quant à l'effet qu'il attendait de ses prescriptions. Son remède n'avait pas agi, la fièvre n'était pas tombée et Marianne, un peu plus tranquille seulement, mais nullement revenue à elle-même, demeurait plongée dans une lourde stupeur. Elinor, saisissant à l'instant toutes ses craintes et plus que ses craintes, lui proposa d'appeler un confrère. Mais il n'en vit pas la nécessité ; il avait encore quelque chose à essayer, encore un nouveau remède, dans le succès duquel il avait, au moins, autant de confiance que dans le premier, et sa visite se termina sur des assurances encourageantes qui atteignirent bien l'oreille de miss Dashwood, mais n'entamèrent pas sa conviction. Elle était calme, sauf lorsqu'elle évoquait la pensée de sa mère, mais sans espoir. Elle resta dans cet état jusqu'à midi, s'écartant à peine du lit de sa sœur, l'esprit ballotté d'une angoisse à une autre, pensant aux souffrances de sa sœur et à celles de sa mère et son angoisse portée au comble par la conversation de Mrs. Jennings qui ne craignait pas d'attribuer la gravité de l'état de Marianne à la longue période de dépression préalable que lui avait value sa déception. Elinor ne sentait que trop combien elle avait raison, et son inquiétude s'en trouvait portée au plus haut point.

Vers midi, cependant, mais avec une grande réserve, une peur de se tromper qui lui fit garder le silence même envers son amie, il lui sembla – elle commença à espérer – que le pouls de sa sœur allait en s'améliorant ; elle attendit, observa, l'examina de temps en temps et, à la fin, avec un transport qu'elle eut plus de peine à dissimuler sous un calme apparent que ses précédentes inquiétudes, elle se risqua à faire part de son espoir à Mrs. Jennings. Celle-ci, forcée de constater elle-même une amélioration momentanée, essaya de mettre sa jeune amie en garde contre un espoir prématuré. Et Elinor, portée à renchérir sur chaque expression de crainte, se dit qu'il n'y avait rien à espérer du tout. Mais c'était trop tard, l'espoir l'avait déjà gagnée ; et, l'esprit flottant anxieusement, elle se pencha vers le lit de sa sœur pour attendre – elle n'aurait su dire quoi. Une demi-heure s'écoula et les symptômes favorables continuèrent, à sa grande joie. D'autres même vinrent s'y ajouter et les confirmer. Sa respiration, son teint et ses lèvres, tout montrait à Elinor des signes de mieux et Marianne fixa les yeux sur elle avec un regard lucide, quoique encore empreint de langueur.

L'anxiété et l'espoir l'oppressaient également et ne lui laissèrent pas un moment de repos jusqu'à l'arrivée de Mr. Harris à quatre heures. Mais alors, ses assurances et ses félicitations sur une amélioration qui surpassait même ses prévisions la rassurèrent pleinement, et elle se répandit en pleurs de joie.

Marianne était, à tous les points de vue, sensiblement mieux et il la déclara entièrement hors de danger. Mrs. Jennings, peut-être satisfaite de la justification partielle que la dernière alarme avait donnée à ses prévisions, se rangea à son avis, et admit, avec une joie sincère, et bientôt une allégresse indiscutable, la probabilité d'une guérison complète.

Elinor ne put pas montrer de gaieté, sa joie était de différente sorte, et d'une tout autre nature. Marianne rendue à la vie, à la santé, à ses amis, à sa mère, c'était là une idée qui remplissait son cœur d'une sensation de bonheur exquise, d'une gratitude fervente, mais qui ne s'épanchait pas au-dehors en exclamations de joie, en paroles ou en rires. Sa satisfaction était tout intérieure, forte et silencieuse.

Elle demeura près du lit de sa sœur presque sans interruption tout l'après-midi, calmant chaque frayeur, répondant à toutes les questions que posait son esprit affaibli, lui rendant tous les services, épiant presque chaque regard, chaque souffle. La possibilité d'une rechute, certes, se présentait parfois à elle et ravivait son anxiété – mais, quand elle constata, par un examen attentif et incessant, que chaque symptôme d'amélioration persistait et qu'elle vit Marianne, vers six heures tomber dans un sommeil tranquille, profond, et, selon toute apparence, réparateur, elle bannit toute crainte.

Le moment approchait où le colonel Brandon devait être de retour. A dix heures, ou peu s'en faut, elle y comptait, sa mère serait tirée de la terrible incertitude qui devait la tenir angoissée. Et le colonel aussi, non moins à plaindre peut-être. Oh ! comme le temps s'écoulait lentement pendant qu'elle les savait encore dans l'ignorance de l'amélioration survenue.

A sept heures, laissant Marianne encore tranquillement endormie, elle rejoignit Mrs. Jennings pour le thé. Au breakfast, ses craintes lui avaient ôté tout appétit et il en avait été de même au dîner au moment où elles avaient redoublé, et ce repas, avec le contentement qu'elle y apportait, était particulièrement le bienvenu. Mrs. Jennings aurait bien voulu la persuader de prendre quelque repos avant l'arrivée de sa mère et de lui laisser prendre sa place auprès de Marianne; mais, en ce moment, Elinor ne sentait pas sa fatigue, elle n'aurait pu dormir et rien ne pouvait la décider à s'écarter un instant de sa sœur sans nécessité. En conséquence, Mrs. Jennings, après être montée avec elle dans la chambre de la malade pour s'assurer que tout allait bien, l'y laissa de nouveau livrée à ses occupations et à ses pensées et se retira chez elle pour faire sa correspondance et dormir.

La nuit était froide et le temps mauvais. Le vent grondait autour de la maison et la pluie battait les fenêtres. Mais Elinor, tout à sa joie intérieure, n'y prêtait pas attention. Marianne dormait, malgré la tempête, et quant aux voyageurs, une belle compensation les attendait à leur arrivée, pour leur faire oublier ces inconvénients passagers.

La pendule sonna huit heures. Si elle en eût sonné dix, Elinor aurait été certaine, en ce moment, d'avoir entendu le bruit d'une voiture s'approchant de la maison, et l'impression fut si forte qu'en dépit de la quasi-impossibilité de la chose, elle alla dans le cabinet de toilette voisin et ouvrit un volet pour s'assurer de ce qui en était. Elle vit aussitôt qu'elle ne s'était pas trompée. Les lanternes d'une voiture brillaient tout près. A la lueur incertaine, il lui sembla distinguer qu'elle était attelée de quatre chevaux. Et ce détail, qui disait l'excès des alarmes de sa pauvre mère, expliquait, jusqu'à un certain point, la rapidité imprévue de leur arrivée.

A aucun moment de sa vie, Elinor n'avait éprouvé autant de difficulté à garder son calme. Comment rester calme, sachant ce que sa mère devait éprouver quand la voiture s'arrêterait devant la porte, ses doutes, ses craintes, son désespoir peut-être, alors qu'elle avait, au contraire, de telles nouvelles à lui annoncer ! Tout ce qui lui restait à faire était de se dépêcher et, en conséquence, prenant juste le temps d'installer la femme de chambre à sa place, elle descendit précipitamment l'escalier.

Des bruits dans le vestibule, pendant qu'elle traversait le couloir, l'assurèrent qu'ils étaient déjà dans la maison. Elle se précipita vers le salon, entra et se trouva en présence de Willoughby.

44

Elinor, reculant avec un regard d'horreur à cette vue, céda à sa première impulsion en se retournant pour quitter la pièce, et sa main était déjà sur le bouton de la porte quand il l'arrêta en s'avançant précipitamment et dit d'un ton de commandement plutôt que de prière :

— Miss Dashwood, je vous supplie de rester, pour une demi-heure, pour dix minutes.

— Non, monsieur, répliqua-t-elle avec fermeté. Je ne resterai pas. Ce ne peut être à moi que vous avez à faire.

Les domestiques, je suppose, ont oublié de vous dire que Mr. Palmer n'était pas chez lui.

— Quand on m'aurait dit, s'écria-t-il avec violence, que Mr. Palmer et toute sa famille étaient au diable, cela ne m'aurait pas empêché d'entrer. C'est à vous et à vous seule que j'ai à faire.

— A moi ! dit-elle, profondément surprise. Alors, monsieur, soyez bref, et, si possible, moins violent.

— Asseyez-vous, et vous serez satisfaite.

Elle hésita, ne sachant que faire. L'idée que le colonel Brandon pouvait survenir et les trouver là lui traversa l'esprit. Mais elle avait accepté de l'écouter et sa curiosité n'était pas moins engagée que son honneur. En conséquence, après un moment de réflexion, elle conclut que la prudence demandait d'en finir au plus vite, et que le meilleur moyen pour cela était de l'écouter. Elle se dirigea donc en silence vers la table, devant laquelle elle s'assit. Il prit une chaise en face d'elle, et, pendant une demi-minute, pas un mot ne fut prononcé de part et d'autre.

— Dépêchez-vous, monsieur, je vous prie, dit Elinor impatiente. Je n'ai pas de temps à perdre.

Il restait perdu dans une attitude de profonde méditation, et ne parut pas l'avoir entendue.

— Votre sœur, dit-il tout d'un coup, un moment après, est hors de danger. Je l'ai appris par le domestique. Dieu soit loué ! Mais est-ce vrai ? Est-ce réellement vrai ?

Elinor ne voulait rien dire. Il répéta sa question avec plus de véhémence.

— Pour l'amour de Dieu, dites-moi, est-elle hors de danger ou non ?

— Nous espérons que oui.

Il se leva et arpenta la pièce.

— Si je l'avais su, il y a seulement une demi-heure… Mais, puisque je suis ici…

Il s'assit de nouveau et se mit à parler avec une vivacité forcée.

— Qu'est-ce que cela peut signifier ? Pour une fois, miss Dashwood, et ce sera peut-être la dernière, causons cordialement ensemble. Je me sens en humeur joyeuse. Dites-moi, honnêtement – et le rouge lui montait aux joues –, pensez-vous que je sois un coquin ou un fou ?

Elinor le contempla avec plus d'étonnement que jamais. Elle commença à se demander s'il n'était pas sous l'influence de l'ivresse : l'étrangeté d'une telle visite et d'une pareille conduite ne semblait pas pouvoir s'expliquer autrement. Sous cette impression, elle se leva aussitôt, en disant :

— Mr. Willoughby, je vous prie à présent de retourner à Combe. Je n'ai pas le loisir de rester avec vous plus longtemps. Quelle que soit l'affaire dont vous avez à me parler, vous vous la rappellerez et vous l'expliquerez mieux demain.

— Je vous entends, répondit-il avec un sourire expressif et d'une voix parfaitement calme. Oui, je suis parfaitement ivre. Une pointe de porto avec mon bœuf froid à Marlborough, il n'en fallait pas plus pour me mettre à l'envers.

— A Marlborough ! s'écria Elinor, de plus en plus incapable de comprendre.

— Oui, j'ai quitté Londres ce matin à huit heures et je n'ai passé que dix minutes hors de ma chaise de poste pour un casse-croûte à Marlborough.

Son attitude posée et l'intelligence qui brillait dans son regard convainquirent Elinor, que, pour si impardonnable que pût être la folie qui l'avait amené à Cleveland, il n'était pas sous l'empire de la boisson. Après un instant de réflexion, elle reprit :

— Mr. Willoughby, vous devez sentir, et vous sentez certainement qu'après ce qui s'est passé, votre façon de vous introduire ici et de me forcer à vous écouter demande une explication particulière. Qu'est-ce que cela signifie ?

— Mon but, dit-il d'un ton sérieux et avec énergie, est d'obtenir que vous me haïssiez un peu moins que vous ne le faites à présent. Ce que je demande c'est de vous offrir une sorte d'explication, une sorte d'excuse pour le passé, c'est de vous ouvrir tout mon cœur. Je voudrais vous convaincre que si j'ai toujours été un imbécile, je n'ai pourtant jamais été un misérable, je voudrais obtenir quelque chose comme le pardon de Mar… de votre sœur.

— Est-ce là la raison de votre visite ?

— Oui, sur mon âme, fut la réponse, proférée avec une chaleur qui lui rappela l'ancien Willoughby.

En dépit d'elle-même, elle eut l'impression qu'il était sincère.

— Si c'est tout, vous êtes satisfait, car Marianne depuis longtemps vous a pardonné.

— Vraiment ! s'écria-t-il du même ton passionné. Alors, elle m'a pardonné avant d'en avoir le droit. Mais elle me pardonnera encore, et avec plus de raison. Maintenant, voulez-vous m'écouter ?

Elinor s'inclina en signe d'assentiment.

— Je ne sais, dit-il après une pause, comment vous avez interprété mon attitude vis-à-vis de votre sœur, ni quel motif diabolique vous pouvez m'avoir prêté. Peut-être arriverez-vous difficilement à changer d'avis – mais cela vaut la peine d'essayer et vous allez entendre tout ce que j'ai à vous dire.

« Au début de mon intimité avec votre famille, je n'avais d'autre intention, d'autre vue, en entrant en relation avec elle que de passer agréablement mon temps pendant mon séjour forcé dans le Devonshire – plus agréablement que j'avais jamais eu l'occasion de le faire. La grâce de votre sœur et son caractère attrayant ne pouvaient que me plaire ; et son attitude à mon égard, presque dès le début, était telle que je suis étonné, quand j'y pense, et réfléchis à ses manières, que mon cœur ait été aussi insensible.

« Mais, tout d'abord, je dois l'avouer, je n'en ressentis qu'une satisfaction de vanité. Sans égard pour son bonheur, ne pensant qu'à mon propre plaisir, m'abandonnant, comme toujours, à ces penchants dont je n'avais que trop l'habitude, je m'efforçai par tous les moyens en mon pouvoir de lui plaire, sans aucune intention de lui donner mon affection en retour. »

A cet endroit, miss Dashwood, le regardant avec le plus profond mépris, l'arrêta, en disant :

— Il est difficile, Mr. Willoughby, pour vous, de continuer, ou, pour moi, d'écouter plus longtemps. Un tel début ne comporte pas de suite. Epargnez-moi la douleur d'entendre quoi que ce soit de plus sur un tel sujet.

— J'insiste pour que vous m'écoutiez jusqu'au bout, répliqua-t-il. Ma fortune n'avait jamais été considérable, et j'avais toujours été porté à la dépense, toujours habitué à fréquenter des gens plus riches que moi. Chaque année, depuis ma majorité, ou même avant, je crois, mes dettes étaient allées en s'augmentant ; et, quoique je dusse avoir, à la mort de ma cousine,

Mrs. Smith, les moyens de m'en libérer, c'était là une chose incertaine, peut-être lointaine. En conséquence, depuis quelque temps, mon intention était de rétablir mes affaires par un beau mariage. Je ne pouvais donc songer à lier ma vie à celle de votre sœur – et avec une bassesse, un égoïsme, une cruauté que même vos regards indignés et méprisants, miss Dashwood, ne peuvent assez flétrir, j'agis ainsi, cherchant à gagner son amour, sans la moindre idée de le payer de retour.

« Mais il y a une chose à ma décharge, c'est que, même dans cet horrible état d'abandon à mon égoïsme et à ma vanité, je ne me rendais pas compte de la profondeur du mal que je faisais. C'est qu'alors je ne savais pas encore ce que c'était que l'amour. Mais l'ai-je vraiment jamais su ? On peut bien en douter. Car si j'avais réellement aimé, aurais-je pu immoler mes sentiments à la vanité, à l'avarice ? – ou, ce qui est bien pire, aurais-je pu immoler les siens ? Pourtant je l'ai fait. Pour éviter une pauvreté relative que son affection et sa compagnie auraient rendue si aisée à supporter, j'ai perdu, en acquérant la richesse, tout ce qui pouvait m'en faire jouir. »

— Vous avez donc, dit Elinor, un peu radoucie, cru pendant quelque temps lui être attaché.

— Avoir résisté à de tels attraits, avoir méconnu une telle tendresse… Y a-t-il sur la terre un homme qui en eût été capable ? Oui, par degrés insensibles, j'arrivais à m'en trouver sincèrement épris ; et les heures les plus heureuses de mon existence sont celles que j'ai passées auprès d'elle, quand j'avais conscience que mes intentions étaient strictement honorables et mes sentiments innocents.

« Mais, même alors, pourtant, quand j'étais bien décidé à la demander en mariage, je me laissais aller, de la façon la moins pardonnable, à reculer de jour en jour cette demande, parce qu'au fond j'hésitais à m'engager à cause de l'embarras de mes affaires. Je ne veux pas m'excuser, ni davantage m'étendre sur l'absurdité d'avoir hésité ainsi à engager ma foi là où mon honneur était déjà engagé. L'événement a prouvé que ma prudence n'était que folie, et que j'avais mis en œuvre toute mon habileté pour arriver à me rendre méprisable et malheureux à jamais.

« A la fin, cependant, ma résolution fut prise et j'avais décidé, dès que je le pourrais, d'essayer de la rencontrer seule, de justifier la cour que je lui avais faite si assidûment, en lui avouant clairement un sentiment que tous mes soins avaient déjà tendu à lui montrer. Mais, dans l'intervalle, dans cet intervalle de quelques heures qui restait à passer avant de trouver l'occasion d'un tête-à-tête, survint une malheureuse circonstance qui ruina toute ma résolution et avec elle mon bonheur. »

Il eut un moment d'hésitation et baissa les yeux :

— Mrs. Smith fut informée d'une manière ou d'une autre, par quelque parent éloigné, j'imagine, qui avait intérêt à me brouiller avec elle, d'une liaison… mais je n'ai pas besoin de m'expliquer davantage, ajouta-t-il, en lui jetant un regard d'interrogation tandis que son visage s'empourprait – vous êtes intime avec… vous avez été mise probablement depuis longtemps au courant de tout.

— Oui, répondit Elinor rougissant également, et se raidissant de nouveau contre la compassion qu'il lui avait inspirée. On m'a tout dit. Et j'avoue ne pouvoir comprendre comment vous pourrez fournir la moindre excuse pour votre conduite dans cette lamentable affaire.

— Mais rappelez-vous, s'écria Willoughby, de qui vous avez appris cela ! Est-ce de quelqu'un placé pour juger impartialement ? Je reconnais que j'aurais dû respecter le caractère et la situation de cette jeune fille. Je ne cherche nullement à me justifier, mais, en même temps, je ne puis vous laisser supposer que tous les torts sont de mon côté. De ce que je lui ai causé du tort, il ne s'ensuit pas qu'elle soit irréprochable. Si la violence de ses passions, la faiblesse de son intelligence... mais, cependant, je ne veux pas m'excuser. Son affection pour moi méritait mieux et j'ai évoqué souvent, avec un grand remords, le souvenir de sa tendresse qui, pendant une brève période, fut assez forte pour m'entraîner moi aussi. Je voudrais, oh ! je voudrais de tout mon cœur que cela n'eût jamais été. Mais ce n'est pas elle seule que j'ai trahie. J'en ai trahi une autre dont l'affection pour moi (oserai-je le dire) n'était guère moins profonde que la sienne et qui lui était si supérieure par l'âme.

— Cependant votre indifférence pour cette infortunée, je dois dire cela, si pénible que soit pour moi la discussion d'un pareil sujet, votre indifférence n'est pas une excuse pour le cruel abandon où vous l'avez laissée. Pensez-vous que sa faiblesse de caractère ou son défaut d'intelligence puissent excuser l'aveugle cruauté dont vous avez fait preuve ? C'est l'évidence : vous deviez savoir que, pendant que vous meniez dans le Devonshire l'existence la plus agréable, toujours gai, toujours heureux, elle était réduite à la plus extrême misère.

— Mais, sur mon âme, je ne le savais pas, répliqua-t-il avec chaleur. Je n'ai pas souvenir de lui avoir caché mon adresse. Et le simple bon sens devait lui suffire pour me retrouver.

— Bien, monsieur, et que dit Mrs. Smith ?

— Elle me reprocha tout de suite ma faute et il est facile de deviner ma confusion. La pureté de sa vie, son respect des conventions, son ignorance du monde, tout était contre moi. Je ne pouvais nier les faits, et il était vain d'essayer de les atténuer. Je crois bien qu'elle avait déjà des doutes sur moi. De plus, je l'avais indisposée au cours de ma dernière visite par mon peu d'attention, et le peu de temps que je lui avais consacré. Bref, cela finit par une rupture totale. Dans son culte des principes, l'excellente femme ! elle m'offrit de tout oublier si je consentais à épouser Eliza. C'était impossible, et je fus formellement exclu de ses faveurs et de sa maison.

« Je passai la nuit suivante (je devais partir le matin) à délibérer sur la conduite que j'allais tenir. J'hésitai beaucoup ; mais ce fut pour me décider trop vite. Mon affection pour Marianne, la certitude où j'étais de son attachement, tout cela fut insuffisant pour balancer en moi la peur de la pauvreté, pour me faire surmonter ce préjugé sur la nécessité de la richesse auquel j'étais naturellement enclin et qu'avaient renforcé mes fréquentations mondaines.

« J'avais des raisons de croire que je pourrais réussir, si je le voulais, auprès de celle qui est actuellement ma femme, et j'arrivai à me persuader que la prudence la plus ordinaire ne me permettait pas de prendre un autre parti.

« Un cap difficile, cependant, restait à franchir, avant mon départ du Devonshire. J'avais été invité à dîner chez vous ce jour-là, il me fallait trouver une excuse pour me dégager. Je débattis longuement le point de savoir si j'écrirais ou si je viendrais en personne. J'étais effrayé à l'idée de revoir Marianne, et je me demandais même si j'aurais la force de la revoir et de tenir ma résolution. Sur ce point, cependant, j'avais douté à tort de ma force d'âme, l'événement le prouva. Car je vins, je la vis, je la vis malheureuse, je la laissai malheureuse, et je la quittai n'espérant plus la revoir. »

— Pourquoi donc venir, Mr. Willoughby ? dit Elinor, d'un ton de reproche. Une lettre aurait fait l'affaire ; en quoi votre présence était-elle nécessaire ?

— C'était une question de vanité. Je ne pouvais supporter l'idée de quitter le pays dans des conditions qui auraient pu vous amener, vous ou les personnes du voisinage, à soupçonner quoi que ce soit de ce qui s'était passé entre Mrs. Smith et moi, c'est pourquoi je pris le parti de m'arrêter au cottage, en allant à Honiton. La vue de votre chère sœur, néanmoins, fut une chose vraiment terrible ; et, pour comble de malheur, je la trouvai seule, vous étiez tous sortis, pour aller je ne sais où. La veille au soir, je l'avais laissée, pleinement, fermement résolu à faire mon devoir envers elle. Dans quelques heures, nous allions être engagés l'un à l'autre pour toujours ; et je me souviens combien je me sentais léger, heureux, en allant du cottage à Allenham, satisfait de moi-même, voyant tout en beau ! Mais alors dans cette dernière entrevue qui devait mettre fin à notre amitié, le sentiment de ma culpabilité m'ôta presque le pouvoir de dissimuler. Son chagrin, son désappointement, son profond regret, quand je lui dis que j'étais obligé de partir tout de suite, je ne les oublierai jamais. Et, tout cela, accompagné d'une telle foi, d'une telle confiance en moi… Oh ! Dieu du ciel ! quel vaurien sans cœur j'étais !

Tous deux gardèrent le silence un moment, Elinor prit la parole la première.

— Lui promîtes-vous de revenir bientôt ?

— Je ne sais ce que je lui ai dit, répliqua-t-il impatiemment. Moins que ce que justifiait le passé, sans aucun doute, et très certainement beaucoup plus que ne devait faire l'avenir. Je ne veux pas penser à cela, je ne peux pas ! Puis, pour me mieux torturer, arriva votre chère mère, avec toute sa bonté et sa confiance. Dieu merci ! j'en fus accablé. J'étais misérable, miss Dashwood, et vous ne pouvez vous faire une idée du soulagement que j'éprouve quand je me rappelle ma propre misère. J'ai un tel remords pour la stupide, l'ignoble folie de mon propre cœur que tout ce que j'ai pu souffrir jadis à ce sujet est maintenant pour moi un sujet d'exaltation, de triomphe.

« Toujours est-il que je partis, abandonnant tout ce que j'aimais pour aller rejoindre ceux à qui, en mettant les choses au mieux, j'étais seulement indifférent. Et puis, ce voyage ! – je voyageais avec mes propres chevaux – je n'avais personne à qui parler ; mes propres réflexions étaient si agréables, l'avenir se présentant à moi sous des couleurs si riantes, les souvenirs de Barton étaient si doux. Oh ! quel voyage béni ce fut ! »

Il s'arrêta.

— Eh bien, monsieur, dit Elinor qui, tout en le plaignant, était impatiente de le voir partir, est-ce là tout ?

— Tout ! non. Avez-vous oublié ce qui s'est passé en ville ? Cette lettre infâme ! Vous l'a-t-elle montrée ?

— Oui, j'ai lu toutes les lettres.

— Lorsque je reçus sa première lettre (et ce fut tout de suite, car j'étais à Londres tout le temps de votre séjour), le langage ordinaire ne peut exprimer ce que je ressentis ; tout ce que je puis dire, c'est que je fus très très malheureux. Pour employer une métaphore usée que la chère enfant pardonnerait, si elle était ici, chaque phrase, chaque mot était un coup de poignard pour mon cœur. Pour continuer à employer le même langage, apprendre sa présence à Londres était un coup de tonnerre. Poignard ! coup de tonnerre ! Quels reproches ne me ferait-elle pas si elle m'entendait m'exprimer ainsi, elle dont les goûts et les opinions me sont plus connus et plus chers que les miens !

Elinor, dont les sentiments avaient si souvent varié au cours de cette extraordinaire conversation, était de nouveau apaisée ; elle sentit pourtant qu'il était de son devoir à la fin d'arrêter son interlocuteur sur cette pente.

— Ce n'est pas bien, Mr. Willoughby, rappelez-vous que vous êtes marié. Ne me dites que ce que, en conscience, il est nécessaire que j'entende.

— La lettre de Marianne, m'assurant que je lui étais encore aussi cher qu'aux premiers jours, qu'en dépit de tant et tant de semaines de séparation elle restait aussi fidèle à ses sentiments que confiante dans les miens, cette lettre réveilla tous mes remords. Je dis qu'elle les réveilla, car le temps, Londres, les affaires et la dissipation les avaient jusqu'à un certain point calmés ; de plus, je m'enfonçais dans la vilenie, m'imaginant qu'elle m'était devenue indifférente, et essayant de me persuader qu'elle aussi m'avait oublié. Je me répétais que notre ancien attachement était une simple bagatelle, je haussais les épaules pour me le prouver, j'imposais silence à tous les reproches, à tous les scrupules de ma conscience en me disant, en secret, de temps en temps : « Je serais vraiment heureux d'apprendre qu'elle est bien mariée. »

« Mais cette lettre me fit voir plus clair en moi-même. Je sentis qu'elle m'était infiniment plus chère qu'aucune femme au monde, et que ma conduite était infâme. Mais tout venait d'être définitivement arrêté entre miss Grey et moi. Impossible de reculer. Tout ce que je pouvais faire était de vous éviter l'une et l'autre. Je ne fis aucune réponse à Marianne, espérant, par ce moyen, me dérober à son attention, et, pendant quelque temps, je décidai même que je n'irais pas rendre visite à Berkeley street ; mais, par la suite, la meilleure tactique me parut être de me comporter comme une connaissance ordinaire, indifférente. Un matin, j'épiai le moment où vous étiez sorties, et je laissai ma carte. »

— Vous nous avez épiées !

— Mais oui. Vous seriez étonnée si vous saviez combien de fois je vous ai suivies, combien de fois j'ai failli vous rencontrer. Je suis rentré plus d'une fois dans une boutique, pour éviter votre voiture. Logé comme je l'étais à Bond street, il n'y avait presque pas de jour où je ne vous ai aperçues l'une ou l'autre ; seule, ma vigilance toujours en éveil, mon inflexible résolution de me dérober à votre vue, nous ont tenus séparés si longtemps. J'évitais, de mon mieux, les Middleton, ainsi que toutes les personnes avec qui nous pouvions avoir des relations communes. Cependant, ignorant leur présence en ville, je tombai sur sir John, le premier jour de son arrivée, je crois, et, le lendemain, je rendis visite à Mrs. Jennings.

« On m'invita à une réunion, un bal, chez eux, dans la soirée. Même s'il ne m'avait pas dit, pour m'engager à accepter, que vous et votre sœur seriez présentes, la chose me paraissait trop certaine pour en courir le risque. Le lendemain matin m'apporta une courte lettre de Marianne, encore affectueuse, ouverte, naïve, confiante, exactement le genre de lettre qui pouvait rendre ma conduite plus haïssable. Je ne pus pas lui répondre. J'essayai, mais je ne pus écrire une phrase. Pas un instant de la journée, je crois, je ne pus chasser sa pensée. Si je puis encore vous inspirer de la pitié, miss

Dashwood, plaignez ma triste situation d'alors. La tête et le cœur tout remplis de votre sœur, j'étais obligé de faire figure d'amoureux comblé auprès d'une autre femme ! Ces trois ou quatre semaines ont été ce que j'ai connu de pire.

« A la fin, comme je n'ai pas besoin de vous le rappeler, nous fûmes mis en présence. Oh ! l'adorable figure dont je dus me détourner ! Quelle soirée d'agonie ! D'un côté, Marianne, belle comme un ange, m'appelant par mon nom et avec quelle voix ! O Dieu ! me tendant la main, ses yeux enchanteurs fixés sur moi, quêtant une explication d'une façon si expressive ! et Sophia, en face, jalouse comme un démon, nous surveillant. Allons, qu'importe, c'est passé maintenant !

« Je m'éloignai de vous le plus tôt que je pus non sans avoir eu le temps de voir sa chère figure devenir pâle comme la mort. C'est la dernière fois que je l'ai vue, le dernier aspect sous lequel elle m'est apparue. L'horrible vision ! Aujourd'hui encore, quand je craignais vraiment pour sa vie, c'était une sorte de consolation, pour moi, d'imaginer que je savais exactement comment elle apparaîtrait à ceux qui la verraient pour la dernière fois en ce monde. Elle était sous mes yeux, constamment sous mes yeux, pendant mon voyage, avec ce même aspect et cette même couleur. »

Pendant un court moment, ils restèrent tous deux silencieux, en proie à leurs mutuelles réflexions. Willoughby, revenant le premier à lui, reprit :

— Et maintenant j'ai hâte d'en finir et de partir. Votre sœur est certainement mieux, certainement hors de danger ?

— Nous en sommes certains.

— Et votre pauvre mère aussi ! elle qui adore Marianne !

— Mais la lettre, Mr. Willoughby, votre lettre ; avez-vous quelque chose à me dire là-dessus ?

— Oui, oui, et en détail. Comme vous le savez, votre sœur m'écrivit encore le lendemain matin. Vous savez ce qu'elle me disait. Je déjeunais chez les Ellison ; on m'apporta sa lettre avec plusieurs autres et il advint qu'elle frappa les yeux de Sophia avant les miens ; la forme, l'élégance du papier et de l'écriture éveillèrent immédiatement ses soupçons. Elle avait eu auparavant un vague écho de mon attachement à une jeune lady dans le Devonshire, et ce qu'elle avait vu de ses yeux, la veille au soir, lui avait montré de qui il s'agissait et l'avait rendue plus jalouse que jamais.

« Affectant cet air de légèreté qui est si séduisant chez une femme aimée, elle ouvrit elle-même la lettre et en prit connaissance. Elle fut bien payée de son imprudence. Elle lut ce qui devait la mortifier le plus. De cela, j'aurais bien pris mon parti, mais sa passion, sa rancune, à tout prix il fallait les apaiser. Et bref, que pensez-vous du style épistolaire de ma femme ? Délicat, tendre, vraiment féminin, n'est-ce pas ? »

— Votre femme ? Mais la lettre était de votre écriture.

— Oui, mais j'ai eu seulement la permission de copier ce que j'avais honte de signer. L'original est d'elle, ce sont ses heureuses pensées et son gracieux style. Mais que pouvais-je faire ? Nous étions fiancés, tous les préparatifs étaient en train, la date presque fixée ; mais je m'exprime comme un fou. Préparatifs ! Date ! pour parler crûment j'avais besoin de son argent, et, dans une telle situation, je devais tout faire pour éviter une rupture. Et, après tout, pour le fond des choses, qu'importait à Marianne et à ses amis le style de ma réponse. Elle ne tendait qu'à ceci : à révéler ma bassesse et peu importait que cela soit dit d'une façon polie ou grossière. « Je suis ruiné pour toujours dans leur opinion, éloigné pour toujours de leur société; ils me tiennent déjà pour un être sans principes, cette lettre leur fera seulement juger que je suis, en outre, un grossier personnage. » Voilà ce que je me dis et, en proie à une sorte de calme désespéré, je copiai la prose de ma fiancée et l'envoyai avec les derniers souvenirs de Marianne. Ses trois lettres – malheureusement, elles étaient dans mon portefeuille, sans cela j'aurais nié leur existence et les aurais mises à l'abri pour toujours. Je fus forcé de les renvoyer et ne pus même les porter à mes lèvres. Quant à sa boucle de cheveux, je la gardais toujours sur moi dans ce même portefeuille que miss Grey fouillait maintenant avec le même gracieux empressement – sa chère boucle – tout, tous ces souvenirs me furent arrachés.

— Vous avez grand tort, Mr. Willoughby, vous êtes inexcusable, dit Elinor, tandis que sa voix démentait ses paroles et trahissait sa compassion, vous ne devriez pas parler ainsi, ni de Mrs. Willoughby, ni de ma sœur. Vous avez fait votre choix, sans contrainte ; votre femme a droit à votre courtoisie, à votre respect, tout au moins. Elle doit tenir à vous, sinon elle ne vous aurait pas épousé. Ce n'est pas en la méprisant, en la dénigrant que vous atténuerez vos torts envers Marianne, ni, je présume, que vous apaiserez vos propres remords.

— Ne me parlez pas de ma femme, répondit-il en soupirant profondément. Elle ne mérite pas votre pitié. Elle savait que je n'avais aucun amour pour elle quand nous nous sommes mariés. Nous sommes allés ensuite à Combe Magna savourer notre bonheur, et, maintenant, me plaindrez-vous, miss Dashwood ? ou vous aurai-je dit tout cela en vain ? Ne vous parais-je pas – ne serait-ce qu'un peu – un peu moins coupable que vous ne le pensiez ? Mes intentions n'ont pas été entièrement mauvaises. Ai-je un peu atténué mes torts ?

— Oui, certainement, un peu. Vous avez montré qu'en somme vous n'étiez pas aussi coupable que nous le croyions. Le fond chez vous était moins mauvais, beaucoup moins mauvais que nous le pensions. Mais, pour le mal que vous avez fait, je ne crois pas, non je ne crois pas qu'il eût pu être pire.

— Voudriez-vous répéter à votre sœur, quand elle sera tout à fait remise, ce que je vous ai dit ? Laissez-moi me disculper un peu dans son opinion comme dans la vôtre. Vous me dites qu'elle m'a déjà pardonné. Je voudrais pouvoir penser que, quand elle connaîtra mieux le fond de mon cœur et les sentiments qui sont les miens maintenant, son pardon sera plus spontané, plus naturel, plus amical, moins hautain. Parlez-lui de ma détresse et de ma pénitence, dites-lui que mon cœur lui a été toujours fidèle, et, si vous y consentez, qu'en ce moment elle m'est plus chère que jamais.

— Je lui dirai tout ce qui est nécessaire pour ce qu'on peut appeler votre justification. Mais vous ne m'avez pas expliqué quel motif particulier vous a amené ici, ni comment vous avez appris sa maladie.

— La nuit dernière, au foyer du théâtre de Drury Lane, je suis tombé sur sir John Middleton ; dès qu'il m'eut reconnu, il m'adressa la parole, ce qu'il n'avait pas fait depuis un an. Qu'il eût rompu avec moi depuis mon mariage, je n'en éprouvais ni surprise ni ressentiment. A ce moment, cependant, son bon naturel, honnête et balourd, dans son indignation contre moi et sa sollicitude pour votre sœur, ne put résister à la tentation de me dire ce qui, à son avis, aurait dû me rendre cruellement malheureux, quoiqu'il ne m'en crût pas capable. Aussi brutalement que possible, il me dit que Marianne Dashwood se mourait à Cleveland d'une fièvre pernicieuse – une lettre de Mrs. Jennings reçue le matin même déclarait le danger imminent –, les Palmer étaient partis, par crainte de la contagion.

« Le choc était trop violent pour que je puisse dissimuler mes sentiments, même aux yeux du peu perspicace sir John. Il se radoucit en me voyant souffrir, et sa rancune fondit au point qu'en me quittant il fut sur le point de me serrer la main, tandis qu'il me rappelait une ancienne promesse relative à un jeune chien d'arrêt.

« Ah ! que n'ai-je pas ressenti en apprenant que votre sœur était sur le point de mourir – et de mourir, persuadée que j'étais l'être le plus vil du monde, me détestant, me maudissant à ses derniers moments ! L'impression fut si terrible que je ne tardais pas à prendre ma décision et, à huit heures du matin, j'étais en route. Maintenant vous n'ignorez plus rien. »

Elinor ne répondit rien. Elle méditait silencieusement sur le mal irréparable qui découlait d'une indépendance prématurée. La paresse, la dissipation, le luxe qui en avaient été la conséquence avaient anéanti l'esprit et le caractère, détruit le bonheur d'un homme doué de tous les avantages du corps et de l'esprit. Avec des dispositions naturelles à la franchise et à l'honnêteté et un cœur sensible et aimant, le monde l'avait rendu d'abord extravagant et vain ; et, peu à peu, insensible et égoïste. La vanité, en lui faisant rechercher un triomphe coupable aux dépens d'une autre, l'avait mis sur la route d'un amour sincère que son emportement vers les plaisirs l'avait forcé à sacrifier. Chaque concession en l'inclinant vers le mal l'avait également conduit au châtiment. L'amour qu'il avait volontairement repoussé contre son honneur, son propre sentiment et son véritable intérêt, le possédait tout entier, maintenant qu'il lui était interdit. Et cette union pour laquelle il avait, sans scrupule, désespéré Marianne s'était avérée pour lui une source de malheurs encore plus irrémédiables.

Elle fut tirée de ses réflexions, au bout de quelques minutes, par Willoughby qui, sortant d'une rêverie pour le moins aussi pénible, se leva pour prendre congé et dit :

— Je n'ai plus rien à faire ici. Je dois partir.

— Rentrez-vous en ville ?

— Non, à Combe Magna. J'ai quelques affaires à régler, puis, de là, à Londres dans un ou deux jours. Adieu.

Il lui tendit la main, elle ne put lui refuser la sienne ; il la serra avec affection et, tout de suite après :

— Aurez-vous gagné une opinion un peu meilleure de moi ? interrogea-t-il en s'appuyant contre le manteau de la cheminée comme s'il ne pensait plus à partir.

Elinor lui en donna l'assurance ; elle lui pardonnait, le plaignait, lui souhaitait du bien – s'intéressant même à son bonheur, et elle alla jusqu'à lui donner aimablement quelques conseils sur la meilleure conduite à tenir dans sa situation. Sa réponse ne fut pas encourageante.

— Pour cela, dit-il, il faudra que je me fasse ma place dans le monde comme je pourrai. Mon bonheur domestique est hors de question. Si, cependant, je pouvais croire que, vous et les vôtres, prenez quelque intérêt à mon sort et à mes actions, ce serait peut-être un moyen – je me tiendrais sur mes gardes – ce serait au moins un but dans ma vie. Marianne, certainement, est perdue pour moi pour toujours. Quand je viendrais, par une chance inespérée, à être libre de nouveau..

Elinor l'arrêta avec un reproche.

— Bien, répliqua-t-il. Encore une fois, adieu. Je pars maintenant et je vais vivre dans la peur d'un événement...

— Que voulez-vous dire ?

— Du mariage de votre sœur.

— Vous avez tout à fait tort. Elle ne peut pas être plus perdue pour vous qu'elle l'est maintenant.

— Mais un autre peut l'obtenir. Et si c'était celui dont, entre tous, je puis le moins supporter la pensée... Mais je ne veux pas insister et risquer de perdre tout le bénéfice de votre charitable compassion, en laissant voir que là où j'ai fait le plus de mal, c'est moi qui pardonne le moins. Adieu. Dieu vous bénisse !

Sur ces dernières paroles, il sortit, ou plutôt se précipita au-dehors.

45

Quelque temps après son départ, et tandis que le bruit de la voiture avait cessé depuis un moment déjà, Elinor demeura trop accablée par une foule d'idées, toutes fort différentes, mais également mélancoliques, pour pouvoir même penser à sa sœur.

Willoughby, qu'une demi-heure auparavant elle abhorrait comme le plus indigne des hommes, Willoughby, en dépit de toutes ses fautes, excitait maintenant sa commisération pour tout le mal qu'il s'était fait à lui-même. Et elle envisageait cette rupture irrémédiable avec lui dans un sentiment dicté plutôt par sa propre compassion que par les mérites du jeune homme. Elle comprenait que cette impression sur son esprit était fondée sur des choses qui, raisonnablement, auraient dû n'avoir aucun poids : la rare attraction qui se dégageait de sa personne, ses manières ouvertes, affectueuses et vivantes qu'il n'avait aucun mérite à posséder, et cet amour encore ardent pour Marianne qui désormais n'était même plus innocent. Mais elle s'en rendait compte avant de pouvoir s'en dégager.

Quand enfin elle retourna à Marianne inconsciente de ce qui venait de se passer, elle la trouva qui s'éveillait, reposée au-delà de toute espérance par ce long sommeil réparateur. Le cœur d'Elinor débordait. Le passé, le présent, le futur, la visite de Willoughby, la guérison de Marianne, l'arrivée attendue de sa mère, tout cela la jetait dans une agitation qui lui ôtait le sentiment de la fatigue et lui laissait seulement la crainte de se trahir devant sa sœur. Cette crainte, toutefois, ne fut pas de longue durée, car une demi-heure après le départ de Willoughby, elle fut encore appelée en bas par le bruit d'une nouvelle voiture. Empressée d'épargner à sa mère ne fût-ce qu'un instant une horrible incertitude, elle traversa tout de suite le hall en courant et atteignit la porte d'entrée juste à temps pour la recevoir dans ses bras au moment où elle entrait.

Mrs. Dashwood, que son angoisse, s'accroissant à mesure qu'elle approchait de la maison, avait fini par convaincre qu'elle ne reverrait plus jamais sa fille, n'avait pas de voix pour s'informer d'elle, pas de voix même pour Elinor; mais celle-ci, passant par-dessus le protocole des salutations et des demandes, lui annonça immédiatement l'heureuse nouvelle ; et sa mère, prenant les choses avec son impétuosité habituelle, fut en un instant aussi transportée de bonheur qu'elle avait été accablée de craintes. Sa fille et son ami la conduisirent au salon. Et là, pleurant de joie et encore incapable de parler, elle embrassa et réembrassa Elinor, se détournant, par moments, pour serrer la main au colonel Brandon, avec un regard qui disait, non seulement sa gratitude, mais sa conviction qu'il partageait avec elle toute la joie de cet heureux moment. Il la partageait, mais plus silencieusement encore qu'elle.

Le premier désir de Mrs. Dashwood, remise de sa première émotion, fut de voir Marianne ; et, deux minutes après, elle se trouvait auprès de sa chère enfant, rendue plus chère que jamais par l'absence, le malheur et le danger. Le plaisir d'Elinor à voir ce qu'elles éprouvaient l'une et l'autre dans cette rencontre n'était troublé que par la crainte d'insomnie pour Marianne ; mais Mrs. Dashwood savait être calme et même prudente, quand la vie d'une de ses enfants était en jeu, et, Marianne, contente de savoir sa mère auprès d'elle, et sentant qu'elle était trop faible pour soutenir une conversation, se soumit volontiers au régime de silence et de calme que tout le monde lui conseillait.

Mrs. Dashwood voulut rester toute la nuit avec elle, et Elinor, sur les instances de sa mère, alla se coucher. Mais l'excitation de son esprit était trop grande pour qu'elle pût trouver le sommeil que semblait réclamer une nuit d'insomnie suivie de longues heures de la plus pénible anxiété.

Willoughby, « le pauvre Willoughby » comme elle se permettait maintenant de le nommer, lui était constamment présent ; pour rien au monde, elle n'aurait voulu entendre sa défense, et, maintenant, tantôt elle se blâmait, tantôt elle s'approuvait d'avoir auparavant porté sur lui un jugement si dur. Mais sa promesse de tout rapporter à sa sœur ne lui donnait que de l'appréhension. Elle en redoutait l'accomplissement, elle se demandait avec anxiété quel en serait l'effet sur Marianne ; elle aurait voulu savoir si, après une pareille explication, elle pourrait jamais se trouver heureuse avec un autre ; et, un instant, elle en vint à souhaiter que Willoughby fût veuf ; puis, sa pensée se reportant sur le colonel Brandon, elle se fit des reproches, sentant que la reconnaissance de sa sœur devait aller à ses souffrances et à sa constance avec infiniment plus de justice qu'à son rival, et souhaita tout au monde plutôt que la mort de Mrs. Willoughby.

Le bouleversement produit par l'arrivée du colonel Brandon à Barton avait été sensiblement atténué, pour Mrs. Dashwood, par ses alarmes antérieures. Car elle était si inquiète de Marianne qu'elle avait déjà décidé de partir, ce jour-là, pour Cleveland, sans attendre d'autres nouvelles ; et elle avait poussé si loin ses préparatifs avant l'arrivée du colonel, qu'on attendait justement les Carey pour se charger de Margaret que sa mère ne voulait pas emmener à cause de la contagion.

L'état de Marianne s'améliorait chaque jour et Mrs. Dashwood, se fiant à la façon modérée dont Elinor s'était exprimée au sujet de sa désillusion, penchait, dans l'exubérance de sa joie, à ne s'occuper que de ce qui pouvait l'accroître. Marianne lui était rendue, échappée d'un danger auquel, elle commençait à s'en rendre compte, sa propre erreur de jugement en encourageant ce malheureux attachement à Willoughby avait contribué à l'exposer ; et cette guérison lui avait encore apporté une autre source de joie ignorée d'Elinor. Elle lui en fit part aussitôt qu'elles eurent l'occasion de s'entretenir sans témoins.

— Enfin nous sommes seules. Mon Elinor, vous ne savez pas encore tout mon bonheur. Le colonel Brandon aime Marianne ; il me l'a dit lui-même.

Sa fille, se sentant à la fois heureuse et peinée, surprise et non étonnée, était tout attention silencieuse.

— Vous ne m'avez jamais ressemblé, ma chère Elinor, sans cela je serais stupéfaite de votre calme. S'il m'avait fallu dire ce que je désirais de plus heureux pour ma famille, j'aurais indiqué, comme la chose la plus désirable, que le colonel Brandon épousât l'une de vous. Et je crois que, de vous deux, c'est Marianne à qui cela fera le plus de plaisir.

Elinor penchait un peu à lui demander la raison parce qu'elle-même n'en voyait aucune qui pût se trouver fondée sur leurs âges, leurs caractères ou leurs sentiments – mais sa mère, lorsqu'elle tenait un sujet intéressant, se laissait toujours emporter par son imagination ; en conséquence, au lieu de poser une question, elle se contenta de laisser passer cette affirmation avec un sourire.

— Il m'a entièrement ouvert son cœur hier, pendant notre voyage. C'est arrivé d'une façon entièrement imprévue, presque par hasard. Evidemment, je ne pouvais parler d'autre chose que de ma fille – lui, ne pouvait cacher sa désolation ; je vis qu'elle était égale à la mienne, et comme il sentait, peut-être, que la simple amitié, au train dont vont aujourd'hui les choses, ne pouvait expliquer une sympathie aussi chaleureuse, ou, tout compte fait, ne pensant à rien, mais obéissant à une impulsion irrésistible, il me fit la confidence de son profond, tendre et constant amour pour Marianne. Il l'a aimée, ma chère Elinor, presque depuis le premier moment où il l'a vue.

Ici, pourtant, Elinor perçut, non le langage, non les affirmations du colonel Brandon, mais les enjolivements naturels à l'inlassable fantaisie de sa mère qui tournait à sa façon tout ce qui lui plaisait.

— Son affection pour elle surpasse infiniment tout ce que Willoughby a pu jamais ressentir ou feindre, elle est beaucoup plus chaleureuse, sincère ou constante, comme vous voudrez. Elle a persisté malgré la connaissance qu'il avait de la malheureuse passion de la chère Marianne pour cet indigne jeune homme ! Et sans aucun égoïsme ! Sans aucun espoir pour l'encourager ! Aurait-il pu la voir heureuse avec un autre ? Quel noble esprit ! Quelle franchise, quelle sincérité ! Personne n'aura jamais de déception avec lui.

— Le colonel Brandon, dit Elinor, a la réputation bien établie d'un excellent homme.

— J'en suis bien persuadée, dit sa mère d'un ton soucieux, car, après une pareille expérience, je serais la dernière à encourager pareille affection ou même à m'en féliciter. Mais la façon dont il est venu me chercher, et qui témoignait tant d'active amitié, suffirait à prouver qu'il est l'homme le plus estimable du monde.

— Il ne faudrait pas seulement, répondit Elinor, le juger sur un acte obligeant, auquel son affection pour Marianne, même si l'humanité n'avait pas été en cause, l'aurait porté. Mais Mrs. Jennings et les Middleton le connaissaient intimement et de longue date ; et ils l'aiment et le respectent également beaucoup ; quoique depuis peu de temps, je l'estime tant que, si Marianne peut être heureuse avec lui, je trouverai, tout comme vous, que leur union serait pour nous la plus heureuse chose du monde. Quelle réponse lui avez-vous donnée ? Lui avez-vous laissé de l'espoir ?

— Oh ! ma chère, à ce moment-là, je ne pouvais parler d'espoir ni pour lui ni pour moi. Marianne était peut-être mourante. Mais il ne demandait ni espoir ni encouragement. C'était une confidence involontaire, une effusion irrésistible faite à une amie qui pouvait le comprendre, et non pas une demande à une mère. Pourtant, après un moment, car d'abord j'étais toute bouleversée, je lui ai donné tous les encouragements en mon pouvoir. Le temps, un petit peu de temps, lui ai-je dit, arrangera tout ; Marianne ne peut rester attachée pour toujours à un homme tel que Willoughby. Par son propre mérite, le colonel ne tardera pas à la gagner.

— A en juger par l'humeur du colonel, pourtant, vous ne lui avez pas communiqué votre confiance.

— Non. Il juge l'amour de Marianne trop profond pour qu'un changement puisse se produire avant longtemps ; et, même, en supposant son cœur libre de nouveau, il se défie trop de lui-même pour croire qu'avec une telle différence d'âge et de disposition, il puisse jamais lui plaire Mais, là, il se trompe tout à fait. La grande différence d'âge est seulement un avantage car ainsi ses principes et son caractère sont bien arrêtés et ses dispositions, j'en suis bien convaincue, sont exactement celles qui peuvent faire le bonheur de votre sœur. Et sa personne, ses manières sont toutes en sa faveur. La partialité ne m'aveugle pas, il n'est certainement pas aussi brillant que Willoughby ; mais, en même temps, il a quelque chose de bien plus sympathique. Il y avait toujours eu, par moments, si vous vous le rappelez, quelque chose dans les yeux de Willoughby que je n'aimais pas.

Elinor n'arriva pas à se le rappeler; mais sa mère, sans attendre son assentiment, continua :

— Et quant à ses manières, celles du colonel ne sont pas seulement plus agréables que celles de Willoughby, mais elles sont d'une nature qui, je le sais bien, est infiniment plus susceptible de retenir Marianne. Sa bonne grâce, son attention spontanée aux autres, sa simplicité virile et sans apprêt s'accordent bien mieux avec ses vraies dispositions que la vivacité, souvent artificielle, et souvent déplacée, de l'autre. J'en suis sûre, la conduite de Willoughby aurait-elle été le contraire de ce qu'elle a été, elle n'aurait jamais été aussi heureuse avec lui qu'elle le sera avec le colonel Brandon.

Elle s'arrêta. Sa fille n'était pas tout à fait de son avis, mais n'en dit rien, et, par conséquent, rien ne vint contrarier Mrs. Dashwood.

— A Delaford, elle ne sera pas loin de moi, ajouta celle-ci, même si je reste à Barton; et, très probablement, car il paraît que le village est grand, il doit y avoir, dans le voisinage, quelque petite maison ou quelque cottage qui nous conviendrait aussi bien que notre habitation actuelle.

Pauvre Elinor! Encore une nouvelle occasion pour elle d'aller vivre à Delaford! Mais rien ne pouvait la réconcilier avec cette idée.

— Et sa fortune aussi! Car, à mon âge, vous comprenez, on fait attention à cela. Et quoique je ne sache pas et ne désire pas savoir ce qu'elle est exactement, je suis sûre qu'elle est importante.

Ici, elles furent interrompues par l'arrivée d'une tierce personne et Elinor se retira pour réfléchir à loisir à tout cela ; souhaitant, à son ami, le succès et, tout en le souhaitant, ne pouvant se défendre d'un sentiment de pitié pour Willoughby.

46

La maladie de Marianne n'avait pas duré assez longtemps pour nécessiter une longue convalescence. Sa jeunesse et sa vigueur naturelle aidant, ainsi que la présence de sa mère, elle se trouva assez bien pour pouvoir passer dans la chambre de Mrs. Palmer où le colonel Brandon fut invité, à la requête même de Marianne, à venir la voir, car il lui tardait de lui adresser ses remerciements pour lui avoir amené sa mère.

L'émotion qu'il fit paraître à son entrée en voyant son regard altéré, en prenant la main amaigrie qu'elle lui tendit immédiatement, fut telle que, au jugement d'Elinor, elle ne devait pas avoir seulement sa source dans son affection pour Marianne et elle eut tôt fait de découvrir, dans ses yeux mélancoliques et le trouble qu'ils laissaient paraître en regardant sa sœur, l'effet d'un souvenir. Elle pensa qu'il évoquait alors les douloureuses scènes d'un passé que lui rappelait la ressemblance d'Eliza et de Marianne, ressemblance avivée maintenant par les yeux creusés de celle-ci, son teint pâli, sa posture languissante, et ses chaleureuses protestations de reconnaissance.

Au bout d'un jour ou deux, comme Marianne prenait visiblement des forces d'heure en heure, Mrs. Dashwood, obéissant aussi bien à sa propre inclination qu'à celle de ses filles, commença à parler du retour à Barton. De ses résolutions dépendaient celles de ses deux amis. Mrs. Jennings ne pouvait quitter Cleveland durant le séjour des Dashwood, et le colonel Brandon se laissa facilement persuader par elle et Mrs. Jennings qu'il devait en faire autant, encore que sa présence fût moins indispensable. Sur leurs instances à tous deux, en revanche, Mrs. Dashwood accepta de se servir de sa voiture pour le retour, afin de ménager mieux la santé de la convalescente ; et le colonel, sollicité par elle et Mrs. Jennings, dont l'amicale obligeance toujours en éveil lui faisait pratiquer l'hospitalité aussi bien pour le compte des autres que pour le sien, s'engagea avec plaisir à faire, en échange, une visite au cottage, dans quelques semaines.

Le jour de la séparation et du départ arriva ; Marianne fit à Mrs. Jennings des adieux chaleureux et prolongés ; elle se montra si vivement reconnaissante, si pleine de respect et de vœux affectueux qu'elle semblait avoir ressenti un secret remords de son indifférence passée à son égard. Après avoir dit adieu au colonel Brandon avec une cordialité amicale, elle fut soigneusement installée par lui dans la voiture dont il aurait voulu lui voir occuper la moitié de la place disponible. Mrs. Dashwood et Elinor suivirent, et les autres furent laissés à leur propre solitude, jusqu'à ce que Mrs. Jennings fût appelée à monter dans son cabriolet ; là elle trouva du soulagement à bavarder avec sa femme de chambre et à épiloguer sur le départ des deux jeunes filles. Immédiatement après, le colonel Brandon s'en retourna solitairement à Delaford.

Le voyage des Dashwood dura deux jours et Marianne le supporta sans fatigue particulière. Chacune de ses deux compagnes déploya l'affection la plus zélée, le soin le plus attentif pour son bien-être et elles trouvèrent, l'une et l'autre, leur récompense en la voyant en bonne santé et l'esprit tranquille. Ce dernier point, surtout, fit particulièrement plaisir à Elinor. Elle, qui l'avait vue, pendant de longues semaines, constamment accablée de douleur, le cœur serré d'une angoisse qu'elle n'avait le courage ni d'avouer ni de dissimuler, observait maintenant chez sa sœur, avec un soulagement sans égal, une visible tranquillité d'esprit, résultat, elle l'espérait, de sérieuses réflexions qui devaient progressivement l'amener à recouvrer son équilibre et sa gaieté.

En approchant de Barton, cependant, regagnant ces lieux où chaque champ, chaque arbre évoquait quelque souvenir particulier et douloureux, elle devint silencieuse et pensive, et, évitant leur regard, se mit à regarder passionnément à travers la glace de la voiture. Mais, là, Elinor n'eut ni étonnement ni blâme ; et, lorsque, en aidant Marianne à descendre de voiture, elle s'aperçut qu'elle avait pleuré, elle n'y vit qu'une émotion trop discrète et trop naturelle pour exciter autre chose qu'une tendre pitié.

Tout le reste du temps, sa conduite montra que la volonté de se contenir d'une façon raisonnable était entrée dans son esprit, car on ne fut pas plutôt entré dans la salle commune que Marianne y jeta un regard circulaire avec une fermeté résolue, comme si elle était déterminée à s'accoutumer à la vue de chaque objet auquel s'attachait le souvenir de Willoughby. Elle ne parla pas beaucoup, mais ce qu'elle disait respirait la bonne humeur, et, si un soupir lui échappait parfois, elle le corrigeait toujours par un sourire. Après dîner, elle voulut essayer son piano-forte. Elle s'y installa ; mais la musique sur laquelle elle tomba d'abord était un opéra, que lui avait apporté Willoughby, contenant quelques-uns de leurs duos favoris et portant son nom écrit de sa main à la page de garde. C'en était trop. Elle secoua la tête, mit la musique de côté, et, après avoir promené une minute ses doigts sur le clavier, se plaignit de leur faiblesse et referma l'instrument, déclarant cependant, avec fermeté, qu'à l'avenir elle reprendrait ses exercices.

Le lendemain n'amena aucun affaiblissement de ces heureux symptômes. Au contraire, fortifiée de corps et d'esprit par le sommeil, elle se montra encore plus naturelle dans ses gestes et ses paroles, se réjouissant du prochain retour de Margaret, et parlant de leur cher cercle de famille enfin reformé, de leurs mutuelles occupations et de leur heureuse union comme de la seule perspective de bonheur digne de ses vœux.

— Quand le temps sera au beau et que j'aurais repris mes forces, dit-elle, nous ferons ensemble de longues promenades tous les jours. Nous irons à la ferme qui est au sommet de la colline voir comment vont les enfants ; nous irons visiter les nouvelles plantations de sir John à Barton Cross, et la terre de l'Abbaye ; et il faudra aller souvent jusqu'aux ruines du vieux prieuré et essayer de retrouver la trace des fondations aussi loin qu'elles s'étendent. Je crois que nous passerons des heures charmantes. Certainement, l'été sera gai. J'ai l'intention de me lever tous les matins à six heures au moins et, jusqu'au dîner, je partagerai mon temps entre la musique et la lecture. J'ai dressé un plan et suis résolue à travailler sérieusement. Je connais trop bien notre bibliothèque pour l'utiliser autrement que par simple amusement. Mais il y a au Park beaucoup de livres qui valent la peine d'être lus et je sais que je pourrai emprunter des ouvrages modernes au colonel Brandon. Rien qu'en lisant six heures par jour, je pourrai en six mois compléter largement les lacunes de mon instruction.

Elinor la félicita d'un plan qui s'annonçait si bien, tout en souriant de voir la même impétuosité de sentiment qui l'avait conduite à l'excès extrême de la langueur et des regrets faire tourner maintenant à l'exagération un projet si raisonnable de travail et de domination de soi.

Mais ce sourire fit place à un soupir quand elle se rappela qu'elle n'avait toujours pas rempli la promesse faite à Willoughby. Elle redoutait que cette communication ne vienne encore troubler Marianne, ruinant ainsi, au moins pour un temps, ces heureuses perspectives de tranquillité active et diligente. En conséquence, voulant retarder ce moment délicat, elle décida d'attendre, avant d'aborder ce sujet, que la santé de sa sœur fût plus affermie. Mais cette résolution ne fut pas plutôt prise qu'elle fut contrariée.

Marianne était restée deux ou trois jours à la maison pour attendre que le temps fût assez beau pour permettre à une convalescente comme elle de s'aventurer dehors. Mais, enfin, un matin se leva, si doux, si engageant qu'elle fut tentée et que sa mère prit confiance ; et Marianne, appuyée au bras d'Elinor, eut la permission de se promener, aussi longtemps qu'elle pourrait le faire sans fatigue, sur le chemin devant la maison.

Les deux sœurs marchèrent à pas lents ainsi qu'il convenait à la faiblesse de Marianne qui se livrait, pour la première fois, à cet exercice depuis sa maladie. Elles s'étaient un peu écartées de la maison pour jouir de l'entière vue de la colline, de la grande colline derrière la maison, quand Marianne s'arrêta, et, tournant les yeux avec calme de ce côté :

— C'est là, exactement là (elle indiquait l'endroit de la main) sur ce monticule qui fait saillie, que je suis tombée, et que j'ai vu pour la première fois Willoughby.

Sa voix faiblit en prononçant ce nom, mais elle se remit aussitôt et ajouta :

— Je me sens heureuse de constater que j'éprouve si peu de peine à revoir cet endroit. Pouvons-nous aborder ce sujet, Elinor ? (Elle hésita un peu.) Où est le mal ? Je puis, je crois, en parler maintenant, comme il faut.

Elinor l'invita tendrement à s'ouvrir à elle.

— Pour ce qui est du regret, dit Marianne, c'est fini. Je ne veux pas vous parler de ce que j'ai éprouvé pour lui, mais de ce que je ressens maintenant. Maintenant, si je pouvais avoir satisfaction sur une chose – si je pouvais être sûre qu'il n'a pas toujours joué un rôle, qu'il ne m'a pas toujours trompée – et, par-dessus tout, si je pouvais être sûre qu'il n'a jamais été aussi pervers que j'ai parfois peur de l'imaginer d'après l'histoire de cette malheureuse fille…

Elle s'interrompit. Elinor, transportée de joie, recueillit précieusement ses paroles et lui répondit :

— Si vous pouviez en être assurée, vous pensez que vous seriez apaisée ?

— Oui, mon repos d'esprit en dépend doublement, car, non seulement il est horrible de suspecter de tels desseins quelqu'un qui a été pour moi ce qu'il a été, mais sous quel jour cela me fait-il apparaître moi-même ? Dans ma situation, à quoi mon élan irréfléchi m'exposait-il ?

— Et comment, demanda sa sœur, voudriez-vous pouvoir expliquer sa conduite ?

— Je voudrais supposer – oh ! comme j'en serais heureuse ! – qu'il a été seulement léger, très léger.

Elinor ne répondit pas. Elle débattait en elle-même si c'était le moment de commencer son récit ou s'il valait mieux attendre que Marianne fût plus forte ; et elles avancèrent quelques minutes en silence.

— Ce n'est pas lui vouloir trop de bien, dit enfin Marianne avec un soupir, que de souhaiter que ses secrètes réflexions ne soient pas plus pénibles que les miennes. Il y a là de quoi le faire assez souffrir.

— Pouvez-vous comparer votre conduite à la sienne ?

— Non, ma conduite, je la compare à ce qu'elle aurait dû être. Je la compare à la vôtre.

— Nos situations ne se ressemblaient guère.

— Elles se ressemblaient plus que notre conduite. Ne laissez pas, ma chère Elinor, votre bonté défendre ce que votre jugement ne peut que blâmer. Ma maladie m'a permis de réfléchir. Elle m'a donné le loisir et le calme pour un sérieux examen de conscience. Longtemps avant de pouvoir parler, j'avais recouvré la faculté de réfléchir.

« J'ai considéré le passé ; je n'ai vu dans ma conduite, depuis le début de nos relations avec lui, l'automne dernier, qu'une série d'imprudences envers moi-même, et un manque d'égards pour les autres. J'ai vu que j'avais moi-même été cause de mes maux et que mon manque de courage pour les supporter m'avait presque conduite au tombeau. Ma maladie, je sens bien que j'en ai été la seule cause, par une négligence de ma santé telle que je m'en rendais compte au moment même. Si j'étais morte, ç'aurait été un suicide. Je n'ai pas eu conscience du danger tant qu'il a duré. Mais, maintenant, à la réflexion, je m'étonne d'avoir survécu ; je m'étonne que la violence de mon désir de vivre, d'avoir le temps de demander pardon à Dieu, à vous tous, ne m'ait pas tuée sur-le-champ. Si j'étais morte, dans quel état particulièrement misérable je vous aurais laissée, vous, ma garde-malade, mon amie, ma sœur ! Vous, qui aviez été témoin du terrifiant égoïsme de mes derniers jours, qui aviez connu tous les murmures de mon cœur ! Comment auriez-vous pu vivre avec ces souvenirs !

« Et ma mère aussi ! Comment auriez-vous fait pour la consoler ? Je ne puis exprimer combien j'ai horreur de moi-même ! Partout où je regarde dans le passé, je vois un devoir négligé, une faute à me reprocher. Il me semble que j'ai fait tort à tout le monde. La bonté, l'incessante bonté de Mrs. Jennings, ingrate que j'étais, je l'ai payée de mon mépris. Envers les Middleton, les Palmer, les Steele, envers toutes nos connaissances, enfin, j'ai été insolente et injuste ; avec un esprit prévenu contre leurs mérites, et un caractère irrité par leurs sincères prévenances. A John, à Fanny, oui, même à eux, si peu qu'ils le méritent, j'ai donné moins que leur dû. Mais vous, vous, par-dessus tout, ma mère exceptée, vous avez à vous plaindre de moi. Moi, et moi seule, je savais ce que vous aviez sur le cœur, oui, et à quoi cela m'a-t-il servi ? Ai-je éprouvé des sentiments de pitié qui auraient pu nous profiter à toutes deux ? Votre exemple était devant moi. A quoi bon ? Ai-je mérité votre indulgence, ou soulagé votre peine, en prenant la moindre part dans ces obligations de politesse générale ou de gratitude particulière qu'il vous a fallu par suite remplir seule ? Non, pas plus quand je vous ai vue malheureuse que quand je vous croyais heureuse, je n'ai voulu me charger d'aucune corvée obligatoire, ou d'aucun devoir d'amitié, n'admettant presque pas que le chagrin pût exister pour d'autre que pour moi, regrettant seulement ce cœur qui m'avait abandonné et me désespérait, et vous laissant, vous pour qui je professais une affection sans bornes, prendre toute la peine à ma place. »

Ici s'arrêta l'impétueux courant des reproches qu'elle s'adressait à elle-même, et Elinor, impatiente de la calmer, mais trop honnête pour la flatter, lui prodigua aussitôt l'éloge et les encouragements que sa franchise et son repentir méritaient si bien. Marianne pressa sa main et répliqua :

— Vous êtes bien bonne. C'est à l'avenir de me justifier. Je me suis dressé un plan et, si je suis capable de m'y tenir, j'arriverai à gouverner mes sentiments et à améliorer mon caractère, de manière à n'être plus importune aux autres et à ne plus me torturer moi-même. Je ne veux plus vivre maintenant que pour ma famille. En conséquence, vous, ma mère et Margaret, vous serez le monde entier pour moi, vous vous partagerez entièrement mes affections. Je n'aurai plus désormais la moindre tentation de m'écarter de vous, de la maison ; et, si je viens à me mêler à une autre société, ce sera seulement pour montrer que mon orgueil est abaissé, que je me suis amendée et que je puis m'acquitter des devoirs ordinaires de civilité, avec gentillesse et bonne humeur. Et, pour Willoughby, il serait vain de dire que je l'oublierai bientôt, ou même que je l'oublierai jamais. Son souvenir ne pourra jamais être effacé par aucun changement de circonstances ou d'opinions. Mais il pourra être combattu par la religion, par la raison, par des occupations continuelles.

Elle s'arrêta et ajouta à voix plus basse :

— Si je pouvais seulement connaître son cœur, tout deviendrait facile.

Elinor qui, depuis un moment, réfléchissait sur l'opportunité de hasarder ou non son récit, sans pouvoir se décider dans un sens ou dans l'autre, fut frappée de cette parole ; et se disant que, lorsque la réflexion n'avance à rien, la résolution doit tout faire, elle se trouva bientôt lancée dans la voie des confidences.

Elle présenta les choses avec adresse, comme elle l'espérait, prépara avec précaution son anxieuse interlocutrice, rapporta simplement et honnêtement les principaux points sur lesquels Willoughby avait fondé sa défense, rendit justice à ses remords et atténua seulement un peu ses protestations d'amour inchangé. Marianne ne dit pas un mot, elle tremblait ; ses yeux étaient fixés sur la terre et ses lèvres devinrent plus blanches qu'elles ne l'avaient jamais été durant sa maladie. Mille questions se pressaient sur ses lèvres, mais elle n'osait en formuler aucune. Sa main, à son insu, pressait convulsivement celle de sa sœur, et ses joues étaient inondées de larmes.

Elinor, craignant qu'elle ne fût fatiguée, la ramena vers la maison, et jusqu'à ce qu'elles fussent arrivées à la porte du cottage, devinant ce que devait être le désir de Marianne, ne parla d'autre chose que de Willoughby et de sa conversation avec lui ; entrant soigneusement dans les plus petits détails sur ses paroles et son attitude, là où elle pouvait le faire sans danger.

Dès qu'elles furent entrées dans la maison, Marianne, après un baiser de gratitude et ces quatre mots qui passèrent juste entre ses larmes : « Dites-le à maman », quitta sa sœur et monta sans bruit dans sa chambre. Elinor ne chercha pas à troubler une solitude recherchée, cette fois, avec raison ; et tout en imaginant anxieusement les résultats de sa démarche, avec la résolution bien arrêtée de revenir sur le sujet au cas où Marianne ne le ferait pas elle-même, elle se dirigea vers le salon pour accomplir le vœu que venait d'exprimer sa sœur.

47

Mrs. Dashwood n'entendit pas sans émotion le plaidoyer de son ancien favori. Elle fut heureuse de le voir lavé d'une partie des fautes qui lui étaient imputées ; elle le plaignit, elle souhaita qu'il fût heureux. Mais elle ne retrouva pas pour lui ses sentiments d'autrefois. Rien ne pouvait lui redonner son auréole de foi inviolée, de conduite irréprochable envers Marianne. Rien ne pouvait effacer le sentiment de ce que cette dernière avait souffert par lui, ni racheter sa conduite envers Eliza. Rien, par conséquent, ne pouvait lui rendre l'estime qu'elle avait eue, d'abord, à son égard, ni diminuer son intérêt pour le colonel Brandon.

Si Mrs. Dashwood avait, comme sa fille, entendu l'histoire de la propre bouche de Willoughby, si elle avait été témoin de sa détresse, si elle avait subi l'influence de sa présence et de son attitude, sa compassion eût été probablement plus vive. Mais Elinor n'avait ni le pouvoir ni l'envie de ressusciter, par une évocation détaillée, les sentiments que cette scène avait suscités en elle. La réflexion avait donné du calme à son jugement et ramené à une juste mesure son appréciation des mérites de Willoughby. Elle chercha, en conséquence, à exposer simplement la vérité et à montrer les faits comme ils se présentaient réellement, sans rien embellir ni se laisser entraîner à des exagérations sentimentales.

Au cours de la soirée, lorsqu'elles se trouvèrent toutes les trois réunies, Marianne commença à parler encore de lui ; mais ce ne fut pas sans faire un effort, ainsi que le montrait clairement la rêverie inquiète et agitée dans laquelle elle avait commencé par s'absorber, le sang qui montait à ses joues à mesure qu'elle parlait et sa voix mal assurée.

— Je tiens à vous assurer toutes deux, dit-elle, que j'envisage les choses exactement comme vous pouvez le désirer.

Mrs. Dashwood l'aurait immédiatement interrompue par des démonstrations de tendresse, si Elinor, qui voulait connaître vraiment ses sentiments réels, ne l'eût, d'un geste décidé, engagée au silence. Marianne continua doucement.

— Ce qu'Elinor m'a dit ce matin est, pour moi, un grand soulagement. Maintenant, j'ai entendu exactement ce que je désirais entendre.

Sa voix s'éteignit un moment; mais, se reprenant, elle continua d'un ton plus assuré.

— Je suis maintenant parfaitement satisfaite. Je ne désire rien de plus. Je n'aurais jamais pu être heureuse avec lui, après avoir appris tout cela, comme je l'aurais appris un jour ou l'autre. Je n'aurais plus pu avoir de confiance ni d'estime pour lui. Rien n'aurait pu bannir ces choses de mon esprit,

— Je le comprends ! Je le comprends ! s'écria sa mère. Heureuse avec un homme qui s'est conduit en libertin! Avec un homme qui a troublé la paix du plus cher de nos amis, et du meilleur des hommes! Non, ma Marianne n'a pas le cœur fait pour être heureuse avec un pareil homme! Sa conscience, sa délicate conscience aurait ressenti tout ce que la sienne aurait dû ressentir.

Marianne soupira et répéta :

— Je ne désire rien de plus.

— Vous envisagez la chose, dit Elinor, exactement comme doivent la voir un esprit juste et un entendement sain; et je crois bien que vous trouverez, comme moi-même, non seulement en cela, mais dans beaucoup d'autres circonstances, assez de motifs pour être convaincue que ce mariage vous aurait apporté infailliblement beaucoup de trouble et de déception, qui n'auraient été compensés, de son côté, que par une affection bien problématique. L'auriez-vous épousé, vous auriez été toujours pauvre. Sa prodigalité, il en convient lui-même, et toute sa conduite montrent que l'oubli de soi-même est une expression qui n'a pas de sens pour lui. Ses besoins d'argent et votre inexpérience, avec un faible, très faible revenu, vous auraient mis dans une détresse qui n'aurait été rien moins qu'adoucie par ce fait que vous n'en auriez eu auparavant aucune expérience, ni aucune prévision. Votre sens de l'honneur et de l'honnêteté vous aurait amenée, j'en suis sûre, dès que vous auriez eu conscience de cette situation, à essayer de faire toutes les économies possibles. Et, peut-être, tant que la parcimonie n'aurait été pratiquée qu'aux dépens de votre confort personnel, il vous aurait laissé faire, mais vous n'auriez pu faire que bien peu de chose par vos seuls moyens pour arrêter une ruine déjà commencée avant le mariage. Au-delà de cette limite, si vous aviez essayé, si raisonnable que ce fût, d'empiéter sur ses plaisirs, n'était-il pas à craindre que, bien loin de rien obtenir d'un caractère aussi égoïste, vous perdiez toute influence sur lui, de sorte qu'il aurait fini par regretter une union qui l'engageait dans de telles difficultés ?

Les lèvres de Marianne tremblèrent et elle répéta le mot : « Egoïste » d'un ton qui signifiait : « Le croyez-vous réellement égoïste ? »

— Toute sa conduite, répondit Elinor, du commencement à la fin, a été fondée sur l'égoïsme. C'est l'égoïsme qui l'a fait d'abord jouer avec votre affection et, ensuite, quand son cœur s'est mis de la partie, lui a fait différer l'aveu, et l'a finalement engagé à quitter Barton. Son propre plaisir, ses commodités ont été sa règle souveraine dans chaque cas.

— C'est très vrai ! Il n'a jamais eu mon bonheur pour objet.

— A présent, poursuivit Elinor, il regrette ce qu'il a fait. Et pourquoi le regrette-t-il ? Parce que cela ne lui a pas réussi. Il n'a pas trouvé le bonheur. Ses affaires ne sont plus, maintenant, embarrassées, il n'a plus rien à craindre de ce côté, et il considère seulement qu'il a épousé une femme moins agréable que vous. Mais s'ensuit-il qu'il eût été heureux, s'il vous avait épousée ? Les inconvénients n'auraient pas été les mêmes. Il aurait alors souffert des embarras pécuniaires qu'il compte pour rien, maintenant qu'ils sont évités. Il aurait eu toutes satisfactions du côté du caractère de sa femme, mais il aurait été toujours besogneux, toujours pauvre et il aurait probablement bientôt été amené à accorder plus d'importance aux innombrables avantages d'une situation nette et d'un large revenu, même pour le bonheur domestique, qu'au caractère d'une femme.

— Je n'en doute pas, dit Marianne, et je n'ai rien à regretter que ma propre folie.

— Dites plutôt l'imprudence de votre mère, mon enfant, dit Mrs. Dashwood, c'est elle qui doit répondre de ce qui s'est passé.

Marianne n'aurait pas voulu l'admettre, et Elinor, satisfaite de voir qu'elles reconnaissaient, l'une et l'autre, leur erreur, ne cherchait plus qu'à éviter tout rappel du passé qui ne pouvait que déprimer Marianne ; reprenant donc son premier sujet, elle poursuivit aussitôt :

— Il faut, cependant, en toute vérité, tirer une conclusion de l'ensemble de l'affaire : tous les embarras de Willoughby sont venus, en droite ligne, de sa faute initiale contre l'honneur, de sa conduite envers Eliza Williams. Ce crime a été l'origine des fautes moins graves qui l'ont suivi, et de son malaise actuel.

Marianne approuva chaleureusement cette remarque ; et sa mère partit de là pour énumérer les souffrances et les mérites du colonel Brandon, avec une chaleur qui s'inspirait autant d'une réelle amitié que d'une pensée plus intéressée. Sa fille n'eut, cependant, guère l'air d'y faire attention.

Elinor, ainsi qu'elle s'y attendait, constata, dans les deux ou trois jours suivants, que l'état de Marianne demeurait stationnaire ; mais, tant que sa résolution tenait bon et qu'elle faisait effort pour apparaître joyeuse et naturelle, sa sœur se fiait au temps pour lui voir recouvrer sa santé.

Margaret revint et elles se trouvèrent rendues de nouveau les unes aux autres, paisiblement installées dans leur cottage ; et, si elles ne poursuivaient pas leurs études tout à fait avec la même ardeur qu'au début de leur installation, elles tiraient au moins des plans pour les développer vigoureusement à l'avenir.

Il commençait à tarder à Elinor d'avoir des nouvelles d'Edward. Elle n'avait plus entendu parler de lui depuis qu'il avait quitté Londres, ne savait rien de ses projets, ni même son adresse actuelle. Quelques lettres avaient été échangées avec son frère, en raison de la maladie de Marianne, et, dans la première qu'elle avait reçue de John, se trouvaient ces mots : « Nous ne savons rien de notre malheureux Edward, et nous ne pouvons faire d'enquête sur un sujet aussi délicat, mais nous supposons qu'il est toujours à Oxford. » C'était tout ce qu'on pouvait apprendre sur Edward par ce canal, car les autres lettres ne mentionnaient même pas son nom. Elle ne devait pas, cependant, rester longtemps dans l'ignorance de ses actes.

Leur domestique était allé, un matin, à Exeter pour des commissions ; et, pendant qu'il servait à table, lorsqu'il eut satisfait aux demandes de sa maîtresse au sujet de son voyage, il ajouta de lui-même.

— Je suppose que vous avez appris, madame, que Mr. Ferrars est marié !

Marianne sursauta violemment et fixa son regard sur Elinor, la vit pâlir et tomba évanouie sur sa chaise. Mrs. Dashwood, dont les yeux, tandis qu'elle répondait au domestique, avaient instinctivement pris la même direction, fut saisie en voyant par l'attitude d'Elinor combien elle était réellement atteinte. Elle fut immédiatement après également alarmée à cause de l'état de Marianne et resta un moment sans savoir laquelle de ses deux filles elle devait d'abord secourir.

Le domestique, qui avait seulement vu que miss Marianne se trouvait mal, eut le bon sens d'appeler une des femmes de chambre, qui aida Mrs. Dashwood à la transporter dans une autre pièce. Bientôt, Marianne fut un peu mieux, et sa mère, la laissant sous la garde de Margaret et de la servante, retourna à Elinor, qui, quoique encore fort troublée, avait recouvré assez de sang-froid et de voix pour s'enquérir auprès de Thomas de l'origine de son information. Mrs. Dashwood s'en chargea immédiatement et Elinor eut tout le bénéfice de l'interrogatoire sans avoir à prendre la peine de le conduire.

— Qui vous a dit que Mr. Ferrars fût marié, Thomas ?

— J'ai vu Mr. Ferrars moi-même, ce matin, à Exeter, et sa femme, qui était auparavant miss Steele. Ils étaient dans une voiture arrêtée à la porte de New London Inn, au moment où j'y arrivais, pour donner des nouvelles de Sally du Park, à son frère, qui est un des postillons. Je regardai, par hasard, quand je passai à côté de la voiture et je vis tout de suite que c'était la plus jeune des demoiselles Steele, de sorte que je levai mon chapeau, et que, me reconnaissant, elle m'appela, et me demanda de vos nouvelles, madame, et de ces demoiselles, spécialement de miss Marianne. Elle me chargea aussi de vous transmettre ses compliments et ceux de Mr. Ferrars, leurs meilleurs compliments et leurs respects. Il fallait que je vous dise également combien ils regrettaient de n'avoir pas eu le temps de venir vous voir ; car ils étaient très pressés de partir, parce qu'ils allaient un peu plus loin passer quelque temps – mais, à leur retour, ils viendront certainement vous voir.

— Mais vous a-t-elle dit qu'ils étaient mariés, Thomas ?

— Oui, madame. Elle sourit et dit qu'elle avait changé de nom depuis le temps où elle était ici. Elle avait toujours été une personne bien affable et facile, et très polie ; aussi ai-je pris la liberté de lui souhaiter bonne chance.

— Et Mr. Ferrars était dans la voiture avec elle ?

— Oui, madame, je l'ai juste vu de dos, mais il n'a pas regardé dehors : il n'a jamais été un gentleman très bavard.

Elinor n'eut pas de peine à s'expliquer qu'il n'ait pas tenu à se montrer et Mrs. Dashwood trouva probablement la même explication.

— Il n'y avait personne d'autre dans la voiture ?

— Non, madame, rien que tous les deux.

— Savez-vous d'où ils venaient ?

— Ils venaient droit de Londres, c'est ce que m'a dit miss Lucy... Mrs. Ferrars.

— Et ils allaient loin vers l'ouest ?

— Oui, madame. Mais pas pour longtemps. Ils seront bientôt de retour, et, certainement alors, ils viendront vous voir.

Mrs. Dashwood regarda sa fille ; mais Elinor ne s'attendait pas à les voir. Elle reconnaissait bien Lucy à ce message, et se tenait pour bien sûre qu'Edward ne viendrait jamais chez elles. Elle fit observer à sa mère, à voix basse, qu'ils allaient probablement chez Mr. Pratt, près de Plymouth.

Thomas semblait avoir épuisé ses renseignements, Elinor parut décidée à en savoir davantage.

— Les avez-vous vus partir avant de vous retirer ?

— Non, mademoiselle. Les chevaux venaient d'arriver, mais je ne pouvais pas attendre plus longtemps. J'avais peur d'être en retard.

— Mrs. Ferrars paraissait-elle bien ?

— Oui, madame, elle a dit qu'elle allait très bien ; et il m'a semblé qu'elle était toujours une bien jolie personne et elle paraissait extrêmement contente.

Mrs. Dashwood n'avait pas d'autres questions à poser, et Thomas ainsi que la garniture de table, maintenant inutiles, disparurent rapidement. Marianne avait déjà fait dire qu'elle ne pourrait rien manger de plus. Mrs Dashwood et Elinor avaient également perdu l'appétit et Margaret put se féliciter vraiment qu'avec tous les événements de ces derniers temps, si faits pour couper l'appétit de ses sœurs, on n'ait pas eu encore l'occasion de se priver complètement de dîner.

Lorsque l'on eut enlevé le dessert et les vins et que Mrs. Dashwood et Elinor furent laissées à elles-mêmes elles restèrent longtemps pareillement songeuses et silencieuses. Mrs. Dashwood n'osait hasarder une remarque, et ne se risquait pas à offrir des consolations. Elle voyait, maintenant, qu'elle s'était trompée en se fiant à ce qu'Elinor lui avait dit de ses sentiments ; et concluait justement qu'elle avait tout atténué volontairement, autrefois, pour lui épargner un surcroît d'angoisse, alors qu'elle était malheureuse à propos de Marianne. Elle découvrit que la vigilante attention de sa fille l'avait induite en erreur. Il était hélas ! bien certain que l'attachement d'Elinor, considéré quelque temps par sa mère comme assez superficiel, avait bien toute la profondeur que Mrs. Dashwood lui avait tout d'abord attribué. Elle craignait maintenant que sa mauvaise appréciation des choses l'eût rendue injuste, indifférente, oui, presque cruelle pour Elinor ; que son affection se soit trop portée sur Marianne, parce que son malheur était plus évident, plus immédiatement émouvant, et qu'elle ait été portée à oublier qu'elle avait en Elinor une fille aussi durement frappée, et certainement avec moins de responsabilité de sa part, et plus de courage.

48

Elinor put alors apprécier la différence entre l'attente d'un événement fâcheux, si inévitable qu'il soit, et la certitude de son existence. Elle découvrit qu'en dépit d'elle-même, elle avait toujours gardé quelque espoir, tant qu'Edward était libre, et supposait, en secret, que quelque chose viendrait empêcher son mariage avec Lucy. Un changement dans ses idées, l'intervention d'un ami, ou l'occasion d'un établissement plus favorable offerte à Lucy pouvaient surgir pour la satisfaction générale. Mais, maintenant, il était marié et elle se reprochait de s'être laissée aller à ces rêves décevants qui aggravaient tellement sa douleur présente.

Tout d'abord, elle fut un peu étonnée qu'il se fût marié si vite, avant (pensait-elle) d'avoir pu être ordonné et, par conséquent, d'être en possession de sa cure. Mais elle se rendit rapidement compte combien il était naturel que Lucy, dans son souci égoïste, dans sa hâte d'assurer son mariage, ait préféré courir tous les risques plutôt que d'attendre. Ils étaient mariés, mariés à Londres et ils s'empressaient maintenant d'aller chez son oncle. Qu'avait pu éprouver Edward en se trouvant à quatre milles de Barton, en voyant leur domestique et en entendant le message de Lucy ?

Ils seraient, sans doute, bientôt installés à Delaford, cet endroit vers lequel tout la ramenait sans cesse, qu'elle désirait à la fois connaître et éviter. En un éclair, elle les vit installés dans leur presbytère ; elle voyait en Lucy l'active et inquiète ménagère, cherchant à concilier les apparences de l'élégance avec la plus grande simplicité, s'efforçant de dissimuler la moitié de ses pratiques d'économies, ne pensant qu'à poursuivre son propre intérêt, courtisant le colonel Brandon, Mrs. Jennings et tous ceux de ses amis qu'elle jugeait fortunés. Pour Edward, elle ne savait qu'en dire, ni ce qu'elle désirait ; heureux ou malheureux, les deux choses lui déplaisaient également, elle écartait de sa pensée toute image de lui.

Elinor se flattait que quelques-uns de leurs amis de Londres lui écriraient pour annoncer l'événement et donner quelques détails ; mais les jours s'écoulèrent sans apporter de lettres, ni de nouvelles. Il n'était pas prouvé qu'ils fussent à blâmer, mais elle les trouvait tous en faute. Il fallait qu'ils fussent oublieux ou paresseux.

— Quand écrirez-vous au colonel Brandon, Maman ?

Telle fut la demande que lui dicta son impatience de savoir quelque chose.

— Je lui ai écrit, ma chérie, la semaine dernière, et je m'attends plutôt à le voir qu'à recevoir de ses nouvelles. Je l'ai vivement pressé de venir, et je ne serais pas surprise de le voir arriver aujourd'hui ou demain, ou quelque autre jour.

C'était quelque chose de gagné, quelque chose à espérer. Le colonel Brandon fournirait sans doute quelque information.

A peine avait-elle fait cette réflexion qu'elle aperçut, à travers la fenêtre, la silhouette d'un cavalier. Il s'arrêta à leur porte : c'était un gentleman, le colonel Brandon certainement. Elle allait, maintenant, en savoir davantage et elle tremblait à cette perspective. Mais… ce n'était pas le colonel, ni son air, ni sa taille. Si c'eût été possible, elle aurait dit que c'était Edward. Elle regarda de nouveau. Il avait mis pied à terre, il n'y avait pas d'erreur possible, c'était Edward. Elle se retira et s'assit. « Il vient exprès de chez Mr. Pratt pour nous voir. Je dois être calme. Je resterai maîtresse de moi-même. »

En un instant, elle se rendit compte que les autres s'étaient également aperçues de l'erreur. Elle vit Marianne et sa mère changer de couleur, la regarder, et échanger quelques mots entre elles à voix basse. Elle aurait donné tout au monde pour être capable de parler, de leur faire comprendre qu'elles ne devaient montrer, à son égard, aucune marque de froideur, de dédain ; mais la voix lui manquait, et elle fut obligée de tout laisser à leur inspiration.

Pas une syllabe ne fut prononcée. Toutes attendaient en silence l'apparition de leur visiteur. On entendit le gravier de l'allée craquer sous ses pas ; un moment après, il était dans le passage et, enfin, il apparut.

Sa contenance, en entrant dans la pièce, n'était guère brillante. Il était pâle et agité, et paraissait inquiet, comme s'il avait conscience d'avoir mérité d'être mal reçu. Mrs. Dashwood cependant, pensant remplir les vœux de cette fille par laquelle, dans la chaleur de son affection, elle entendait se laisser guider, maintenant, en toute chose, l'accueillit en se forçant à prendre un air de complaisance, lui tendit la main et lui souhaita la bienvenue.

Il rougit, et balbutia une réponse inintelligible. Elinor avait ouvert la bouche en même temps que sa mère, et, après coup, regretta de ne pas lui avoir aussi tendu la main. Mais il était trop tard, et, avec un air aussi aisé que possible, elle s'assit et se mit à parler du temps qu'il faisait.

Marianne s'était assise à l'écart pour cacher son angoisse, et Margaret comprenant quelque chose, mais non pas tout, pensa qu'il lui incombait de prendre une attitude de dignité et, en conséquence, s'assit également assez loin en gardant le plus profond silence.

Lorsque Elinor eut cessé de célébrer le beau temps, il y eut un silence fort impressionnant. Il fut rompu par Mrs. Dashwood qui se sentit obligée de demander s'il avait laissé Mrs. Ferrars en bonne santé. Il répondit précipitamment que oui.

Autre pause.

Elinor résolue à prendre sur elle, et bien qu'ayant peur du son de sa propre voix, dit alors :

— Mrs. Ferrars est-elle à Longstaple ?

— A Longstaple ! répondit-il avec un air de surprise. Non, ma mère est à Londres.

— Je voulais dire… dit Elinor en prenant un ouvrage sur la table, je demandais des nouvelles de Mrs. Edward Ferrars.

Elle n'osait pas lever les yeux, mais sa mère et Marianne dirigeaient leurs regards sur lui. Il rougit, sembla perplexe, parut douter, et après quelque hésitation dit :

— Peut-être voulez-vous parler de la femme de mon frère, de Mrs. Robert Ferrars.

— Mrs. Robert Ferrars ! répétèrent Marianne et sa mère avec l'accent du plus profond étonnement et, bien qu'Elinor ne pût parler, ses yeux impatiemment fixés sur lui marquaient la même surprise.

Il se leva et marcha vers la fenêtre, ne sachant visiblement que faire ; il saisit une paire de ciseaux qui se trouvaient là et, tout en les examinant ainsi que leur étui et essayant machinalement de couper ce dernier en morceaux, dit d'une voix saccadée :

— Peut-être ne savez-vous pas, n'avez-vous pas entendu dire que mon frère a dernièrement épousé la plus jeune des demoiselles Steele, Lucy Steele ?

Ces mots furent accueillis avec un indicible étonnement par tout le monde, à l'exception d'Elinor qui, la tête penchée vers son ouvrage, se trouvait dans un tel état d'agitation qu'elle ne savait presque plus où elle était.

— Oui, dit-il, ils se sont mariés la semaine dernière à Dawlish.

Elinor n'y tint plus. Elle bondit presque hors de la pièce, et, sitôt la porte fermée, éclata en pleurs de joie, qui semblaient ne devoir jamais avoir de fin. Edward, qui, jusque-là, avait regardé partout, excepté de son côté, fut témoin de son départ précipité et peut-être remarqua-t-il son émotion ; car, aussitôt après, il tomba dans une rêverie d'où ne purent le tirer ni les remarques, ni les demandes, ni les avances amicales de Mrs. Dashwood. Et, à la fin, il s'en alla sans dire un mot et alla se promener dans le village, laissant les autres dans le plus grand étonnement et la plus grande perplexité sur un changement si étonnant et si subit dans sa situation, qu'elles ne pouvaient aucunement s'expliquer par leurs propres moyens.

49

Pour si inexplicable que ce fût, pour toute la famille, il était du moins certain qu'Edward était libre ; et l'on pouvait facilement deviner l'usage qu'il ferait de sa liberté ; car, après avoir savouré pendant quatre ans les joies d'un engagement imprudent, contracté sans le consentement de sa mère, on ne pouvait moins attendre de lui, après la rupture de celui-ci, que la conclusion immédiate d'un autre.

Son voyage à Barton, en fait, avait un but fort simple. Il venait seulement pour demander la main d'Elinor ; et, si l'on considère qu'il n'était nullement dépourvu d'expérience en la question, on peut trouver étrange qu'il se soit senti, en l'occurrence, si mal à l'aise, avec un tel besoin de prendre l'air et d'être encouragé.

Il n'est pas nécessaire d'exposer en détail comment il s'affermit dans sa résolution, comment l'occasion se présenta bientôt de s'expliquer, comment il s'exprima, ni comment il fut reçu. Il suffira de dire que, quand ils se trouvèrent tous à table à quatre heures, trois heures environ après son arrivée, il s'était assuré la main d'Elinor, acquis le consentement de sa mère et n'était pas seulement dans la délicieuse situation d'un amoureux, mais, et cela avec les meilleures raisons, pouvait être considéré comme l'homme le plus heureux du monde.

En vérité, sa situation avait de quoi le réjouir. Il avait pour dilater son cœur et exalter ses sentiments plus que la satisfaction de voir son amour partagé. Il était délivré, sans avoir rien à se reprocher, d'un lien qui avait longtemps été son tourment, d'une femme qu'il avait de longue date cessé d'aimer, et voilà que, presque aussitôt, il venait de se trouver assuré de la main d'une autre, à laquelle il n'avait jamais pensé qu'avec désespoir, depuis qu'il avait commencé à la désirer. Il passait non du doute et de l'inquiétude, mais du désespoir au bonheur et le changement avait eu lieu dans une atmosphère naturelle, cordiale et joyeuse, comme s'il ne s'était rien passé auparavant.

Il ouvrit maintenant son cœur à Elinor, confessa toute sa faiblesse, toutes ses erreurs et le rêve puéril de ce premier amour envisagé maintenant du haut de ses vingt-quatre ans.

— Ce fut une sottise, une folle inclination de ma part, dit-il, la conséquence de mon ignorance du monde et de mon oisiveté. Si ma mère m'avait donné quelque profession active, quand je sortis à dix-huit ans des mains de Mr. Pratt, je crois, oui, je suis sûr que cela ne serait jamais arrivé ; car, sans doute, je quittais Longstaple avec ce que je croyais être, à l'époque, une passion pour sa nièce mais si j'avais eu alors un but, un objet qui m'eût absorbé et tenu quelques mois hors de sa présence, je me serais bientôt défait de cette amourette. Il aurait suffi que je me mêle un peu plus au monde. Mais, au lieu d'avoir une occupation, au lieu qu'on m'ait donné une profession, ou qu'on m'en ait laissé choisir une, je retournai chez moi complètement oisif ; et, la première année qui suivit, je n'eus même pas le titre d'étudiant car je ne suis pas entré à Oxford avant dix-neuf ans. Je n'avais donc absolument rien à faire au monde que de penser à mes amours, et comme ma mère ne me rendait, en aucune façon, la maison agréable, que je ne trouvais pas en mon frère un ami, ou un compagnon, et que je n'aimais pas à faire de nouvelles connaissances, il était naturel que j'aille souvent à Longstaple, où je me trouvais toujours chez moi et toujours sûr d'être bien accueilli ; et, c'est ainsi que je passai la plus grande partie de mon temps entre dix-huit et dix-neuf ans, Lucy se montrant sous le jour le plus aimable et le plus obligeant. Elle était jolie aussi, du moins, je la trouvais telle. Et j'avais si peu fréquenté d'autres femmes, que je ne pouvais pas faire de comparaison, ni voir ses défauts. Tout bien considéré, en somme, et si fou que fût notre engagement, si fou qu'il se soit révélé par la suite, je crois pouvoir dire qu'il n'était pas inexplicable, à ce moment, et ne constituait pas une folie inexcusable.

Le changement que quelques heures avaient produit dans les esprits et le bonheur des Dashwood étaient tels qu'ils promettaient à tous la satisfaction d'une nuit sans sommeil. Mrs. Dashwood, trop heureuse pour être dans son assiette, ne savait comment montrer à Edward son affection, ni féliciter Elinor ; elle s'ingéniait à montrer sa joie de voir Edward libéré sans blesser sa délicatesse. Et elle aurait voulu leur donner toute liberté de causer seuls et se sentait, en même temps, toute pleine du désir de jouir de leur société.

Marianne ne pouvait exprimer son bonheur autrement que par des larmes. Des comparaisons étaient inévitables, inévitables les regrets, et sa joie, quoique aussi sincère que son amour pour sa sœur, était telle qu'elle ne pouvait lui donner ni entrain, ni parole.

Quant à Elinor, comment décrire ses sentiments ? A partir de l'instant où elle sut que Lucy était mariée à un autre, et qu'Edward était libre, jusqu'au moment où se justifièrent les espoirs qu'elle avait immédiatement conçus, elle avait passé par tous les états d'esprit possibles, sauf la tranquillité. Mais, ensuite, lorsque toute inquiétude fut écartée et qu'elle put comparer sa situation présente avec celle qui l'avait immédiatement précédée, voyant Edward honorablement dégagé de sa parole et accouru auprès d'elle pour lui faire l'aveu de sa tendre affection, elle fut oppressée, écrasée en quelque sorte sous sa propre félicité. Et, pour si disposée qu'elle fût, suivant le penchant de la nature humaine, à s'accoutumer au bonheur, il lui fallut plusieurs heures pour calmer son esprit et donner quelque tranquillité à son cœur.

Edward était maintenant fixé au cottage pour huit jours au moins ; car quelque affaire qui l'appelât ailleurs, il lui était impossible de consacrer moins d'une semaine à la compagnie d'Elinor ; et ce délai était à peine suffisant pour dire la moitié de ce qu'ils avaient à se dire, du présent, du passé et du futur ; certes, quelques heures de conversation suffisent à deux créatures raisonnables pour épuiser tous les sujets qu'elles peuvent avoir en commun, mais il en est différemment entre amoureux. Entre eux, nul sujet n'est jamais épuisé, aucune chose n'est jamais dite, si elle ne l'a pas été au moins vingt fois.

Le mariage de Lucy, objet de leur stupéfaction aussi incessante que justifiée, fut naturellement le sujet de leurs premiers entretiens ; et la connaissance particulière qu'Elinor avait des deux parties en cause lui faisait considérer la chose comme un des événements les plus extraordinaires et les plus imprévisibles dont elle eût jamais entendu parler. Comment ils avaient pu se joindre, quelle attraction avait bien pu amener Robert à épouser une personne dont elle-même lui avait entendu dénigrer le physique, déjà fiancée à son frère et à cause de laquelle ce frère avait été renié par sa famille ? C'était au-dessus de sa compréhension. Pour son cœur, c'était une chose délectable, pour son imagination une aventure complètement ridicule. Mais, pour sa raison, c'était une pure énigme.

Edward put seulement essayer une explication en supposant que, peut-être, lors d'une première rencontre fortuite, la flatterie de l'une avait si bien mordu sur la vanité de l'autre que le reste avait suivi par degrés ; Elinor se rappela alors ce que Robert lui avait dit à Harley street, au sujet de ce que sa propre médiation aurait pu faire sur les affaires de son frère. Elle le répéta à Edward.

— Voilà qui est exactement de Robert, observa-t-il aussitôt. Et c'est, peut-être, ce qu'il avait en tête au moment où ils ont fait connaissance. Peut-être que Lucy ne songeait d'abord qu'à assurer ses bons offices en ma faveur. Par la suite, elle a pu concevoir d'autres desseins.

Combien de temps cela avait-il pris, il était également incapable de le dire. Car, à Oxford, où il était volontairement resté depuis son départ de Londres, il n'avait des nouvelles de Lucy que par elle-même et ses lettres, jusqu'à la fin, n'étaient ni moins fréquentes ni moins affectueuses qu'à l'ordinaire. Il n'avait pas eu, en conséquence, le moindre soupçon de ce qui allait suivre ; et lorsque, enfin, la vérité explosa dans une lettre de Lucy elle-même, il resta quelque temps abasourdi moitié par la surprise et l'horreur, et moitié par la joie que lui apportait une telle délivrance. Il mit la lettre entre les mains d'Elinor.

« Cher Monsieur,

« Etant bien sûre d'avoir, depuis longtemps, perdu votre affection, j'ai pensé que j'étais libre d'accorder la mienne à un autre et je n'ai aucun doute que je serai aussi heureuse avec lui que j'avais cru, autrefois, devoir l'être avec vous. Je dédaigne d'accepter la main de quelqu'un quand son cœur est ailleurs. Je vous souhaite sincèrement d'avoir été heureux dans votre choix et ce ne sera pas ma faute, si nous ne sommes pas toujours bons amis, comme il conviendrait à notre nouvelle parenté. Je puis vous assurer que je n'ai pour vous aucun ressentiment, et je suis sûre que vous êtes trop généreux pour nous rendre aucun mauvais office. Votre frère a entièrement gagné mon affection, et, comme nous ne pouvions vivre l'un sans l'autre, nous revenons précisément de l'autel, et sommes sur le point d'aller passer quelques semaines à Dawlish, un endroit que votre cher frère a grande envie de connaître, mais j'ai pensé que je devais d'abord vous importuner avec ces quelques lignes. Je resterai toujours

« Votre sincère et bienveillante amie et sœur,

« Lucy Ferrars. »

« *P.-S.* – J'ai brûlé toutes vos lettres et vous retournerai votre portrait à la première occasion. Veuillez détruire mes gribouillages ; mais l'anneau avec la boucle de cheveux, vous serez bien aimable de le garder. »

Elinor lut et lui rendit la lettre sans aucun commentaire.

— Je ne vous demande pas votre opinion sur sa rédaction, dit Edward. Pour rien au monde, je n'aurais voulu vous laisser voir précédemment une lettre d'elle. C'est déjà pénible chez une belle-sœur, mais chez une femme. Comme j'ai rougi devant les pages de son écriture ! Et je puis dire que, depuis les six premiers mois de notre fol engagement, c'est la première fois que je reçois d'elle une lettre dont le contenu me fasse passer sur les défauts du style.

— De quelque façon que ce soit arrivé, dit Elinor après une pause, ils sont certainement mariés. Et votre mère s'est attiré une punition bien appropriée. L'indépendance, qu'elle a donnée à Robert par colère contre vous, lui a permis de faire son propre choix ; et elle a favorisé un fils de mille livres de rente, pour accomplir précisément la chose dont la seule intention lui avait fait déshériter l'autre. Elle n'a pas dû être moins choquée, j'imagine, que si c'était vous qui aviez épousé Lucy.

— Elle a dû l'être davantage, car Robert avait toujours été son préféré. Elle l'a été davantage et, en vertu du premier principe, elle lui pardonnera beaucoup plus tôt.

Quel était l'état des affaires entre eux, Edward l'ignorait. Car il n'avait pas, jusqu'à présent, essayé de se mettre en communication avec personne de sa famille. Il avait quitté Oxford vingt-quatre heures après la lettre de

Lucy, avec une seule idée, son voyage immédiat à Barton, et n'avait pas eu le loisir de former aucun plan de conduite en dehors de son voyage. Il ne pouvait rien faire avant que miss Dashwood eût fixé son sort et, à en juger par sa précipitation à venir chercher la réponse, et en dépit de la jalousie qui l'avait jadis effleuré au sujet du colonel Brandon, en dépit de la modestie avec laquelle il jugeait ses propres mérites, et de la politesse avec laquelle il parlait de ses doutes, il ne s'attendait pas, en somme, à une réception trop cruelle. C'était à lui, pourtant, de le dire, et il le fit fort gentiment. Ce qu'il put dire sur ce sujet, un an après, est laissé à l'imagination des maris et de leurs femmes.

Il était parfaitement clair pour Elinor que Lucy, par la commission donnée à Thomas, avait voulu prendre congé sur un trait de méchanceté à l'égard d'Edward. Et Edward lui-même, maintenant pleinement éclairé sur son caractère, ne se fit pas scrupule de lui attribuer cette perfidie bien digne de la bassesse foncière de sa nature. Sans doute, ses yeux s'étaient depuis longtemps ouverts, avant même qu'il fît la connaissance d'Elinor, sur son ignorance et la mesquinerie de certaines de ses opinions, mais il avait mis tout cela sur le compte de son manque d'éducation, et, jusqu'à la réception de sa dernière lettre, il l'avait toujours considérée comme une jeune fille bien intentionnée, ayant bon cœur et entièrement attachée à lui. Il ne fallait rien moins que cette conviction pour l'empêcher de mettre fin à un engagement qui, bien avant que sa révélation l'ait brouillé avec sa mère, n'avait cessé d'être pour lui une source de tourments et de regrets.

— Je savais que c'était mon devoir, dit-il, sans considérer mes sentiments, de lui donner le choix de maintenir ou de rompre l'engagement lorsque je fus renié par ma mère, et me trouvais, selon toute apparence, sans un ami au monde pour me venir en aide. Dans une pareille situation, où rien, me semble-t-il, ne pouvait tenter la cupidité ou la vanité de n'importe quelle créature, elle insista chaleureusement pour partager mon sort, quel qu'il fût ; comment aurais-je pu penser qu'elle était guidée par autre chose que par l'affection la plus désintéressée ? Et, en ce moment même, je ne puis comprendre quel mobile l'a poussée, ni quel avantage elle pouvait s'imaginer tirer du fait d'être liée à un homme pour lequel elle n'avait pas la moindre affection et qui possédait en tout et pour tout deux mille livres. Elle ne pouvait deviner que le colonel Brandon me donnerait une cure.

— Non, mais elle pouvait supposer que quelque chose finirait par tourner en votre faveur ; que votre famille pourrait venir à composition avec le temps. Et, de toute façon, elle ne perdait rien à maintenir son engagement, puisqu'il est prouvé qu'il ne gênait en rien ses sentiments, ni ses actions. L'alliance était certainement flatteuse, et devait probablement la poser auprès de ses connaissances et, si elle ne trouvait rien de mieux, il était préférable pour elle de vous épouser que de rester fille.

Edward fut immédiatement convaincu que rien n'avait été plus naturel que la conduite de Lucy, ni plus évident que ses raisons.

Elinor le gronda, avec la sévérité que les femmes affectent toujours à l'égard des imprudences qui les flattent, de lui avoir consacré tant d'assiduités à Norland, alors qu'il aurait dû avoir le sentiment de son inconstance.

— Votre attitude était certainement très blâmable, dit-elle, parce que, sans parler de mes sentiments, nos parents et amis devaient être induits par là à attendre, ce que votre situation rendait précisément impossible.

Il put seulement invoquer l'ignorance de son propre cœur, et sa trompeuse confiance dans la force de son engagement.

— Il m'était si simple de penser, que, puisque ma foi était promise à une autre, il n'y avait aucun danger à vous fréquenter ; et que la conscience de mon engagement suffisait à tenir mon cœur de manière aussi sûre et sacrée que mon honneur. Je sentais bien que je vous admirais, mais je me disais qu'il n'y avait là que de l'amitié ; et, jusqu'au moment où je m'avisai de faire la comparaison entre vous et Lucy, je ne m'aperçus pas du chemin que j'avais fait. Après quoi, j'admets que j'ai eu tort de rester si longtemps dans le Sussex et les raisons que je me donnais pour m'encourager revenaient tout juste à ceci : « Le danger n'est que pour moi, je ne fais tort à personne qu'à moi-même. »

Elinor sourit en secouant la tête.

Edward apprit avec plaisir qu'on attendait le colonel Brandon au cottage et il souhaitait, non seulement de faire plus ample connaissance avec lui, mais d'avoir l'occasion de le convaincre qu'il ne lui en voulait plus de lui avoir donné la cure de Delaford ; « car à présent, dit-il, après que je l'ai si maladroitement remercié à cette occasion, il doit croire que je ne lui ai jamais pardonné son offre ».

Il s'étonna alors, pour la première fois, de n'être jamais allé à Delaford. Mais il avait pris si peu d'intérêt à la chose que tout ce qu'il savait de la maison, du jardin, des terres, de l'étendue de la paroisse, de la nature du pays, du montant des redevances, il le devait à Elinor, qui avait entendu tous ces détails de la bouche du colonel Brandon et les avait écoutés avec tant d'attention qu'elle était entièrement maîtresse de son sujet.

Une question demeurait encore incertaine, une difficulté restait à surmonter. Ils étaient unis par leur affection mutuelle avec la chaleureuse approbation de leurs meilleurs amis. L'intime connaissance que chacun avait de l'autre semblait leur promettre un bonheur certain, et il leur manquait, seulement, d'avoir de quoi vivre. Edward possédait deux mille livres, et Elinor mille, ce qui avec la cure de Delaford, constituait leur avoir ; car il était impossible à Mrs. Dashwood de rien avancer, et ils n'étaient pas assez aveuglés par l'amour pour croire qu'ils pourraient vivre décemment avec trois cent cinquante livres par an.

Edward n'avait pas abandonné tout espoir d'un changement favorable de sa mère à son égard ; et il comptait là-dessus pour compléter ses revenus. Mais Elinor ne partageait pas cette confiance ; car, puisque Edward ne voulait toujours pas épouser miss Morton, et que le choix qu'il avait fait n'avait obtenu de Mrs. Ferrars d'autre éloge que de constituer un moindre mal par rapport à Lucy Steele, elle craignait que l'offense de Robert n'eût d'autre effet que d'enrichir Fanny.

Quatre jours environ après l'arrivée d'Edward, le colonel Brandon fit son apparition pour compléter la satisfaction de Mrs. Dashwood et lui donner l'orgueil d'avoir, pour la première fois depuis son installation à Barton, plus d'hôtes qu'elle n'en pouvait loger. On fit bénéficier Edward du privilège du premier occupant, et, en conséquence, le colonel regagnait chaque soir ses anciens quartiers au Park d'où il revenait, chaque matin, d'assez bonne heure, pour interrompre le premier tête-à-tête des amoureux avant le breakfast.

Un séjour de trois semaines à Delaford où, pendant ses soirées tout au moins, il n'avait guère autre chose à faire que de calculer la disproportion qui existait entre un homme de trente-six ans et une jeune fille de dix-sept, l'avait amené à Barton dans un état d'esprit qui avait grand besoin de consolations. L'amélioration de la santé de Marianne, la gracieuseté de son accueil et tous les encouragements de sa mère venaient lui redonner courage. Au milieu de tels amis, et entouré de leurs égards, il se sentit revivre. Il n'avait rien su du mariage de Lucy, il ne savait rien de ce qui s'était passé, de sorte que les premières heures de sa visite se passèrent en récit de la part de ses hôtes et en exclamations d'étonnement de son côté. Tout lui fut expliqué par Mrs. Dashwood et il trouva de nouvelles raisons de s'applaudir de ce qu'il avait fait pour Mr. Ferrars puisqu'il se trouvait avoir agi dans l'intérêt d'Elinor.

Il va sans dire que les deux gentlemen découvraient de nouvelles raisons de s'apprécier à mesure qu'ils faisaient plus ample connaissance ; il ne pouvait pas en être autrement. Ils avaient les mêmes principes et le même bon sens, les mêmes façons de vivre et de juger qui auraient probablement suffi à les unir d'amitié, si rien d'autre ne les y avait poussés; mais le fait qu'ils étaient amoureux de deux sœurs étroitement unies rendait inévitable et immédiate leur mutuelle sympathie qui aurait, sans cela, demandé plus de temps et de réflexion.

Le courrier de Londres, qui, quelques jours plus tôt, aurait crispé d'angoisse tous les nerfs d'Elinor, arriva enfin, et fut lu avec moins d'émotion que de gaieté. Mrs. Jennings écrivait pour raconter la mirifique histoire, pour exhaler son honnête indignation contre la perfidie de Lucy et pour exprimer sa pitié envers le pauvre Edward. Elle était sûre que ce dernier était follement épris de l'indigne friponne et, d'après ce qu'elle croyait savoir, se trouvait maintenant, le cœur brisé, à Oxford. « Je ne crois pas, continuait-elle, qu'il se soit jamais rien vu de plus honteux. Car il n'y avait pas deux jours que Lucy était venue me voir et était restée deux heures avec moi. Personne ne soupçonnait rien, pas même Nancy, la pauvre qui vint, désolée, le lendemain tremblant à cause de Mrs. Ferrars et ne sachant pas comment retourner à Plymouth ; car Lucy, semble-t-il, lui avait emprunté tout son argent avant d'aller se marier, sans doute pour payer sa toilette, et la pauvre Nancy n'avait pas sept shillings en poche. Aussi ai-je été heureuse de lui donner cinq guinées pour rentrer à Exeter, où elle compte rester trois ou quatre semaines avec Mrs. Burgess, dans l'espoir, lui ai-je dit, de reprendre son flirt avec le docteur. Et je trouve que le procédé de Lucy, qui ne lui a pas offert de la prendre avec eux dans sa voiture, est pire que tout. Pauvre Mr. Edward ! Sa pensée ne peut pas me sortir de la tête, mais vous pourriez l'inviter à Barton et miss Marianne essayerait de le consoler. »

Le style de Mr. Dashwood était plus solennel : Mrs. Ferrars était la plus infortunée des femmes. La sensibilité de la pauvre Fanny avait été soumise à une épreuve effrayante et il tenait pour un heureux miracle qu'elles aient toutes deux survécu à un tel choc. L'offense de Robert était impardonnable, mais celle de Lucy l'emportait de beaucoup. Ni l'un ni l'autre ne devaient être désormais nommés devant Mrs. Ferrars ; et, même si elle venait, par la suite, à pardonner à son fils, elle ne regarderait jamais sa femme comme sa belle-fille et ne lui permettrait pas de paraître en sa présence. Le secret avec lequel ils avaient mené toute l'affaire, était naturellement invoqué comme une circonstance extrêmement aggravante, parce que si on avait eu quelque soupçon, on aurait pris les mesures nécessaires pour empêcher le mariage ; et il comptait qu'Elinor se joindrait à lui pour regretter que le mariage de Lucy avec Edward ne se soit pas accompli, plutôt que de laisser cette créature devenir la cause d'un nouveau malheur pour la famille.

Il continuait ainsi :

« Mrs. Ferrars n'a jamais encore mentionné le nom d'Edward, ce qui ne nous surprend pas ; mais, à notre grand étonnement, nous n'avons pas reçu de lui une ligne à cette occasion. Peut-être, cependant, garde-t-il le silence de peur d'être importun, et je vais, par conséquent, lui suggérer par un mot à Oxford que sa sœur et moi pensons qu'une lettre de soumission appropriée de sa part, adressée, s'il veut, à Fanny et qui serait montrée par elle à sa mère, ne serait pas prise en mal, car nous connaissons tous la tendresse du cœur de Mrs. Ferrars, et nous savons qu'elle ne désire rien tant que de vivre en bons termes avec ses enfants. »

Ce paragraphe n'était pas sans importance pour les perspectives d'avenir d'Edward, et le détermina à tenter une réconciliation, quoique pas exactement de la façon envisagée par sa sœur et le frère d'Elinor.

— Une lettre de soumission appropriée ! répéta-t-il. Veulent-ils par hasard que je demande à ma mère le pardon de Robert pour son ingratitude envers elle, et sa forfaiture envers moi ? Je ne puis faire de soumission : ce qui s'est passé ne m'a rendu ni humble ni repentant.

Je suis très heureux, mais cela ne les intéresse pas. Je ne vois pas que j'aie à faire acte de soumission.

— Vous pouvez certainement lui demander pardon, dit Elinor, parce que vous l'avez offensée, et je croirais que vous pourriez maintenant aller jusqu'à exprimer quelque regret pour avoir contracté un engagement qui a attiré sur vous la colère de votre mère.

Il admit qu'il le pouvait.

— Et, quand elle vous aura pardonné, peut-être qu'un peu d'humilité sera convenable en lui révélant un second engagement presque aussi imprudent à ses yeux que le premier.

Il n'y avait rien à objecter à cela, mais il résistait toujours à l'idée de la lettre de soumission. En conséquence, pour lui faciliter les choses, comme il se déclarait plus disposé à faire quelques concessions de vive voix que par écrit, on décida qu'au lieu d'écrire à Fanny il irait à Londres, et solliciterait personnellement ses bons offices en sa faveur.

— Et si réellement, dit Marianne, ils s'intéressent à cette réconciliation, je penserai que même John et Fanny ne sont pas tout à fait dépourvus de mérite.

Après une visite qui, du côté du colonel Brandon, n'avait duré que trois ou quatre jours, les deux gentlemen partirent ensemble de Barton. Ils devaient aller immédiatement à Delaford pour qu'Edward prenne quelque connaissance de sa future résidence et décide avec son protecteur et ami des améliorations nécessaires ; de là ils devaient, dans deux jours, partir pour Londres.

50

Après une résistance convenable de la part de Mrs. Ferrars, juste assez violente et décidée pour qu'on ne puisse pas lui reprocher, ce qu'elle craignait par-dessus tout, d'avoir été trop aimable, Edward fut admis en sa présence et reconnu de nouveau comme son fils.

Le nombre de ses enfants, à la vérité, s'était assez souvent modifié durant ces derniers temps. Pendant de nombreuses années Mrs. Ferrars avait eu deux fils. Or, après son crime, Edward avait complètement disparu de sa vie. Il ne lui restait plus que Robert. Peu de temps après, celui-ci suivait le même sort. Ainsi, pendant une quinzaine de jours se trouva-t-elle n'avoir qu'une fille. Et voici maintenant qu'Edward renaissait à la vie familiale. En dépit de la permission qui lui était donnée de vivre, il ne sentit pas cette existence assurée, jusqu'à ce qu'il eût révélé son engagement actuel ; car il craignait que cette circonstance ne donnât un soudain accroc à son existence retrouvée, et ne le fît périr aussi rapidement que la première fois. Il en fit la révélation avec appréhension et prudence, et il fut écouté avec un calme inespéré. Mrs. Ferrars essaya d'abord de le dissuader d'épouser miss Dashwood, par tous les arguments en son pouvoir, lui dit que dans une union avec miss Morton, il trouverait une femme d'un rang plus élevé et d'une grande fortune, et renforça son assertion en observant que miss Morton était la fille d'un grand seigneur avec trente mille livres, tandis que miss Dashwood était seulement fille d'un simple gentleman qui ne lui en apporterait pas plus de trois ; mais lorsqu'elle eut constaté, que, tout en admettant la vérité de ce qu'elle disait, il n'était nullement disposé à se guider là-dessus, elle jugea plus sage d'après l'expérience du passé de s'incliner, et, en conséquence, après un temps de réflexion assez déplaisant, mais suffisant pour sauvegarder sa dignité et écarter tout soupçon de bonne grâce de sa part, elle promulgua le décret par lequel elle consentait au mariage d'Edward et d'Elinor.

Il fallait maintenant envisager ce qu'elle consentirait à faire pour augmenter leurs ressources et on vit clairement alors que, si Edward était maintenant son seul fils, il n'était en aucune façon son aîné ; car, tandis que Robert était irrévocablement doté de mille livres par an, elle ne vit pas la moindre objection à ce qu'Edward entrât dans la cléricature avec une dot de deux cent cinquante livres au maximum ; et elle ne promettait rien d'autre, pour le présent et l'avenir, en dehors des dix mille livres, déjà données à Fanny.

C'était tout ce qu'on pouvait désirer et plus qu'on en attendait du côté d'Edward et d'Elinor. Mrs. Ferrars elle-même, à en juger par ses explications embarrassées, semblait être la seule personne surprise de ne pas donner plus.

Assurés ainsi d'un revenu suffisant, Edward une fois mis en possession de son poste, ils n'avaient plus qu'à attendre la mise en état de la maison, à laquelle le colonel Brandon, dans son vif désir d'être agréable à Elinor, apportait des améliorations considérables ; après avoir attendu quelque temps leur achèvement, et, suivant l'habitude, éprouvé force contrariétés et retards à cause de l'incroyable négligence des entrepreneurs, Elinor finit, comme il advient en pareil cas, par passer outre à sa résolution de ne pas se marier avant que tout fût fini, et la cérémonie eut lieu dans l'église de Barton au commencement de l'automne.

Ils reçurent, au début de leur installation, la visite de la plupart de leurs parents et amis : Mrs. Ferrars vint contempler le spectacle du bonheur, auquel elle était presque honteuse d'avoir consenti ; et les Dashwood eux-mêmes firent la dépense d'un voyage dans le Sussex en leur honneur.

— Je ne dirai pas que je suis désappointé, ma chère sœur, dit John, un jour qu'ils se promenaient ensemble devant l'entrée de Delaford house, ce serait trop dire, car, au total, vous avez été certainement une des jeunes femmes les plus favorisées de ce monde ; mais je l'avoue, j'aurais eu grand plaisir à avoir le colonel Brandon pour beau-frère, sa propriété, son domaine, sa maison, tout cela en si bonne et si respectable condition ! Et ses bois ! Je ne connais pas, dans tout le Dorsetshire, de futaies semblables à celles de Delaford Hanger.

Bien que Mrs. Ferrars fût venue les voir, et les traitât toujours avec les dehors d'une affection décente, elle ne leur fit jamais l'affront d'une faveur et d'une préférence réelles. Elle les réservait pour la folie de Robert et l'astuce de sa femme ; et ils en furent favorisés peu de mois après. L'habileté égoïste de Lucy, qui avait été la première cause des embarras de Robert, fut le principal instrument qui l'en dégagea ; car son respect plein d'humilité, ses attentions affectueuses et ses flatteries incessantes, aussitôt que la moindre occasion se présentait, réconcilièrent Mrs. Ferrars avec le choix de son fils, et le rétablirent complètement dans sa faveur.

Toute l'attitude de Lucy dans cette affaire, et le succès qui la couronna, peut être, en conséquence, donné comme un exemple encourageant de ce qu'une attention éveillée et incessante à son intérêt personnel peut faire pour s'assurer, à travers tous les obstacles, tous les avantages de la fortune, sans qu'on ait à sacrifier autre chose que son temps et sa conscience. Lorsque Robert fit d'abord sa connaissance et alla la voir secrètement à Bartlett's Buildings, c'était seulement dans le but que lui imputait son frère. Il se proposait simplement de lui faire abandonner son engagement ; et, comme il n'y avait pas d'autre obstacle qu'une affection mutuelle, il comptait naturellement qu'une ou deux entrevues suffiraient pour cela. C'est sur ce point, et ce point seul, qu'il se trompait. Car bien que Lucy lui ait laissé espérer, dès l'abord, que son éloquence arriverait à la convaincre avec le temps, il s'en fallait toujours d'une visite, d'une conversation, pour amener le résultat. Quelques doutes flottaient toujours dans son esprit au moment de son départ, qui nécessiteraient une nouvelle conversation d'une demi-heure avec lui. Elle le maintenait ainsi à sa portée et le reste suivit naturellement. Au lieu de parler d'Edward, ils en vinrent à ne plus parler que de Robert, un sujet sur lequel il avait toujours à dire plus que sur tout autre, et auquel elle laissa voir bientôt un intérêt égal au sien. Et, bref, il devint bientôt évident, pour tous deux, qu'il avait supplanté son frère.

Il était fier de sa conquête, fier de jouer un tour à Edward, et spécialement fier de se marier lui-même sans le consentement de sa mère. On sait les suites immédiates. Ils passèrent quelques mois fort heureux à Dawlish, car elle avait à rompre avec beaucoup d'anciennes connaissances et lui, comme c'était sa marotte, imaginait de magnifiques plans de cottages. De là, à l'instigation de Lucy, ils retournèrent à Londres, en vue d'obtenir le pardon de Mrs. Ferrars, par le simple procédé qui consistait à le demander.

Comme de juste, le pardon ne s'étendit d'abord qu'à Robert, et Lucy, qui n'avait aucun devoir envers sa belle-mère, et, par conséquent, ne pouvait en avoir transgressé aucun, demeura encore proscrite quelques semaines. Mais l'humilité persévérante de sa conduite, ses messages où elle prenait à son compte l'offense de Robert, et sa gratitude pour les mauvais procédés qu'elle avait essuyés lui procurèrent, en temps voulu, une marque hautaine d'attention, qu'elle accueillit comme une bouleversante faveur, et la mena peu à peu, ensuite, par degrés rapides, à une très haute place dans l'affection de Mrs. Ferrars. Lucy devint plus nécessaire à Mrs. Ferrars que Robert et Fanny ; et, tandis qu'Edward n'était jamais sincèrement pardonné pour avoir voulu l'épouser et qu'elle parlât d'Elinor, bien que supérieure en naissance et en fortune, comme d'une intruse, Lucy était sous tous les rapports ouvertement considérée comme l'enfant préférée. Ils habitaient Londres, recevaient la plus large assistance de Mrs. Ferrars, étaient dans les meilleurs termes possible avec les Dashwood et, si l'on passe sur les jalousies et la mauvaise entente perpétuelles entre Lucy et Fanny auxquelles leurs maris prenaient naturellement part, et aussi sur les fréquentes querelles de ménage entre Robert et Lucy, rien n'était plus beau que l'harmonie dans laquelle ils vivaient.

Le mariage d'Elinor la sépara de sa famille aussi peu que possible sans rendre entièrement inutile le cottage de Barton, car sa mère et sa sœur partageaient leur temps entre Barton et Delaford. Mrs. Dashwood multipliait ses visites à Delaford autant par politesse que par plaisir ; car son désir d'unir Marianne et le colonel Brandon était à peine moins vif, quoique beaucoup plus désintéressé, que celui qu'avait exprimé John. C'était maintenant son objectif favori. Si précieuse que lui fût la compagnie de sa fille, elle ne désirait rien tant que d'en donner l'entier bénéfice à son cher ami ; et voir Marianne installée au manoir était également le vœu d'Edward et d'Elinor. Ils avaient conscience des peines de leur hôte et de leurs obligations envers lui, et Marianne n'était-elle pas la récompense toute trouvée de ses bienfaits ?

En présence d'une telle coalition, connaissant la bonté du colonel et s'étant enfin aperçue de son tendre attachement, que pouvait-elle faire ?

Marianne Dashwood était née pour un destin extraordinaire, il devait lui être donné de découvrir la fausseté de ses propres opinions et de contredire, par sa conduite, ses maximes les plus favorites. Elle devait renier une affection formée à un âge aussi avancé que dix-sept ans, et, sans un sentiment plus fort qu'une profonde estime et une vive amitié, donner volontairement sa main à un autre. Et cet autre, qui, comme elle, avait souffert d'un amour malheureux, avait été jugé par elle, deux ans auparavant, trop âgé pour se marier et tout juste bon à soigner ses rhumatismes !

Pourtant, c'était ainsi. Au lieu de s'immoler en sacrifice à une irrésistible passion, comme elle s'était flattée de le faire, au lieu même de demeurer toujours avec sa mère, et de chercher son seul plaisir dans la solitude et l'étude comme elle s'y était déterminée plus tard par un jugement plus mesuré et plus rassis, elle se trouva à dix-neuf ans, engagée dans un nouvel attachement, acceptant de nouveaux devoirs, placée dans une nouvelle demeure, femme, maîtresse de maison et dame patronnesse d'un village.

Le colonel Brandon était maintenant aussi heureux qu'il le méritait, de l'avis de ses meilleurs amis, Marianne le consolant de toutes ses afflictions passées ; ses attentions et sa compagnie lui rendirent l'animation et la gaieté ; et que Marianne trouvât son propre bonheur fut la conviction et fit l'enchantement de tous les amis qui l'observaient. Marianne ne pouvait jamais aimer à moitié ; et, en peu de temps, tout son cœur fut à son mari, comme il l'avait d'abord été à Willoughby.

Willoughby n'apprit pas sans serrement de cœur le mariage de Marianne ; et son châtiment fut rendu plus amer encore après le pardon spontané de Mrs. Smith qui, déclarant que sa clémence avait pour origine son mariage avec une femme de caractère, l'inclina à penser que s'il s'était conduit avec honneur envers Marianne, il aurait pu à la fois être heureux et riche. On ne peut douter du fait qu'il se repentait sincèrement de sa mauvaise conduite et qu'il en était bien puni, ni qu'il envia longtemps le colonel Brandon et regretta Marianne. Mais on ne peut en déduire qu'il fut rendu à jamais inconsolable, qu'il s'éloigna du monde ou que, la mélancolie le submergeant, il mourut, le cœur brisé. Car rien de tout cela n'advint. Il vécut pleinement, et souvent avec plaisir. Sa femme n'était pas toujours maussade, ni son foyer sans attrait ; et il trouva au milieu de ses chevaux et de ses chiens, ou au cours de ses parties de chasse, des sources non négligeables de bonheur domestique.

Néanmoins, bien qu'il fût fort incivil de sa part d'avoir survécu à la perte de Marianne, il porta toujours une attention indéniable aux événements qui la touchaient de près, et elle finit par devenir son idéal secret de perfection féminine. Et plus d'une jeune beauté, longtemps après, fit les frais de son dédain, ne pouvant soutenir la comparaison avec Mrs. Brandon.

Mrs. Dashwood eut assez de sagesse pour demeurer chez elle sans essayer de s'établir à Delaford. Et, par bonheur pour sir John et Mrs. Jennings, quand Marianne leur fut enlevée, Margaret avait atteint un âge tout à fait convenable pour la danse, et il ne devenait plus impossible de lui prêter un amoureux.

Entre Barton et Delaford, les communications étaient constantes, comme c'était naturel quand on songe à la vive affection familiale qui unissait leurs habitants, et, chose rare et méritoire, bien que sœurs et à peu près continuellement ensemble, Elinor et Marianne purent vivre sans aucune dispute et sans amener entre leurs époux le moindre désaccord.

Note biographique

Sa naissance, sa famille

Jane Austen est née le 16 décembre 1775 à Steventon Rectory, dans le comté du Hampshire, avant-dernière-née et deuxième fille d'une famille de huit enfants. Son père, George Austen, était clergyman. Sa mère, née Cassandra Leigh, comptait parmi ses ancêtres sir Thomas Leigh, qui fut lord-maire de Londres au temps de la reine Elisabeth. Son grand-père maternel était clergyman ; mais son grand-père paternel n'était que chirurgien.

Les premières années

Les revenus de la famille Austen étaient modestes mais confortables ; leur maison de deux étages, le Rectory, agréable comme savait déjà l'être une maison de clergyman dans le Hampshire à la fin du XVIIIe siècle : des arbres, de l'herbe, un chemin pour les voitures, une grange même. On sait que la jeune Jane, comme Catherine Morland, l'héroïne de *Northanger Abbey*, aimait à rouler dans l'herbe de haut en bas de la pelouse en pente avec son frère préféré, Henry (son aîné d'un an), ou sa sœur Cassandra. Il n'est pas impossible qu'elle ait également préféré grimper aux arbres, battre la campagne les jours de pluie, à des activités plus convenables pour une petite fille du Hampshire dans une famille de clergyman, comme « soigner un loir, élever un canari... ».

Ecoles

En 1782, Cassandra et Jane (alors âgée de sept ans seulement, mais elle n'avait pas voulu se séparer de sa sœur – elles ne se quittèrent guère de toute leur vie) furent envoyées à l'école, d'abord à Oxford, dans un établissement dirigé par la veuve du principal de Brasenose College, puis à Southampton, enfin à l'Abbey School de Reading, sous la surveillance de la bonne et vieille Mme Latournelle ; les études n'étaient pas trop épuisantes, semble-t-il, puisque les demoiselles étaient laissées libres de leur temps après une ou deux heures de travail chaque matin.

Education

De retour au Rectory (après une fuite précipitée de Reading à cause d'une épidémie), les deux sœurs complétèrent leur éducation grâce aux conversations familiales (les frères furent successivement étudiants à Oxford) et surtout à l'aide de la bibliothèque paternelle qui était remarquablement fournie, et à laquelle elles semblent avoir eu accès sans aucune restriction. Jane lut beaucoup : Fielding et Richardson, Smollett et Sterne, les poèmes élégiaques de Cowper et le livre alors célèbre de Gilpin sur le « pittoresque » (la passion des jardins et paysages est une des sources fondamentales du roman anglais) ; quelques classiques, un peu d'histoire, des romans surtout. La famille Austen était grande dévoreuse de romans (sentimentaux ou gothiques – ce sont bientôt les années triomphales de Mrs. Radcliffe) ; les romans paraissaient par centaines, et on pouvait se les procurer aisément pour pas cher grâce aux bibliothèques itinérantes de prêt qui venaient d'être inventées. On lisait souvent à haute voix après le dîner. Jane, bien entendu, apprit le français (indispensable à l'époque pour un amateur de romans), un peu d'italien, chantait (sans enthousiasme), cousait, brodait, dessinait (bien moins bien que Cassandra), jouait du piano et bien sûr aussi dansait ; toutes occupations indispensables à son sexe et à son rang et destinées à la préparer à son avenir, le mariage. De toutes ces activités, Jane semble avoir préféré la danse (dans sa jeunesse) et la lecture (toujours). Les enfants Austen, avec l'aide de quelques cousins et voisins, avaient également une grande passion pour le théâtre et des représentations fréquentes étaient données dans la grange (en été) ou dans le salon (en hiver).

La passion d'écrire

Tout le monde, ou presque, écrivait dans la famille Austen : le père, ses sermons ; Mme Austen, des vers élégiaques ; les frères, des essais pour les journaux étudiants d'Oxford; sans oublier les pièces de théâtre où tous mettaient la main. Jane Austen a commencé très tôt à écrire, encouragée sans doute par les nombreux exemples familiaux dont les productions étaient constamment et vivement discutées pendant les longues soirées d'hiver. Elle s'est très tôt orientée vers le récit, et tout particulièrement vers des parodies des romans sentimentaux alors à la mode et qui constituaient le fonds des bibliothèques de prêt, donc des lectures romanesques familiales. Les « œuvres de jeunesse » qui ont été conservées, soigneusement copiées de sa main en trois cahiers intitulés Volumes I, II et III, contiennent des réussites assez étonnantes, surtout si on pense qu'elles ont été composées entre la douzième et la dix-septième année de l'auteur : ainsi le roman par lettres *Love and Friendship* (« Amour et Amitié ») dont la liberté de ton aurait peut-être offusqué la reine Victoria.

Bals

Aux plaisirs du théâtre, de la lecture, de l'écriture, aux promenades et aux conversations s'ajoutèrent bientôt ceux de la danse, lors de ces bals qui étaient une part importante de la vie sociale de Steventon et des villages proches. C'était d'ailleurs l'occasion à peu près unique qu'avaient les jeunes gens de cette classe de la société de se rencontrer, et par conséquent le lieu par excellence des espérances matrimoniales (on verra le rôle essentiel du bal dans l'économie de *Northanger Abbey* ou d'*Orgueil et Préjugés*, par exemple).

Comment était-elle ?

On n'a pas conservé de portrait de Jane Austen à cette époque (pas plus qu'à une autre, puisqu'on n'a qu'un dessin d'elle, dû à Cassandra) et les descriptions sont plutôt rares. Il faut pratiquement se contenter d'une seule phrase (d'un ami de la famille, sir Egerton Brydges) : « Elle était assez belle, petite et élégante, avec des joues peut-être un peu trop pleines. » C'est peu.

Les lettres à Cassandra

La source la plus importante de renseignements sur Jane Austen est le recueil des lettres écrites par elle à sa sœur Cassandra, qui fut sans aucun doute la personne la plus proche d'elle pendant toute sa vie. Bien entendu, elles ne nous renseignent que sur les périodes où les deux sœurs se trouvaient séparées, ce qui ne se produisit pas si souvent ni très longtemps. En outre, au grand désespoir des biographes, Cassandra, qui lui survécut, a soigneusement et sans hésitation expurgé les lettres qu'elle n'a pas détruites de tout ce qui pourrait nous éclairer sur la vie privée et sentimentale de sa sœur. La perte pour nous est grande, pour notre curiosité, mais la réticence est trop évidemment en accord avec la philosophie générale de l'existence de la romancière pour que nous puissions sans mauvaise foi en faire reproche à miss Austen (Cassandra). Les lettres conservées sont une mine d'observations vives, drôles et méchantes sur le monde et les gens qui l'entourent. Et leur acidité n'y est pas, comme dans la prose narrative, adoucie par la généralisation. Un exemple : « Mrs. Hall, de Sherbourne, a mis au monde hier prématurément un enfant mort-né, à la suite, dit-on, d'une grande frayeur. Je suppose qu'elle a dû, sans le faire exprès, regarder brusquement son mari. »

Le temps passe

Cependant les enfants Austen grandissent et la famille commence à se disperser. Les garçons s'installent, les plus jeunes entrent dans la Navy (c'est l'époque, grave pour l'Angleterre, des guerres de la Révolution française et des ambitions napoléoniennes : en 1796 le bateau de Charles Austen, la *Licorne*, capturera deux navires français). Mais Cassandra et Jane auront, elles, ce triste et fréquent destin du XIXe siècle anglais : elles resteront vieilles filles. Cassandra à cause de la mort prématurée à Saint-Domingue de son fiancé, Thomas Fowle ; quant à Jane, sa vie sentimentale nous reste à jamais impénétrable.

Les premiers romans (1795-1800)

En 1795, Jane Austen commence un roman par lettres intitulé *Elinor and Marianne*, première version de ce qui allait plus tard devenir *Sense and Sensibility* (« Raison et Sentiments »). Aussitôt terminé et lu à haute voix devant le cercle familial, il est suivi d'un deuxième, dont le titre est alors *First Impressions* (« Premières impressions »), qui deviendra, lui, *Pride and Prejudice* (« Orgueil et Préjugés »). Enfin, en 1798, elle écrit *Susan* qui sera *Northanger Abbey*. Ces trois romans, sous leur forme initiale, ont donc été écrits entre sa vingtième et sa vingt-cinquième année. Cette première grande période créatrice, brusquement interrompue en 1800 (elle sera suivie de dix ans de presque silence), donne, malgré les révisions importantes que les trois romans subiront ultérieurement, tout son éclat d'enthousiasme de jeunesse et peut-être de bonheur à la prose telle que nous pouvons la lire aujourd'hui. Ces premiers essais très sérieux de Jane Austen ne semblent pas être sortis du cercle familial, mais on sait qu'en 1797 George Austen tenta sans succès d'intéresser un éditeur au manuscrit de *First Impressions*.

Bath

En 1800, Mr. Austen (qui a alors presque soixante-dix ans) décide brusquement de se retirer et d'abandonner Steventon pour la vie urbaine et élégante de Bath. Cette trahison soudaine du pastoral Hampshire n'eut guère la faveur de Jane et la légende veut qu'en apprenant la nouvelle, le 30 novembre 1800, au retour d'une promenade matinale, elle se soit évanouie. Et, comme l'héroïne de *Persuasion*, Anne Elliott, elle « persista avec détermination, quoique silencieusement, dans son aversion pour Bath ». Aujourd'hui, pour l'amateur fanatique des romans de Jane Austen, pour celui qui appartient à la famille des « janeites » inconditionnels, un pèlerinage à Bath, qui joue un rôle si important dans tant de pages de ses récits, est une visite aussi heureuse qu'obligée ; mais il ne doit pas perdre de vue que son héroïne n'aima jamais vraiment y vivre. En 1803, probablement sur l'intervention d'Henry, le manuscrit de *Susan* (le futur *Northanger Abbey*) fut vendu pour la somme de dix livres sterling à un éditeur du nom de Crosby qui d'ailleurs s'empressa de l'oublier. C'est peut-être sous l'impulsion de cette espérance momentanée que Jane entreprit un nouveau roman *The Watsons*, son seul effort sans doute des années de Bath, mais abandonné hélas en 1805, après quelques chapitres. Ce que nous ne pouvons que regretter.

La mort du père

Le 21 janvier 1805, la mort de Mr. Austen vint plonger brusquement les femmes de la famille dans une situation matérielle qui, sans être jamais véritablement difficile, se révéla néanmoins à peine suffisante pour leur permettre de maintenir leur mode de vie « décent » habituel. Mme Austen, Jane et Cassandra se trouvèrent en outre en partie sous la dépendance financière des frères Austen, c'est-à-dire à la fois de leur générosité variable et de leur fortune fluctuante ; situation qui, pour n'être pas rare à l'époque, n'en est pas moins inconfortable. Toute idée de mariage abandonnée par les deux sœurs, en même temps que les distractions frivoles mais délicieuses de leur jeunesse, elles se résignèrent à la vie plutôt terne des demoiselles célibataires, avec les obligations de visites, de charité et de piété, les distractions de la lecture et des commentaires sur le monde ; s'occupant tour à tour des innombrables enfants Austen, neveux et nièces, les éduquant, les distrayant, les conseillant ou les réprimandant selon les âges, les humeurs ou les circonstances. C'est de cette époque que date l'image, pieusement conservée dans la mémoire familiale, de *dear aunt Jane*, la « chère tante Jeanne » de la légende austennienne, qui exaspérait si fort Henry James.

Chawton

Cependant, en 1808, les trois femmes quittent Bath (sans regret au moins en ce qui concerne Jane) et, après des séjours à Clifton puis à Southampton, s'installent, pour ce qui devait être les dernières années de la vie de Jane Austen, dans un petit cottage du village de Chawton, proche d'Alton, sur la route de Salisbury à Winchester. C'est là que l'essentiel de l'œuvre telle que nous la connaissons a été écrit.

Les premiers succès

En 1809, Jane Austen tente vainement de ressusciter l'intérêt de l'éditeur Crosby pour le manuscrit autrefois acheté par lui de *Susan.* Crosby se borne à en proposer le rachat ; ce qui est fait (la transaction se déroule par un intermédiaire discret, car Jane tient à conserver l'anonymat). Cependant en 1811 *Sense and Sensibility*, forme définitive de l'*Elinor and Marianne* de 1795, est accepté par un éditeur londonien, Thomas Egerton. Elle corrige les épreuves en avril à Londres, au 64 de Sloane Street, lors d'une visite dans la famille de son frère préféré, Henry. Le livre paraît en novembre et est vendu 15 shillings. Ce fut un succès d'estime. La première édition, un peu moins de mille exemplaires, fut épuisée en vingt mois et Jane reçut 140 livres, somme inespérée et bienvenue pour quelqu'un qui devait se contenter d'un budget très modeste et n'avait pratiquement aucun argent à elle pour son habillement et ses dépenses personnelles. *Sense and Sensibility* parut anonymement et, dans la famille même, seule Cassandra paraît avoir été au courant. Jane entreprit alors la révision de *First Impressions*, transformé en *Pride and Prejudice*, et, simultanément (?), la composition d'un nouveau roman, le premier de sa maturité, *Mansfield Park. Pride and Prejudice,* vendu 110 livres à Egerton en novembre 1812, parut, le 29 juin 1813, à 18 shillings ; le premier tirage était de 1 500 exemplaires environ. Sur la couverture on lisait : *Pride and Prejudice. A novel. In three volumes. By the author of « Sense and Sensibility »*. Le succès cette fois fut nettement plus grand. La première édition fut épuisée en juillet, une deuxième sortit en novembre en même temps qu'une deuxième édition de *Sense and Sensibility* et Jane pouvait écrire fièrement à Henry « qu'elle venait de mettre 250 livres à la banque à [son] nom et que cela [lui] en faisait désirer davantage ». Miss Annabella Milbanke, la future Mme lord Byron, écrivait pendant l'été à sa mère, en lui recommandant la lecture de *Pride and Prejudice* que « ce n'était pas un livre à vous arracher des larmes ; mais l'intérêt en est cependant très vif, particulièrement à cause de Mr. Darcy ». Un an plus tard c'est *Mansfield Park* et de nouveau 1 500 exemplaires vendus en six mois.

Emma

Pour son cinquième roman (et le deuxième entièrement écrit à Chawton), *Emma* (premier tirage de 2 000 exemplaires), respectueusement dédié au prince régent, Jane, sans doute désireuse d'améliorer encore les revenus inespérés que lui procurait maintenant la littérature (et peut-être aussi dans l'espoir de venir en aide de manière plus efficace à son frère Henry dont les affaires n'étaient guère brillantes), changea d'éditeur et s'adressa à un Mr. Murray (« c'est un bandit mais si poli », écrit-elle) ; mais comme c'est Henry qui se chargea des négociations, il ne semble pas qu'elle y ait gagné beaucoup. Pour *Emma*, qui reçut encore une fois du public un excellent accueil, Jane Austen eut sa première critique un peu sérieuse (elle devait attendre bien longtemps une étude critique digne d'elle) due rien moins qu'à la plume auguste de sir Walter Scott qui restera jusqu'à sa mort son admirateur fervent. Elle en fut extrêmement flattée, regrettant seulement que dans son rapide examen de ses premiers romans il n'ait pas mentionné *Mansfield Park.* Cependant l'anonymat de Jane n'avait pas résisté au succès de *Pride and Prejudice* ni à l'innocente vanité fraternelle d'Henry; mais Jane, qui détestait les rapports mondains, eut vite fait de décourager les curiosités des snobs et ne modifia en rien son mode de vie antérieur. Le prince régent fut très content de la dédicace de cet auteur brusquement si favorablement commenté dans les salons et, par l'intermédiaire de son chapelain privé, le révérend Clarke, fit sonder l'auteur d'*Emma* sur la possibilité de la voir entreprendre la composition d'un roman historique, exaltant l'auguste maison de Coburg, dont le dernier héritier, le prince Léopold, était fiancé à la princesse Charlotte, fille du régent. La réplique de Jane est célèbre : « Je n'envisage pas plus d'écrire un roman historique qu'un poème épique. Je ne saurais sérieusement entreprendre une telle tâche, sauf peut-être au péril de ma vie ; et si par hasard je pouvais m'y résoudre sans me moquer de moi-même et du monde, je mériterais d'être pendue avant la fin du premier chapitre. »

Fin de vie

Le dernier roman de Jane, *Persuasion*, fut commencé le 8 août 1815, parallèlement à la révision de *Susan*, qui devint *Northanger Abbey*. Elle ne devait pas les voir publiés de son vivant; avant même l'achèvement de *Persuasion*, elle était déjà sérieusement malade, probablement, si l'on se fie au diagnostic de Zachary Cope dans le *British Medical Journal* du 18 juillet 1964, de la maladie d'Addison, alors non identifiée. Au début de 1817, pour être plus près de son médecin, le docteur Lyford, elle vint s'installer à Winchester, dans une maison de College Street, proche de la cathédrale. Et c'est là qu'elle mourut, laissant inachevé un dernier roman, *Sanditon*, regret éternel des « janeites », début peut-être irrémédiablement arrêté d'une « nouvelle manière »; on était le 18 juillet 1817, et Jane Austen avait quarante et un ans. Elle est enterrée dans la cathédrale de Wincheester et l'inscription funéraire gravée par la famille sur une dalle souligne les qualités estimables de son caractère mais ne fait pas la moindre allusion à sa prose.

Jacques ROUBAUD
1978

Note bibliographique

L'édition des œuvres de Jane Austen qui fait autorité est celle qu'a donnée R.W. Chapman à l'Oxford University Press. Elle comprend :

Vol. I : *Sense and Sensibility*
Vol. II : *Pride and Prejudice*
Vol. III : *Mansfield Park*
Vol. IV : Emma
Vol. V : *Northanger Abbey et Persuasion*
Vol. VI : *Œuvres mineures.*

R.W. Chapman a également publié, chez le même éditeur, les *Lettres* de Jane Austen.

Une édition de poche courante des romans et de certaines autres œuvres (*Sanditon, The Watsons et Lady Susan*) existe en « Penguin ».

L'étude, classique, sur Jane Austen, est celle de Mary Lascelles, *Jane Austen and Her Art*. Elle date de 1939, mais a été rééditée en 1963 par Oxford University Press.

Pour une biographie illustrée de Jane, voir par exemple, Mar-ghanita Laski : *Jane Austen and Her World*, New York, Viking Press, 1969.

J.R.

Persuasion

1

Sir Walter Elliot, du château de Kellynch, en Somerset, était un homme qui, pour se divertir, ne prenait jamais d'autre livre que le Baronnetage[1] ; c'est là qu'il trouvait l'occupation d'une heure de loisir et la consolation d'une heure d'affliction ; c'est là qu'il s'élevait à l'admiration et au respect en contemplant les restes limités des anciens titres ; c'est là que toute sensation fâcheuse due à des ennuis domestiques se transformait naturellement en pitié et en mépris. Il parcourait alors les anoblissements presque innombrables du siècle dernier et là, si toute autre feuille pouvait le laisser indifférent, il pouvait lire sa propre histoire avec un intérêt qui ne faiblissait jamais. Voici la page à laquelle le volume favori s'ouvrait toujours :

Elliot du château de Kellynch

Walter Elliot, né le 1er mars 1760 ; marié le 15 juillet 1784 à Elizabeth, fille de James Stevenson, gentilhomme de South Park, comté de Gloucester ; de laquelle dame (décédée en 1800) a eu Elizabeth, née le

---

1. Registre où sont inscrits les noms des baronnets. L'ordre des baronnets fut créé en 1611 par le roi d'Angleterre Jacques Ier.

1er juin 1785 ; Anne, née le 9 août 1787 ; un fils mort-né, le 5 nov. 1789 ; Mary, née le 20 nov. 1791.

Tel était, du moins, le paragraphe qui était sorti à l'origine des mains de l'imprimeur ; mais Sir Walter l'avait parfait en y ajoutant, pour sa propre information et celle de sa famille, les mots suivants, après la date de naissance de Mary : « Mariée, le 16 déc. 1810, à Charles, fils et héritier de Charles Musgrove, gentilhomme d'Uppercross, comté de Somerset » et en y insérant la date précise à laquelle il avait perdu sa femme.

Puis venaient l'histoire et la progression de l'ancienne et respectable famille, dans les termes usuels ; d'abord installée dans le Cheshire ; mentionnée par Dugdale[1] ; remplissant l'office de Haut Sheriff ; représentant un bourg à trois parlements successifs ; loyalisme envers le roi et dignité de baronnet en la première année du règne de Charles II, avec toutes les Mary et les Elizabeth que les fils avaient épousées ; le tout faisant deux belles pages in-douze pour conclure ainsi, après les armes et la devise : « Principale résidence, château de Kellynch, comté de Somerset » et de nouveau, de la plume de Sir Walter, ce finale : « Héritier présomptif, William Walter, gentilhomme, arrière-petit-fils du deuxième Sir Walter. »

La vanité était le commencement et la fin du caractère de Sir Walter Elliot ; vanité de sa personne et de sa situation. Il avait été remarquablement beau dans sa jeunesse ; et, à cinquante-quatre ans, il était encore un très bel homme. Peu de femmes pouvaient, plus que lui, se soucier de leur apparence personnelle et le valet d'un nouveau lord ne pouvait être plus ravi que lui de la place

1. Généalogiste du XVIIe siècle.

qu'il occupait dans la société. A son avis, le bonheur d'être beau ne le cédait qu'au bonheur d'être baronnet; et le Sir Walter Elliot, qui unissait en lui ces dons, était l'objet constant de son propre respect et de sa dévotion les plus chaleureux. Son physique et son rang méritaient toute sa tendresse, à un titre au moins, car c'est à eux, vraisemblablement, qu'il avait dû une épouse d'un caractère bien supérieur à ce que le sien pût mériter. Lady Elliot avait été une excellente femme, aimable et sensée, dont le jugement et la conduite – si on pouvait leur pardonner l'infatuation juvénile qui lui avait valu d'être Lady Elliot – n'avaient plus requis d'indulgence par la suite. Elle s'était pliée aux faiblesses de son mari, les avait atténuées ou encore dissimulées et lui avait assuré une réelle respectabilité durant dix-sept ans; et, sans avoir été la créature la plus heureuse du monde, elle avait trouvé dans ses devoirs, ses amis et ses enfants de quoi suffisamment l'attacher à la vie et lui faire prendre sans indifférence le moment où elle fut appelée à les quitter. Trois filles, dont les deux aînées avaient seize et quatorze ans, cela était, pour une mère, un terrible héritage à transmettre; une terrible charge plutôt, à confier à l'autorité et à la conduite d'un père suffisant et sot. Elle avait, cependant, une amie très intime, une femme de bon sens et de mérite, que le fort attachement qu'elle lui vouait avait amenée à s'établir près d'elle, dans le village de Kellynch; et c'est à sa bonté et à ses conseils que Lady Elliot s'en rapportait principalement. Elle serait d'une aide précieuse pour le maintien des bons principes et de l'instruction qu'elle s'était inquiétée de donner à ses filles.

Cette amie et Sir Walter *ne se marièrent pas*, quelles qu'aient pu être, à cet égard, les prévisions de leurs connaissances. Treize ans s'étaient écoulés depuis la mort de Lady Elliot et ils étaient toujours voisins et amis intimes ; et l'un restait veuf et l'autre veuve.

Que Lady Russell, d'âge mûr, de caractère posé, et extrêmement aisée, ne songeât pas à un second mariage, cela ne nécessite pas de justification auprès du public, qui a plutôt tendance à être déraisonnablement mécontent lorsqu'une femme se remarie que lorsqu'elle ne le fait pas ; mais que Sir Walter continuât à vivre seul requiert une explication. Que l'on sache donc que Sir Walter, en bon père (après avoir essuyé en secret un ou deux refus cuisants et mérités), se piquait de rester veuf à cause de *sa* chère fille. Pour une de ses filles, son aînée, il eût renoncé à n'importe quelle chose qui ne l'eût pas beaucoup tenté. Elizabeth avait pris, à seize ans, toute la succession possible des droits et de l'autorité de sa mère ; très jolie fille et très semblable à son père, son influence avait toujours été grande, et leur accord était des plus heureux. Les deux autres enfants étaient de valeur bien inférieure. Mary avait acquis une petite importance artificielle, en devenant Mme Charles Musgrove ; mais Anne, avec une élégance d'esprit et une douceur de caractère qui lui eussent valu la plus grande estime de toute personne vraiment compréhensive, n'était rien du tout pour son père ni pour sa sœur ; sa parole était nulle, son rôle, de toujours acquiescer – elle était seulement Anne.

Mais, à vrai dire, elle était la filleule, l'amie chérie et la grande préférée de Lady Russell. Lady Russell les aimait toutes ; mais c'était seulement chez Anne qu'elle s'imaginait voir revivre leur mère.

Quelques années plus tôt, Anne Elliot avait été une très jolie fille, mais son premier éclat s'était évanoui de bonne heure, et même à son zénith, son père avait peu trouvé à admirer en elle (tant ses traits réguliers et ses doux yeux sombres étaient différents de ceux de Sir Walter) ; il ne pouvait y avoir en eux, maintenant qu'elle était maigre et fanée, rien qui provoquât son estime. Il n'avait jamais beaucoup caressé l'espoir – maintenant disparu – de lire un jour son nom sur une autre page de son ouvrage favori. Toute égalité d'alliance devait être réservée à Elizabeth, car Mary s'était apparentée simplement à une vieille famille campagnarde, respectable et très riche ; elle avait, par conséquent, *donné* tout l'honneur sans en recevoir. Elizabeth devait, un jour ou l'autre, faire un mariage convenable.

Il arrive parfois qu'une femme soit plus belle à vingt-neuf ans qu'elle ne l'était dix ans plus tôt ; et, d'une façon générale, si elle n'a connu ni mauvaise santé ni inquiétudes, il est une période de la vie où elle ne perd presque rien de son charme. Il en allait ainsi d'Elizabeth, elle restait toujours la belle mademoiselle Elliot qu'elle était, il y a treize ans ; on pouvait donc excuser Sir Walter d'oublier l'âge de sa fille, ou, au moins, le trouver à moitié sot seulement, de se croire, lui et Elizabeth, aussi frais que jamais, au milieu de la ruine de toutes les autres beautés ; car il pouvait voir clairement combien tout le reste de sa famille et de ses connaissances prenait de l'âge ; Anne avait des traits tirés, Mary perdait de sa finesse, tous les visages des alentours s'enlaidissaient et les rapides progrès de la patte d'oie aux tempes de Lady Russell l'avaient longtemps désolé.

Chez Elizabeth, la satisfaction personnelle n'égalait pas tout à fait celle de son père. Treize années l'avaient vue châtelaine de Kellynch, y assurant la présidence et la direction avec une présence d'esprit et une décision qui n'auraient inspiré à personne l'idée de lui donner moins que son âge.

Treize années, elle avait fait les honneurs du château ; elle avait fait aussi la loi chez elle, conduit les hôtes à la calèche, et quitté immédiatement après Lady Russell les salons et les salles à manger de la région ; treize hivers en ronde, avec leurs gelées, l'avaient vue ouvrir tous les bals distingués que pouvait donner un maigre voisinage ; et treize printemps avaient épanoui leurs floraisons, au moment des voyages qu'elle faisait à Londres avec son père, pour y goûter, quelques semaines par an, les plaisirs du grand monde. Elle se souvenait de tout cela ; elle avait suffisamment conscience d'avoir vingt-neuf ans pour en concevoir des regrets et des appréhensions. Elle était pleinement satisfaite de se trouver aussi belle que jamais ; mais elle se sentait approcher des années dangereuses et se serait réjouie d'être sûre d'avoir une bonne demande en mariage de la part d'un baronnet, dans les douze ou vingt-quatre mois à venir. Alors, elle pourrait reprendre le livre des livres avec autant de plaisir que dans sa prime jeunesse ; mais maintenant, elle ne l'aimait pas. Se trouver toujours en présence de sa date de naissance et ne la voir suivre d'aucun mariage, si ce n'est celui de la plus jeune sœur, cela lui rendait le livre haïssable ; et, plus d'une fois, quand son père l'avait laissé ouvert sur la table, à côté d'elle, détournant les yeux, elle l'avait fermé et mis à l'écart.

Elle avait eu, en outre, une déception, dont ce livre – et particulièrement l'histoire de sa famille – devait toujours lui rappeler le souvenir. C'était l'héritier présomptif, ce même William Walter Elliot, gentilhomme, dont les droits avaient été si généreusement soutenus par son père, qui était l'auteur de la déception.

Toute jeune fille, dès qu'elle avait su que, dans le cas où elle n'aurait pas de frère, il serait le futur baronnet, elle avait pensé à l'épouser, comme son père l'avait toujours désiré. Ils ne l'avaient pas connu enfant, mais, peu après la mort de Lady Elliot, Sir Walter avait cherché à faire sa connaissance et, bien que ses avances eussent été reçues sans la moindre chaleur, il n'avait pas désarmé, y voyant la part de la modestie et de la timidité de la jeunesse ; et, au cours d'une de leurs excursions de printemps à Londres, alors qu'Elizabeth était dans son premier éclat, M. Elliot avait été contraint de se présenter.

Il était, à l'époque, un très jeune homme, qui venait de s'engager dans l'étude du droit, et Elizabeth l'avait trouvé extrêmement agréable, et tous les plans en sa faveur furent affermis. On l'invita au château de Kellynch ; on parla de lui et on l'attendit tout le reste de l'an, mais il ne vint pas du tout. Au printemps suivant, on le revit en ville, on le trouva également agréable, on l'encouragea de nouveau, on l'invita, l'attendit et, de nouveau, il ne vint pas ; ce qu'on apprit ensuite, ce fut son mariage. Au lieu de poursuivre sa fortune sur la voie qu'aurait dû prendre l'héritier de la maison des Elliot, il avait acquis l'indépendance en s'unissant à une femme riche de naissance inférieure.

Sir Walter en fut froissé. En tant que chef de la maison, il sentit qu'il aurait dû être consulté, surtout après avoir pris si publiquement le jeune homme par la main : « Car on a dû nous voir ensemble, observa-t-il, une fois chez Tattersal[1] et deux fois dans les couloirs de la Chambre des communes. » Il manifesta sa

1. Tattersal : marché aux chevaux permanent, rendez-vous des amateurs de courses.

désapprobation, mais, apparemment, on en fit très peu de cas. M. Elliot n'avait pas tenté de s'excuser et s'était montré aussi dédaigneux d'arrêter davantage l'attention de la famille que Sir Walter l'en jugeait indigne : tout commerce entre eux avait cessé.

Cette fâcheuse histoire avec M. Elliot, Elizabeth, après un intervalle de plusieurs années, y repensait encore avec colère, car elle avait trouvé cet homme aimable en lui-même et, encore plus, pour être l'héritier de son père, et son grand orgueil de famille ne pouvait voir qu'en *lui* un parti convenable pour la fille aînée de Sir Walter Elliot. Il n'y avait pas un baronnet, depuis A jusqu'à Z, que ses sentiments eussent aussi volontiers reconnu comme un égal. Pourtant, il s'était conduit si misérablement, que, bien qu'à cette époque (l'été de 1814) elle portât le deuil de sa femme, elle ne pouvait admettre qu'il méritât encore d'occuper ses pensées. La honte de son premier mariage, qu'il n'y avait pas de raison de supposer perpétuée par un rejeton, on aurait pu, à la rigueur, y passer outre, s'il n'avait encore plus mal agi ; mais (ils en avaient été informés grâce à l'intervention ordinaire de bons amis) il avait parlé fort irrévérencieusement d'eux tous, et, avec une hauteur et un dédain extrêmes, du sang même auquel il appartenait et des honneurs qui devaient, par la suite, être les siens. Cela était impardonnable.

Tels étaient les sentiments et les sensations d'Elizabeth Elliot; tels, les soucis qui tempéraient, les agitations qui variaient la monotonie et l'élégance, la prospérité et le néant du théâtre de sa vie et telles, les impressions qui donnaient de l'intérêt à un long séjour uniforme au milieu d'un petit cercle provincial, qui remplissaient un désœuvrement que nulle habitude utile, au-dehors, nul talent, nul art d'agrément, à la maison, ne savaient occuper.

Mais maintenant, une occupation d'un autre genre, une inquiétude commençait à s'y ajouter. Son père avait de gros soucis d'argent. Elle savait que, quand il prenait maintenant le Baronnetage, c'était pour chasser de sa pensée les grosses factures de ses fournisseurs et les désagréables suggestions de M. Shepherd, son régisseur. La propriété de Kellynch était bonne, mais elle ne répondait pas à la conception que Sir Walter se faisait du train de vie qu'elle appelait. Du vivant de Lady Elliot, il y avait eu une méthode, une modération et une économie qui l'avaient maintenu dans les limites de ses revenus; mais avec elle avait disparu tout esprit d'ordre de ce genre et, depuis cette période, il avait constamment excédé ses revenus. Il ne lui avait pas été possible de dépenser moins; il n'avait rien fait que Sir Walter Elliot n'eût été impérieusement appelé à faire; mais, tout irréprochable qu'il fût, non seulement il allait s'endettant de façon redoutable, mais il en entendait parler si souvent qu'il devint inutile d'essayer de le dissimuler plus longtemps, même partiellement, à sa fille. Il lui en avait donné quelque idée, au printemps dernier, en ville; il était même allé jusqu'à dire : « Pouvons-nous nous restreindre ? Vous vient-il à l'esprit qu'il y ait un seul article que nous puissions retrancher ? » Et Elizabeth – il faut lui rendre cette justice –, dans la première ardeur d'une alarme féminine, s'était mise sérieusement à penser à ce qu'on pouvait y faire, et avait finalement proposé ces deux chefs d'économie : supprimer certaines charités superflues et s'abstenir de remeubler le salon; auxquels expédients, elle avait joint, après coup, l'heureuse idée de ne plus rapporter de Londres de cadeau pour Anne, comme ils avaient l'habitude de le faire chaque année. Mais ces mesures, si bonnes fussent-elles, ne couvraient pas la véritable étendue du mal, dont Sir Walter se trouva obligé de lui révéler la totalité, à peu de temps de là. Elizabeth n'avait rien de plus efficace à proposer. Elle se sentait brimée et malheureuse, comme son père ; et ils étaient, l'un et l'autre, incapables d'imaginer un moyen de réduire leurs dépenses sans compromettre leur dignité ou abandonner leur confort d'une façon intolérable.

Il n'y avait qu'une petite partie de la propriété dont Sir Walter pouvait se défaire ; mais si même chaque arpent en était aliénable, cela n'aurait rien changé à l'affaire. Il avait daigné hypothéquer autant qu'il en avait eu la faculté, mais il ne daignerait jamais vendre. Non, il ne déshonorerait jamais son nom à ce point. La propriété de Kellynch devait être transmise tout entière, telle qu'il l'avait reçue.

Ils allèrent voir leurs deux amis de confiance, M. Shepherd, qui vivait dans le bourg voisin, et Lady Russell, pour leur demander leur avis ; et père et fille semblaient s'attendre à voir l'un ou l'autre de leurs amis trouver, d'un coup, le moyen de chasser leurs embarras et de réduire leurs dépenses, sans entraîner la perte d'une seule satisfaction de l'orgueil ou du goût.

2

M. Shepherd était un homme de loi courtois et circonspect. Quels que pussent être son empire ou ses opinions sur Sir Walter, il préférait voir quelqu'un d'autre souffler la solution *désagréable*. Il s'excusa donc de ne pouvoir offrir la moindre suggestion et se borna (avec leur permission) à les renvoyer en tous points à l'excellent jugement de Lady Russell dont le bon sens bien connu leur conseillerait, comme il l'espérait pleinement, toutes les mesures énergiques qu'il désirait leur voir adopter finalement.

Lady Russell apportait à la question un intérêt plein d'inquiétude et lui donna un long et sérieux examen. C'était une femme aux qualités plutôt solides que rapides, et elle avait beaucoup de mal à aboutir à une décision en l'occurrence, du fait de l'opposition de deux principes directeurs. Elle était elle-même d'une stricte intégrité, accompagnée d'un sens délicat de l'honneur ; mais elle était aussi désireuse de ménager la sensibilité de Sir Walter, aussi inquiète du crédit de la famille, aussi correcte dans sa conduite, stricte dans ses notions du décorum et, en outre, aristocratique dans l'évaluation de leurs exigences que toute personne honnête et sensée pouvait bien l'être. C'était une femme bienveillante, charitable et bonne, capable de solides attachements, et avec des manières que l'on tenait pour un modèle de bonne éducation. Elle avait un esprit cultivé, et, de façon générale, était raisonnable et logique avec elle-même – mais elle avait des préjugés en faveur des vieilles familles, elle attachait au rang et à l'importance une valeur qui l'aveuglait un peu sur les fautes de ceux qui les possédaient. Elle-même, veuve d'un simple chevalier, elle rendait à la dignité de baronnet tout le respect qui lui était dû ; et Sir Walter, indépendamment de ses titres de vieille connaissance, de voisin prévenant, de propriétaire obligeant, de mari de sa très chère amie, de père d'Anne et de ses sœurs, avait droit, dans son esprit, en tant que Sir Walter, à passablement de compassion et de considération dans la période difficile qu'il traversait.

Ils devaient faire des restrictions ; cela ne souffrait pas de doute. Mais elle était très désireuse que cela s'accompagnât du minimum possible de souffrances pour lui et Elizabeth. Elle dressa des plans d'économie, elle fit des calculs précis et, ce que nul autre n'avait pensé à faire, elle consulta Anne, que les autres ne semblaient jamais considérer comme le moins du monde intéressée à la question. Elle la consulta et fut considérablement influencée par elle dans le tracé qu'elle fit du plan de restrictions qui fut finalement soumis à Sir Walter. Toutes les émendations d'Anne avaient été pour l'honnêteté contre le prestige. Elle voulait des mesures plus vigoureuses, une réforme plus complète, une plus prompte liquidation des dettes, un plus grand air d'indifférence vis-à-vis de tout ce qui n'était pas la justice et l'équité.

— Si nous pouvions persuader votre père de tout cela, dit Lady Russell en parcourant son papier, ce serait beaucoup. S'il veut bien adopter ces règlements, dans sept ans, il pourra être quitte ; et j'espère que nous serons capables de le convaincre, ainsi qu'Elizabeth, que le château de Kellynch a en soi une respectabilité qui ne peut être affectée par ces restrictions, et que la véritable dignité de Sir Walter Elliot sera fort loin d'être amoindrie, aux yeux des gens sensés, s'il agit comme un homme de principe. Que fera-t-il, en réalité, qu'un très grand nombre de nos premières familles n'aient fait ou ne dussent faire ? Il n'y aura rien de singulier dans son cas, or c'est la singularité qui fait souvent le pire de nos souffrances, comme elle a toujours fait le pire de notre conduite. J'ai bon espoir que nous l'emporterons. Nous devons être sérieuses et décidées, car, après tout, la personne qui a contracté des dettes doit les payer ; et, bien que l'on doive beaucoup d'égards à la sensibilité du gentilhomme et du chef de maison qu'est votre père, on en doit encore plus au caractère de l'honnête homme.

Tel était le principe selon lequel Anne désirait voir son père agir, et ses amis l'y pousser. Elle considérait comme un devoir indispensable d'expédier les réclamations des créanciers avec toute la diligence que pouvaient assurer les restrictions les plus fortes et ne voyait pas de dignité à moins. Elle voulait que cela fût prescrit et senti comme un devoir. Elle avait une haute idée de l'influence de Lady Russell et, pour ce qui est de la sévérité des privations que lui dictait sa conscience, elle croyait qu'il pourrait être à peine plus difficile de les persuader de se réformer totalement qu'à moitié. La connaissance qu'elle avait de son père et d'Elizabeth la disposait à penser que le sacrifice d'une paire de chevaux leur serait à peine moins douloureux que celui de deux, et ainsi de suite tout au long de la liste des restrictions trop modérées de Lady Russell.

La façon dont les demandes plus sévères d'Anne auraient été accueillies importe peu. Celles de Lady Russell n'eurent absolument aucun succès… on ne pouvait s'en accommoder… on ne pouvait les tolérer. « Quoi ! toutes les commodités de la vie effacées d'un trait ! Voyages, Londres, serviteurs, chevaux, table… des diminutions et des restrictions partout ! Ne plus même vivre aussi décemment qu'un simple gentilhomme ! Non ! Il préférait quitter sur l'heure le château de Kellynch plutôt que d'y rester à des conditions aussi ignominieuses. »

« Quitter le château de Kellynch ! » L'idée fut immédiatement reprise par M. Shepherd, dont les intérêts étaient engagés dans les économies que pourrait réaliser Sir Walter, et qui était parfaitement persuadé que rien ne pourrait se faire sans un changement de résidence. « Puisque l'idée avait été émise par la personne même qui devait décider, il n'avait pas de scrupule, dit-il, à avouer que son jugement était entièrement de ce côté-là. Il ne lui paraissait pas que Sir Walter pût sensiblement modifier sa manière de vivre dans une maison qui avait une telle réputation d'hospitalité et d'ancienne dignité à soutenir. N'importe où ailleurs, Sir Walter pourrait aviser à sa guise et donnerait le ton en matière de train de vie, de quelque façon qu'il décidât d'agencer son ménage. »

Sir Walter quitterait donc le château de Kellynch, et après quelques jours de doute et d'indécision, la grande question de savoir où il irait était réglée, et la première ébauche de cet important changement, tracée.

Il y avait eu trois possibilités : Londres, Bath ou une nouvelle maison à la campagne. Tous les souhaits d'Anne avaient été pour cette dernière. Une simple maison dans le voisinage, où ils pourraient avoir encore la compagnie de Lady Russell, être encore près de Mary et avoir encore le plaisir de voir les pelouses et les bocages de Kellynch, faisait l'objet de son ambition. Mais son destin habituel l'attendait, de voir adopter ce qui s'opposait le plus à ses goûts. Elle n'aimait pas Bath et ne pensait pas que le climat en était bon pour sa santé, et c'est Bath qu'elle allait habiter.

Sir Walter avait d'abord pensé à Londres, mais M. Shepherd sentait qu'il ne pouvait le laisser, en confiance, à Londres et avait eu l'habileté de le lui déconseiller et de lui faire préférer Bath. C'était un endroit plus sûr pour un gentilhomme dans sa situation. Il y pouvait être un personnage à relativement peu de frais. Bath avait sur Londres deux avantages majeurs auxquels il avait, évidemment, donné tout leur poids : la distance plus commode qui le séparait de Kellynch (cinquante milles seulement) et le séjour qu'y faisait Lady Russell chaque hiver; et, à la vive satisfaction de Lady Russell, dont la première idée sur le projet de déplacement avait été en faveur de Bath, Sir Walter et Elizabeth furent amenés à croire qu'ils ne perdraient ni prestige ni agréments en s'y installant.

Lady Russell se sentit obligée de s'opposer aux désirs bien connus de sa chère Anne : il serait excessif de s'attendre à ce que Sir Walter s'abaissât à habiter une simple maison dans les parages de la sienne. Anne, elle-même, en eût trouvé la mortification plus grande qu'elle ne le prévoyait et, pour la sensibilité de Sir Walter, c'eût été une chose terrible. Quant à l'aversion d'Anne pour Bath, elle la regardait comme un préjugé et une erreur, dus aux circonstances dans lesquelles elle y avait séjourné : elle y était restée trois ans, à l'école, après la mort de sa mère et, lors de l'unique hiver qu'elle y avait passé, par la suite, avec elle, son humeur n'était pas très gaie.

Bref, Lady Russell avait un faible pour Bath, et elle était disposée à croire que la ville leur conviendrait à tous; pour ce qui est de la santé de sa jeune amie, celle-ci passerait toute la saison chaude avec elle à Kellynch Lodge et tout danger serait évité; et c'était là un changement qui devait faire du bien à la fois à sa santé et à son moral. Anne ne sortait pas assez, on ne la voyait pas assez. Elle n'avait pas d'entrain. Davantage de compagnie lui en donnerait. Elle voulait qu'elle fût plus connue.

Si Sir Walter répugnait à prendre une autre maison dans le voisinage, il était une disposition du plan, et des plus importantes (qu'on y avait heureusement incorporée au début) qui renforçait cette aversion : il n'allait pas seulement quitter sa maison, mais la voir en des mains étrangères : épreuve de fermeté que des esprits mieux trempés que celui de Sir Walter avaient trouvée excessive. Le château de Kellynch allait être loué. Cela était, cependant, un profond secret qui ne devait transpirer hors de leur cercle intime.

Sir Walter n'aurait pu souffrir la dégradation de laisser savoir son intention de louer sa maison. M. Shepherd avait mentionné une fois le mot « annonce », mais n'avait plus osé s'y hasarder de nouveau ; Sir Walter rejetait avec mépris l'idée qu'on la proposât de quelque façon que ce fût, interdisait qu'on glissât la moindre insinuation qu'il en eût pareille intention ; et c'était tout juste au cas où quelque candidat parfaitement irréprochable la solliciterait spontanément, à ses propres conditions, et comme une grande faveur, qu'il voudrait bien la louer.

Comme elles sont promptes, les raisons d'approuver ce qu'on aime ! Lady Russell en avait une autre, excellente et immédiate, de se réjouir extrêmement de ce que Sir Walter et sa famille allaient s'éloigner des parages. Elizabeth avait formé depuis peu une liaison qu'elle souhaitait voir cesser. C'était avec une fille de M. Shepherd, qui était retournée après un mariage malheureux, chez son père, avec le fardeau supplémentaire de deux enfants. C'était une jeune femme à l'esprit vif, qui connaissait l'art de plaire ; l'art de plaire au moins au château de Kellynch, et qui s'était rendue si agréable à Mlle Elliot qu'elle y avait déjà séjourné plus d'une fois, en dépit de tout ce que Lady Russell, qui trouvait cette amitié déplacée, avait pu discrètement conseiller de prudence et de réserve.

Lady Russell, en effet, n'avait presque pas d'influence sur Elizabeth ; il semblait qu'elle l'aimait plutôt parce qu'elle voulait l'aimer que parce qu'Elizabeth le méritait. Elle n'avait jamais reçu d'elle plus que des attentions de pure forme, rien qui dépassât le respect des bienséances ; elle n'avait jamais réussi à triompher d'aucune de ses inclinations. A plusieurs reprises, elle avait tenté, de tout son cœur, de faire participer Anne au séjour à Londres, vivement sensible qu'elle était à toute l'injustice et au mépris que trahissait l'égoïste combinaison qui l'en excluait et, en plus d'une occasion moins importante, s'était efforcée de donner à Elizabeth l'avantage de son jugement et de son expérience supérieurs, mais toujours en vain ; Elizabeth n'en faisait qu'à sa tête, et elle ne s'était jamais opposée plus résolument à Lady Russell que dans ce choix de Mme Clay ; elle se détournait ainsi de la compagnie d'une sœur si pleine de mérite pour accorder son affection et sa confiance à une personne qui n'aurait dû être pour elle que l'objet d'une politesse distante.

Lady Russell trouvait Mme Clay de rang très inférieur et la croyait de caractère très dangereux, comme compagne d'Elizabeth. Un éloignement qui laisserait Mme Clay en arrière et mettrait à la portée de Mlle Elliot un choix d'intimes mieux assortis était donc, pour elle, une chose de première importance.

3

— Je dois me permettre de faire observer, Sir Walter, déclara M. Shepherd, un matin au château de Kellynch, en pliant son journal, que la conjoncture présente est fort en notre faveur. La paix va ramener à terre tous nos riches officiers de marine. Ils vont tous avoir besoin d'un logement. Pas de meilleur moment possible, Sir Walter, pour avoir un choix de locataires, de locataires de toute confiance. Plus d'une fortune magnifique s'est faite pendant la guerre. Si un riche amiral devait venir sur notre chemin, Sir Walter…

— Il aurait bien de la chance, Shepherd, répliqua Sir Walter, c'est tout ce que j'ai à dire là-dessus. Ce serait vraiment une aubaine pour lui que la prise de possession du château de Kellynch, ou plutôt sa plus belle *prise* [1], quelles que soient celles qu'il ait déjà faites… hein, Shepherd ?

M. Shepherd rit, comme il s'en savait obligé, de ce mot d'esprit, puis ajouta :

— J'ose vous faire observer, Sir Walter, qu'en matière d'affaires, ces messieurs de la marine sont des gens avec qui on traite bien. J'ai acquis une petite connaissance de leurs méthodes, en affaires, et je suis tout prêt à avouer qu'ils ont des vues très libérales, et qu'ils sont aussi propres à faire des locataires désirables que n'importe quelle autre catégorie de gens. Par conséquent, Sir Walter, ce que je voudrais me permettre de vous suggérer est que si, par suite de certaine divul-

1. Prise : on a tâché de maintenir le jeu de mots, *prize* (aubaine), rendu par « prise de possession » et *prize* qui correspond exactement au français, prise : capture d'un vaisseau.

gation de votre intention, ce qui doit être considéré comme une chose possible parce que nous savons combien il est difficile de garder les actions et les desseins d'une partie du monde de l'observation et de la curiosité de l'autre – c'est la rançon de la noblesse – moi, John Shepherd, je pourrais cacher toutes les affaires de famille que je veux, car personne ne penserait qu'il vaille la peine de m'observer, mais Sir Walter Elliot a sur lui des regards qu'il peut être très difficile d'éviter – et par conséquent, je m'avancerai jusqu'à dire que je ne serais guère surpris si, malgré toutes nos précautions, un écho de la vérité ne se divulguait –, en supposition de quoi, comme j'allais l'observer, puisque des demandes s'ensuivront incontestablement, je penserais que celles qui nous viendraient de nos riches officiers de marine seraient particulièrement dignes de considération… et je vous demande la permission d'ajouter que je ne suis qu'à deux heures de chez vous, et toujours prêt à vous éviter l'ennui de répondre.

Sir Walter se borna à incliner la tête. Mais bientôt, se levant et arpentant la pièce, il observa d'un air sarcastique :

— Il y en a peu parmi ces messieurs de la marine, j'imagine, qui ne seraient surpris de se trouver dans une maison de ce genre.

— Ils regarderaient tout autour d'eux, sans doute, et béniraient leur bonne fortune, dit Mme Clay.

Car Mme Clay était présente, son père l'avait amenée en voiture au château, rien n'étant meilleur pour la santé de Mme Clay qu'une promenade à Kellynch.

— Mais je suis absolument d'accord avec mon père pour penser qu'un marin pourrait être un locataire très désirable. J'en ai connu une bonne quantité, et, outre leur libéralité, ils sont si propres et si soigneux dans toutes leurs manières ! Vos précieux tableaux, Sir Walter, si vous jugez bon de les laisser chez vous, y seraient en parfaite sécurité. Chaque chose, dans la maison et les alentours, serait si bien entretenue ! Les jardins et les massifs seraient en aussi bel état qu'aujourd'hui. Vous ne devez pas craindre, mademoiselle Elliot, que vos charmantes corbeilles de fleurs soient négligées.

— Pour ce qui est de tout cela, repartit froidement Sir Walter, à supposer que je fusse amené à louer ma maison, je n'ai nullement pris de décision quant aux privilèges à y adjoindre. Je ne suis pas particulièrement disposé à favoriser un locataire. Le parc lui serait ouvert, bien entendu, et peu d'officiers de marine, ou d'hommes d'une autre espèce ont pu avoir à eux tant d'espace, mais les restrictions que je pourrais imposer sur l'usage des terrains de plaisir sont une autre affaire. Je n'aime pas beaucoup l'idée que mes massifs soient toujours accessibles ; et je recommanderais à Mlle Elliot d'être sur ses gardes en ce qui concerne ses corbeilles de fleurs. Je ne suis guère disposé à accorder une faveur extraordinaire à un locataire du château de Kellynch, je vous l'assure, fût-il marin ou soldat.

Après une courte pause, M. Shepherd se permit de dire :

— Dans tous ces cas, il y a des usages établis qui simplifient et facilitent toutes choses entre propriétaire et locataire. Vos intérêts, Sir Walter, sont en des mains assez sûres ! Fiez-vous à moi pour veiller à ce que nul locataire n'ait plus que son juste droit. Je me risque à vous souffler que Sir Walter Elliot ne peut être à moitié aussi jaloux du sien que John Shepherd ne le sera pour lui.

Ici, Anne parla :

— La marine qui a tant fait pour nous, je pense, a au moins autant de droits que toute autre catégorie humaine à tous les conforts et à tous les privilèges que peut donner un foyer. Les marins travaillent assez dur pour avoir leur confort, nous devons tous le reconnaître.

— Très juste, très juste. Ce que dit Mlle Anne est très juste, répliqua M. Shepherd.

— Oh ! certainement, ajouta sa fille.

Mais Sir Walter remarqua, peu après :

— Le métier a son utilité, mais je serais fâché de voir un de mes amis y appartenir.

— Vraiment ! répondit-on, avec un regard de surprise.

— Oui, il m'offusque en deux points ; j'ai deux fortes raisons d'y faire objection. La première, c'est qu'il est le moyen de porter des personnes de naissance obscure à une distinction indue, et d'élever des hommes à des honneurs auxquels leurs pères et leurs grands-pères n'ont jamais rêvé ; la seconde, qu'il détruit la jeunesse et la vigueur d'un homme de façon effroyable ; un marin vieillit plus tôt que n'importe quel autre homme ; je l'ai observé toute ma vie. Dans la marine, un homme est en plus grand danger d'être outragé par l'ascension d'un autre, au père duquel son père aurait pu dédaigner de parler, et de devenir soi-même prématurément un objet de dégoût, que dans n'importe quelle autre voie. Un jour, au printemps dernier, en ville, je fus, en compagnie de deux hommes, exemples frappants de ce dont je cause, Lord St. Ives, dont nous savons tous que le père était simple pasteur de campagne, avec à peine de quoi manger : je dus céder le pas à Lord St. Ives et à un certain amiral Baldwin, le plus pitoyable personnage qui se puisse imaginer : une tête couleur d'acajou, rude et rugueuse à l'extrême, toute en rides et sillons, neuf cheveux gris d'un côté et une simple touche de poudre au sommet du crâne. « Au nom du ciel, qui est ce vieux bonhomme ? » dis-je à un mien ami qui se tenait près de moi (Sir Basil Morley). « Vieux bonhomme ! s'écria Sir Basil, c'est l'amiral Baldwin. Quel âge lui donnez-vous ? » – « Soixante ans, dis-je, ou peut-être soixante-deux. » – « Quarante, répliqua Sir Basil, quarante, pas plus. » Représentez-vous ma stupéfaction ; je n'oublierai pas de sitôt l'amiral Baldwin. Je n'ai jamais vu d'exemple aussi piètre de ce que peut faire une vie passée en mer ; mais jusqu'à un certain point, je sais qu'il en est de même d'eux tous : ils sont tous ballottés de-ci, de-là, exposés à tous les climats et à toutes les intempéries, jusqu'à ce qu'ils soient impossibles à voir. C'est dommage qu'on ne les assomme pas d'un coup avant qu'ils n'atteignent l'âge de l'amiral Baldwin.

— Nenni, Sir Walter, s'écria Mme Clay, c'est être vraiment sévère. Ayez un peu pitié des pauvres hommes. Nous ne sommes pas tous nés pour être beaux. A coup sûr, la mer n'est pas embellissante et les marins vieillissent tôt ; je l'ai souvent observé ; ils perdent vite l'air de la jeunesse. Mais quoi ? n'en est-il pas de même de beaucoup d'autres métiers, peut-être de la plupart ? Les soldats en service actif ne sont pas du tout mieux lotis, et même dans les métiers plus tranquilles, il y a un travail et un labeur de l'esprit, sinon du corps, qui laisse rarement un homme accuser le seul effet naturel du temps. L'homme de loi se traîne, tout rongé de soucis ; le médecin est debout à toute heure et sur les routes par tous les temps, et même le pasteur… (Elle s'arrêta un moment pour réfléchir à ce qui pourrait qualifier un pasteur…) Et même le pasteur, vous savez, est obligé d'entrer dans des chambres contaminées et d'exposer sa santé et son teint aux injures d'une atmosphère empoisonnée. En fait, comme j'en suis depuis longtemps convaincue, bien que chaque métier en particulier soit nécessaire et honorable, c'est seulement le lot de ceux qui ne sont pas obligés d'en embrasser un, qui peuvent vivre d'une façon réglée, à la campagne, choisissent *leurs* heures, s'adonnent à *leurs* occupations et vivent sur leurs propriétés, sans connaître le tourment d'essayer d'avoir davantage; c'est seulement leur lot, dis-je, de porter les dons de la santé et de la beauté au plus haut; je ne connais d'autre genre d'hommes que ceux qui perdent quelque chose de leur attrait quand ils cessent d'être tout à fait jeunes.

Il semblait que M. Shepherd, dans son anxiété de préparer d'avance la bonne volonté de Sir Walter vis-à-vis d'un officier de marine comme locataire, eût été doué de divination, car la toute première demande de location vint d'un amiral Croft, en compagnie de qui il se trouva peu après, lors des assises trimestrielles de Taunton auxquelles il assistait et, à vrai dire, un correspondant de Londres l'avait aiguillé vers l'amiral. Selon le rapport qu'il se hâta de venir faire à Kellynch, l'amiral Croft était un natif du Somerset qui, ayant acquis une très jolie fortune, était désireux de s'établir dans sa province natale. Il était venu à Taunton pour voir certaines propriétés à louer dans le voisinage, qui ne lui avaient point plu; mais, ayant eu vent par hasard (c'était juste comme il l'avait prédit, observa M. Shepherd, les affaires de Sir Walter ne pouvaient être tenues secrètes), de la possibilité de louer le château de Kellynch, et apprenant ses rapports (ceux de M. Shepherd) avec le propriétaire, il s'était présenté à lui afin de prendre des informations détaillées, avait, au cours d'une assez longue conférence, exprimé pour la propriété un goût aussi fort qu'un homme qui ne la connaissait que par description pouvait sentir, et donné à M. Shepherd, dans l'exposé complet qu'il lui fit de sa situation, toutes les preuves qu'il pouvait être un locataire absolument digne de leur confiance et de leur choix.

— Et qui est l'amiral Croft ? fut la froide et soupçonneuse demande de Sir Walter.

Il était d'une famille distinguée, M. Shepherd en répondait, et il mentionna un endroit ; et Anne, après la petite pause qui suivit, ajouta :

— Il est contre-amiral du Pavillon blanc[1]. Il participa au combat de Trafalgar et a été, depuis, dans les Indes orientales ; il y fut en service, je crois, plusieurs années.

— Alors, il va sans dire que sa figure est aussi orangée que les manchettes et les capes de mes laquais.

M. Shepherd s'empressa de lui assurer que l'amiral Croft était un homme robuste et vigoureux, présentant bien, un peu hâlé, bien sûr, mais pas beaucoup, et tout à fait un gentleman dans toutes ses notions et sa conduite, qui risquait peu de faire des difficultés sur les conditions… désirait seulement une maison confortable et y entrer dès que possible… savait qu'il devait payer pour avoir son bien-être… savait quel loyer pouvait rapporter une maison meublée de cette importance… n'aurait pas été surpris si Sir Walter avait demandé davantage… s'était enquis du domaine… serait content de la députation, certainement, mais n'y tenait pas spécialement… disait qu'il sortait parfois avec un fusil, mais ne tuait jamais… un vrai gentleman.

1. Pavillon blanc : la marine de guerre.

M. Shepherd fut éloquent sur ce sujet, soulignant toutes les circonstances de famille qui rendaient l'amiral particulièrement désirable comme locataire. C'était un homme marié et sans enfant, exactement l'état souhaitable. Une maison n'était jamais bien entretenue, observa M. Shepherd, sans une dame ; il ne savait pas si les meubles ne risquaient pas de pâtir autant lorsqu'il n'y avait pas de dame que lorsqu'il y avait beaucoup d'enfants. Une dame, sans famille, était la meilleure protectrice de meubles du monde. Il avait vu Mme Croft également ; elle se trouvait à Taunton avec l'amiral et avait été présente presque tout le temps à leurs discussions.

— Elle parlait si bien, semblait si distinguée ! si fine, continua-t-il. Elle m'a posé plus de questions sur la maison, les conditions et les impôts que l'amiral lui-même et paraissait plus versée dans les affaires. Et, de plus, Sir Walter, je trouvai qu'elle n'était pas tout à fait sans attaches dans la région, de même que son mari, c'est-à-dire qu'elle est la sœur d'un gentilhomme qui a vécu, effectivement, parmi nous, jadis ; elle me l'a dit elle-même : sœur du gentilhomme qui vivait, il y a quelques années, à Monkford. Par Dieu ! quel était son nom ? Je ne peux me rappeler son nom en ce moment, bien que je l'aie entendu si récemment. Pénélope, ma chère, pouvez-vous m'aider à retrouver le nom de ce gentilhomme qui vivait à Monkford… le frère de Mme Croft ?

Mais Mme Clay se trouvait en conversation si animée avec Mlle Elliot qu'elle n'entendit pas la prière de son père.

— Je ne vois pas qui vous voulez dire, Shepherd, il ne me souvient d'aucun gentilhomme résidant à Monkford depuis le temps du vieux gouverneur Trent.

— Mon Dieu ! comme c'est curieux ! Je vais bientôt oublier mon propre nom, je suppose. Un nom qui m'est tellement familier ! Je connaissais si bien de vue ce gentilhomme ; je l'ai vu une centaine de fois ; il était venu me consulter un jour, je m'en souviens, au sujet d'une violation de propriété commise par un de ses voisins, un homme de ferme qui s'était introduit dans son verger… mur abattu… pommes volées… pris sur le fait, et, après quoi, contrairement à mon avis, il s'était soumis à un arrangement à l'amiable. Très curieux, vraiment !

Après un autre moment d'attente :

— Vous voulez dire M. Wentworth, je suppose ? dit Anne.

M. Shepherd fut toute gratitude.

— Wentworth était exactement le nom ! M. Wentworth était exactement la personne. Il tint le vicariat de Monkford, vous savez, Sir Walter, il y a quelque temps de cela, pendant deux ou trois ans. Il vint ici vers l'année 1805, je suppose. Vous vous souvenez de lui, j'en suis sûr.

— Wentworth ? Oh ! oui… M. Wentworth, le vicaire de Monkford. Vous m'avez égaré en employant le terme de *gentilhomme*. Je pensais que vous parliez d'un homme qui a du bien : M. Wentworth n'était rien du tout, je m'en souviens ; aucune relation, rien à voir avec la famille de Strafford. On se demande comment les noms de notre noblesse deviennent souvent si communs.

Lorsque M. Shepherd s'aperçut que ce parent des Croft ne leur valait pas les bonnes grâces de Sir Walter, il ne le mentionna plus ; il revint avec tout son zèle s'étendre sur les conditions qui étaient plus indiscutablement en leur faveur : leur âge, leur ménage peu nombreux et leur fortune ; la haute idée qu'ils s'étaient faite du château de Kellynch, leur souci extrême d'avoir l'avantage de le louer; les représenta comme ne mettant rien au-dessus du bonheur d'être les locataires de Sir Walter Elliot : c'était là, certes, un goût extraordinaire si l'on avait pu les supposer dans le secret de l'évaluation que Sir Walter se faisait des redevances d'un locataire.

La demande, pourtant, fut prise en considération, et bien que Sir Walter dût toujours regarder d'un mauvais œil quiconque avait l'intention d'habiter sa maison et le tenir pour infiniment trop heureux d'avoir la permission de la louer aux plus hauts prix, on l'amena à accorder à M. Shepherd d'entamer des pourparlers; il l'autorisait à se présenter à l'amiral Croft, qui demeurait encore à Taunton, et à fixer un jour pour la visite de la maison.

Sir Walter n'était pas très sensé, mais il avait pourtant assez d'expérience du monde pour sentir qu'un locataire plus irréprochable que l'amiral Croft promettait de l'être sur tous les points essentiels avait peu de chances de se présenter. Voilà jusqu'où allait sa compréhension; et sa vanité lui fournissait, de surcroît, un petit sujet de consolation dans la position sociale de l'amiral, qui était juste assez élevée, mais point trop. « J'ai loué ma maison à l'amiral Croft », cela sonnerait extrêmement bien; beaucoup mieux que : « un simple M. X... »; un M. X... (sauf, peut-être, une demi-douzaine de MM. X... dans toute la nation) nécessite toujours un mot d'explication. Un amiral dit, de lui-même, son importance, et, en même temps, ne peut jamais diminuer un baronnet. Dans tous leurs rapports et leurs négociations, Sir Walter Elliot devait toujours avoir la préséance.

On ne pouvait rien faire sans s'en référer à Elizabeth, mais son inclination se faisait si forte en faveur d'un départ qu'elle fut heureuse de le voir fixé et hâté par la présence d'un locataire et elle ne dit pas un mot pour suspendre la décision.

M. Shepherd reçut plein pouvoir d'agir et l'on n'était pas plus tôt parvenu à une telle conclusion, qu'Anne, qui avait suivi tous les débats avec la plus vive attention, quitta la pièce pour rafraîchir dehors ses joues empourprées ; et comme elle se promenait le long d'un bosquet favori, elle dit, en soupirant doucement : « Encore quelques mois et il se promènera peut-être ici. »

4

Il, ce n'était pas M. Wentworth, l'ancien vicaire de Monkford, quelques soupçons qu'aient pu donner les apparences, mais le capitaine Frederick Wentworth, son frère, qui, nommé capitaine de frégate, à la suite du combat naval de Saint-Domingue, et ne recevant pas d'affectation immédiate, était venu en Somerset dans l'été de 1806 et qui, n'ayant ni père ni mère en vie, avait trouvé un foyer à Monkford pendant une demi-année. C'était, à ce moment-là, un jeune homme remarquablement beau, avec beaucoup d'intelligence, d'énergie et de brillant, et Anne, une jeune fille extrêmement jolie, avec de la douceur, de la modestie, du goût et de la sensibilité. La moitié de tous ces attraits eût été suffisante, de part et d'autre, car lui n'avait rien à faire et elle n'avait, pour ainsi dire, personne à aimer ; mais avec tant de qualités pour les recommander, leur rencontre eut un effet infaillible. Ils firent peu à peu connaissance et, lorsqu'ils se connurent, s'aimèrent rapidement et profondément. Il serait difficile de dire lequel des deux avait vu la plus haute perfection en l'autre, ou lequel avait été le plus heureux ; elle, en recevant ses déclarations et sa demande, ou lui, en les voyant acceptées.

Une brève période de parfaite félicité s'ensuivit... mais elle fut brève. Des difficultés surgirent bientôt. A l'offre de mariage, Sir Walter, sans réserver positivement son consentement ou dire qu'il ne le donnerait jamais, opposa toute la négation d'un grand étonnement, d'une grande froideur, d'un grand silence et la résolution avouée de ne rien faire pour sa fille. Il trouvait l'alliance très déshonorante, et Lady Russell, bien que d'un orgueil plus modéré et plus pardonnable, la jugea tout à fait malheureuse.

Anne Elliot, avec tous ses privilèges de naissance, de beauté et d'esprit, se sacrifierait donc ainsi à dix-neuf ans ; conclurait donc, à dix-neuf ans, des fiançailles avec un jeune homme qui n'avait que lui-même pour le recommander, aucun espoir de parvenir à la richesse, si ce n'est dans les aléas d'un métier des moins sûrs, et aucune relation pour assurer au moins son avancement dans le métier ; ce serait vraiment un sacrifice dont la pensée l'affligeait ! Anne Elliot, si jeune, si peu connue, enlevée par un étranger sans famille ni fortune, ou plutôt, ravalée par lui à un état de dépendance si épuisant, si plein de soucis, qui tuerait sa jeunesse ! Cela ne devait pas se faire, si la franche intervention de l'amitié, si les observations d'une femme qui avait pour elle presque l'amour d'une mère, presque les droits d'une mère pouvaient empêcher cela.

Le capitaine Wentworth n'avait pas de fortune. Il avait eu de la chance dans son métier, mais, dépensant largement ce qui était venu largement, il n'avait rien amassé. Mais il était convaincu qu'il serait bientôt riche ; plein de vie et d'ardeur, il savait qu'il aurait bientôt un bateau et qu'il serait bientôt à un poste qui le mènerait à tout ce qu'il voulait. Il avait toujours eu de la chance ; il savait qu'il en serait encore ainsi. Une telle confiance, communicative par sa chaleur, ensorcelante par la façon spirituelle dont elle était souvent exprimée, avait dû suffire à Anne ; mais Lady Russell voyait les choses d'un tout autre œil. Ce tempérament optimiste et cette intrépidité d'esprit avaient sur elle un tout autre effet. Elle n'y voyait qu'une aggravation du mal. Cela ne faisait que donner au jeune homme un caractère dangereux. Il était brillant, il était forte tête. Lady Russell avait peu de goût pour l'esprit et, pour tout ce qui approchait de l'imprudence, de l'horreur. Elle désapprouvait cette union à tous égards.

L'opposition qu'on lui signifiait ainsi était trop forte pour qu'Anne la surmontât. Jeune et douce comme elle était, il lui eût été encore possible de résister à la mauvaise volonté de son père, sans même que l'adoucît un mot ou un regard aimable de sa sœur, mais Lady Russell, en qui elle avait toujours mis son amour et sa confiance, ne pouvait pas, avec une telle constance d'opinion et une telle tendresse de manières, la conseiller sans cesse en vain. Elle fut amenée à croire que ces fiançailles étaient une erreur… une chose inconsidérée, déplacée, qui ne risquait pas de réussir et qui ne le méritait pas. Mais ce n'est pas sous l'influence pure et simple d'une circonspection égoïste qu'elle agit en y mettant fin. Si elle ne s'était imaginé qu'elle considérait son bien à lui plus même que le sien propre, elle n'aurait guère pu renoncer au capitaine Wentworth. La conviction que sa prudence, que son abnégation étaient surtout à son avantage à lui, fut sa principale consolation, au milieu du déchirement d'un adieu... d'un dernier adieu, et toutes les consolations lui étaient nécessaires, car elle dut connaître, au surplus, toute la douleur de voir que lui, de son côté, n'était nullement convaincu ni ébranlé dans ses opinions et qu'il se sentait lésé par un abandon si forcé... A la suite de cela, il avait quitté la province.

Quelques mois avaient vu le commencement et la fin de leur connaissance, mais ce n'est pas en quelques mois que disparut la souffrance qu'en devait ressentir Anne. Son attachement et ses regrets avaient pour longtemps rembruni tous les plaisirs de sa jeunesse et lui avaient fait perdre son éclat et son entrain.

Plus de sept ans s'étaient écoulés depuis que ce petit roman teinté de mélancolie avait touché à sa fin et le temps avait grandement, avait presque entièrement, peut-être, effacé tout attachement particulier à l'égard du capitaine Wentworth... Mais elle avait trop compté sur le temps tout seul ; elle n'avait pas eu le recours du voyage (à l'exception d'une visite à Bath, peu après la rupture) ou d'une compagnie nouvelle ou plus étendue. Personne n'avait jamais pénétré dans le cercle de Kellynch, qui pût soutenir la comparaison avec Frederick Wentworth, tel qu'il demeurait dans sa mémoire. Avec sa finesse d'esprit, sa délicatesse de goût, aucun attachement nouveau, le seul remède parfaitement naturel, heureux et suffisant à ce moment de la vie, n'avait été possible à l'intérieur des étroites limites de la société des environs.

Vers l'âge de vingt-deux ans, un jeune homme lui avait demandé de prendre son nom ; le même qui, peu après, trouva meilleur accueil auprès de sa sœur cadette ; et Lady Russell avait déploré son refus ; car Charles

Musgrove était le fils aîné d'un homme dont les terres et l'importance générale ne le cédaient, dans la région, qu'à celles de Sir Walter, et qui avait bon caractère et bonne apparence ; et si Lady Russell avait pu être un peu plus exigeante lorsque Anne avait dix-neuf ans, elle se serait réjouie de la voir à vingt-deux ans s'éloigner si respectablement du favoritisme et de l'injustice qui régnaient chez son père, et s'installer de façon si permanente près d'elle. Mais, cette fois-ci, Anne n'avait pas admis de conseils ; et si Lady Russell, aussi satisfaite que jamais de son discernement, ne souhaitait nullement que le passé fût aboli, elle était prise maintenant du désir anxieux, confinant au désespoir, de voir Anne, tentée par un homme de talent et de situation indépendante, à embrasser l'état auquel elle pensait que la qualifiaient particulièrement sa chaude affection et ses habitudes d'intérieur.

Elles ne connaissaient pas leur opinion réciproque, constante ou changeante, sur le seul point qui dirigeait la conduite d'Anne, car le sujet n'était jamais effleuré. Mais Anne, à vingt-sept ans, pensait tout autrement qu'on ne l'avait amenée à faire, à dix-neuf. Elle ne blâmait pas Lady Russell, elle ne se blâmait pas d'avoir été guidée par elle ; mais elle savait que si une jeune personne dans les mêmes circonstances devait avoir recours à ses avis, elle ne lui proposerait jamais une telle misère immédiate et certaine, un tel bonheur futur et incertain. Elle était convaincue que, malgré tout le désavantage d'être désapprouvée par les siens, malgré toutes les anxiétés qui s'attachent au métier de marin, malgré toutes leurs frayeurs, leurs attentes et leurs déceptions probables, elle eût été certainement plus heureuse, quand même, en maintenant ses fiançailles qu'en en faisant le sacrifice ; et cela, croyait-elle pleinement, en admettant qu'ils aient eu la part ordinaire et même plus qu'une part ordinaire de soucis et d'incertitudes de ce genre, sans tenir compte des résultats réels, qui, effectivement, leur eussent dispensé la prospérité plus tôt qu'on aurait pu raisonnablement l'escompter. Toutes les espérances optimistes, toute la confiance de Frederick Wentworth avaient été justifiées. Son génie et son ardeur lui avaient, semblait-il, donné la prévision et la maîtrise de sa voie prospère. Très peu de temps après la fin de leurs fiançailles, il avait eu du service et tout ce dont il avait annoncé la venue à la jeune fille avait eu lieu. Il s'était distingué et avait vite atteint le grade supérieur... et il devait avoir fait, en ce moment, grâce à des captures successives, une belle fortune. Elle n'avait comme source que les annuaires de la marine et les journaux, mais elle ne pouvait douter qu'il ne fût riche... et, ce qui plaidait pour sa constance, elle n'avait aucune raison de le croire marié.

Combien éloquente aurait pu être Anne Elliot... combien éloquents, au moins, étaient ses souhaits en faveur des puissants attachements de la jeunesse et de la confiance hardie en l'avenir – contre ces excessives inquiétudes de la prudence qui semblent insulter à l'effort et douter de la Providence ! On l'avait contrainte à la prudence dans sa jeunesse ; elle apprenait le romanesque avec l'âge – suite naturelle d'un début artificiel.

Dans ces circonstances, parmi ces souvenirs et ces sentiments, la nouvelle que la sœur du capitaine Wentworth allait vraisemblablement vivre à Kellynch ne pouvait que raviver son ancienne douleur ; et il fallut plus d'une promenade et plus d'un soupir pour chasser l'agitation que causait cette idée. Il lui fallut se répéter plus d'une fois que c'était de la folie, avant de pouvoir s'endurcir à écouter sans souffrir cette discussion continuelle sur les Croft et leurs affaires. Elle y était aidée, cependant, par la parfaite indifférence et l'ignorance apparente qui, chez ses trois seuls amis qui fussent au courant du passé, semblaient presque en nier le souvenir. Elle pouvait rendre justice à la supériorité, en ce point, des mobiles de Lady Russell sur ceux de son père et d'Elizabeth, elle pouvait honorer toute la délicatesse des sentiments qui motivaient son calme – mais l'impression générale d'oubli qu'ils donnaient était pour elle d'une grande importance, quelle qu'en fût l'origine ; et, dans le cas où l'amiral Croft louerait réellement le château de Kellynch, elle se réjouissait encore d'avoir la conviction – qui l'avait toujours tant réconfortée – que, de toutes ses relations, ces trois seuls avaient connaissance du passé et n'en murmureraient pas une syllabe, elle en était certaine ; elle avait aussi le ferme espoir que, de l'autre côté, seul le frère chez qui il avait habité avait appris quelque chose de leurs fiançailles éphémères. Ce frère avait quitté depuis longtemps la province, et cet homme sensé, qui était, de plus, célibataire à l'époque, n'en avait soufflé mot – se plaisait-elle à croire – à personne au monde.

La sœur, Mme Croft, n'était pas alors en Angleterre : elle accompagnait son mari en service, à l'étranger, et sa sœur à elle, Mary, était à l'école quand tout cela se produisit – et la fierté des uns, la délicatesse des autres ne lui avaient jamais permis d'en avoir la moindre connaissance, par la suite.

Soutenue par ces pensées, elle espérait que la connaissance des Croft, à laquelle on devait s'attendre – car Lady Russell résidait toujours à Kellynch et Mary était fixée à trois milles seulement de là – n'entraînerait pas, chez elle, de gêne particulière.

5

Le matin où l'amiral et Mme Croft devaient voir le château de Kellynch, Anne trouva très naturel de faire sa promenade quasi quotidienne chez Lady Russell et de se tenir hors de leur chemin jusqu'à ce que tout fût fini… et qu'elle trouvât alors très naturel de regretter d'avoir manqué l'occasion de les voir.

Cette réunion des deux parties s'avéra parfaitement satisfaisante et régla toute l'affaire d'un coup. Chacune des dames était bien disposée d'avance en faveur d'un accord et ne vit, par conséquent, que bonnes manières chez l'autre ; et, pour ce qui est des messieurs, il y avait, du côté de l'amiral, une bonne humeur si cordiale, une libéralité si franche, si confiante, qu'elles ne pouvaient qu'influencer Sir Walter, auquel d'ailleurs M. Shepherd fit déployer ses meilleures et ses plus élégantes façons, en le flattant de l'assurance que l'amiral le connaissait de réputation comme un modèle de bonne éducation.

La maison, le parc et les meubles furent agréés ; les Croft furent agréés ; les conditions, le moment, chaque chose et chacun étaient parfaits ; et l'on mit les clercs de M. Shepherd à l'ouvrage, sans avoir eu, au préalable, un seul point à modifier de tout ce que comprenait le contrat.

Sir Walter déclara sans hésiter que l'amiral était le plus beau marin qu'il eût jamais rencontré et alla jusqu'à dire que, si l'on pouvait charger son valet de le coiffer, il n'aurait pas honte d'être vu avec lui, n'importe où ; et l'amiral, avec sa généreuse sympathie, fit observer à sa femme, comme leur voiture traversait le parc, au retour : « Je pensais que nous allions vite nous entendre, ma chère, malgré tout ce qu'on nous a raconté à Taunton. Le baronnet n'aurait pas inventé la poudre, mais il n'a pas l'air méchant » ; compliments réciproques qui eussent été appréciés à peu près de la même façon.

Les Croft devaient prendre possession du château à la Saint-Michel, et, comme Sir Walter avait proposé que le départ pour Bath se fît dans le courant du mois qui précédait, il n'y avait pas de temps à perdre pour prendre toutes les mesures appropriées.

Lady Russell, convaincue qu'on ne permettrait pas à Anne d'avoir la moindre utilité ou la moindre autorité dans le choix de la maison qu'ils allaient se procurer, était très peu disposée à la voir si rapidement entraînée loin d'elle et désirait lui procurer la possibilité de rester en arrière, jusqu'à ce qu'elle pût la conduire elle-même à Bath, après la Noël ; mais, comme elle était prise ailleurs pour quelques semaines, il ne lui était pas possible de faire l'invitation complète qu'elle aurait voulu faire ; Anne redoutait les chaleurs possibles de septembre au milieu de toute la blancheur éblouissante de Bath et se désolait d'être soustraite à toute l'influence si douce et si mélancolique des mois d'automne à la campagne – cependant elle ne pensait pas, tout bien considéré, qu'elle désirait y rester. La solution la plus convenable, la plus sage – et qui, par conséquent, devait entraîner pour elle le moins de souffrance – voulait qu'elle s'en allât avec les autres.

Il arriva, pourtant, quelque chose qui lui assigna un devoir différent. Mary, souvent un peu souffrante et faisant toujours grand cas de ses propres plaintes... et toujours habituée à réclamer Anne à propos de tout et de rien, se trouvait indisposée ; prévoyant qu'elle n'aurait pas un jour de santé de tout l'automne, elle la priait, ou plutôt lui enjoignait – tant sa prière était impérieuse – de venir à la villa d'Uppercross lui tenir compagnie aussi longtemps qu'elle aurait besoin d'elle, au lieu d'aller à Bath.

« Je ne peux pas me passer d'Anne », raisonnait Mary, et, de son côté, Elizabeth disait : « Alors, je suis sûre qu'Anne ferait mieux de rester, car personne n'aura besoin d'elle à Bath. »

Etre réclamée pour ses qualités – même d'une façon déplacée – cela vaut mieux, au moins, que d'être rejetée pour n'en avoir aucune ; et Anne, contente qu'on lui trouvât une utilité, contente de se voir désigner n'importe quoi comme devoir, et certainement point fâchée que la scène en eût lieu dans la campagne, *sa* chère campagne, accepta volontiers de rester.

L'invitation de Mary dissipa tout l'embarras de Lady Russell, et l'on décida bientôt, en conséquence, que, jusqu'à ce que Lady Russell la prît avec elle, Anne n'irait pas à Bath et que tout l'entretemps serait partagé entre la villa d'Uppercross et Kellynch Lodge.

Jusque-là tout allait parfaitement bien... lorsque Lady Russell s'aperçut à sa stupéfaction qu'il y avait quelque chose qui clochait dans le plan fait à Kellynch : Mme Clay avait été engagée à se rendre à Bath avec Sir Walter et Elizabeth, pour l'aide si importante et si précieuse qu'elle donnerait à cette dernière dans toutes ses démarches. Lady Russell était extrêmement fâchée que l'on eût pu prendre une telle mesure... s'en étonnait, s'en désolait et s'en effrayait... et l'affront qu'elle infligeait à Anne, en impliquant que Mme Clay était si utile et qu'Anne ne pouvait pas l'être du tout, rendait la chose plus grave et bien plus pénible à ses yeux.

Anne, pour sa part, s'était endurcie à de tels affronts ; mais elle ressentit l'imprudence de cette combinaison tout aussi vivement que Lady Russell. Ayant beaucoup observé en silence et possédant une connaissance, qu'il lui arrivait souvent de souhaiter moindre, du caractère de son père, elle se rendait compte que, de cette intimité, des conséquences de la plus grande gravité pour sa famille risquaient fort de résulter. Elle n'imaginait pas que son père eût en tête, à l'heure actuelle, une idée de ce genre. Mme Clay avait des taches de rousseur, une dent en avant et un poignet mal fait, sur lesquels il faisait sans cesse de sévères commentaires en son absence ; mais elle était jeune et, certes, jolie dans l'ensemble, et, avec son esprit pénétrant et ses manières perpétuellement appliquées à plaire, possédait un attrait qui était infiniment plus dangereux que tout autre charme purement physique. Anne était tellement impressionnée par la gravité de ce danger qu'elle ne put se dispenser de tâcher de le rendre sensible à sa sœur. Elle avait peu d'espoir de succès, mais Elizabeth qui, dans l'éventualité d'une telle infortune serait tellement plus à plaindre qu'elle-même, ne devait jamais avoir sujet, pensait-elle, de lui reprocher de ne l'avoir pas avertie.

Elle parla et ne fit que blesser, semblait-il. Elizabeth ne pouvait concevoir comment un soupçon aussi absurde pouvait lui venir à l'esprit ; et garantit avec indignation que de chaque côté on connaissait parfaitement son rang.

— Mme Clay, dit-elle avec chaleur, n'oublie jamais qui elle est ; et comme je connais un peu mieux ses sentiments que vous, je puis vous assurer que, sur le sujet du mariage, ils sont particulièrement délicats ; et qu'elle y condamne toute inégalité de condition et de rang avec plus de force que la plupart des gens. Quant à mon père, vraiment, je n'aurais pas pensé que lui, qui a gardé si longtemps le veuvage à cause de nous, dût être maintenant soupçonné de la sorte. Si Mme Clay était une très belle femme, je vous l'accorde, il pourrait être mauvais que je l'aie tellement avec moi ; non que rien au monde, j'en suis sûre, puisse amener mon père à faire une mésalliance ; mais il pourrait en être malheureux. Mais la pauvre Mme Clay, qui, avec tous ses mérites, n'a jamais pu passer pour moyennement jolie ! Je pense que la pauvre Mme Clay peut rester ici en parfaite sécurité. On imaginerait que vous n'avez jamais entendu mon père parler de ses infortunes physiques, bien que je sache que vous ayez dû le faire cinquante fois. Ah, cette dent ! et ces taches de rousseur ! Les taches de rousseur ne me dégoûtent pas au même point que lui : j'ai connu un visage que quelques-unes n'enlaidissaient pas considérablement, mais lui les a en horreur. Vous avez dû l'entendre faire des remarques sur les taches de rousseur de Mme Clay.

— Il n'y a guère de défaut physique, repartit Anne, avec lequel des manières agréables ne puissent vous réconcilier peu à peu.

— Je pense tout autrement, répondit sèchement Elizabeth ; les manières agréables peuvent mettre en valeur la beauté des traits, mais ne peuvent jamais en corriger la laideur. Cependant, quoi qu'il en soit, comme j'ai en jeu, sur ce point, des intérêts bien plus considérables que quiconque, je pense que vos conseils sont plutôt superflus.

Anne en avait fini, heureuse que ce fût terminé et n'ayant pas perdu tout espoir d'avoir été utile. Le soupçon, tout en blessant Elizabeth, pouvait lui ouvrir les yeux.

Le dernier service que rendirent les quatre chevaux de la calèche fut de conduire Sir Walter, Mlle Elliot et Mme Clay à Bath. Le groupe s'en alla de très bonne humeur; Sir Walter avait préparé ses saluts condescendants pour les fermiers et les paysans affligés qui auraient eu l'idée de se montrer; et Anne montait, au même moment, en une sorte de tranquillité désolée, vers Kellynch Lodge, où elle devait passer la première semaine.

Son amie n'était pas moins abattue qu'elle-même. Lady Russell était excessivement sensible à la ruine de la famille. La respectabilité des Elliot lui était aussi chère que la sienne; et l'habitude avait rendu précieux leurs rapports quotidiens. Cela lui faisait mal de regarder leur parc abandonné, et encore plus d'imaginer qu'il allait échoir à des nouveaux venus; et, pour fuir la solitude et la mélancolie d'un village si changé, et se trouver hors du chemin de l'amiral et de Mme Croft lors de leur première arrivée, elle avait décidé de faire commencer son absence hors de chez elle au moment où elle devrait abandonner Anne. Elles partirent donc ensemble et Anne fut déposée à la villa d'Uppercross, première étape du voyage de Lady Russell.

Uppercross était un assez gros village, qui, quelques années plus tôt, avait été complètement dans le vieux style anglais; il ne comprenait alors que deux maisons d'aspect supérieur à celles des petits propriétaires ruraux et des ouvriers : la résidence du châtelain, avec ses hauts murs, ses grandes grilles et ses vieux arbres, massive et non modernisée, et le presbytère, mince et ramassé, enclos dans son jardin bien propre, avec sa vigne et son poirier en espalier autour de ses croisées; mais lors du mariage du jeune châtelain, le village s'était embelli d'une ferme élevée au rang de villa pour lui servir de résidence ; et la villa d'Uppercross, avec sa véranda, ses portes-fenêtres et ses autres agréments avait autant de chances d'attirer le regard du voyageur que la masse plus solide et plus considérable de l'immeuble de la Grande Maison, à près d'un quart de mille de là.

Anne y avait souvent séjourné. Elle connaissait les façons d'Uppercross aussi bien que celles de Kellynch. Les deux familles étaient si continuellement à se fréquenter, si accoutumées à courir chez l'une et chez l'autre à toute heure, qu'elle fut plutôt surprise de trouver Mary seule ; mais comme elle était seule, il était quasiment normal qu'elle fût fatiguée et déprimée. Bien qu'elle fût mieux douée que l'aînée, Mary n'avait pas la compréhension ni le caractère d'Anne. Bien portante, heureuse et dûment entourée de soins, elle était d'excellente humeur et pleine d'entrain ; mais la moindre indisposition l'abattait complètement ; elle était sans ressources, en face de la solitude ; et, tenant des Elliot une part considérable d'orgueil, elle avait grande tendance à ajouter, à toutes ses misères, celles de s'imaginer négligée et lésée. Physiquement, elle n'avait pas la beauté de ses sœurs, et, même dans tout son éclat, n'était parvenue qu'au titre de « belle fille ». Elle était donc étendue sur le sofa défraîchi du coquet petit salon, dont l'ameublement, naguère élégant, se détériorait peu à peu sous l'influence de quatre étés et de deux enfants ; et, à l'arrivée d'Anne, elle l'accueillit d'un :

— Eh bien, vous êtes venue enfin ! Je commençais à croire que je ne vous verrais plus. Je suis si malade que j'ai peine à parler. Je n'ai pas vu une créature de toute la matinée !

— Je suis peinée de vous trouver fatiguée, répondit Anne. Vous m'avez envoyé de si bonnes nouvelles de vous, jeudi dernier.

— Oui, j'en avais pris mon parti ; je le fais toujours, mais j'étais très loin d'être bien portante, à ce moment-là ; et je ne crois pas avoir été jamais aussi malade de ma vie que toute cette matinée... je n'étais pas de force à être laissée toute seule, j'en suis sûre. Si tout d'un coup je venais à être saisie d'une crise effrayante et que je ne fusse pas capable d'agiter la sonnette !... Ainsi, Lady Russell n'a pas voulu descendre ! Je ne pense pas qu'elle soit venue trois fois chez moi cet été.

Anne dit ce qu'il fallait et s'enquit de son mari.

— Oh ! Charles est à la chasse. Je ne l'ai pas vu depuis sept heures du matin. Il voulait y aller, bien que je lui aie dit combien j'étais malade. Il m'a dit qu'il ne devait pas rester longtemps dehors ; mais il n'est pas revenu le moins du monde, et maintenant il est près d'une heure. Je vous assure, je n'ai vu âme qui vive de toute cette longue matinée.

— Vous avez eu les petits avec vous ?

— Oui, aussi longtemps que j'ai pu supporter leur vacarme ; mais ils sont si indociles qu'ils me font plus de mal que de bien. Le petit Charles ne fait pas attention à ce que je dis et Walter devient tout aussi méchant que lui !

— Allons, bientôt vous irez mieux, répondit Anne, d'un ton enjoué. Vous savez que je vous guéris toujours quand je viens vous voir. Comment vont vos voisins de la Grande Maison ?

— Je ne puis vous donner aucune nouvelle d'eux. Je n'ai vu personne aujourd'hui, sauf M. Musgrove, qui s'est juste arrêté pour me parler à la fenêtre, mais sans descendre de cheval ; et j'ai eu beau lui dire combien j'étais malade, aucun d'eux ne s'est approché. Il s'est trouvé que cela ne convenait pas aux demoiselles Musgrove, je suppose, et elles ne se dérangent jamais pour les autres.

— Vous allez quand même les voir, peut-être, avant que la matinée soit passée. Il est tôt.

— Je n'en ai pas envie, je vous assure. Elles bavardent et rient beaucoup trop pour moi. Oh, Anne, je suis tellement, tellement fatiguée ! ça n'était pas du tout aimable à vous de ne pas venir jeudi.

— Ma chère Mary, souvenez-vous des nouvelles réconfortantes que vous m'avez envoyées de vous ! Vous m'avez écrit dans le style le plus gai et déclariez que vous alliez à merveille et n'étiez pas pressée de m'avoir ; et, comme il en était ainsi, vous ne deviez pas ignorer que mon désir serait de demeurer avec Lady Russell jusqu'à la fin ; et, indépendamment de mes sentiments à son égard, j'ai été vraiment si occupée, j'ai eu tant à faire que je n'aurais pu convenablement quitter Kellynch plus tôt.

— Mon Dieu ! qu'est-ce que vous pouvez avoir à faire, vous ?

— Une foule de choses, je vous assure. Plus de choses que je ne puis me rappeler en un moment ; mais je peux vous en dire quelques-unes : j'ai fait un double du catalogue des livres et des tableaux de mon père. Je suis allée plusieurs fois au jardin avec Mackenzie, pour tâcher de comprendre et de lui faire comprendre quelles sont les plantes d'Elizabeth destinées à Lady Russell. J'ai eu toutes mes bricoles à arranger : mettre à part livres et musique, et refaire toutes mes malles, pour n'avoir pas compris à temps ce qu'on avait l'intention de mettre dans les chariots. Et j'ai dû faire une chose, Mary, encore plus pénible : visiter presque toutes les maisons de la paroisse en manière d'adieu. On m'avait dit qu'ils le désiraient. Mais toutes ces choses ont pris beaucoup de temps.

— Ah ! oui... (puis, après une pause :) Mais vous ne m'avez rien demandé du tout au sujet du dîner que nous avons fait chez les Poole, hier.

— Vous y êtes donc allée ? Je ne vous ai pas posé de questions parce que j'avais conclu que vous aviez dû renoncer à cette soirée.

— Oh ! oui, j'y suis allée. J'allais très bien hier. Je n'ai rien eu jusqu'à ce matin. Il eût été étrange que je n'y sois pas allée.

— Je suis très contente que vous ayez eu assez de santé pour cela et j'espère que vous avez passé une soirée agréable.

— Rien de remarquable. On sait toujours à l'avance ce que sera le dîner et qui y sera. Et puis, c'est si incommode de ne pas avoir de voiture à soi. M. et Mme Musgrove m'ont prise avec eux et nous étions tellement entassés ! Ils sont tous les deux si gros et prennent tant de place ! Et M. Musgrove s'assied toujours en avant. Me voilà donc pressée, sur la banquette arrière avec Henriette et Louise. Et je pense qu'il est bien probable que ma maladie d'aujourd'hui soit due à cela.

Encore un peu de patience persévérante et d'enjouement forcé du côté d'Anne, et Mary était presque guérie. Elle put bientôt se tenir assise sur le sofa et commença à espérer qu'elle pourrait être en état de le quitter au dîner. Puis oubliant d'y songer, elle était à l'autre bout de la pièce, à embellir un bouquet ; puis elle prit sa viande froide, et, enfin, se trouva assez bien pour proposer une petite promenade.

— Où irons-nous ? dit-elle, quand elles furent prêtes. Je suppose que vous n'aimeriez pas passer à la Grande Maison avant qu'on ne soit venu vous voir ?

— Je n'ai pas la moindre objection là-contre, répondit Anne. Je ne penserais jamais à faire tant de cérémonies avec des gens que je connais aussi bien que madame et mesdemoiselles Musgrove.

— Oh ! mais ce sont elles qui devraient vous rendre visite aussi tôt que possible. Elles devraient sentir ce qui est dû à *ma* sœur. Toutefois, nous pouvons aussi bien aller nous asseoir un petit moment avec elles et, quand nous en aurons fini, nous pourrons avoir le plaisir de nous promener.

Anne avait toujours trouvé ce genre de commerce très imprudent ; mais elle avait cessé de tenter d'y faire obstacle, à la pensée que, bien qu'il y eût de part et d'autre de continuels sujets de mécontentement, aucune des deux familles ne pouvait s'en passer. Elles se rendirent donc à la Grande Maison, pour y passer toute une demi-heure, assises dans le salon carré démodé, avec son tapis et son parquet luisant, auquel les actuelles jeunes filles de la maison donnaient peu à peu un bel air de confusion avec leur piano à queue et leur harpe, les jardinières et les petites tables placées dans toutes les directions. Oh ! si les originaux des portraits apposés aux lambris, si les messieurs en velours brun et les dames en satin bleu avaient pu voir la scène et prendre connaissance d'un pareil renversement de l'ordre et de la méthode ! On aurait dit que les portraits mêmes en ouvraient de grands yeux.

Les Musgrove, comme leurs maisons, étaient en train de changer, peut-être en mieux. Le père et la mère avaient l'ancienne manière anglaise, et les jeunes gens, la nouvelle. M. et Mme Musgrove étaient de braves gens ; amicaux et hospitaliers, sans grande éducation et sans élégance du tout. Leurs enfants étaient plus modernes d'esprit et de façons. Ils formaient une famille nombreuse ; mais les deux seuls adultes, à l'exception de Charles, étaient Henriette et Louise, demoiselles de dix-neuf et vingt ans qui avaient rapporté d'une école d'Exeter tout le bagage ordinaire des talents d'agrément, et vivaient maintenant comme des milliers d'autres demoiselles pour être à la mode, heureuses et joyeuses. Leur toilette avait tous les avantages, leur visage était plutôt joli, leur humeur extrêmement bonne, leurs façons sans gaucherie et agréables ; personnages importants chez elles, elles étaient choyées chez autrui. Anne les comptait toujours parmi les plus heureuses créatures qu'elle connût ; mais pourtant – car un certain sentiment réconfortant de supériorité nous retient tous de désirer la possibilité de faire échange – elle n'eût pas cédé son esprit plus raffiné et plus cultivé contre tous leurs plaisirs ; et ne leur enviait que cette entente et cet accord visiblement parfaits, cette joyeuse affection mutuelle qu'elle avait elle-même si peu connus avec l'une et l'autre de ses sœurs.

Elles furent reçues très cordialement. Il ne semblait y avoir aucun tort du côté de la famille de la Grande Maison, qui, en général, comme Anne le savait très bien, était la dernière à blâmer. La demi-heure se passa assez agréablement en bavardage, au bout de laquelle elle ne fut pas du tout surprise de voir les deux demoiselles Musgrove se joindre à leur promenade, à la requête particulière de Mary.

6

Anne n'avait pas besoin de cette visite à Uppercross pour apprendre que le passage d'un milieu à un autre, même distant de trois milles seulement, comporte souvent un changement total de conversations, d'opinions et d'idées. Elle n'y avait jamais séjourné auparavant sans en avoir été frappée ou sans avoir désiré que d'autres Elliot eussent, comme elle, l'avantage de voir combien inconnues ou inaperçues ici étaient les affaires qui, au château de Kellynch, étaient traitées comme étant de notoriété générale et d'intérêt public ; pourtant, avec toute son expérience, elle croyait qu'elle devait maintenant se résigner à sentir qu'une nouvelle leçon, dans l'art de connaître le néant que nous sommes hors de notre propre cercle, lui était devenue nécessaire ; car, arrivant comme elle le faisait, le cœur plein du sujet qui avait complètement absorbé l'une et l'autre maison de Kellynch pendant plusieurs semaines, elle s'était certainement attendue à un peu plus de sympathie et de curiosité qu'elle n'en trouva dans les remarques faites séparément, mais très semblables, de M. et Mme Musgrove : « Alors, mademoiselle Anne, Sir Walter et votre sœur sont partis ; en quel endroit de Bath pensez-vous qu'ils se fixeront ? » et cela, sans beaucoup attendre la réponse, ou dans le commentaire des jeunes filles : « J'espère que nous, nous irons à Bath en hiver ; mais, souvenez-vous-en, papa, si vraiment nous y allons, nous devons y choisir un beau quartier… Nous ne voulons plus de vos Queen Squares ! » ou dans la conclusion inquiète de Mary : « Ma parole, je serai bien arrangée quand vous serez tous partis prendre du bon temps à Bath ! »

Elle ne put que décider d'éviter de telles illusions à l'avenir et penser avec une gratitude accrue à l'extraordinaire bonheur d'avoir une amie aussi douée de réelle sympathie que Lady Russell.

Chez les Musgrove, les messieurs avaient leur gibier à protéger et à tuer; leurs chevaux, leurs chiens et leurs journaux pour les occuper; et les dames étaient entièrement absorbées par les autres sujets courants : ménage, voisins, toilette, danse et musique. Elle reconnaissait qu'il était très convenable que chaque république sociale dictât ses propres sujets de discussion, et espérait devenir avant peu un membre point indigne de celle dans laquelle elle était maintenant transplantée. Ayant devant elle la perspective de passer au moins deux mois à Uppercross, elle avait l'obligation de donner autant que possible à son imagination, sa mémoire, toutes ses idées, la façon d'Uppercross.

Elle ne redoutait pas ces deux mois. Mary n'était pas aussi froide et aussi peu affectueuse qu'Elizabeth, ni aussi peu accessible à toute influence de sa part; il n'y avait rien, non plus, parmi les autres éléments de la villa, qui fût hostile à son bien-être. Elle était toujours en termes amicaux avec son beau-frère et, en les enfants, qui l'aimaient presque autant et la respectaient bien plus que leur mère, elle avait un objet d'intérêt, d'amusement et d'efforts salutaires.

Charles Musgrove était courtois et agréable; en bon sens et en caractère, il valait indubitablement mieux que sa femme, mais ses moyens, sa conversation ou sa grâce n'étaient pas de nature à rendre le passé, maintenant qu'ils étaient apparentés, le moins du monde dangereux à méditer; cependant, Anne pouvait penser avec Lady Russell qu'un mariage mieux assorti lui eût peut-être fait beaucoup de bien et qu'une femme vraiment compréhensive aurait pu donner plus de consistance à son caractère et plus d'utilité, de logique et d'élégance à ses habitudes et à ses occupations. De la façon dont il en était, il ne faisait rien avec beaucoup de zèle, si ce n'est la chasse, et il passait le reste de son temps en bagatelles, sans tirer profit de livres ou d'autre chose. Il avait une humeur excellente qui ne semblait guère affectée par les abattements occasionnels de sa femme, acceptait sa conduite déraisonnable avec une patience qui faisait parfois l'admiration d'Anne, et, dans l'ensemble, malgré leurs très fréquents petits désaccords (qu'elle partageait parfois plus qu'elle ne le désirait, les deux intéressés en appelant à elle) ils pouvaient passer pour un couple heureux. Ils s'accordaient toujours parfaitement à désirer plus d'argent et à manifester beaucoup de goût pour un beau cadeau que leur ferait le père de Charles ; mais, ici, comme sur la plupart de leurs sujets de conversation, c'est lui qui avait la supériorité, car, tandis que Mary trouvait que c'était une grande honte qu'un tel cadeau ne fût pas fait, il prétendait, en faveur de son père, que celui-ci avait bien d'autres façons d'employer son argent et le droit de le dépenser comme bon lui semblait.

Pour ce qui était d'élever leurs enfants, sa théorie était bien meilleure que celle de sa femme, et sa pratique moins mauvaise. « Je pourrais les élever très bien, si Mary ne s'en mêlait pas », disait-il souvent devant Anne et elle le croyait ; mais, lorsqu'elle écoutait Mary faire à son tour ses reproches : « Charles gâte tellement les enfants que je ne peux pas les ramener à l'ordre », elle n'avait pas la moindre envie de lui dire : « Vous avez raison. »

Un des faits les moins agréables de son séjour à Uppercross était qu'on lui faisait partout trop de confidences et qu'on la mettait trop dans le secret des plaintes de chaque maison. Comme on savait qu'elle avait de l'influence sur sa sœur, on lui demandait constamment ou au moins lui suggérait-on d'en user au-delà de ce qui était réalisable. « Je souhaite que vous puissiez persuader Mary de ne pas toujours s'imaginer qu'elle est malade », tel était le langage que lui tenait Charles ; et, dans un moment de tristesse, Mary lui disait : « Je suis bien sûre que, si Charles devait me voir mourir, il ne me croirait pas le moins du monde souffrante. Je suis certaine, Anne, que, si vous le vouliez, vous pourriez le persuader que je suis vraiment malade… beaucoup plus malade que je ne l'avoue jamais. »

Mary déclarait : « J'ai horreur d'envoyer les enfants à la Grande Maison, bien que leur grand-mère désire toujours les voir, car elle se plie tellement à tous leurs caprices et leur donne tant de petites saletés et de douceurs que je suis sûre de les voir revenir malades et grognons pour le reste de la journée. » Et Mme Musgrove saisissait la première occasion d'être seule avec Anne, pour lui dire : « Oh ! mademoiselle Anne, je ne puis m'empêcher de souhaiter que Mme Charles ait un peu votre méthode avec ces petits. Ils sont tout différents avec vous ! Mais, bien sûr, en général, ils sont si gâtés ! C'est dommage que vous ne puissiez apprendre à votre sœur la manière de les tenir. Ces enfants sont parmi les plus beaux et les plus sains qu'on ait jamais vus, les pauvres chéris, je puis le dire impartialement ; mais Mme Charles ne sait plus comment on devrait les traiter ! Mon Dieu ! comme ils sont fatigants, par moments ! Je vous assure, mademoiselle Anne, cela m'ôte l'envie de les voir à la maison aussi souvent que je le ferais autrement. Je crois que votre sœur n'est pas très contente que je ne les invite pas plus souvent, mais, vous savez, il est si désagréable d'avoir avec soi des enfants qu'on est obligé de retenir à chaque instant : " Ne fais pas ceci " et " ne fais pas cela ! " et qu'on ne peut tenir à peu près tranquilles qu'en les bourrant de gâteaux. »

Elle recevait, en outre, de Mary, la communication suivante : « Mme Musgrove pense que toutes ses domestiques sont si sérieuses que ce serait crime d'Etat que de le mettre en question ; mais, je suis sûre, sans rien exagérer, que sa principale femme de chambre et sa blanchisseuse, au lieu d'être à leur travail, sont toute la journée à baguenauder dans le village. Je les rencontre partout où je vais et je déclare que je n'entre pas deux fois dans ma nursery sans les y rencontrer, par hasard. Si Jemima n'était pas la plus fidèle, la plus sérieuse créature du monde, cela suffirait à la gâter, car elle me dit qu'elles la poussent toujours à faire une promenade avec elle. »

Et Mme Musgrove lui confiait : « J'ai pour règle de ne jamais me mêler des affaires de ma belle-fille, car je sais que cela n'irait plus, mais je vous le dirai à vous, mademoiselle Anne, parce que vous pouvez être capable d'arranger les choses, je n'ai pas très bonne opinion de la nurse de ma belle-fille : j'entends d'étranges histoires sur elle ; elle est toujours à baguenauder ; et, de mon propre témoignage, je peux déclarer que c'est une demoiselle si bien mise qu'elle suffit à causer la perte de toutes les domestiques qu'elle approche. Ma belle-fille ne jure que par elle, je le sais, mais je vous donne simplement cette petite indication pour que vous soyez sur vos gardes ; comme cela, si vous voyez quelque chose qui ne va pas, vous n'avez pas besoin de craindre d'en parler. »

Autre plainte de Mary. Il arrivait souvent à Mme Musgrove de ne point lui céder le pas, comme elle le devait, lorsqu'ils dînaient à la Grande Maison avec d'autres familles, et elle ne voyait pas pourquoi toute la considération des siens lui vaudrait de perdre son rang. Et, un jour qu'Anne se promenait avec les demoiselles Musgrove seulement, l'une d'elles, après avoir discuté de condition, de gens de condition et de culte du rang, dit : « Je n'ai aucun scrupule à vous faire remarquer, à vous, combien certaines personnes sont absurdes sur ce sujet, parce que tout le monde sait combien vous êtes accommodante et indifférente là-dessus. Mais je désirerais que quelqu'un suggérât à Mary qu'il vaudrait mieux qu'elle n'y fût pas si attachée, et, en particulier, qu'elle ne se mît pas toujours en avant pour prendre la place de maman. Personne ne doute qu'elle n'ait le droit d'avoir le pas sur maman, mais il serait plus convenable, de sa part, de ne pas toujours insister pour l'avoir. Ce n'est pas que maman s'en soucie le moins du monde, mais je sais que beaucoup de personnes le remarquent. »

Comment Anne allait-elle arranger toutes ces choses ? Elle ne pouvait guère plus que d'écouter patiemment, d'adoucir chaque grief, de faire à l'une l'excuse de l'autre, de leur suggérer à toutes l'indulgence nécessaire à de si proches voisines et surtout à sa sœur.

A tous les autres points de vue, sa visite commença et se poursuivit très bien. Le changement d'endroit et de sujet, la distance de trois milles qui la séparait de Kellynch avaient une heureuse influence sur son humeur. Mary était moins souvent indisposée depuis qu'elle avait la compagnie constante de sa sœur, et comme elles n'avaient rien de particulier à se confier, ni à faire à la villa, leurs rapports quotidiens avec l'autre famille étaient un agrément plutôt qu'une gêne pour elles. Et, certes, ils étaient presque aussi fréquents que possible, car on se rencontrait chaque matin et il était rare que l'on passât une soirée séparés ; mais elle croyait que les choses n'eussent pas si bien marché sans la présence des formes respectables de M. et Mme Musgrove à leurs places habituelles, ou sans les bavardages, les rires et les chants de leurs filles.

Elle jouait du piano beaucoup mieux que les demoiselles Musgrove, mais comme elle n'avait ni voix, ni pratique de la harpe, ni de tendres parents qui s'extasiaient à ses côtés, on ne s'avisait de la faire jouer que par politesse, ou pour donner du repos aux autres, comme elle s'en rendait très bien compte. Elle savait que quand elle jouait, elle ne donnait de plaisir qu'à elle-même, mais cela n'était pas une sensation nouvelle : à l'exception d'une brève période de sa vie, elle n'avait jamais, depuis l'âge de quatorze ans, jamais depuis la perte de sa chère maman, connu le bonheur d'être écoutée ou encouragée par une juste appréciation de goût véritable. En musique, elle avait toujours accoutumé de se sentir seule au monde, et la tendre prédilection de M. et Mme Musgrove pour le jeu de leurs filles et leur totale indifférence envers celui d'une autre personne lui donnaient beaucoup plus de plaisir pour celles-ci que de mortification.

Les réunions de la Grande Maison s'enrichissaient parfois d'éléments nouveaux. Le voisinage n'était pas nombreux, mais tout le monde venait voir les Musgrove, qui donnaient plus de soirées et recevaient plus de gens, de visiteurs invités ou fortuits que n'importe quelle autre famille. Ils avaient la plus grande popularité des environs.

Les jeunes filles étaient folles de la danse, et les soirées se terminaient, de temps en temps, par un petit bal improvisé. A une distance de promenade d'Uppercross, il y avait une famille de cousins, de situation moins aisée, qui trouvaient tous leurs plaisirs chez les Musgrove : ils arrivaient n'importe quand, aidaient à jouer à n'importe quoi ou à danser n'importe où ; et Anne, qui préférait de beaucoup le rôle de musicienne à un poste plus actif, leur jouait des contredanses pendant des heures avec une bonté qui recommandait toujours son talent musical à l'attention de M. et Mme Musgrove plus que toute autre chose et souvent lui attirait ce compliment : « Bravo, mademoiselle Anne, bravo ! Dieu me bénisse ! Comme ces petits doigts voltigent ! »

Ainsi se passèrent les trois premières semaines. La Saint-Michel arriva et, dès lors, le cœur d'Anne était de nouveau à Kellynch. Un foyer chéri, cédé à autrui ; toutes les précieuses pièces avec leur ameublement, les bosquets et leurs perspectives allaient avoir de nouveaux maîtres. Elle ne put guère penser à autre chose, le 29 septembre ; et elle reçut, dans la soirée, cette marque de sympathie de Mary, qui, ayant l'occasion de noter le jour du mois, s'exclama : « Mon Dieu ! n'est-ce pas aujourd'hui que les Croft devaient venir à Kellynch ? Je suis contente de n'y avoir pas pensé plus tôt. Comme cela m'attriste ! »

Les Croft prirent possession du château avec une agilité toute navale et l'on dut les visiter. Mary, pour son compte, en déplora la nécessité : « Personne ne savait combien elle allait en souffrir. Elle en différait le moment autant que possible. » Mais elle n'eut de cesse qu'elle n'eût entraîné Charles à l'y mener bientôt, et elle était dans un état d'agitation imaginaire… et point désagréable lorsqu'elle revint. Anne s'était sincèrement réjouie de n'avoir pas eu la possibilité d'aller avec eux. Mais elle désirait, cependant, voir les Croft et fut contente de se trouver à la villa lorsqu'ils leur rendirent leur visite. Ils vinrent donc ; le maître de maison n'était pas chez lui, mais les deux sœurs y étaient ensemble et, comme le hasard voulut qu'Anne eût à se charger de Mme Croft, tandis que l'amiral était assis à côté de Mary et se rendait très agréable en s'entretenant gaiement avec ses petits garçons, elle eut tout loisir d'épier certaine ressemblance qui, si elle lui échappait dans les traits de sa voisine, se laissait saisir dans sa voix ou la tournure de ses sentiments et de ses expressions.

Mme Croft, sans être ni grande ni grosse, avait une carrure, un port et une vigueur de formes qui donnaient de l'importance à sa personne. Elle avait de brillants yeux sombres, des dents saines et un visage, dans l'ensemble agréable, bien que son teint hâlé et rougi par le grand air – car elle était restée en mer presque autant que son mari – lui fît accuser un peu plus que ses trente-huit ans. Ses manières étaient franches, aisées et décidées, celles d'une femme qui n'a pas de méfiance de soi, ni de doutes sur ce qu'elle a à faire, mais sans jamais friser la vulgarité, cependant, ni manquer de bonne humeur. Anne ajouta foi, en fait, aux sentiments de grande considération qu'elle lui témoignait en tout ce qui concernait Kellynch ; et cela lui fit plaisir, surtout lorsqu'elle se fut assurée dès la première minute, dès l'instant même de la présentation, qu'il n'y avait pas le moindre symptôme de connaissance ou de soupçon du passé, du côté de Mme Croft, qui pût l'influencer d'une façon ou d'une autre. Elle était très tranquille sur ce chapitre, et, partant, pleine de force et de courage, jusqu'à ce qu'elle fût, un moment, toute saisie par ces brusques paroles de Mme Croft :

— C'était vous, et non votre sœur, à ce que je vois, que mon frère a eu le plaisir de connaître lorsqu'il était par ici.

Anne espérait avoir dépassé l'âge où l'on rougit, mais elle n'avait pas dépassé l'âge des émotions :

— Peut-être n'avez-vous pas appris qu'il s'est marié, ajouta Mme Croft.

Elle ne put répondre comme elle l'aurait dû et fut heureuse de voir, quand les paroles suivantes de Mme Croft lui expliquèrent que c'était de M. Wentworth qu'elle parlait, qu'elle n'avait rien dit qui ne pût s'appliquer aux deux frères. Elle vit immédiatement combien il était raisonnable que Mme Croft pensât à Edward et non à Frederick, et parlât de lui ; et, honteuse de son manque de mémoire, se mit à prendre des nouvelles de leur ancien voisin avec tout l'intérêt qu'il fallait.

Le reste de la visite se passa tranquillement, jusqu'au moment où, comme ils s'en allaient, elle entendit l'amiral dire à Mary :

— Nous attendons chez nous pour bientôt un frère de Mme Croft, je crois que vous le connaissez de nom ?

Il fut interrompu tout net par les véhémentes attaques des petits garçons qui s'accrochaient à lui comme à un vieil ami et déclaraient qu'il ne s'en irait pas et, comme il était trop absorbé à leur proposer de les emmener dans sa poche, etc., pour avoir encore le temps de terminer ou de se rappeler ce qu'il avait commencé à dire, il laissa Anne en train de se persuader de son mieux qu'il devait s'agir encore du même frère. Elle ne put, toutefois, parvenir à un degré de certitude qui l'empêchât de désirer apprendre si l'on avait dit quelque chose sur ce sujet, dans l'autre maison où les Croft étaient passés précédemment.

Les gens de la Grande Maison devaient passer cette soirée-là à la villa ; et, comme l'année était trop avancée pour que l'on fît ces visites à pied, on commençait à guetter le bruit de leur voiture, quand la plus jeune des demoiselles Musgrove entra. Venait-elle s'excuser et devraient-elles passer la soirée toutes seules ? C'est ce qu'elles pensèrent d'abord, tristement ; et Mary s'apprêtait déjà à subir cet affront, lorsque Louise arrangea les choses en disant qu'elle ne venait à pied que pour laisser plus de place à la harpe qu'on transportait dans le coupé.

— Et je vais vous dire la raison, ajouta-t-elle, avec tous les détails. Je suis venue pour vous avertir que papa et maman ne sont pas bien gais, ce soir, surtout maman : elle pense tellement à notre pauvre Richard ! Et nous avons convenu que ce serait très bien de prendre la harpe, car on dirait qu'elle la divertit plus que le piano. Je vais vous dire pourquoi elle est triste. Quand les Croft nous ont rendu visite ce matin (ils sont passés chez vous après, n'est-ce pas ?), ils ont dit, par hasard, que le frère de Mme Croft, le capitaine Wentworth, venait de rentrer en Angleterre, ou de débarquer, ou quelque chose comme ça et qu'il arrivait chez eux presque tout de suite et, par malheur, il vint à l'idée de maman, une fois qu'ils furent partis, que Wentworth ou quelque chose de très approchant était le nom du capitaine du pauvre Richard, à un moment donné, je ne sais plus ni quand ni où, mais bien longtemps avant qu'il ne mourût, le pauvre garçon ! Et en revoyant ses lettres et ses affaires, elle découvrit que c'était cela : et elle est parfaitement sûre que ce doit être lui : et elle a la tête pleine de ces pensées et du pauvre Richard ! Alors, nous devons tous être aussi joyeux que possible pour qu'elle ne s'appesantisse pas sur de si tristes choses.

La vérité sur cette page pathétique d'histoire familiale était que les Musgrove avaient eu la mauvaise fortune d'avoir un fils insupportable et désespérant et la bonne fortune de le perdre avant qu'il eût atteint ses vingt ans ; qu'on l'avait envoyé en mer parce qu'il n'y avait rien à tirer de sa stupidité à terre ; qu'il avait toujours donné très peu de souci à sa famille, ce qu'il méritait d'ailleurs ; peu de nouvelles et presque aucun regret, lorsque le bruit de sa mort lointaine eut cheminé jusqu'à Uppercross, deux ans plus tôt.

Et vraiment, bien que ses sœurs fissent maintenant tout ce qu'elles pouvaient pour lui en l'appelant « pauvre Richard », il n'avait jamais été mieux qu'un lourdaud sans cœur et inutile, un Dick Musgrove qui n'avait jamais rien fait, mort ou vif, pour avoir droit à autre chose que ce diminutif.

Il avait passé plusieurs années en mer et, au cours des déplacements auxquels sont sujets tous les aspirants, et, en particulier, les aspirants dont tout capitaine désire se débarrasser, il était resté six mois sur la frégate du capitaine Frederick Wentworth, la *Laconia* ; et c'est de la *Laconia* que, sous l'influence de son capitaine, il avait écrit les deux seules lettres que son père et sa mère eussent jamais reçues de lui durant toute son absence ; c'est-à-dire les deux seules lettres désintéressées, toutes les autres n'ayant été que de simples demandes d'argent.

Dans chaque lettre, il avait dit du bien de son capitaine ; mais ils étaient si peu habitués à prêter attention à ces sujets, si distraits et indifférents relativement aux noms d'homme ou de navire que cela ne leur fit presque aucune impression, à l'époque ; et, si Mme Musgrove avait été brusquement frappée, ce jour même, par le souvenir du nom de Wentworth, et l'avait associé à son fils, cela semblait dû à un de ces extraordinaires traits de mémoire qui se produisent vraiment parfois.

Elle était allée lire ses lettres et avait tout trouvé comme elle le supposait ; et la relecture de ces lettres, après un si long intervalle, maintenant que son pauvre fils était parti pour toujours et que tout le poids de ses fautes était oublié, l'avait affectée à l'extrême et jetée dans une douleur plus grande que celle qu'elle avait connue à la première nouvelle de sa mort. M. Musgrove était affecté de la même façon, mais moins fort ; et lorsqu'ils arrivèrent à la villa, ils avaient manifestement besoin, d'abord d'être entendus de nouveau sur ce sujet, et ensuite, de recevoir tout le secours que peut donner une compagnie pleine d'entrain.

Les entendre parler tellement du capitaine Wentworth, répéter si souvent son nom, interroger les années passées et établir finalement qu'il pouvait, qu'il devait probablement se trouver que ce fût exactement le même capitaine Wentworth qu'ils se souvenaient avoir rencontré une ou deux fois, après leur retour de Clifton, un jeune homme charmant ; mais ils ne pouvaient dire s'il y avait sept ou huit ans de cela, c'était un nouveau genre d'épreuve pour les nerfs d'Anne. Elle trouva, cependant, que c'en était un auquel elle devait s'aguerrir. Puisqu'on l'attendait vraiment dans les parages, elle devait apprendre à être insensible sur de pareils points. Et non seulement il apparaissait qu'on l'attendait, sans délai, mais, dans leur chaleureuse gratitude pour la bonté qu'il avait montrée envers le pauvre Dick, et leur très grande estime pour son caractère (le pauvre Dick qui avait passé six mois à sa charge faisait de lui ce vif éloge d'ailleurs, imparfaitement orthographié, « un garson épatant, seulement trot regardant, à la maître d'école »), les Musgrove étaient bien résolus à se présenter à lui et à chercher à faire sa connaissance dès qu'ils pourraient apprendre son arrivée.

Cette résolution aida à donner de l'agrément à leur soirée.

7

Au bout de quelques jours, l'on apprenait que le capitaine Wentworth était à Kellynch, et M. Musgrove lui avait rendu visite et était revenu tout plein de son éloge : il était invité ainsi que les Croft à dîner à Uppercross à la fin de la semaine suivante. Ce fut une grande déception pour M. Musgrove de constater qu'on ne pouvait fixer un jour plus proche, tant il était impatient de témoigner sa gratitude au capitaine Wentworth en le voyant sous son toit et en le fêtant avec ce qu'il avait de plus fort et de meilleur dans sa cave. Mais il fallait qu'une semaine s'écoulât; une semaine seulement, calculait Anne, et puis, supposait-elle, ils se rencontreraient sûrement; mais bientôt elle se prit à souhaiter de passer tranquillement même cette semaine d'intervalle.

Le capitaine Wentworth rendit bien vite à M. Musgrove sa politesse et voici qu'elle allait précisément lui faire une visite dans la même demi-heure ! Mary et elle se rendaient donc à la Grande Maison où – comme elle l'apprit par la suite – elles auraient dû inévitablement le rencontrer lorsqu'elles en furent empêchées : l'aîné des garçons avait fait une chute grave et on le ramenait chez lui au même moment. L'état de l'enfant leur fit annuler la visite, mais elle ne put apprendre avec indifférence comment elle avait frôlé le danger, même au milieu de l'inquiétude sérieuse que leur causa ensuite l'accident.

Il apparut qu'il s'était démis la clavicule et s'était fait au dos un mal qui suscitait les idées les plus alarmantes. Ce fut un après-midi de désolation et Anne eut tout à faire d'un coup : envoyer chercher le pharmacien ; faire atteindre le père ; soutenir la mère et l'empêcher d'avoir une crise de nerfs ; diriger les servantes ; éloigner le cadet ; soigner et calmer le pauvre souffrant – tout en envoyant avertir, comme il se devait, l'autre maison, dès qu'elle y pensa – ce qui lui valut un entourage de compagnons effrayés et questionneurs plutôt que d'assistants bien utiles.

Le retour de son beau-frère fut pour elle le premier réconfort : c'est lui qui pouvait le mieux se charger de sa femme ; et la seconde joie fut l'arrivée du pharmacien. Jusqu'à ce qu'il fût venu et qu'il eût examiné l'enfant, leurs appréhensions allaient au pire, pour être vagues : ils se doutaient que le mal était grand, mais ne savaient le situer ; mais maintenant, la clavicule était bientôt remise en place, et bien que M. Robinson continuât à tâter et à masser, malgré son air grave et les paroles qu'il adressait à voix basse au père et à la tante, on put, tout de même, espérer le mieux, se séparer et prendre son repas dans une tranquillité d'esprit relative ; et c'est alors, juste avant leur départ, que les deux jeunes tantes purent perdre de vue l'état de leur neveu et donner la nouvelle de la visite du capitaine Wentworth – elles restèrent cinq minutes après leur père et leur mère pour tâcher d'exprimer à quel point il les avait ravies, combien elles le trouvaient plus beau, infiniment plus agréable que tous les garçons de leur connaissance qui avaient pu être leurs préférés auparavant ; combien elles avaient été contentes d'entendre papa l'inviter à rester dîner ; combien elles avaient été fâchées lorsqu'il dit que cela lui était tout à fait impossible ; et combien contentes, de nouveau, lorsqu'il promit, pour répondre aux pressantes et insistantes invitations de papa et de maman, qu'il viendrait dîner avec eux le lendemain, oui, le lendemain ! Et il l'avait promis d'une façon si charmante, comme s'il sentait toute la raison de leurs prévenances exactement comme il le devait ! – En un mot il avait un air et des paroles d'une grâce si parfaite, qu'elles pouvaient tous les en assurer, il leur avait tourné la tête à toutes les deux ! – Et les voilà parties en courant, tout aussi pleines d'allégresse que d'amour, et apparemment plus pleines du capitaine Wentworth que du petit Charles.

La même histoire et les mêmes extases furent répétées, lorsque les deux jeunes filles vinrent avec leur père, dans l'obscurité du soir, prendre des nouvelles de l'enfant ; et M. Musgrove, qui n'était plus sous le coup de l'inquiétude du début touchant son héritier, put y joindre sa confirmation, son éloge, l'espoir que, maintenant, il n'y aurait pas d'occasion d'ajourner la visite du capitaine Wentworth, et le regret, seulement, que les gens de la villa n'aimeraient probablement pas abandonner le petit pour le rencontrer. « Oh, non ! abandonner le petit ! » l'alarme était beaucoup trop forte et trop récente pour que le père et la mère en souffrissent la pensée ; et Anne, dans la joie de l'avoir échappé belle, ne put s'empêcher de joindre ses vives protestations aux leurs.

Charles Musgrove, en fait, y montra plus d'inclination par la suite : « L'enfant allait maintenant si bien… et il désirait tellement être présenté au capitaine Wentworth qu'il pourrait, peut-être, se joindre à eux dans la soirée ; il ne dînerait pas hors de chez lui, mais il pourrait faire une promenade d'une demi-heure. » Mais il rencontra là-dessus la véhémente opposition de sa femme : « Oh ! non, vraiment, Charles, je ne peux souffrir que vous vous en alliez. Pensez-y seulement : si quelque chose devait arriver ? »

L'enfant passa une bonne nuit et se portait toujours bien le lendemain. Le temps établirait s'il s'était fait du mal à la colonne vertébrale ou non, mais M. Robinson ne trouva rien qui pût accroître leur alarme, et Charles Musgrove commença, par conséquent, à ne sentir aucune nécessité de rester plus longtemps consigné. On devait faire garder le lit à l'enfant et l'amuser aussi tranquillement que possible ; mais qu'est-ce qu'un père avait à y faire ? C'était là l'affaire d'une femme et il serait bien absurde que lui, qui ne pouvait être d'aucune utilité, à la maison, s'y enfermât. Son père désirait énormément qu'il rencontrât le capitaine Wentworth, et comme il n'y avait pas d'obstacle suffisant à cela, il devait le faire ; et cela se termina par la déclaration publique qu'il fit, lorsqu'il rentra de la chasse, de son intention de s'habiller tout de suite et de dîner à l'autre maison.

— Personne ne peut mieux se porter que cet enfant, dit-il, c'est pourquoi j'ai dit à mon père, à l'instant, que j'irais chez lui, et il a trouvé que j'avais tout à fait raison. Comme votre sœur est avec vous, mon amour, je n'ai pas du tout de scrupules. Vous, vous n'aimeriez pas l'abandonner, mais vous voyez que je ne peux être d'aucune utilité. Anne m'enverra chercher s'il y a quelque chose.

Maris et femmes sentent, en général, quand il est vain de résister. Mary savait, à la manière de parler de Charles, qu'il était bien décidé à partir et qu'il ne servirait à rien de le tracasser. Elle ne dit mot par conséquent, jusqu'à ce qu'il fût sorti de la chambre ; mais alors, il n'y eut qu'Anne pour l'entendre :

— Ainsi ! On nous laisse, vous et moi, nous tirer d'affaire avec ce pauvre enfant malade… et pas une âme pour s'approcher de nous, de toute la soirée ! Je savais bien comment cela se passerait. C'est bien ma chance ! Quand il arrive quelque chose de désagréable, vous pouvez être certaine que les hommes l'esquivent toujours, et Charles ne vaut pas mieux qu'un autre. Quel peu de cœur ! Je dois dire qu'il a peu de cœur de fuir son pauvre petit garçon ; il dit qu'il va si bien ! Comment sait-il qu'il va bien ou s'il ne peut pas se produire de changement brusque dans une demi-heure ? Je ne pensais pas que Charles eût si peu de cœur. Ainsi, le voilà qui va s'amuser, et, parce que je suis la pauvre mère, je n'ai pas le droit de bouger ; et pourtant, j'en suis sûre, je suis moins capable qu'une autre de m'occuper de l'enfant. Mon état de mère est la raison même pour laquelle mes sentiments ne devraient pas être éprouvés. Je ne suis pas de force à subir cela. Vous avez vu comme j'étais nerveuse, hier.

— Mais ce n'était que l'effet de votre alarme soudaine… du choc. Vous ne serez plus nerveuse. Je pense que rien ne viendra nous désoler. Je comprends parfaitement les prescriptions de M. Robinson et je n'ai aucune crainte et, vraiment, Mary, je ne peux m'étonner de votre mari. Le rôle de garde-malade n'appartient pas à l'homme, ce n'est pas sa partie. Un enfant malade est toujours la propriété exclusive de la mère, ses sentiments le veulent ainsi d'ordinaire.

— J'espère que j'aime mon enfant autant qu'une autre mère… mais je ne sache pas que je sois plus utile au chevet d'un malade que Charles, car je ne peux passer mon temps à tracasser et à gronder un pauvre enfant quand il est malade et, vous l'avez vu ce matin, si je lui disais de se tenir tranquille, il se mettait à gigoter, bien sûr. Je n'ai pas de force pour ces sortes de choses.

— Mais, est-ce que vous pourriez vous sentir à l'aise, de passer toute la soirée loin du pauvre petit ?

— Oui, vous voyez que son père le peut, pourquoi ne le pourrais-je pas ? Jemima est si vigilante ! Et elle pourrait nous mander, à chaque heure, comment il va. Je pense vraiment que Charles aurait pu, aussi bien, dire à son père que nous irions tous. Je n'ai pas plus d'alarmes maintenant pour le petit Charles que lui. J'étais terriblement alarmée hier, mais aujourd'hui le cas est bien différent.

— Eh bien… si vous ne pensez pas qu'il est trop tard pour vous annoncer, que diriez-vous d'y aller, avec votre mari ? Laissez le petit Charles à mes soins. M. et Mme Musgrove ne peuvent y voir de mal, tant que je reste avec lui.

— Etes-vous sérieuse ? s'écria Mary, les yeux brillants. Mon Dieu ! c'est une idée excellente, vraiment excellente. Pour sûr, je peux tout aussi bien partir que rester, car je ne sers à rien chez moi, n'est-ce pas ? et cela ne fait que m'accabler. Vous, qui n'avez pas des sentiments de mère, vous êtes de beaucoup la personne qui convient le mieux. Vous pouvez faire au petit Charles n'importe quoi, il vous suffit d'ouvrir la bouche pour qu'il vous obéisse. Ce sera beaucoup mieux que de le laisser seulement avec Jemima. Oh ! je vais y aller, certainement ; je suis sûre que je dois le faire, si je le peux, comme Charles, car ils désirent excessivement que je fasse la connaissance du capitaine Wentworth, et je sais que cela ne vous fait rien de rester seule. Vous avez eu vraiment une excellente idée, Anne ! Je vais aller le dire à Charles et me préparer tout de suite. Vous pouvez nous envoyer chercher, vous savez, à la minute, s'il y a quelque chose ; mais, je crois que rien ne viendra vous alarmer. Je ne partirais pas, vous pouvez en être certaine, si je ne me sentais tout à fait rassurée au sujet de mon cher enfant.

Un instant après, elle frappait au cabinet de toilette de son mari, et, comme Anne la suivait, dans les escaliers, elle fut en mesure de suivre toute la conversation qui fut engagée par Mary, déclarant sur un ton de grande exultation :

— Je compte partir avec vous, Charles, car je ne suis pas plus utile, à la maison, que vous. Si l'on devait m'enfermer pour toujours avec l'enfant, je ne serais pas capable de le persuader de faire quelque chose qui ne lui plaît pas. Anne va rester, Anne s'engage à rester à la maison et à se charger de lui. C'est la proposition même d'Anne ; comme cela, je m'en irai avec vous, ce qui vaudra bien mieux, car je n'ai pas dîné à l'autre maison depuis mardi.

— C'est très aimable à elle, répondit son mari, et je serais très content que vous y alliez, mais il semble assez injuste de la laisser toute seule à la maison, à soigner notre enfant malade.

Anne, qui était tout près, put alors plaider sa cause et, comme la sincérité de son accent suffit bientôt à le convaincre sur un point où la conviction était, pour le moins, très agréable, il n'eut plus de scrupules à la laisser dîner seule, bien qu'il désirât toujours qu'elle se joignît à eux dans la soirée, lorsque l'enfant se serait endormi pour la nuit, et la pressât aimablement de lui permettre de venir la chercher ; mais il était tout à fait impossible de la persuader et, comme il en était ainsi, elle eut avant longtemps le plaisir de les voir s'en aller ensemble très contents. Ils étaient partis, espérait-elle, pour être heureux, si étrangement édifié que ce bonheur pût sembler ; quant à elle, elle restait avec tous les sentiments de satisfaction qu'on peut imaginer. Elle savait qu'elle était de première utilité auprès de l'enfant et, que lui importait si Frederick Wentworth n'était qu'à un demi-mille de là, en train de plaire à d'autres !

Elle aurait aimé savoir de quel œil il verrait leur rencontre. Peut-être avec indifférence, si l'indifférence était possible en pareil cas. Ce devait être, soit avec indifférence, soit de mauvais gré. S'il avait jamais désiré la revoir, il n'aurait pas eu besoin d'attendre jusqu'à présent ; il aurait fait ce qu'elle ne pouvait s'empêcher de croire qu'elle aurait fait à sa place depuis longtemps, lorsque les événements lui eurent donné de bonne heure l'indépendance qui, seule, avait fait défaut.

Son beau-frère et sa sœur revinrent enchantés de leur nouvelle connaissance et de leur visite en général. Il y avait eu de la musique, du chant, des conversations et des rires... tout ce qu'il y avait de plus agréable ; charmantes façons chez le capitaine Wentworth, ni timidité ni réserve, tout le monde avait l'air de se connaître parfaitement et il allait venir le lendemain matin même chasser avec Charles. Il devait venir au petit déjeuner, mais pas à la villa, bien que cela eût été proposé d'abord, mais ensuite on l'avait pressé de venir à la Grande Maison, à la place, et il semblait craindre de gêner Mme Charles Musgrove, à cause du petit, et c'est ainsi qu'en fin de compte, on ne sait trop comment, Charles devait le rencontrer au petit déjeuner chez son père.

Anne avait compris ; il voulait éviter de la voir. Il s'était enquis d'elle, mais vaguement – apprit-elle – comme on pourrait le faire d'une vague connaissance ancienne, à laquelle il semblait accorder aussi peu d'importance qu'elle-même, poussé, peut-être, par le même motif d'éluder leur présentation le jour où ils devraient se rencontrer.

A la villa, on était toujours moins matinal qu'à l'autre maison et, le lendemain, l'écart était si grand, que Mary et Anne n'en étaient qu'au commencement du petit déjeuner lorsque Charles entra dire qu'ils se mettaient tout de suite en route, qu'il était venu chercher les chiens, et que ses sœurs suivaient avec le capitaine Wentworth; ses sœurs voulaient rendre visite à Mary ainsi qu'à l'enfant, et le capitaine Wentworth se proposait aussi de lui présenter rapidement ses respects, si cela ne devait pas gêner et, bien que Charles lui eût garanti que l'état de l'enfant n'était pas grave et qu'il ne gênerait personne, le capitaine Wentworth ne fut satisfait qu'il ne le vît aller d'une course en avertir sa femme.

Mary, enchantée de cette attention, fut ravie de le recevoir, cependant que mille pensées assaillaient Anne, dont la plus consolante était que ce serait bientôt fini. Et ce fut bientôt fini. Deux minutes après l'avertissement de Charles, les autres apparurent; ils passèrent au salon. Les yeux d'Anne rencontrèrent une seconde ceux du capitaine Wentworth : salut, révérence; elle entendit sa voix, il causait avec Mary, disait que tout allait bien; disait aux demoiselles Musgrove quelques mots, qui suffisaient à indiquer des rapports familiers; la chambre semblait pleine… pleine de personnes et de voix… mais cela prit fin en quelques minutes. Charles se montra à la fenêtre, tout était prêt, leur visiteur s'était incliné et s'en était allé ; les demoiselles Musgrove s'en étaient allées aussi, décidant soudain d'accompagner les chasseurs jusqu'au bout du village : la chambre était vide et Anne avait la liberté de terminer son petit déjeuner comme elle le pouvait.

« C'est fini ! c'est fini ! » se répétait-elle encore et encore dans une sorte de gratitude nerveuse. « Le pire est passé ! »

Mary parlait, mais elle ne pouvait la suivre. Elle l'avait vu. Ils s'étaient rencontrés. Ils s'étaient trouvés encore une fois dans la même chambre !

Bientôt, pourtant, elle commença à se raisonner et à tâcher de modérer ses sentiments. Huit ans, presque huit ans s'étaient passés, depuis que tout avait été abandonné. Quelle absurdité de se remettre dans une agitation qu'un tel intervalle avait reléguée dans le lointain et le vague ! Que ne pouvait faire un intervalle de huit ans ? Evénements de toutes sortes, changements, éloignements, départs… tout, il devait tout comprendre ; et l'oubli du passé… si naturel, si certain aussi ! Il contenait à peu près le tiers de sa vie.

Hélas ! avec tous ses raisonnements, elle découvrit que, pour un cœur fidèle, huit années ne signifient pas grand-chose.

Or, comment les sentiments du capitaine Wentworth devaient-ils être interprétés ? Etait-ce ainsi qu'on désirait l'éviter ? La minute suivante, elle se haït d'avoir eu la folie de se poser cette question.

Sur une autre question que, peut-être, sa plus grande sagesse n'eût pu empêcher, toute incertitude lui fut bientôt épargnée, car, lorsque les demoiselles Musgrove furent revenues et eurent terminé leur visite à la villa, elle reçut cette information spontanée de Mary :

— Le capitaine Wentworth n'est pas très galant avec vous, Anne ; il était pourtant si prévenant avec moi. Henriette lui a demandé ce qu'il pensait de vous, lorsqu'ils sont partis, et il a dit que vous étiez si changée qu'il ne vous aurait pas reconnue.

Mary n'avait pas assez de sensibilité pour respecter, d'ordinaire, celle de sa sœur ; mais elle ne se douta pas le moins du monde qu'elle venait de lui faire une blessure particulière.

« Méconnaissable ! » Anne acquiesça totalement, en proie à une silencieuse et profonde mortification. Sans aucun doute, il en était ainsi et elle ne pouvait pas prendre sa revanche, car lui n'avait pas changé, pas enlaidi en tout cas. Elle se l'était déjà avoué et ne pouvait en juger autrement, quelle que fût la façon dont il la jugeât. Non, les années qui avaient détruit sa jeunesse et son éclat n'avaient fait que lui donner une mine plus rayonnante, plus virile, plus ouverte et n'avaient diminué en aucune façon son charme. Elle avait vu le même Frederick Wentworth.

« Si changée qu'il ne l'aurait pas reconnue ! » Ces mots l'obsédèrent longtemps. Pourtant elle se mit bientôt à se réjouir de les avoir entendus. Ils avaient un effet calmant ; ils apaisaient son agitation ; ils équilibraient son esprit et, par conséquent, devaient la rendre plus heureuse.

Frederick Wentworth avait employé ces mots, ou une expression semblable, sans se douter qu'ils seraient colportés jusqu'à elle. Il l'avait trouvée tristement changée et, à la minute où on l'interrogeait, avait dit son sentiment. Il n'avait pas pardonné à Anne Elliot. Elle l'avait lésé, délaissé et déçu et, ce qui est pire, elle avait montré, en agissant ainsi, une faiblesse de caractère que son tempérament décidé et confiant ne pouvait tolérer. Elle l'avait abandonné pour obliger autrui. Cela avait été l'effet d'un excès de persuasion. C'était un signe de faiblesse et de timidité.

Il lui avait été extrêmement attaché, et depuis n'avait jamais vu de femme qui l'égalât dans son esprit, mais, à l'exception d'une sensation naturelle de curiosité, il n'éprouvait pas d'envie de la rencontrer encore. Son emprise sur lui s'était dissipée pour toujours.

Il se proposait maintenant de se marier. Il était riche, et comme on le renvoyait à terre, il avait la ferme intention de s'établir dès que le tenterait une bonne occasion ; il regardait donc autour de lui, prêt à tomber amoureux avec toute la célérité que pouvaient permettre un esprit clair et un goût vif.

Son cœur était pour l'une ou l'autre des demoiselles Musgrove, si elles savaient le prendre ; son cœur était, en un mot, pour n'importe quelle jeune femme qui viendrait sur son chemin, sauf Anne Elliot. C'est la seule exception qu'il faisait en secret, lorsqu'il dit à sa sœur, en réponse à ses suppositions :

— Oui, me voici, Sophie, tout prêt à faire un mariage idiot. N'importe quelle personne entre quinze et trente ans pourrait faire l'affaire ; il lui suffirait de le vouloir. Un brin de beauté, quelques sourires, quelques compliments à la marine, et je suis un homme perdu. Est-ce que cela ne devrait pas suffire à un marin qui n'a pas eu de compagnie féminine pour le rendre difficile ?

Il parlait, elle le savait, pour être contredit. Son regard fier et brillant disait son heureuse conviction d'être difficile, et Anne Elliot n'était pas exclue de ses pensées, lorsqu'il dépeignit plus sérieusement la femme qu'il voudrait rencontrer : « Un esprit solide et des manières douces », tel était tout le portrait qu'il fit.

— Voilà la femme que je désire, dit-il. Un peu inférieure, je saurai, bien sûr, m'en accommoder, mais l'écart ne doit pas être grand. Si je suis idiot, je le serai bel et bien, car j'ai réfléchi sur ce sujet plus que la plupart des hommes.

8

Dès lors, le capitaine Wentworth et Anne se trouvèrent, à maintes reprises, dans le même cercle. Ils dînaient bientôt ensemble, en société, chez M. Musgrove, car l'état du petit garçon ne pouvait plus fournir à sa tante de prétexte pour s'absenter; et ce ne fut que le début d'autres dîners et d'autres rencontres.

Si les sentiments anciens allaient renaître, l'épreuve devait en décider, car les moments anciens devaient, sans aucun doute, se présenter à leur mémoire; on ne pouvait que revenir là-dessus; l'année de leurs fiançailles ne pouvait qu'être mentionnée par lui dans les petits récits ou les descriptions qu'appelait la conversation. Son métier le qualifiait pour parler, sa tournure d'esprit l'y conduisait, et les phrases : « Ceci eut lieu en l'an six », « Ceci arriva avant que j'aille en mer en l'an six », s'entendirent au cours de la première soirée qu'ils passèrent ensemble; sa voix ne tremblait pas, elle n'avait pas de raison pour supposer que son regard s'égarait dans sa direction, et pourtant Anne sentait, d'après ce qu'elle connaissait de son esprit, qu'il lui était absolument impossible de ne pas être visité autant qu'elle par le souvenir. La même immédiate association d'idées devait se faire en lui, bien qu'elle fût loin de la concevoir aussi douloureuse que la sienne.

Ils n'eurent pas de conversation entre eux, ni de rapports, sinon ce que la politesse la plus commune exigeait. Avoir été tant l'un pour l'autre, naguère ! Et maintenant, plus rien ! Il y avait eu un temps où, de tous les invités qui remplissaient maintenant le salon d'Uppercross, c'étaient eux qui auraient trouvé le plus difficile de cesser de se parler. A l'exception, peut-être, de l'amiral et de Mme Croft, qui semblaient particulièrement attachés l'un à l'autre et heureux (Anne ne pouvait faire d'autre exception même parmi les couples mariés), il n'aurait pu y avoir deux cœurs aussi ouverts, de goûts aussi semblables, de sentiments aussi à l'unisson, de visages aussi chéris. Maintenant, ils étaient comme des étrangers, et même pis que des étrangers, car ils ne pourraient jamais se connaître. Une éternelle séparation était entre eux…

Lorsqu'il parlait, elle entendait toujours la même voix et discernait toujours le même esprit. Il régnait une ignorance très générale de toutes les choses de la marine chez les convives ; aussi le questionnait-on beaucoup – particulièrement les deux demoiselles Musgrove qui semblaient presque n'avoir d'yeux que pour lui – sur la vie à bord, les règlements quotidiens, la nourriture, les heures, etc., et la surprise qu'elles manifestaient à ses récits en apprenant toutes les commodités et toute l'aise qui y étaient possibles, lui tirèrent une plaisante raillerie qui évoqua chez Anne les jours d'autrefois où elle aussi avait été ignorante, où on l'avait accusée, elle aussi, de supposer que les marins vivaient à bord sans rien avoir à manger, ou bien sans cuisinier pour préparer leur repas, sans ordonnance pour les servir, ou encore sans disposer de couteaux ou de fourchettes.

Son attention et ses pensées furent troublées par un chuchotement de Mme Musgrove qui, cédant à ses tendres regrets, ne put s'empêcher de dire :

— Ah ! mademoiselle Anne, s'il avait plu à Dieu d'épargner mon pauvre fils, il aurait sans doute été le même homme que lui à l'heure qu'il est.

Anne retint un sourire et écouta aimablement Mme Musgrove, tandis que celle-ci soulageait un peu plus son cœur et, pendant quelques minutes, par conséquent, ne put suivre le fil de la conversation des autres. Lorsqu'elle put laisser son attention reprendre son cours naturel, elle vit que les demoiselles Musgrove venaient de chercher l'annuaire de la marine (*leur* annuaire de la marine, le premier qu'il y ait eu à Uppercross) et s'asseyaient ensemble pour l'examiner de près, dans le dessein avoué d'y découvrir les navires que le capitaine Wentworth avait commandés.

— Votre premier était l'*Aspic*, je m'en souviens ; nous allons chercher l'*Aspic*.

— Vous ne l'y trouverez pas. C'est maintenant un tas de planches. J'ai été le dernier homme qui l'ait commandé. Il était tout juste bon pour assurer le service, alors. Porté bon pour le service côtier, pour une durée d'un an ou deux… et c'est ainsi qu'on m'envoya aux Indes occidentales.

Les jeunes filles ouvrirent des yeux stupéfaits.

— L'Amirauté, poursuivit-il, s'amuse, de temps à autre, à expédier quelques centaines d'hommes en mer sur un bateau qui n'est pas en état de servir. Mais elle a une foule de gens à sa charge, et parmi les milliers d'hommes qui peuvent tout aussi bien aller au fond que non, il lui est impossible de distinguer juste l'équipage qui pourra causer le moins de regret.

— Bah ! s'écria l'amiral, quelles balivernes nous débitent ces jeunes ! Il n'y eut jamais meilleur sloop que l'*Aspic* en son temps. Pour un vieux sloop, vous ne pourriez pas voir son pareil. C'est une chance de l'avoir obtenu ! Il sait qu'il devait y avoir vingt meilleurs marins que lui qui le demandaient au même moment. C'est une chance d'obtenir si vite une chose, alors qu'on a si peu d'appuis.

— Je me suis rendu compte de ma chance, amiral, je vous l'assure, répliqua le capitaine Wentworth, sérieusement. Je fus aussi satisfait de ma nomination que vous pouvez le désirer. C'était une chose importante pour moi, à cette époque, que d'être en mer… une chose très importante. J'avais besoin de faire quelque chose.

— Bien sûr. Qu'est-ce que pourrait faire un garçon de votre âge, à terre, six mois de suite ? Si un homme n'a pas de femme, il veut bientôt s'en retourner sur l'eau.

— Mais, capitaine Wentworth, s'écria Louise, comme vous avez dû être fâché, en arrivant devant l'*Aspic*, de voir quelle vieille chose on vous avait donnée.

— Je savais parfaitement, ce qu'il était, avant ce jour-là, dit-il, en souriant. Je n'avais pas plus de découvertes à faire que vous n'en auriez sur la façon ou la solidité d'une vieille pelisse que vous avez vue – de tout temps – un peu partout, prêtée à la moitié de vos connaissances, et qu'on finit par vous prêter à vous-même, par un jour bien pluvieux. Ah ! j'aimais bien ce vieil *Aspic*. Il faisait tout ce que je voulais. Je savais qu'il le ferait. Je savais que nous irions ensemble au fond ou bien qu'il ferait ma fortune ; je n'ai jamais eu deux jours d'orage tout le temps que j'étais en mer avec lui, et, après m'être suffisamment diverti à prendre quelques corsaires, j'eus la bonne chance, sur le chemin du retour, de tomber juste sur la frégate française que je voulais. Je l'amenai à Plymouth, et voici un autre cas de chance. Nous n'étions pas depuis six heures dans les eaux de ce port, qu'un gros vent se lève, qui dure quatre jours et quatre nuits et qui aurait achevé le pauvre vieil *Aspic* en deux fois moins de temps, notre contact avec la Grande Nation n'ayant guère amélioré nos conditions. Encore vingt-quatre heures et je n'aurais été qu'un brave capitaine Wentworth, dans un petit paragraphe au bout d'un journal et, comme j'aurais péri dans un simple sloop, personne n'aurait pensé à moi.

Anne frissonna en silence, mais les demoiselles Musgrove purent être aussi explicites qu'elles étaient sincères dans leurs exclamations de pitié et d'horreur.

— Et c'est ainsi, je suppose, dit Mme Musgrove, à voix basse, comme si elle pensait tout haut, c'est ainsi qu'il s'en est allé alors sur la *Laconia* et qu'il y rencontra notre pauvre garçon. Charles, mon cher enfant (dit-elle en lui faisant signe), demandez donc au capitaine Wentworth où est-ce qu'il rencontra d'abord votre pauvre frère. J'oublie toujours.

— C'était à Gibraltar, mère, je le sais. Dick avait été laissé malade à Gibraltar, avec une recommandation de son ancien capitaine à l'intention du capitaine Wentworth.

— Oh !... mais, Charles, dites au capitaine Wentworth qu'il ne doit pas craindre de parler du pauvre Dick devant moi, car ce me serait plutôt un plaisir que d'entendre parler de lui par un si bon ami.

Mais Charles, qui était un peu plus conscient des probabilités du cas, se contenta d'incliner la tête en guise de réponse et s'éloigna.

Les jeunes filles étaient maintenant à la recherche de la *Laconia*, et le capitaine Wentworth ne put se refuser le plaisir de prendre lui-même en main le précieux volume pour leur éviter de se donner ce mal et lut une fois de plus à haute voix le petit énoncé du nom du navire, de sa catégorie et de son actuelle classe de sous-officiers, en observant là-dessus que cette frégate avait été aussi l'une des meilleures amies que l'homme ait jamais eues.

— Ah ! qu'ils étaient beaux les jours où j'avais la *Laconia* ! Comme je gagnais vite de l'argent avec elle ! Quelle délicieuse croisière j'ai faite avec un de mes amis, au large des îles occidentales. Pauvre Harville, ma sœur ! Vous savez combien il avait besoin d'argent… plus que moi. Il avait une femme… L'excellent garçon ! Je n'oublierai jamais son bonheur. Il en était si content pour elle. J'aurais voulu l'avoir avec moi, l'été suivant, où j'eus toujours la même chance en Méditerranée.

— Et, j'en suis sûre, monsieur, dit Mme Musgrove, ce fut un heureux jour pour *nous* que celui où l'on vous nomma capitaine de ce bateau. Nous, nous n'oublierons jamais ce que vous avez fait.

Son émotion la faisait parler à voix basse, et le capitaine Wentworth, qui ne l'avait entendue qu'en partie et qui, probablement, n'avait pas du tout Dick Musgrove dans l'esprit, eut l'air un peu hésitant, comme s'il en attendait davantage.

— Mon frère ! murmura l'une des jeunes filles, maman pense au pauvre Richard.

— Pauvre petit ! poursuivit Mme Musgrove, il était devenu si sérieux, et un correspondant si parfait, pendant qu'il était à votre charge ! Ah ! c'eût été une chose heureuse, s'il ne vous avait jamais quitté. Je vous assure, capitaine Wentworth, nous sommes navrés qu'il vous ait quitté.

Il y eut, à ces paroles, une expression passagère sur le visage du capitaine Wentworth, un certain regard dans ses yeux brillants et un pli sur sa belle bouche qui convainquirent Anne qu'au lieu de partager les vœux aimables de Mme Musgrove à propos de son fils, il avait eu probablement quelque peine à se débarrasser de lui ; mais l'amusement auquel il s'était laissé aller fut trop éphémère pour être découvert par une personne qui le comprît moins qu'elle ; l'instant suivant, il était parfaitement maître de soi et sérieux, et presque aussitôt après, rejoignant le sofa sur lequel Anne et Mme Musgrove étaient assises, prit place auprès de cette dernière et entra en conversation avec elle, à voix basse, sur le sujet de son fils, avec une sympathie et une grâce naturelle qui dénotaient la considération la plus aimable pour ce qu'il y avait de réel et de raisonnable dans ses sentiments de mère.

Ils étaient ainsi sur le même sofa, car Mme Musgrove lui avait fort volontiers fait une place ; ils n'étaient séparés que par Mme Musgrove. Ce n'était certes pas une barrière négligeable. Avec sa corpulence puissante et confortable, Mme Musgrove était, de nature, infiniment mieux faite pour exprimer la réjouissance et la bonne chère que la tendresse et la sensibilité ; et, tandis qu'on peut croire qu'elle interceptait parfaitement le trouble d'Anne, mince et pensive, on doit reconnaître au capitaine Wentworth quelque mérite pour le calme avec lequel il prêtait attention aux grands et gros soupirs qu'elle poussait sur la destinée d'un fils dont, vivant, personne ne s'était soucié.

Entre la taille physique et le chagrin moral, il n'y a certainement pas de rapports nécessaires. Une personne énorme a le droit d'être profondément affligée tout autant que la mieux faite et la plus gracieuse du monde. Mais, à juste titre ou non, il y a des conjonctions mal appropriées que la raison défend en vain… que le goût ne peut tolérer et dont s'empare le ridicule.

L'amiral, qui avait fait, pour se délasser, un ou deux tours dans la chambre, les mains derrière le dos, fut rappelé à l'ordre par sa femme. Il aborda alors le capitaine Wentworth, sans faire de remarque sur la conversation qu'il pouvait interrompre, et tout à sa pensée commença ainsi :

— Si vous étiez resté une semaine de plus à Lisbonne, au printemps dernier, Frederick, on vous aurait demandé de donner un passage à Lady Mary Grierson et à ses filles.

— Vraiment ? Alors, je suis content de n'y être pas resté une semaine de plus.

L'amiral lui reprocha son manque de galanterie. Il se défendit, tout en déclarant qu'il n'admettait jamais volontiers de dames à bord d'un de ses bateaux, sinon pour un bal ou une visite de quelques heures.

— Mais, si je me connais bien, dit-il, ce n'est pas par manque de galanterie à leur égard. Cela provient plutôt de ce que je sens qu'il est impossible, malgré tous les efforts et tous les sacrifices du monde, de loger convenablement des femmes à bord. Il n'y a pas de manque de galanterie, amiral, à estimer bien haut leur droit de jouir de tout leur confort personnel, et c'est ce que je fais. J'ai horreur d'entendre parler de femmes à bord ou d'en voir à bord, et aucun bateau, sous mon commandement, ne transportera jamais de dames, si je peux l'éviter.

Ce qui lui attira cette riposte de sa sœur :

— Oh ! Frederick !... Mais je ne veux pas croire cela de votre part... Ce n'est que raffinement oiseux ! Les femmes peuvent être aussi à l'aise dans un bateau que dans la meilleure maison d'Angleterre. Je crois avoir vécu en mer autant que la plupart des femmes et je ne connais rien de supérieur aux commodités d'un vaisseau de guerre ; je déclare que je ne trouve nulle part de confort ou d'avantages, même au château de Kellynch (dit-elle en faisant une révérence à Anne), qui dépassent ce que j'ai toujours trouvé dans la plupart des bateaux sur lesquels j'ai vécu ; et cela fait cinq au total.

— Ce n'est pas un argument, répondit son frère. Vous y viviez avec votre mari et vous étiez la seule femme à bord.

— Mais, vous-même, vous avez bien fait faire à Mme Harville, à sa sœur, sa cousine et à ses trois enfants toute la traversée de Portsmouth à Plymouth. Que faisiez-vous alors de votre extraordinaire quintessence de galanterie ?

— Elle s'était tout entière fondue dans mon amitié, Sophie. J'aiderai toujours la femme d'un camarade quand je le pourrai et je ramènerais du bout du monde n'importe quoi pour Harville, s'il le désirait. Mais ne vous imaginez pas que je ne l'aie pas pris comme un mal en soi.

— Soyez bien assuré qu'elles y furent parfaitement à l'aise.

— Je pourrais ne pas les en aimer davantage, peut-être. Un tel nombre de femmes et d'enfants n'ont pas le *droit* d'être à l'aise sur un bateau.

— Mon cher Frederick, vous parlez pour ne rien dire. Je vous en prie, qu'adviendrait-il de nous, pauvres femmes de marins, qui avons souvent besoin d'être menées à tel ou tel port, à la suite de nos maris, si tout le monde avait vos sentiments ?

— Mes sentiments, vous le voyez, ne m'ont pas empêché de mener Mme Harville et toute sa famille à Plymouth.

— Mais j'ai horreur de vous entendre parler ainsi, comme un beau monsieur et comme si les femmes étaient toutes de belles dames et non des êtres rationnels. Aucune de nous ne s'attend à avoir tous les jours une mer d'huile.

— Ah ! ma chère, dit l'amiral, quand il aura une femme, ce sera une autre musique. Quand il sera marié, si nous avons la chance de connaître une autre guerre, nous le verrons agir comme vous et moi et une foule d'autres. Nous le verrons tout reconnaissant envers quiconque lui amènera sa femme.

— Oui, c'est certain.

— Alors, j'abandonne, s'écria le capitaine Wentworth. Une fois que des gens mariés se mettent à vous attaquer ainsi : « Oh ! vous changerez d'idée quand vous serez marié », je ne puis que dire : « Non, vraiment » ; ils me répondent : « Si, vraiment » et tout finit là.

Il se leva et s'en alla.

— Que de voyages vous devez avoir faits, madame ! dit Mme Musgrove à Mme Croft.

— Un assez bon nombre, madame, durant mes quinze ans de mariage, bien que beaucoup de femmes en aient fait davantage. J'ai traversé quatre fois l'Atlantique et j'ai fait une fois le voyage aux Indes orientales, aller-retour une fois seulement, sans parler de différents endroits non loin de la métropole : Cork, Lisbonne et

Gibraltar. Mais je n'ai jamais dépassé le détroit de Gibraltar et ne suis jamais allée aux Indes occidentales. On ne donne pas le nom d'Indes occidentales, vous le savez, aux Bahamas ni aux Bermudes.

Mme Musgrove ne fit pas un mot d'opposition; elle ne pouvait s'accuser de leur avoir donné un nom quelconque au cours de toute sa vie.

— Et je vous assure vraiment, madame, poursuivit Mme Croft, que rien ne peut surpasser l'aise que l'on trouve sur un vaisseau de guerre; je parle, n'est-ce pas, des catégories supérieures. Quand vous entrez dans une frégate, bien sûr, vous êtes plus à l'étroit, bien que toute femme raisonnable y puisse être parfaitement heureuse : et je peux vous dire sans hésiter que les moments les plus heureux de ma vie se sont passés à bord d'un bateau. Tant que nous étions ensemble, vous savez, il n'y avait rien à craindre. Grâce à Dieu, j'ai toujours joui d'une excellente santé et tous les climats me conviennent. Toujours un peu dérangée les premières vingt-quatre heures sur mer, mais ne sachant jamais ce que c'est que la maladie, par la suite. Le seul moment où j'aie vraiment souffert dans mon corps ou dans mon esprit, le seul moment où je me sois jamais imaginée fatiguée, où j'aie pensé au danger fut l'hiver que je passai toute seule à Deal lorsque l'amiral (alors capitaine) était dans les mers du Nord. Je vivais dans une peur perpétuelle, à cette époque; j'avais toutes sortes d'indispositions imaginaires : je ne savais que faire de moi-même ni quand j'aurais encore de ses nouvelles; mais tant que nous pouvions être ensemble, plus rien ne me faisait souffrir et je ne rencontrais jamais la moindre gêne.

— Ah, bien sûr... Oui, vraiment, oh, oui !... je suis tout à fait de votre avis, madame Croft, lui répondait cordialement Mme Musgrove. Il n'y a rien de pire que la séparation… Je suis tout à fait de votre avis. Moi, je sais ce que c'est, car M. Musgrove assiste toujours aux assises et je suis si contente lorsqu'elles sont closes et qu'il est de retour, sain et sauf.

La soirée se termina en bal. Dès qu'on le proposa, Anne offrit ses services, comme d'habitude, et, bien que ses yeux se remplissent parfois de larmes tandis qu'elle était assise à l'instrument, elle était extrêmement contente d'être employée et ne désirait, en retour, que de ne pas être remarquée.

Ce fut une soirée joyeuse et animée et personne n'y semblait plus gai que le capitaine Wentworth. Elle sentait qu'il avait pour l'exalter tout ce que l'attention et la déférence générales – et en particulier l'attention de toutes les jeunes femmes – pouvaient faire. Les demoiselles Hayter, sœurs des cousins déjà mentionnés, étaient apparemment admises à l'honneur d'être amoureuses de lui ; quant à Henriette et à Louise, elles semblaient si complètement absorbées par lui que seule l'apparence inchangée de la plus parfaite entente mutuelle permettait de croire qu'elles n'étaient pas des rivales déclarées. S'il était un peu gâté par une admiration universelle si empressée, le moyen de s'en étonner ?

Telles étaient, entre autres, les pensées qui occupaient Anne, tandis que ses doigts travaillaient machinalement, poursuivant toute une demi-heure un jeu aussi impeccable qu'inconscient. Une fois elle sentit qu'il la regardait… il observait ses traits altérés, peut-être, il essayait d'y épier les ruines du visage qui, un jour, l'avait charmé ; et une fois, elle sut qu'il avait dû parler d'elle ; elle s'en rendit à peine compte, jusqu'au moment où elle entendit la réponse ; mais elle était sûre qu'il avait demandé à sa cavalière si Mlle Elliot ne dansait jamais. La réponse fut : « Oh ! non, jamais ; elle a tout à fait abandonné la danse. Elle préfère jouer du piano. Elle ne se fatigue jamais de jouer. » Une fois aussi, il lui parla. Elle avait quitté l'instrument à la fin de la danse, et il s'y était assis pour essayer de pianoter un air dont il voulait donner une idée aux demoiselles Musgrove. Sans aucune intention, elle retourna à cet endroit de la pièce ; il la vit et se levant aussitôt, dit, avec une politesse étudiée : « Je vous demande pardon, mademoiselle, c'est votre banquette », et, bien qu'elle se fût retirée après un refus résolu, on ne put l'amener à s'y asseoir de nouveau.

Anne ne voulait plus connaître de regards et de paroles de ce genre. Cette froide politesse, cet air cérémonieux étaient pires que tout.

9

Le capitaine Wentworth était venu à Kellynch comme chez lui, pour y rester aussi longtemps qu'il lui plairait, car il était l'objet d'une affection fraternelle aussi profonde chez l'amiral que chez sa femme. Il avait eu l'intention, aux premiers moments de son arrivée, de pousser sans tarder jusqu'en Shropshire pour rendre visite à son frère qui s'était établi dans ce comté, mais les attraits d'Uppercross l'amenèrent à différer ce projet. Il y avait tant d'amitié et de flatterie, tant de choses si ensorcelantes dans cette réception-là ; la vieillesse y était si accueillante, la jeunesse si agréable, qu'il ne pouvait que se résoudre à rester où il était et à faire crédit un peu plus longtemps à tous les charmes et perfections de la femme d'Edward.

Ce ne fut bientôt, pour lui, que visites à Uppercross presque tous les jours. Les Musgrove pouvaient à peine être plus disposés à l'inviter qu'il ne l'était à venir, particulièrement le matin, lorsqu'il n'avait pas de compagnons chez lui, car l'amiral et Mme Croft étaient, en général, dehors ensemble, s'intéressant à leurs nouvelles possessions, leurs prés et leurs moutons; flânant çà et là d'une façon qui n'eût pas été supportable à une tierce personne, ou conduisant un cabriolet dont ils avaient récemment enrichi leur train de maison.

Jusque-là, il n'y avait eu qu'une opinion sur le capitaine Wentworth parmi les Musgrove et leurs protégés. C'était partout une invariable et chaleureuse admiration. Mais ces rapports familiers ne s'étaient pas plus tôt établis, qu'un certain Charles Hayter revenait parmi eux pour en concevoir un grand trouble et trouver le capitaine Wentworth bien encombrant.

Entre Charles Hayter, l'aîné de tous les cousins, jeune homme fort aimable et agréable, et Henriette, il y avait eu toutes les apparences d'un attachement, antérieurement à l'apparition du capitaine Wentworth. Il était dans les ordres, et ayant dans les environs un vicariat à la résidence duquel il n'était pas astreint, il vivait chez son père, à deux milles seulement d'Uppercross. Une brève absence hors de chez lui avait laissé sa belle démunie de ses attentions, à cette période critique; à son retour, il eut le chagrin de trouver des manières bien changées et de voir le capitaine Wentworth.

Mme Musgrove et Mme Hayter étaient sœurs. Toutes les deux avaient eu de l'argent, mais leurs mariages avaient créé une notable différence dans leur position sociale. M. Hayter avait quelques biens à lui, mais ils étaient insignifiants, comparés à ceux de M. Musgrove ; et, tandis que les Musgrove appartenaient à la classe supérieure de la contrée, les jeunes Hayter auraient risqué, par suite du mode de vie inférieur, effacé et peu raffiné de leurs parents ainsi que de leur propre éducation incomplète, de n'appartenir à aucune classe du tout, s'ils n'avaient eu leurs parents d'Uppercross – exception faite, bien entendu, du fils aîné qui avait décidé d'être un érudit et un homme distingué, et qui, en culture et en manières, dépassait tous les autres.

Les deux familles avaient toujours été en excellents termes, car il n'y avait pas d'orgueil d'un côté, ni d'envie de l'autre, et le sentiment de supériorité des demoiselles Musgrove se bornait au plaisir qu'elles avaient d'affiner leurs cousins. Les attentions de Charles à l'égard d'Henriette avaient été observées par le père et la mère de celle-ci sans la moindre désapprobation : « Elle ne ferait pas un grand mariage ; mais si Henriette l'aimait… » et Henriette avait bien l'air de l'aimer.

Henriette pensait tout à fait ainsi elle-même, avant que le capitaine Wentworth ne fût arrivé ; après quoi, le cousin Charles avait été bien oublié.

Laquelle des deux sœurs avait la préférence du capitaine Wentworth ? Le point restait très douteux jusqu'ici en dépit des observations d'Anne. Henriette était peut-être la plus jolie, Louise était la plus enjouée ; et elle ne savait pas *maintenant* si c'était le caractère le plus doux ou le plus animé qui avait le plus de chances de l'attirer.

M. et Mme Musgrove, soit qu'ils n'y vissent pas grand-chose, soit qu'ils eussent une entière confiance en la sagesse de leurs filles ainsi que des jeunes gens qui venaient les voir, semblaient laisser venir les choses. On ne paraissait pas le moins du monde s'en soucier ou y prêter attention à la Grande Maison ; mais il n'en allait pas de même à la villa. Le jeune couple y était plus disposé à faire des suppositions et à se poser des questions ; le capitaine Wentworth n'avait pas été plus de quatre ou cinq fois en compagnie des demoiselles Musgrove et Charles Hayter ne venait que de réapparaître qu'Anne devait entendre son beau-frère et sa sœur dire quelle était, à leur avis, la préférée du capitaine Wentworth. Charles soutenait que c'était Louise, Mary, que c'était Henriette ; mais tous deux s'accordaient parfaitement à envisager avec un extrême plaisir le mariage de l'une ou de l'autre avec lui.

Charles n'avait jamais vu d'homme plus agréable de sa vie ; et, d'après ce qu'il l'avait entendu dire lui-même, une fois, il était bien certain qu'il n'avait pas gagné moins de vingt mille livres à la guerre. C'était là une fortune, tout d'un coup ; sans compter les possibilités que laissait le hasard d'une nouvelle guerre ; et il était certain que le capitaine Wentworth était un homme qui promettait de se distinguer autant que n'importe quel officier de marine. Oh ! ce serait un fameux mariage pour l'une ou l'autre de ses sœurs.

— Ma parole, un fameux mariage, répondait Mary. Mon Dieu ! S'il s'élevait à de grands honneurs véritables ! S'il lui arrivait d'être fait baronnet ? « Lady Wentworth », cela sonne très bien. Ce serait vraiment une chose magnifique pour Henriette ! Elle prendrait ma place, alors, et cela ne déplairait pas à Henriette. Sir Frederick et Lady Wentworth ! Ce ne serait qu'une nouvelle création, toutefois, et je ne pense pas grand-chose de vos nouvelles créations.

Cela arrangeait davantage Mary de penser qu'Henriette était la préférée, à cause, justement, de Charles

Hayter, aux prétentions duquel elle désirait voir mettre un terme. Elle méprisait résolument les Hayter et trouvait que ce serait un vrai malheur que la parenté qui unissait les deux familles fût renforcée… Une chose bien triste pour elle et ses enfants.

— Vous savez, disait-elle, je ne peux pas penser qu'il fasse un bon parti pour Henriette ; et si l'on considère les alliances que les Musgrove ont faites, elle n'a pas le droit de se perdre ainsi. Je ne pense pas qu'une jeune femme, quelle qu'elle soit, ait le droit de faire un choix qui puisse être désagréable ou incommode aux *principaux* membres de sa famille et d'infliger des mésalliances à ceux qui n'y sont pas accoutumés. Et, je vous en prie, qui est Charles Hayter ? Un simple pasteur de campagne. Un parti impossible pour Mlle Musgrove d'Uppercross.

Son mari, cependant, n'était pas d'accord avec elle là-dessus ; car, outre les égards qu'il avait pour son cousin, Charles Hayter était fils aîné et lui-même voyait les choses en fils aîné.

— Vous dites là des sottises, Mary, lui répondait-il. Ce ne serait pas un *grand* parti pour Henriette, mais Charles a toutes les chances d'obtenir quelque chose de l'évêque, par l'entremise des Spicer, dans un an ou deux ; et vous voudrez bien vous rappeler qu'il est fils aîné. Le jour où mon oncle meurt, il entre en possession d'une très jolie propriété. Le domaine de Winthrop n'a pas moins de deux cent cinquante arpents, sans compter la ferme, près de Taunton, qui est une des meilleures terres de la région. Je vous accorde que tous les autres à l'exception de Charles feraient des partis désastreux pour Henriette ; d'ailleurs, il n'en est pas question. Lui est le seul possible ; il est très gentil, c'est un brave garçon et, lorsqu'il prendra en mains Winthrop, il en fera un endroit bien différent et il y mènera une vie bien différente : avec cette propriété, ce ne sera jamais un homme à mépriser. C'est une bonne propriété foncière. Non, non, Henriette pourrait faire pis que d'épouser Charles Hayter; si elle arrive à se marier avec lui et Louise avec le capitaine Wentworth, j'en serai bien aise.

— Charles a beau dire ce qu'il lui plaît, déclara Mary à sa sœur, dès qu'il eut quitté la chambre, ce serait choquant de voir Henriette épouser Charles Hayter; ce serait bien dommage pour elle et encore plus pour moi; et c'est pourquoi l'on doit faire tous ses vœux pour que le capitaine Wentworth le déloge de ses pensées et je n'ai guère de doute qu'il ne l'ait fait. C'est à peine si elle a remarqué Charles Hayter, hier. Je voudrais que vous y eussiez été pour voir sa conduite. Quant à dire que le capitaine Wentworth aime Louise autant qu'Henriette, c'est une sottise; car il préfère certainement Henriette et de beaucoup. Mais Charles est si affirmatif! Je voudrais que vous eussiez été avec nous, hier, car vous auriez pu, alors, décider entre nous; et je suis sûre que vous auriez pensé comme moi, à moins que vous n'ayez décidé de me donner tort.

Il s'agissait d'un dîner chez M. Musgrove, qui eût donné l'occasion, à Anne, de voir tout cela; mais elle était restée à la maison, sous le prétexte combiné d'une migraine, pour son compte, et d'un retour de fatigue chez le petit Charles. Elle n'avait pensé qu'à éviter le capitaine Wentworth; mais aux avantages d'une soirée tranquille s'ajoutait maintenant celui d'avoir échappé au rôle d'arbitre.

Pour ce qui est des vues du capitaine Wentworth, elle jugeait plus important qu'il sût ce qu'il voulait, à temps pour ne pas compromettre le bonheur de l'une ou l'autre des deux sœurs ou ne pas faire douter de son propre honneur, que de lui voir préférer Henriette à Louise ou Louise à Henriette. L'une ou l'autre, selon toutes les probabilités, lui ferait une femme affectueuse et d'humeur agréable. En ce qui concerne Charles Hayter, elle avait une délicatesse d'âme qui devait être blessée par les frivolités d'une jeune fille bien intentionnée et un cœur qui sympathisait à toutes les souffrances qu'elles causaient ; mais si Henriette trouvait qu'elle s'était méprise sur la nature de ses sentiments, il n'était pas trop tôt pour que ce changement intérieur fût connu.

Charles Hayter avait trouvé dans l'attitude de sa cousine bien des choses qui l'inquiétaient et le mortifiaient. Elle avait pour lui une considération trop ancienne pour affecter une indifférence totale, qui éteignît, en deux rencontres, tout espoir passé et ne lui laissât plus d'autre choix que de s'éloigner d'Uppercross ; mais ce changement d'attitude devenait fort alarmant si l'on en devait regarder le capitaine Wentworth comme la cause probable. Il n'avait été absent que deux dimanches. En la quittant, il l'avait laissée à l'unisson de ses souhaits, tout intéressée à la perspective de lui voir abandonner bientôt son vicariat actuel et obtenir celui d'Uppercross à la place. On eût dit alors qu'elle n'avait à cœur que de voir le docteur Shirley, le pasteur, qui pendant plus de quarante ans avait rempli avec zèle toutes les obligations de sa charge, mais qui était maintenant devenu trop faible pour en faire autant, se décider tout à fait à engager un vicaire, aux conditions les plus intéressantes possible et promettre à Charles Hayter qu'il le choisirait. Que ce dernier eût l'avantage de ne devoir venir qu'à Uppercross au lieu de s'en aller ailleurs, à six milles de là ; de posséder un meilleur vicariat, à tous égards ; d'appartenir à leur cher Dr. Shirley et de soulager le bon, le cher Dr Shirley d'un devoir dont il ne pouvait plus s'acquitter sans la fatigue la plus excessive, cela représentait alors beaucoup, même pour Louise, et presque tout pour Henriette. Quand il revint, hélas, tout cet enthousiasme s'était évanoui. Louise ne pouvait pas du tout écouter le récit de la conversation qu'il venait d'avoir avec le Dr Shirley, elle était à la fenêtre, à guetter le capitaine Wentworth. Et même Henriette n'avait, tout au plus, qu'une attention partagée à lui offrir ; elle semblait avoir oublié tous les doutes et toutes les inquiétudes qui se rapportaient à la négociation.

— Eh bien ! j'en suis vraiment très contente, mais j'ai toujours pensé que vous réussiriez ; j'ai toujours été sûre de vous. Il ne me semblait pas que... En un mot, vous le savez, il fallait que le Dr. Shirley ait un vicaire et vous aviez obtenu sa promesse. Est-ce qu'il vient, Louise ?

Un matin, très peu de temps après le dîner chez les Musgrove, auquel Anne n'avait pas assisté, le capitaine Wentworth entra dans le salon de la villa, où il n'y avait qu'elle et Charles, le petit malade, qui était étendu sur le sofa.

La surprise de se trouver presque seul avec Anne Elliot lui fit perdre son habituelle assurance ; il tressaillit et ne put que dire : « Je croyais que les demoiselles Musgrove étaient venues ici... Mme Musgrove m'a dit que je les y trouverais », avant d'aller à la fenêtre se ressaisir et reprendre contenance.

— Elles sont en haut avec ma sœur... Elles descendront dans quelques instants, j'espère, avait répondu Anne avec une confusion toute naturelle ; et si l'enfant ne l'avait pas appelée pour qu'elle lui fît quelque chose, elle eût quitté aussitôt la pièce et rendu la liberté au capitaine Wentworth aussi bien qu'à elle-même.

Il resta à la fenêtre et, après avoir dit tranquillement et poliment : « J'espère que le petit va mieux », garda le silence.

Elle fut obligée de s'agenouiller près du sofa et d'y rester pour faire plaisir à son patient ; et cela durait ainsi depuis quelques minutes, lorsqu'à son immense satisfaction elle entendit une autre personne traverser le petit vestibule. Elle espérait voir, en tournant la tête, le maître de maison, mais il se trouva que c'était quelqu'un de bien moins fait pour faciliter les choses... Charles Hayter, qui, probablement, n'était nullement plus heureux de voir le capitaine Wentworth, que le capitaine Wentworth ne l'avait été de voir Anne.

Elle essaya seulement de dire : « Comment allez-vous ? Ne voulez-vous pas vous asseoir ? Les autres seront là tout de suite. »

Le capitaine Wentworth, cependant, quitta sa fenêtre, point indisposé, semblait-il, à converser ; mais Charles Hayter coupa court bientôt à ses tentatives en s'installant à table, le journal en main ; et le capitaine Wentworth retourna à sa fenêtre.

La minute suivante amena un autre visiteur. Le frère cadet, un bambin de deux ans, remarquablement précoce et vigoureux, qui s'était fait ouvrir la porte par quelqu'un de l'extérieur, fit parmi eux son entrée résolue et courut tout droit au sofa pour voir ce qui s'y passait et réclamer sa part de tout ce qui s'y distribuait de bon.

Comme il n'y avait rien à manger, il ne lui restait plus qu'à s'amuser ; et comme sa tante ne lui permettait pas de taquiner son frère malade, il se mit à s'accrocher à son dos, tandis qu'elle était à genoux et si occupée avec Charles qu'elle ne pouvait se débarrasser de lui. Elle parla, ordonna, supplia, insista... en vain. A un moment donné, elle arriva à l'écarter d'elle, mais le bambin n'en eut que plus de plaisir à se remettre aussitôt sur son dos.

— Walter, lui dit-elle, descendez à l'instant. Vous êtes tout à fait insupportable, je suis fâchée avec vous.

— Walter, s'écria Charles Hayter, pourquoi ne faites-vous pas ce qu'on vous dit ? Est-ce que vous n'entendez pas votre tante ? Venez ici, Walter, venez avec le cousin Charles.

Mais Walter ne broncha pas le moins du monde.

L'instant d'après, cependant, il se trouva qu'on la délivrait de l'enfant ; quelqu'un l'éloignait d'elle... mais il lui avait tellement incliné la tête qu'elle eut le temps de sentir qu'on lui dénouait ses vigoureuses menottes de son cou et qu'on l'emportait résolument, avant de savoir que c'était le capitaine Wentworth qui l'avait fait.

Ses sensations, lorsqu'elle le découvrit, lui coupèrent totalement la parole. Elle ne put même pas le remercier. Elle resta seulement penchée au-dessus du petit Charles, dans un trouble extrême. La bonté avec laquelle il s'était porté à son aide... la manière... le silence dans lequel cela s'était passé... les menus détails de l'incident... et bientôt la conviction que lui imposait le bruit qu'il faisait délibérément avec l'enfant, la conviction qu'il voulait éviter d'entendre ses remerciements et cherchait plutôt à lui prouver qu'il n'avait cure de sa conversation, tout cela produisit en elle un mélange d'émotions changeantes, mais fort pénibles, dont elle ne put se remettre, jusqu'au moment où l'entrée de Mary et des demoiselles Musgrove lui permit de laisser le petit malade à leurs soins et de quitter la pièce. Elle n'y pouvait rester. Cela lui eût donné l'occasion d'observer l'amour et la jalousie des quatre personnages; ils étaient maintenant tous ensemble; mais elle n'y pouvait rester à aucun prix. Il était évident que Charles Hayter n'était pas bien disposé à l'égard du capitaine Wentworth. Elle avait bien l'impression qu'il avait dit, sur un ton vexé, après l'intervention du capitaine :

— Vous auriez dû écouter *votre cousin*, Walter; je vous avais dit ne pas ennuyer votre tante.

Et elle comprenait qu'il regrettait que le capitaine Wentworth eût fait ce qu'il aurait dû faire lui-même. Mais ni les sentiments de Charles Hayter ni ceux de quiconque ne pouvaient l'intéresser tant qu'elle n'avait pas remis un peu d'ordre parmi les siens. Elle avait honte d'elle, tout à fait honte d'avoir été si nerveuse, si bouleversée par une telle bagatelle; pourtant il en était ainsi; et il lui fallut une grande dose de solitude et de réflexion pour recouvrer son calme.

10

Pour Anne, de nouvelles occasions d'observations ne pouvaient manquer de se produire. Elle avait été bientôt assez souvent en compagnie du groupe des quatre pour se faire une opinion, bien qu'elle eût la sagesse de n'en rien avouer à la maison, où elle savait qu'elle n'eût fait plaisir ni au mari ni à la femme; car, bien qu'elle estimât que Louise était plutôt la favorite, tout la conduisait à penser, pour autant qu'elle osât juger d'après sa mémoire et son expérience, que le capitaine Wentworth n'était amoureux ni de l'une ni de l'autre. Elles étaient davantage amoureuses de lui ; et là encore ce n'était pas de l'amour. Ce n'était qu'une petite fièvre d'admiration, mais elle pouvait, elle devait probablement finir en amour… Charles Hayter semblait se rendre compte qu'on le négligeait, et pourtant Henriette avait parfois l'air d'être partagée entre eux. Anne désirait ardemment avoir le moyen de leur représenter leur situation et de leur signaler les maux auxquels ils s'exposaient. Elle n'attribuait de faute à personne. Elle avait la très vive satisfaction de croire que le capitaine Wentworth n'était pas le moins du monde conscient du chagrin qu'il causait. Il n'y avait aucun air de triomphe – de triomphe mesquin – dans ses manières. Il n'avait, probablement, jamais entendu parler, il ne s'était jamais douté des prétentions de Charles Hayter. Il avait tort, seulement, d'accepter d'emblée les attentions (car « accepter » était le mot) de deux jeunes filles.

Cependant, après une brève lutte, Charles Hayter sembla quitter la lice. Trois jours s'étaient écoulés sans qu'il fût passé une fois à Uppercross, ce qui tranchait très nettement sur ses habitudes. Il avait même décliné une invitation en règle à un dîner ; et comme, à cette occasion, M. Musgrove l'avait trouvé derrière de gros livres, M. et Mme Musgrove étaient sûrs que quelque chose n'allait pas et déclarèrent, l'air grave, qu'il se tuait à force d'étudier. Mary espérait, était certaine qu'il avait reçu un refus formel d'Henriette, et son mari vivait avec l'assurance constante qu'il le verrait le lendemain. Anne avait seulement le sentiment que Charles Hayter était sage.

Un matin, vers ce temps-là, Charles Musgrove et le capitaine Wentworth étaient partis chasser ensemble ; les deux sœurs de la villa étaient assises tranquillement à leur ouvrage, lorsqu'elles virent à la fenêtre les deux sœurs de la Grande Maison qui venaient leur rendre visite.

C'était un très beau jour de novembre. Les demoiselles Musgrove étaient venues par le jardin et s'étaient arrêtées tout simplement pour leur dire qu'elles allaient faire une *grande* promenade ; et par conséquent, concluaient-elles, Mary n'aimerait pas aller avec elles ; et quand Mary répondit aussitôt avec une pointe de jalousie, parce qu'on ne la croyait pas bonne marcheuse : « Oh, oui, j'aimerais beaucoup me joindre à vous, j'adore les grandes promenades. » Anne fut intérieurement convaincue, à voir la mine des deux jeunes filles, que c'était tout le contraire qu'elles voulaient et admira, une fois de plus, l'espèce de nécessité que semblaient créer leurs habitudes de famille, qui voulait qu'on se communiquât toute chose et qu'on fît toute chose ensemble même si cela déplaisait ou gênait. Elle essaya de dissuader Mary de partir, mais ce fut en vain ; et puisqu'il en était ainsi, elle pensa qu'il valait mieux accepter l'invitation beaucoup plus cordiale que lui faisaient les demoiselles Musgrove de les accompagner, car elle pourrait servir à ramener sa sœur et à limiter son intrusion dans les plans personnels qu'elles avaient pu combiner.

— Je n'arrive pas à imaginer pourquoi elles supposent que je n'aimerais pas faire une grande promenade, dit Mary, tandis qu'elle montait les escaliers. Tout le monde suppose toujours que je ne suis pas bonne marcheuse. Et pourtant elles n'auraient pas été contentes si nous avions refusé de les accompagner. Quand les gens viennent de cette façon, exprès pour vous demander quelque chose, comment peut-on leur dire non ?

Juste comme elles se mettaient en route, les messieurs revinrent. Ils avaient sorti un jeune chien qui avait gâché leur partie de chasse et les avait fait rentrer de bonne heure. Leur temps, leur force et leur entrain les disposaient donc parfaitement à cette promenade et ils y entrèrent avec plaisir. Si Anne avait pu prévoir ces recrues, elle serait restée à la maison, mais, poussée par certains sentiments d'intérêt et de curiosité, elle s'imagina alors qu'il était trop tard pour revenir sur sa parole et le groupe des six au complet prit la direction qu'avaient choisie les demoiselles Musgrove qui, manifestement, se considéraient comme les guides de la promenade.

Anne se proposait de ne faire obstacle à personne et, aux endroits où l'étroitesse des sentiers qui coupaient à travers champs forçait le groupe à se séparer, de rester avec son beau-frère et sa sœur. Pour elle, le *plaisir* de la promenade devait naître de la marche, de la journée, de la contemplation des derniers sourires de l'année sur les feuilles rousses et les haies fanées, et des quelques descriptions poétiques, parmi des milliers d'autres, qu'elle se répétait sur l'automne, cette saison qui exerce une influence singulière et inépuisable sur l'esprit tendre et délicat, cette saison qui a tiré de tout poète digne d'être lu un essai de description ou quelques vers pleins de sentiment. Elle occupa son esprit autant qu'elle le put à de telles rêveries et à de telles citations ; mais il ne lui était pas possible, lorsqu'elle se trouvait à portée de la conversation du capitaine Wentworth avec l'une ou l'autre des demoiselles Musgrove, de ne pas essayer de l'entendre ; elle en saisit pourtant peu de choses bien remarquables. C'était un simple bavardage animé, le bavardage de jeunes gens qui se connaissent familièrement. Le capitaine Wentworth était retenu davantage par Louise que par Henriette. Louise se mettait davantage en vedette que sa sœur. Cette distinction sembla se préciser et Louise prononça des paroles qui la frappèrent. Après l'un des nombreux éloges de la journée qui jaillissaient continuellement, le capitaine Wentworth ajouta :

— Quel temps splendide pour l'amiral et ma sœur ! Ils comptaient faire une grande promenade en voiture, ce matin ; peut-être pourrons-nous les saluer de l'une de ces collines. Ils parlaient de venir par ici. Je me demande où ils vont verser aujourd'hui. Oh ! cela leur arrive très souvent, je vous assure… mais ma sœur n'en fait aucun cas… il lui est égal d'être jetée ou non de la voiture.

— Ah ! vous exagérez à plaisir, je le sais, s'écria Louise, mais même ainsi j'agirais tout comme elle à sa place. Si j'aimais un homme, comme elle aime l'amiral, je serais toujours avec lui, rien ne pourrait jamais nous séparer et j'aimerais mieux être renversée avec lui que d'être conduite sans encombre par un autre.

Ces mots étaient dits avec enthousiasme.

— Vraiment, s'écria-t-il, sur le même ton, cela vous honore !

Puis il y eut une pause entre eux.

Anne ne put reprendre aussitôt ses citations. Les scènes charmantes de l'automne furent, pour un temps, abandonnées... sauf lorsqu'un tendre sonnet chargé de la profonde analogie entre le déclin de l'an et le déclin du bonheur, et de l'évocation de la jeunesse, de l'espérance et du printemps évanouis ensemble venait illuminer sa mémoire. Elle fit un effort et dit, comme ils s'engageaient en ordre dans un nouveau sentier : « N'est-ce pas là un des chemins qui mènent à Winthrop ? » Mais personne n'entendit, ou, tout au moins, personne ne lui répondit.

Winthrop ou ses environs (car on peut rencontrer parfois les jeunes gens en promenade près de chez eux) était pourtant leur destination ; et, après encore un demi-mille de montée régulière à travers de grands enclos, où les charrues au travail et le sentier nouvellement tracé annonçaient la présence du fermier, faisant contrepartie aux délices de la mélancolie poétique et signifiant leur attente du printemps prochain, ils gagnèrent le sommet de la colline la plus importante qui séparait Uppercross de Winthrop et bientôt dominèrent complètement ce dernier, établi au pied de la colline d'en face.

Winthrop, sans beauté et sans dignité, s'étendait à leurs pieds, bâtisse quelconque, trapue et encadrée des granges et dépendances de la cour.

Mary s'exclama : « Ciel ! mais c'est Winthrop. Je déclare que je ne m'en doutais nullement !... eh bien ! je pense que maintenant nous ferions bien de revenir sur nos pas, je suis extrêmement fatiguée. »

Henriette, gênée et confuse, et ne voyant pas le cousin Charles cheminant sur un sentier ou appuyé à une barrière, était prête à se ranger au désir de Mary, mais Charles dit : « Non », et Louise s'écria : « Non, non », avec plus de véhémence et, prenant sa sœur à part, sembla discuter la question avec feu.

Charles, entre-temps, affirmait énergiquement sa résolution de rendre visite à sa tante, maintenant qu'il était si près de chez elle, et tentait, selon toute évidence, quoique plus timidement, d'engager sa femme à y aller également. Mais c'était là un des points sur lesquels la dame montrait sa force, et lorsqu'il lui vanta l'avantage d'un repos d'un quart d'heure à Winthrop, puisqu'elle se sentait si fatiguée, elle répondit résolument : « Oh, non, vraiment ! » La remontée de cette colline lui ferait perdre le bénéfice de toutes les visites du monde, et, en un mot, son air et ses manières affirmaient qu'elle était bien décidée à ne pas y aller.

Après une petite série de débats et de consultations de ce genre, il fut convenu entre Charles et ses deux sœurs qu'Henriette et lui se contenteraient d'aller d'une course voir leur tante et leurs cousins quelques minutes, tandis que le reste de la compagnie les attendrait sur le sommet de la colline. Louise semblait être la principale instigatrice du plan et, comme elle descendait un peu la colline avec eux, causant toujours avec Henriette, Mary en saisit l'occasion pour jeter autour d'elle des regards dédaigneux et dire au capitaine Wentworth :

— Il est déplaisant d'avoir de tels alliés ! Mais je vous l'assure, je ne suis pas entrée dans cette maison plus de deux fois dans ma vie.

Elle ne reçut pour réponse qu'un sourire artificiel d'acquiescement, suivi, lorsqu'il se détourna d'elle, d'un coup d'œil méprisant dont Anne connaissait parfaitement la signification.

Le haut de la colline, où ils demeuraient, était un endroit riant ; Louise revint ; Mary découvrit une place confortable sur la marche d'un échalier et s'en trouva bien aise tant que les autres se tinrent autour d'elle, mais lorsque Louise eut entraîné le capitaine Wentworth à glaner des noisettes dans une haie voisine et que peu à peu leurs formes et leurs voix se furent perdues tout à fait, Mary ne se sentit plus heureuse : elle se plaignit de l'endroit… était sûre que Louise en avait trouvé un meilleur quelque part… et rien ne put l'empêcher d'aller aussi en chercher un meilleur. Elle traversa la même barrière qu'eux... mais ne put les voir. Anne s'était trouvé une bonne place, sur un talus sec et ensoleillé, à l'abri d'une haie, ne doutant nullement qu'ils ne fussent encore dans les parages. Mary s'y assit un moment, mais n'en fut pas satisfaite; elle était sûre que Louise avait trouvé une meilleure place ailleurs et voulait poursuivre son chemin jusqu'à ce qu'elle l'eût rattrapée.

Anne, vraiment fatiguée, était heureuse d'être assise, et bientôt elle entendit le capitaine Wentworth et Louise parmi les arbres qui l'abritaient; ils semblaient revenir, par cette espèce d'étroit passage inégal et sauvage, vers le milieu du chemin. Ils parlaient, tandis qu'ils se rapprochaient. La voix de Louise se distingua la première. Elle semblait en être au milieu d'une tirade véhémente. Ce qu'Anne entendit d'abord, fut :

— Et alors, je l'ai fait partir. Je ne pouvais admettre qu'intimidée par de pareilles sornettes, elle renonçât à cette visite. Quoi ! Sont-ce les grands airs et l'intervention d'une telle personne, ou de n'importe qui, dirai-je, qui me détourneraient de faire une chose que j'ai décidé de faire et que j'ai trouvée juste ? Non, je ne m'imagine pas si facilement persuadée. Quand j'ai pris une décision, je l'ai bien prise. Henriette semblait avoir pris si fermement celle de passer à Winthrop aujourd'hui... et pourtant elle était si près de l'abandonner, par complaisance absurde !

— Sans vous, elle serait donc retournée ?

— Certainement. J'ai presque honte de le dire.

— Quel bonheur pour elle d'avoir à ses côtés un esprit comme le vôtre ! Après les quelques indications que vous venez de me donner, qui n'ont fait que confirmer les observations personnelles que j'ai faites la dernière fois que j'ai été en compagnie de ce garçon, je ne dois pas faire semblant de ne pas comprendre ce qui se passe. Je vois qu'il s'agissait, ce matin, de plus qu'une simple visite respectueuse à votre tante ; malheur à lui et à elle aussi, lorsqu'ils en viendront aux choses importantes, lorsqu'ils seront placés dans des circonstances qui exigent du courage et de la force d'âme, si elle n'a pas assez de détermination pour résister à une intervention futile à propos d'une bagatelle comme celle-ci. Votre sœur est une aimable créature, mais vous, vous avez un caractère décidé et ferme, je le vois. Si vous faites cas de sa conduite et de son bonheur, infusez-lui toute l'énergie que vous pourrez. Mais cela, sans aucun doute, vous l'avez toujours fait. Le fléau, chez ces caractères trop souples et trop indécis, c'est qu'on ne peut se fier à aucune des influences qui agissent sur eux. On n'est jamais sûr qu'une bonne impression y soit durable. Tout le monde peut y régner. Que ceux qui veulent être heureux soient fermes. Voici une noisette ! dit-il, en en cueillant une à une haute branche. Pour illustrer ma thèse, voici une belle noisette vernie qui, douée d'une force originelle, a survécu à toutes les tempêtes de l'automne. Aucune piqûre, aucun point faible. Cette noisette, continua-t-il avec une solennité enjouée, alors que tant de ses sœurs sont tombées et ont été piétinées, cette noisette donc est encore en possession de tout le bonheur qu'une noisette peut être censée contenir.

Puis, reprenant le ton sérieux du début :

— Mon vœu pour tous ceux à qui je m'intéresse est qu'ils soient fermes. Si Louise Musgrove veut être belle et heureuse au novembre de sa vie, elle chérira toutes les facultés actuelles de son esprit.

Il en avait fini… et resta sans réponse. Anne aurait été surprise si Louise avait pu être en état de répondre à un tel langage, à des mots si pleins d'intérêt, prononcés avec tant de sérieux, tant de chaleur ! Elle pouvait imaginer ce que sentait Louise. Quant à elle, elle craignait de bouger, de peur d'être vue. Tandis qu'elle restait là, un fourré de houx grimpant de faible hauteur la protégeait, et ils avançaient toujours. Avant qu'ils fussent hors de portée de voix, cependant, Louise reprit la parole :

— Mary est plutôt bonne, dit-elle, mais souvent elle m'irrite à l'excès avec sa sottise et son orgueil, l'orgueil des Elliot. Elle a beaucoup trop de cet orgueil-là. Nous aurions tant voulu que Charles eût épousé Anne à sa place ! Vous savez, j'imagine, qu'il voulait épouser Anne ?

Après une pause d'un moment, le capitaine Wentworth dit :

— Vous voulez dire qu'elle l'a refusé ?

— Oh ! oui, certainement.

— Quand est-ce que cela s'est passé ?

— Je ne sais pas quand exactement, car Henriette et moi étions à l'école à ce moment-là ; mais, je pense que c'est près d'un an avant qu'il épousât Mary. J'aurais voulu qu'elle l'ait accepté. Nous l'aurions tous aimée beaucoup plus, et papa et maman pensent toujours que c'est l'œuvre de sa grande amie, Lady Russell, si elle ne le fit pas. Ils pensent que Charles n'était peut-être pas assez instruit et livresque pour plaire à Lady Russell et que, par conséquent, elle persuada Anne de le refuser.

Les sons s'éloignaient, et Anne ne distingua plus rien. Ses propres sentiments pourtant la retenaient là. Elle mit longtemps à se remettre, avant de pouvoir bouger. Elle n'avait pas eu absolument le sort de l'indiscret : elle n'avait pas entendu dire de mal d'elle-même… mais elle avait entendu beaucoup de choses qui l'affectaient très péniblement. Elle voyait comment le capitaine Wentworth considérait son caractère et il y avait eu dans sa manière une parcelle de sympathie et de curiosité à son égard, qui devait la mettre dans une agitation extrême.

Dès qu'elle le put, elle s'en fut chercher Mary, la trouva, revint avec elle à leur première halte, près de l'échalier, et eut le soulagement de voir tout le groupe se rassembler immédiatement après, et se remettre ensemble en mouvement. Son esprit avait besoin de la solitude et du silence que seule la compagnie peut donner.

Charles et Henriette étaient revenus, ramenant avec eux, comme on peut le conjecturer, Charles Hayter. Cette opération, Anne ne pouvait essayer de la comprendre dans tous ses détails ; même le capitaine Wentworth ne semblait pas admis à partager l'entière confidence des jeunes gens sur ce point ; mais que le jeune homme, de son côté, se fût retiré, et que la jeune fille, de l'autre, fût revenue à lui, cela ne faisait pas de doute. Henriette avait l'air un peu confuse, mais très contente, et Charles Hayter, extrêmement heureux ; et ils furent tout entiers l'un à l'autre, presque dès l'instant où tout le monde reprit la route d'Uppercross.

Tout semblait maintenant destiner Louise au capitaine Wentworth : rien ne pouvait être plus simple, et, toutes les fois que le groupe devait se morceler, ou non... ils marchaient côte à côte, presque autant que l'autre couple. Sur une longue bande de prairie, où il y avait largement de l'espace pour tous, ils étaient ainsi répartis en trois groupes distincts, et c'est au groupe qui avait l'avantage d'être le moins animé et le moins complaisant qu'appartenait nécessairement Anne. Elle avait rejoint Charles et Mary, et était assez fatiguée pour profiter avec joie de l'autre bras de Charles; mais Charles, tout en étant de très bonne humeur avec elle, était en colère contre sa femme. Mary s'était montrée désobligeante à son égard et allait maintenant en récolter les conséquences : il abandonnait presque à tout moment son bras pour faire sauter la tête de quelques orties de la haie avec sa badine et, lorsque Mary commença à s'en plaindre et à gémir qu'on la négligeait, comme d'habitude, en la mettant du côté de la haie, tandis qu'Anne n'était jamais incommodée de l'autre côté, il les abandonna toutes les deux pour courir après une belette qu'il venait d'apercevoir; et c'est à peine si elles purent le rattraper.

Cette grande prairie bordait un chemin que leur sentier devait croiser au bout et, lorsque les promeneurs eurent tous atteint la barrière de sortie, la voiture qui avançait dans la même direction et qu'on avait entendue pendant un certain temps arrivait juste à leur hauteur et l'on vit que c'était le cabriolet de l'amiral Croft. Lui et sa femme avaient fait leur course et retournaient chez eux. Apprenant la grande promenade dans laquelle les jeunes gens s'étaient lancés, ils offrirent aimablement une place à celle de ces dames qui pouvait être particulièrement fatiguée. L'invitation était collective et fut déclinée collectivement. Les demoiselles Musgrove n'étaient pas fatiguées du tout et Mary était peut-être vexée qu'on ne lui eût pas fait la proposition avant toutes les autres, ou bien ce que Louise appelait l'orgueil des Elliot ne pouvait supporter qu'elle fît la tierce personne dans une voiture à *un* cheval.

Les promeneurs avaient traversé le chemin et franchissaient un échalier d'en face; l'amiral remettait son cheval en marche, lorsque bientôt le capitaine Wentworth sauta la haie pour dire quelque chose à sa sœur… quelque chose qu'on put deviner au résultat.

— Mademoiselle Elliot, je suis sûre que vous, vous êtes fatiguée, s'écria Mme Croft. Permettez-nous donc d'avoir le plaisir de vous ramener chez vous. Il y a parfaitement de la place pour trois, ici, je vous assure. Si nous étions tous comme vous, je suis certaine que nous pourrions y tenir à quatre. Acceptez donc, il le faut.

Anne était encore sur le chemin ; elle avait commencé instinctivement à la remercier, mais on ne la laissa pas continuer. Les aimables instances de l'amiral vinrent au secours de celles de sa femme ; ils ne voulaient pas de refus ; ils se serrèrent le plus étroitement possible pour lui laisser un coin, et le capitaine Wentworth, sans dire un mot, se tourna vers elle et, l'obligeant doucement à accepter son aide, la fit monter dans la voiture.

Oui… il avait fait cela. Elle était dans la voiture et se rendait compte qu'il l'y avait placée, que sa volonté et ses mains avaient fait cela, qu'elle le devait à son attention qui avait remarqué sa fatigue et à sa résolution de lui procurer du repos. Elle était très touchée de constater la disposition à son égard que tous ces faits manifestaient. Ce petit incident semblait être l'aboutissement de tout ce qui avait précédé. Elle le comprenait : il ne pouvait pas lui pardonner… mais il ne pouvait pas être insensible. Il avait beau la condamner à cause du passé et lui en garder une vive et injuste rancune, il avait beau se désintéresser parfaitement d'elle et s'attacher à une autre, il ne pouvait pas, pourtant, la voir souffrir sans éprouver l'envie de la soulager. C'était une survivance de sentiment ancien ; même inavoué, c'était un élan de pure amitié ; c'était une preuve de sa bonté de cœur, qu'elle ne pouvait considérer sans un tel mélange de plaisir et de souffrance qu'elle ne savait lequel de ces deux sentiments était le plus fort.

La bonté et les remarques de ses compagnons ne reçurent d'elle, au début, que des réponses inconscientes. Ils avaient parcouru à moitié le chemin raboteux avant qu'elle ne se fût tout à fait éveillée à ce qu'ils disaient. Elle les trouva alors en train de parler de « Frederick ».

— Il a certainement l'intention de prendre l'une ou l'autre de ces deux jeunes filles, Sophie, disait l'amiral, mais on ne peut dire laquelle. Il a, aussi, assez longtemps couru après elles, peut-on penser, pour se décider. Oh ! cela vient de la paix. Si nous étions en guerre, maintenant, il y a beau temps qu'il se serait fixé. Nous autres, marins, mademoiselle Elliot, nous ne pouvons pas nous payer le luxe de courtiser longtemps une femme en temps de guerre. Combien de jours y eut-il, ma chère, entre la première fois où je vous ai vue et celle où nous nous sommes assis ensemble dans notre meublé de North Yarmouth ?

— Nous ferions mieux de ne pas en parler, mon ami, répliqua plaisamment Mme Croft, car si Mlle Elliot apprenait combien vite nous sommes arrivés à nous entendre, elle ne pourrait jamais être convaincue que nous puissions être heureux ensemble. Je vous connaissais de réputation, cependant, longtemps avant cela.

— Et moi, j'avais entendu parler de vous comme d'une très jolie fille ; alors, que nous restait-il à attendre ? Je n'aime pas avoir si longtemps ce genre d'affaires en main. Je voudrais que Frederick largue davantage les voiles et nous ramène une de ces demoiselles chez nous, à Kellynch. Là, ils auraient toujours de la compagnie. Et elles sont très gentilles toutes les deux ; je les distingue à peine l'une de l'autre.

— Elles ont très bon caractère, et sont vraiment très simples, reprit Mme Croft, plus modérée dans son éloge (ce qui donna à penser à Anne que sa perspicacité plus fine ne considérait, peut-être, aucune des deux jeunes filles comme tout à fait digne de son frère), et de très bonne famille. On ne pourrait mieux s'allier. Mon cher amiral, ce poteau !... Nous allons certainement rentrer dans ce poteau !

Mais, donnant calmement aux guides une meilleure direction, elle leur fit éviter heureusement le danger ; une autre fois, d'un mouvement judicieux de la main, elle les empêcha de verser dans une ornière ou d'entrer en collision avec un tombereau de fumier, et Anne, plutôt amusée par cette façon de mener la voiture, où son imagination voyait un assez bon symbole de la conduite générale de leurs affaires, se trouva déposée sans encombre par eux à la villa.

11

Le moment du retour de Lady Russell approchait maintenant ; le jour en était même fixé, et Anne, qui s'était engagée à la rejoindre, dès qu'elle se serait réinstallée, envisageait déjà son prochain départ pour Kellynch et se mettait à penser à la manière dont sa tranquillité risquait d'en être affectée.

Elle se trouverait, de ce fait, dans le même village que le capitaine Wentworth, à un demi-mille de lui ; ils devraient fréquenter la même église, et des rapports devraient s'établir entre les deux familles. C'était pour elle un désavantage ; mais, d'autre part, il passait une si grande partie de son temps à Uppercross qu'on pouvait considérer qu'en s'en allant ainsi, elle le laissait derrière elle, plus encore qu'elle n'allait vers lui et, tout compte fait, elle était certaine de gagner au change, sur ce point intéressant, de même qu'en matière de compagnie, lorsqu'elle aurait quitté la pauvre Mary pour retrouver Lady Russell.

Elle souhaitait qu'il lui fût possible d'éviter de voir le capitaine Wentworth au château ; ces salles avaient assisté à d'anciennes rencontres qu'elles lui évoqueraient trop douloureusement ; mais elle était encore plus inquiète à la pensée que Lady Russell et le capitaine Wentworth pussent jamais se rencontrer quelque part. Ils ne s'aimaient pas et une reprise de relations n'y pouvait maintenant arranger grand-chose ; et, si Lady Russell devait les voir ensemble, elle pourrait penser que lui était trop maître de soi et elle pas assez.

Ces sujets faisaient son principal souci, lorsqu'elle prévoyait son départ d'Uppercross, où elle trouvait qu'elle avait demeuré bien assez longtemps. Les soins qu'elle avait prodigués au petit Charles donneraient toujours de la douceur au souvenir de ce séjour de deux mois, mais l'enfant recouvrait rapidement ses forces et elle n'avait aucune autre raison d'y rester.

Cependant, l'issue de sa visite prit un cours qu'elle n'avait pas du tout imaginé. Le capitaine Wentworth, qu'ils n'avaient pas vu et dont ils étaient restés sans nouvelles à Uppercross pendant deux bons jours, fit de nouveau son apparition parmi eux pour se justifier et leur raconta ce qui avait motivé son absence.

Une lettre de son ami, le capitaine Harville, l'ayant enfin touché, lui avait fait savoir que le capitaine Harville s'était installé avec sa famille à Lyme pour l'hiver ; qu'ils se trouvaient, par conséquent, tout à fait à leur insu, à vingt milles l'un de l'autre. Le capitaine Harville n'avait jamais été en bonne santé depuis la sérieuse blessure qu'il avait reçue deux ans plus tôt, et l'impatiente envie du capitaine Wentworth de le voir lui avait fait prendre la décision de se rendre immédiatement à Lyme. Il y était resté vingt-quatre heures. Son acquittement fut complet ; on loua chaleureusement son amitié ; on s'intéressa vivement à son ami, et sa description des beaux alentours de Lyme reçut de ses auditeurs un accueil si vibrant qu'elle provoqua chez eux le désir ardent de voir Lyme eux-mêmes, et le projet de s'y rendre.

Les jeunes gens brûlaient de voir Lyme. Le capitaine Wentworth parlait d'y retourner personnellement : ce n'était qu'à dix-sept milles d'Uppercross ; bien qu'on fût en novembre, le temps n'était nullement mauvais et, en un mot, Louise – la plus impatiente de la bande –, qui avait formé la décision d'y aller et qui, outre le plaisir d'agir à sa tête, s'armait maintenant de l'idée qu'elle avait du mérite à persévérer, renversa tous les désirs que présentaient son père et sa mère de voir l'excursion reportée à l'été suivant ; et ils allaient donc se rendre à Lyme : Charles, Mary, Anne, Henriette, Louise, et le capitaine Wentworth.

Leur premier projet, inconsidéré, avait été de partir le matin et de revenir la nuit, mais M. Musgrove, à cause de ses chevaux, ne voulut y consentir et, lorsqu'on en vint à l'étudier plus judicieusement, on trouva qu'un jour de mi-novembre ne laisserait pas beaucoup de temps pour visiter un nouvel endroit, déduction faite des sept heures d'aller et retour qu'exigeait la nature du pays. Ils devaient, par conséquent, y passer la nuit et n'être attendus à Uppercross qu'au dîner du lendemain. C'était là, on le sentit, un amendement notable et, bien que tout le monde se fût trouvé au rendez-vous, qui eut lieu à la Grande Maison, au moment – plutôt matinal – du petit déjeuner, et se fût mis en route exactement à l'heure, l'après-midi était si avancé quand les deux voitures (l'équipage de M. Musgrove qui contenait les quatre dames et le cabriolet de Charles qui conduisait le capitaine Wentworth) descendirent la grande colline qui menait à Lyme et s'engagèrent dans la rue, encore plus en pente, de la ville même, qu'il fut bien évident qu'ils n'auraient pas trop de temps pour regarder autour d'eux, avant que la lumière et la chaleur du jour ne disparussent.

Après s'être assuré le logis et avoir commandé le dîner à l'une des auberges, la première chose à faire était incontestablement de descendre directement à la mer. Ils étaient arrivés trop tard dans l'année pour assister aux divertissements ou aux attractions que la station balnéaire de Lyme pouvait offrir ; les établissements de bains étaient fermés, les pensionnaires presque tous partis, il n'y restait à peu près d'habitants que la population locale… et comme il n'y a rien à admirer dans les bâtiments eux-mêmes, c'est la remarquable situation de la ville, la rue principale qui se précipite presque dans l'eau, la promenade de la Vieille Jetée qui longe la courbe de la gentille petite baie que l'été remplit de l'animation du monde et des cabines de bains roulantes, c'est la Vieille Jetée elle-même, ses anciennes merveilles et ses embellissements modernes, avec la magnifique ligne de falaises qui s'étendent à l'est de la ville, que va chercher l'œil de l'étranger; et bien étrange doit être l'étranger qui ne voit pas de charme dans les environs immédiats de Lyme et ne désire les connaître davantage. Les paysages des alentours, Charmouth, avec ses hauteurs et ses vastes étendues de campagne, et, plus encore, sa charmante baie solitaire qui se dessine sur un fond de falaises sombres, et des fragments de roches basses parmi ses sables en font un endroit idéal pour observer le flux de la marée ou se perdre dans une contemplation inlassable; les variétés de bois du riant village de Lyme Supérieur, et, surtout, Pinny, avec ses verdoyantes crevasses entre des rochers romantiques, où les arbres forestiers, disséminés et la végétation luxuriante des vergers attestent que plus d'une génération a dû passer depuis que le premier affaissement partiel de la falaise prépara le terrain à une telle fertilité; où un paysage si merveilleux et si ravissant se déploie qu'on peut largement le comparer aux paysages analogues de la si célèbre île de Wight; ce sont là des endroits qu'on doit visiter et revisiter pour comprendre la valeur de Lyme.

Les visiteurs d'Uppercross longèrent les établissements déserts, mélancoliques, et, descendant toujours, se trouvèrent bientôt sur la plage; ils s'y attardèrent, les yeux fixés sur l'eau, comme seuls doivent le faire, la première fois qu'ils retrouvent la mer, ceux qui méritent vraiment de la voir, puis ils continuèrent leur route vers la Vieille Jetée, qui constituait leur but et celui du capitaine Wentworth, car c'est dans une maisonnette, au pied de la Vieille Jetée, que s'étaient établis les Harville. Le capitaine Wentworth obliqua pour rendre visite à son ami; les autres poursuivirent leur promenade. Il devait les rejoindre à la Vieille Jetée.

Ils ne se lassaient pas de s'étonner et d'admirer; et même Louise ne parut pas sentir qu'ils avaient quitté depuis longtemps le capitaine Wentworth, quand ils le virent revenir vers eux, avec trois compagnons, qu'ils savaient bien déjà, à leur signalement, être le capitaine et Mme Harville, et un certain capitaine Benwick, qui demeurait avec eux.

Le capitaine Benwick avait été quelques années plus tôt lieutenant sur la *Laconia*; et l'image que le capitaine Wentworth avait donnée de lui, lors de son précédent retour de Lyme, et le vif éloge de cet excellent jeune homme et officier, qu'il avait toujours hautement apprécié – ce qui avait dû lui gagner l'estime de tous les auditeurs –, avaient été suivis d'un petit récit de sa vie privée qui le rendit tout à fait intéressant aux yeux de toutes les dames. Il avait été fiancé à la sœur du capitaine Harville et maintenant pleurait sa perte. Ils avaient attendu un an ou deux la fortune et la promotion. La fortune vint, sa part de prise de lieutenant étant élevée… la promotion vint également, *enfin*; mais Fanny Harville n'était plus là pour le savoir. Elle était morte l'été précédent, tandis qu'il était en mer. Le capitaine Wentworth croyait qu'il était impossible à un homme d'être plus attaché à une femme que le pauvre Benwick ne l'avait été à Fanny Harville ou d'être plus profondément affligé par cette terrible disparition. Il pensait qu'avec son caractère il devait souffrir beaucoup, car il unissait à une très grande sensibilité des manières calmes, sérieuses, réservées, et un goût très net pour la lecture et les occupations sédentaires. Pour compléter l'intérêt de l'histoire, l'amitié entre les Harville et lui semblait renforcée, s'il était possible, par l'événement qui avait mis fin à toute perspective d'alliance entre eux, et le capitaine

Benwick vivait maintenant entièrement avec eux. Le capitaine Harville avait pris ce logement pour un semestre ; ses goûts, sa santé et sa fortune à la fois lui conseillant une habitation peu coûteuse, et au bord de la mer : et la majesté des environs, la solitude de Lyme en hiver semblaient exactement adaptées à l'état d'esprit du capitaine Benwick. La sympathie et la bienveillance suscitées à l'égard du capitaine Benwick étaient très grandes.

« Et pourtant, se disait Anne, tandis qu'ils avançaient à leur rencontre, il n'a peut-être pas plus de peine que moi. Je ne puis croire que son avenir soit brisé pour toujours. Il est plus jeune que moi ; plus jeune de sentiments, sinon de fait ; plus jeune en tant qu'homme. Il se ressaisira et sera heureux avec une autre. »

Tout le monde se rencontra et se présenta. Le capitaine Harville était un homme grand et brun, au visage sérieux et bon ; légèrement boiteux ; ses traits accentués et son manque de santé le faisaient paraître beaucoup plus âgé que le capitaine Wentworth. Le capitaine Benwick paraissait – ce qu'il était – le plus jeune des trois ; comparé aux deux autres, il était petit. Il avait une tête agréable, l'air mélancolique qu'il devait avoir et se retira de la conversation.

Le capitaine Harville, sans avoir les manières du capitaine Wentworth, était un parfait gentleman, simple, cordial et obligeant. Mme Harville, un peu moins raffinée que son mari, semblait animée cependant des mêmes bons sentiments ; et rien ne pouvait être plus agréable que leur désir de considérer tous les membres du groupe comme leurs amis personnels parce qu'ils étaient les amis du capitaine Wentworth ; rien ne pouvait être plus aimablement hospitalier que leur insistance à obtenir d'eux la promesse qu'ils dîneraient avec eux. Le dîner déjà commandé à l'auberge fut finalement, bien qu'assez mal, accepté comme excuse; mais ils semblaient presque blessés de ce que le capitaine Wentworth eût fait venir à Lyme ses amis sans trouver tout naturel de les faire dîner chez eux.

Il y avait dans tout cela tant d'affection envers le capitaine Wentworth et un charme si ensorcelant dans cette hospitalité si rare, si différente des invitations ordinaires dans le genre « donnant-donnant » et des dîners tout en cérémonies et en parade, qu'Anne sentit que la connaissance des camarades du capitaine Wentworth risquait d'avoir une influence fâcheuse sur son humeur. « Ceux-ci auraient tous été mes amis », songeait-elle, et elle dut lutter contre une grande tendance au découragement.

Quittant la Vieille Jetée, ils entrèrent tous chez leurs nouveaux amis et y trouvèrent des pièces si petites qu'il fallait vraiment inviter de bon cœur pour les croire capables de loger tant de monde. Anne elle-même en fut saisie, un moment, d'étonnement; mais ce sentiment se perdit bientôt dans l'impression plus agréable que faisait naître la vue de toutes les ingénieuses trouvailles et des habiles adaptations du capitaine Harville destinées à tirer le meilleur parti de l'espace disponible, à suppléer aux insuffisances de l'ameublement de l'appartement et à défendre les portes et les fenêtres contre les tempêtes prochaines de l'hiver. Le contraste dans la garniture des chambres, entre les objets de nécessité ordinaires, fournis par leur propriétaire, et des pièces de bois rare, supérieurement travaillées, et les bizarres et précieux échantillons exotiques rapportés par le capitaine Harville de tous les pays lointains qu'il avait visités, donnait à Anne plus que de l'amusement : tout ce décor avait un tel rapport avec son métier, le fruit de ses labeurs, l'effet de son influence sur ses habitudes, que l'image de calme et de bonheur familial qu'il offrait causait en elle quelque chose de plus – ou de moins – que du plaisir.

Le capitaine Harville n'était pas liseur ; mais il avait imaginé d'excellents aménagements et façonné de très jolies étagères qui soutenaient une assez bonne collection de livres bien reliés, propriété du capitaine Benwick. Sa claudication l'empêchait de prendre beaucoup d'exercice ; mais son esprit plein d'idées utiles et ingénieuses semblait lui fournir une occupation constante chez lui : il dessinait, il vernissait, il menuisait, il collait ; il faisait des jouets pour les enfants, il fabriquait de nouvelles navettes et des épingles perfectionnées ; et s'il avait tout fini, s'asseyait à son grand filet de pêche, dans un coin de la chambre.

Anne pensa qu'elle laissait un grand bonheur derrière elle, lorsqu'ils quittèrent la maison ; et Louise, aux côtés de qui elle se trouva, éclata en extases d'admiration et de ravissement sur le caractère des marins : leur amitié, leur fraternité, leur franchise, leur droiture ; déclarant qu'elle était convaincue que les marins avaient plus de valeur et de cordialité que n'importe quelle autre catégorie d'hommes d'Angleterre ; qu'eux seuls savaient vivre et eux seuls méritaient d'être respectés et aimés.

Ils rentrèrent s'habiller et dîner ; et leur programme s'était si bien réalisé déjà qu'aucun défaut ne s'y trouva, malgré les multiples excuses de la direction de l'auberge : « Ce n'était plus la saison… Lyme était privé de trafic… on n'attendait pas de monde. »

Anne, à ce moment-là, s'était beaucoup plus habituée à la compagnie du capitaine Wentworth qu'elle ne l'avait cru d'abord possible, et, maintenant, les repas à la même table que lui et les civilités ordinaires qu'on échange entre convives (ils n'allaient guère plus loin) ne lui semblaient plus que de pures formalités.

Les nuits étaient trop sombres pour que les dames se revissent avant le lendemain, mais le capitaine Harville leur avait promis sa visite dans la soirée ; il vint donc, amenant également son ami, ce qui dépassait l'attente générale, car il était convenu que le capitaine Benwick avait tout l'air d'être accablé par la présence de tant d'étrangers. Il s'aventura cependant parmi eux, de nouveau, bien qu'il ne semblât certainement pas d'humeur à partager la joie générale.

Tandis que les capitaines Wentworth et Harville menaient la conversation à un bout de la pièce et puisaient dans le passé une abondance d'anecdotes qui entretenaient et divertissaient les autres, il revint à Anne d'être placée un peu à l'écart avec le capitaine Benwick ; et un excellent mouvement naturel la poussa à lier connaissance avec lui. Il était timide et enclin à la rêverie ; mais le doux visage et les manières aimables de sa voisine firent bientôt leur effet, et Anne fut bien payée de l'ennui des premiers efforts. C'était, sans aucun doute, un jeune homme qui avait un goût remarquable pour la littérature, et surtout pour la poésie ; et outre la conviction de lui avoir donné, au moins pour une soirée, le plaisir de discuter de sujets dont ses compagnons habituels ne se souciaient probablement pas, elle avait l'espoir de lui être réellement utile en lui faisant certaines suggestions, qu'avait provoquées naturellement leur conversation, touchant le devoir et l'avantage de lutter contre l'affliction. Car, tout en étant timide, il ne paraissait pas réservé ; il semblait plutôt heureux d'être délivré de son habituelle contrainte ; et lorsqu'ils eurent parlé de poésie, de la richesse de la présente époque ; lorsqu'ils eurent rapidement passé en revue leurs plus grands poètes et tâché d'établir si l'on devait préférer *Marmion* ou *la Dame au Lac*, quelle était la valeur du *Giaour* et de *l'Epousée d'Abydos* et, de plus, comment on devait prononcer *Giaour*, il se montra si intimement familiarisé avec tous les plus tendres chants du premier poète [1] et toutes les peintures les plus passionnées de l'extrême désespoir du second ; il dit avec une émotion si frémissante les différents passages qui chantent un cœur brisé ou un esprit abîmé dans la douleur, avec un tel air de vouloir se faire comprendre, qu'elle osa espérer qu'il ne lisait pas toujours de la poésie ; et dire qu'elle trouvait que le malheur de la poésie venait de ce qu'elle était rarement goûtée parfaitement sans danger et que les cœurs sensibles qui seuls pouvaient réellement l'apprécier étaient ceux-là mêmes qui ne devaient s'y livrer qu'avec modération.

Comme elle vit à son air que cette allusion à sa situation lui causait du plaisir – et non de la peine –, elle s'enhardit et continua ; forte de sa maturité intellectuelle, elle se permit de lui recommander de laisser une plus grande part à la prose dans son étude quotidienne ; et, priée de donner des précisions, elle mentionna les ouvrages de nos meilleures moralistes, les recueils des plus belles lettres, les mémoires de personnages malheureux et vaillants qui lui venaient à l'idée, sur le moment, et lui semblaient de nature à élever et fortifier l'esprit au moyen des préceptes les plus nobles et des exemples les plus frappants d'endurance morale et religieuse.

Le capitaine Benwick l'écoutait attentivement et lui paraissait reconnaissant de l'intérêt qu'elle lui témoi-

1. Le premier poète : Walter Scott ; le second : Byron.

gnait ; et, tout en secouant la tête et poussant des soupirs qui signifiaient son peu de foi en l'efficacité de livres quelconques sur une douleur comme la sienne, il prit note de ceux qu'elle lui recommandait et lui promit de se les procurer et de les lire.

Quand la soirée fut terminée, Anne ne put s'empêcher d'être amusée à l'idée qu'elle était venue à Lyme pour prêcher la patience et la résignation à un jeune homme qu'elle n'avait encore jamais vu ; ni de craindre, en y réfléchissant plus sérieusement, d'avoir été éloquente, comme tant d'autres grands moralistes et prêcheurs, sur un point où sa propre conduite supporterait mal l'examen.

12

Le lendemain, Anne et Henriette étaient les plus matinales du groupe ; elles décidèrent ensemble de se promener jusqu'à la mer, avant le petit déjeuner. Elles s'en allèrent sur la plage pour observer le flux de la marée, qu'une belle brise du sud-est amenait avec toute la grandeur dont un rivage si plat était susceptible. Elles louèrent le matin, glorifièrent la mer, chantèrent d'une même voix les délices de la brise rafraîchissante... puis se turent, jusqu'au moment où Henriette reprit brusquement :

— Oh, oui... Je suis tout à fait convaincue qu'à part de très rares exceptions, l'air de la mer fait toujours du bien. Cela ne fait aucun doute qu'il n'ait été du plus grand secours au Dr. Shirley, lorsqu'il se fut relevé de maladie, il y a eu un an au printemps dernier. Il affirme lui-même que le mois qu'il passa à Lyme lui fit plus de bien que tous les médicaments qu'il avait pris et qu'au bord de la mer il se sent toujours une nouvelle jeunesse. Eh bien ! je ne puis m'empêcher de penser que c'est dommage qu'il ne puisse pas vivre toujours au bord de la mer. Je pense vraiment qu'il ferait mieux de quitter tout à fait Uppercross et de se fixer à Lyme. N'est-ce pas, Anne ? Ne croyez-vous pas, comme moi, que c'est ce qu'il peut faire de mieux, à la fois pour lui-même et pour Mme Shirley ? Elle a des cousins par ici, savez-vous, et beaucoup de connaissances, ce qui égayerait son séjour, et je suis sûre qu'elle serait contente de venir dans un endroit où elle pourrait avoir des services médicaux à portée de la main, dans le cas où son mari serait pris d'une nouvelle attaque. Je pense vraiment qu'il est bien mélancolique de voir d'aussi excellentes gens que le Dr. et Mme Shirley, qui ont fait du bien toute leur vie, user leurs derniers jours dans un endroit comme Uppercross, où, notre famille exceptée, ils semblent coupés du reste du monde. J'aimerais que ses amis le lui proposent. Je pense réellement qu'ils le devraient. Quant à se procurer une dispense, il n'aurait aucune difficulté là-dessus, à son âge et avec sa réputation. Je me demande seulement si rien au monde pourra le persuader de quitter sa paroisse. Il est tellement strict et scrupuleux dans ses opinions ; scrupuleux à l'excès, dois-je dire. Ne trouvez-vous pas qu'il ait vraiment tort d'en faire un cas de conscience et de sacrifier sa santé à des devoirs qui peuvent être aussi bien accomplis par un autre ? D'ailleurs, à Lyme aussi… à une distance de dix-sept milles seulement… il serait assez près pour savoir si les gens ont sujet de se plaindre.

A ces propos, Anne souriait sous cape; elle reprit le sujet, aussi prête à faire du bien à une jeune fille qu'à un jeune homme en entrant dans ses sentiments, quoique ce bien fût ici d'un niveau inférieur, car, que pouvait-on offrir d'autre à Henriette qu'un acquiescement complet ? Elle lui dit donc tout ce qui était raisonnable et convenable sur cette affaire; fut sensible aux droits du Dr. Shirley au repos, autant qu'elle le devait; vit à quel point il était souhaitable qu'il eût un jeune homme actif et respectable comme pasteur résident, et poussa même la courtoisie jusqu'à faire entendre l'avantage qu'il y aurait à ce que ce pasteur résident fût marié.

— J'aimerais, dit Henriette, ravie par ces paroles, j'aimerais que Lady Russell vive à Uppercross et soit intime avec le Dr. Shirley. J'ai toujours entendu parler de Lady Russell comme d'une femme de la plus grande influence sur tout le monde! Je la regarde toujours comme capable de persuader n'importe quoi à n'importe qui! J'ai peur d'elle, comme je vous l'ai déjà dit, bien peur d'elle, parce qu'elle est si intelligente; mais je la respecte énormément et j'aimerais que nous ayons une pareille voisine à Uppercross.

Anne était amusée par la façon dont Henriette lui était reconnaissante; amusée, aussi, de ce que le cours des événements ainsi que des intérêts et projets d'Henriette eût pu mettre son amie dans les bonnes grâces d'un membre quelconque de la famille Musgrove; elle n'eut cependant que le temps de faire une réponse générale et de formuler le souhait qu'une femme pareille se trouvât à Uppercross, avant que toute conversation ne cessât brusquement, à la vue de Louise et du capitaine Wentworth qui venaient vers eux. Eux aussi faisaient leur promenade, en attendant que le petit déjeuner fût prêt ; mais Louise se souvint aussitôt qu'elle avait une emplette à faire, et les invita tous à retourner en ville avec elle. Ils étaient tout à sa disposition.

Lorsqu'ils arrivèrent aux marches qui partaient de la plage, un monsieur, qui se préparait au même instant à descendre, recula poliment et s'arrêta pour leur livrer passage. Ils montèrent et passèrent devant lui ; et comme ils passaient, le visage d'Anne frappa son regard et il la fixa admirativement avec une ardeur qui ne put lui échapper. Elle était ce jour-là d'une beauté remarquable : ses traits charmants et réguliers avaient repris la fraîcheur et l'éclat de la jeunesse sous l'effet de la brise marine qui avait soufflé sur son teint et avivé l'éclat de ses yeux. Il était évident que le monsieur – un parfait gentleman, semblait-il – l'admirait excessivement. Le capitaine Wentworth tourna aussitôt les yeux vers elle d'un air qui indiquait qu'il l'avait remarqué. Il lui lança un coup d'œil brillant qui semblait dire : « Vous avez ébloui cet homme ! et même moi, je retrouve en vous, en ce moment, quelque chose d'Anne Elliot. »

Après avoir aidé Louise à faire sa course, et flâné encore un peu, ils retournèrent à l'auberge ; et Anne, passant ensuite rapidement de sa chambre à leur salle à manger, faillit se heurter exactement au même monsieur qui sortait d'une pièce voisine. Elle avait fait précédemment la supposition qu'il était un étranger comme eux, et décidé qu'un valet de belle apparence qui faisait les cent pas entre les deux auberges devait être son serviteur. Le maître et le domestique étaient tous deux en deuil, ce qui confirmait cette idée. Il s'avérait maintenant qu'il était logé à la même auberge qu'eux ; et, durant cette seconde rencontre, pour brève qu'elle fût, il s'avéra également, à l'expression du monsieur, qu'il la trouvait toujours ravissante, et à l'aisance et l'élégance de ses excuses, qu'il avait des manières parfaites. Il semblait avoir près de trente ans, et, sans être beau, était agréable de sa personne. Anne se sentit l'envie de savoir qui il était.

Ils en étaient presque à la fin du petit déjeuner, lorsque le bruit d'une voiture (c'était peut-être la première qu'ils entendaient depuis leur arrivée à Lyme) attira la moitié des voyageurs à la fenêtre. « C'était une voiture de maître… un cabriolet… il venait seulement de la remise pour se ranger devant la porte d'entrée… Quelqu'un devait s'en aller… Il était conduit par un serviteur en habit de deuil. »

Au mot de « cabriolet », Charles Musgrove bondit afin de le comparer au sien ; le serviteur en deuil excita la curiosité d'Anne, si bien que tous les six étaient réunis à la fenêtre au moment où l'on vit sortir par la porte le propriétaire du cabriolet, au milieu des courbettes et des civilités de la domesticité, prendre son siège sur la voiture et s'en aller.

— Ah ! s'écria le capitaine Wentworth, aussitôt, avec un rapide coup d'œil vers Anne, c'est justement l'homme que nous avons croisé.

Les demoiselles Musgrove en convinrent ; ils le regardèrent avec intérêt gravir la colline aussi longtemps qu'il se pouvait, puis retournèrent tous à leur petit déjeuner. Le garçon entra bientôt dans la salle.

— S'il vous plaît, lui demanda immédiatement le capitaine Wentworth, pouvez-vous nous dire le nom du monsieur qui vient de partir ?

— Oui, monsieur ; c'est un monsieur Elliot, un homme très riche, qui est descendu ici, la nuit dernière, venant de Sidmouth ; je pense que vous avez entendu sa voiture, monsieur, pendant que vous dîniez. Il se rend maintenant à Crewkherne, à destination de Bath et de Londres.

— Elliot !...

Plus d'un regard s'était échangé et plus d'une bouche avait répété le nom, avant que cette information eût été débitée, même avec la bonne rapidité d'élocution d'un garçon d'auberge.

— Juste ciel ! s'écria Mary, ce doit être notre cousin... ce doit être notre M. Elliot, ce doit être lui vraiment ! N'est-ce pas, Charles, Anne ? En deuil, vous le voyez, exactement comme doit l'être M. Elliot. Quelle chose extraordinaire ! Dans la même auberge que nous ! Anne, est-ce qu'il ne doit pas être notre M. Elliot, l'héritier présomptif de mon père ? S'il vous plaît, monsieur (s'adressant au garçon), avez-vous appris... est-ce que son serviteur a dit s'il appartenait à la famille de Kellynch ?

— Non, madame... il n'a pas parlé de famille particulière ; mais il a dit que son maître était un monsieur très riche et serait un jour baronnet.

— Là ! vous voyez ! s'écria Mary extasiée, je vous l'avais bien dit ! Héritier de Sir Walter Elliot !... J'étais sûre que cela se saurait, s'il en était ainsi. Vous pouvez m'en croire, c'est là un fait que ses valets prennent soin de publier partout où il passe. Mais, Anne, concevez combien c'est extraordinaire ! J'aurais voulu le voir davantage. J'aurais voulu que nous eussions su à temps qui il était pour qu'il pût se présenter à nous. Quel dommage que nous n'ayons pas été présentés !... Pensez-vous qu'il avait l'air des Elliot ? Je l'ai à peine regardé, je regardais les chevaux ; mais je crois qu'il avait l'air des Elliot. Je m'étonne que ses armoiries ne m'aient pas frappée ! Oh !... Le manteau était pendu à la portière et cachait les armoiries ; c'est cela, sinon, j'en suis sûre, je les aurais remarquées ainsi que la livrée ; si le valet n'avait pas été en deuil, on l'aurait reconnu à sa livrée.

— Si nous rassemblons toutes ces circonstances si extraordinaires, dit le capitaine Wentworth, nous devons tenir pour un décret de la Providence que vous n'ayez pas été présentées à votre cousin.

Lorsqu'elle put s'imposer à l'attention de Mary, Anne essaya tout doucement de la convaincre que, pendant plusieurs années, leur père n'avait pas été avec M. Elliot en termes qui rendissent désirable toute tentative de présentation.

Au même moment, cependant, elle avait la satisfaction secrète d'avoir vu son cousin et de savoir que le futur maître de Kellynch était sans aucun doute un gentleman et avait l'air d'un homme de bon sens. Elle ne voulait à aucun prix parler de sa deuxième rencontre avec lui ; Mary, heureusement, les avait entendus, d'une oreille distraite, dire qu'ils étaient passés tout près de lui, au cours de leur promenade matinale, mais elle se serait crue lésée si elle avait appris qu'Anne s'était vraiment heurtée à lui dans le couloir et avait reçu ses excuses les plus polies, tandis *qu'elle* ne l'avait pas approché du tout ; non, ce petit tête-à-tête entre cousins devait rester parfaitement secret.

— Bien sûr, dit Mary, vous manderez que nous avons vu M. Elliot, la prochaine fois que vous écrirez à Bath. Je pense qu'il faut certainement que mon père le sache ; mandez-lui donc la nouvelle.

Anne évita de lui faire une réponse directe : c'était là – estimait-elle – un genre d'incident qui non seulement ne méritait pas d'être communiqué, mais que l'on devait taire. Son père avait reçu un affront, plusieurs années auparavant, elle le savait ; Elizabeth, devinait-elle, en avait eu personnellement sa part et le fait que la seule pensée de M. Elliot les irritait tous les deux était hors de doute. Mary n'écrivait jamais à Bath elle-même ; toute la charge d'entretenir une languissante et ingrate correspondance avec Elizabeth retombait sur Anne.

Il n'y avait pas longtemps qu'ils avaient fini leur petit déjeuner, lorsque les rejoignirent le capitaine et Mme Harville ainsi que le capitaine Benwick avec lesquels ils avaient convenu de faire leur dernière promenade à Lyme. Il fallait qu'ils se missent en route pour Uppercross à une heure, et, entre-temps, devaient rester ensemble et en plein air autant qu'ils le pourraient.

Anne vit le capitaine Benwick se rapprocher d'elle, dès que tout le monde fut enfin dans la rue. Leur conversation de la soirée précédente n'avait pas été pour lui ôter l'envie de rechercher sa compagnie : et ils se promenèrent ensemble quelque temps, causant comme avant de M. Scott et de Lord Byron, et toujours aussi incapables, comme avant (aussi incapables que deux autres lecteurs quelconques), d'évaluer de la même façon leurs mérites respectifs, jusqu'au moment où quelque chose vint défaire l'ordre de presque toute la compagnie, et qu'au lieu du capitaine Benwick elle eut le capitaine Harville à ses côtés.

— Mademoiselle Elliot, fit-il, assez bas, ce n'est pas un mince résultat que d'avoir fait parler tellement ce pauvre garçon. J'aimerais qu'il puisse avoir plus souvent pareille compagnie. C'est mauvais pour lui, je le sais, de rester isolé comme il l'est ; mais qu'y pouvons-nous ? Nous ne pouvons pas nous séparer.

— Non, dit Anne, cela est impossible, je le crois aisément ; mais avec le temps, peut-être... nous savons quel est l'effet du temps sur toutes les peines particulières, et vous devez vous souvenir, capitaine Harville, que votre ami porte un deuil qu'on peut encore qualifier de récent… C'est seulement l'été dernier, ai-je compris…

— Oui, c'est bien vrai, fit-il avec un profond soupir, seulement en juin.

— Et peut-être ne l'a-t-il pas appris aussitôt.

— Pas avant la première semaine d'août, lorsqu'il revint du Cap, à bord du *Lutteur*. Je me trouvais à Plymouth, appréhendant d'avoir de ses nouvelles ; il envoya des lettres, mais le *Lutteur* avait ordre de rejoindre Portsmouth. C'est là-bas que la nouvelle dut le suivre, mais qui allait la lui annoncer ? Pas moi. On m'aurait fait plutôt monter au bout de la vergue. Personne ne pouvait le faire, à part ce brave garçon (il désignait le capitaine Wentworth). La *Laconia* était entrée à Plymouth une semaine plus tôt ; pas de danger qu'on la renvoyât en mer. Il court sa chance, pour le reste… fait une demande de permission d'absence, et, sans attendre la réponse, voyage jour et nuit, arrive à Portsmouth, prend un canot à l'instant même, retrouve au large le *Lutteur*, et pendant une semaine n'abandonne pas le pauvre garçon ; voilà ce qu'il a fait et personne d'autre n'aurait pu sauver le pauvre James. Vous pensez, mademoiselle Elliot, s'il nous est cher !

Anne avait une idée très nette sur la question, et lui dit en réponse tout ce que pouvaient lui dicter ses sentiments, ou plutôt tout ce qu'il semblait capable de supporter, car il était trop ému pour reprendre le sujet, et lorsqu'il se remit à parler, ce fut d'une chose tout à fait différente.

— Mme Harville était d'avis, dit-elle, que son mari aurait bien assez marché lorsqu'il parviendrait chez lui, et détermina ainsi, pour tout le groupe, la direction de ce qui devait être leur dernière promenade ; on les accompagnerait à leur porte, puis on retournerait se mettre en route.

D'après tous leurs calculs, ils en avaient juste le temps ; mais comme ils s'approchaient de la Vieille Jetée, le désir de s'y promener une fois de plus fut si général, tous y étaient si disposés, et Louise bientôt y fut si résolue qu'une différence d'un quart d'heure, découvrit-on, n'était pas une différence du tout, si bien qu'ils se séparèrent du capitaine et de Mme Harville devant leur porte, au milieu de tous les aimables adieux, et de tous les aimables échanges d'invitations et de promesses qui se peuvent imaginer, et, toujours accompagnés du capitaine Benwick, qui semblait s'accrocher à eux jusqu'au dernier moment, ils s'en furent prendre dignement congé de la Vieille Jetée.

Anne vit le capitaine Benwick se rapprocher d'elle, de nouveau. On ne put manquer de citer les « mers bleu sombre » de lord Byron, à propos de celle qu'on avait sous les yeux. Elle lui donnait avec plaisir toute son attention, aussi longtemps que ce fut possible. Mais cette attention fut bientôt violemment attirée ailleurs.

Il y avait trop de vent pour que les dames eussent de l'agrément à faire la partie supérieure de la Nouvelle Jetée et elles convinrent de descendre les escaliers qui menaient à la partie basse ; toutes se contentèrent d'emprunter tranquillement et précautionneusement les marches abruptes. Louise exceptée ; il fallait que le capitaine Wentworth les lui fît sauter. Dans toutes leurs promenades, il avait dû lui faire sauter les escaliers, elle y trouvait une sensation délicieuse. Mais cette fois-ci, le pavé serait trop dur à ses pieds, et le capitaine

Wentworth y était moins disposé ; il le fit, tout de même ; elle tomba sans se faire de mal et, aussitôt, pour montrer son plaisir, remonta les marches en courant pour ressauter. Il voulut l'en dissuader, trouvait le choc trop grand ; mais non ! il raisonnait et parlait en pure perte ; elle sourit et dit : « Je suis bien décidée à le faire » ; il étend les mains, mais, dans sa hâte, elle se jette une demi-seconde trop tôt ; elle tombe sur la maçonnerie de la Jetée Basse, on la relève inanimée !

Il n'y avait pas de blessure, pas de sang, pas de contusion visible, mais ses yeux étaient clos, elle ne respirait pas, son visage était pâle comme la mort... L'horrible moment pour ceux qui l'entouraient !

Le capitaine Wentworth, qui l'avait relevée, s'agenouilla, la jeune fille dans les bras, et il la regardait, aussi blême qu'elle, dans le silence du désespoir.

— Elle est morte ! Elle est morte ! criait Mary d'une voix perçante en s'agrippant à son mari et contribuant, avec l'horreur qu'il ressentait lui-même, à l'immobiliser.

L'instant d'après, Henriette, succombant sous cette conviction, perdit, elle aussi, ses sens et se fût abattue sur les marches si le capitaine Benwick et Anne ne l'avaient saisie et soutenue à eux deux.

— N'y a-t-il personne pour m'aider ? tels furent les premiers mots qui jaillirent de la bouche du capitaine Wentworth, sur un ton de désespoir et comme si toute sa force l'avait abandonné.

— Allez le rejoindre, allez le rejoindre, s'écria Anne. Pour l'amour du ciel, allez le rejoindre. Je peux la soutenir toute seule. Laissez-moi et allez le rejoindre. Frottez-lui les mains, frottez-lui les tempes ; voici des sels... prenez-les, prenez-les.

Le capitaine Benwick obéit ; Charles, au même moment, se dégageait de sa femme, et tous deux furent avec lui ; à eux trois, ils soulevèrent et soutinrent Louise plus solidement ; ils firent tout ce qu'Anne avait indiqué, mais en vain ; cependant que le capitaine Wentworth, chancelant et s'appuyant au mur, s'exclamait, dans la douleur la plus amère :

— Oh, Dieu ! son père et sa mère !

— Un médecin ! dit Anne.

Il s'empara du mot, qui sembla le stimuler d'un coup ; il dit seulement :

— C'est cela, un médecin tout de suite, et s'élançait à sa poursuite, quand Anne fit vivement cette suggestion :

— Le capitaine Benwick, ne vaudrait-il pas mieux que ce fût le capitaine Benwick ? Il sait où trouver un médecin.

Tous ceux qui étaient capables de penser apprécièrent les avantages de cette idée, et, en un moment (tout cela fut l'affaire de quelques moments), le capitaine Benwick avait cédé la pauvre forme quasi cadavérique de la jeune fille entièrement aux soins de son frère et était parti pour la ville avec la plus grande rapidité.

Quant aux malheureux compagnons qu'il laissait derrière lui, il serait difficile de dire lequel des trois qui étaient restés complètement raisonnables souffrait le plus. Le capitaine Wentworth, Anne ou Charles qui, en frère véritablement très affectueux, se penchait sur Louise avec des sanglots de douleur et ne pouvait détourner ses yeux de sa sœur que pour voir l'autre dans un pareil état d'inconscience ou pour assister aux crises de nerfs de sa femme, qui réclamait de lui une aide qu'il ne pouvait lui donner.

Anne, tout en s'occupant d'Henriette, avec toute la force, le zèle et la pensée qu'elle trouvait au fond d'elle-même, essayait encore, de temps en temps, de réconforter les autres par ses conseils, de calmer Mary, de stimuler Charles et d'apaiser l'émotion du capitaine Wentworth. Tous deux semblaient attendre d'elle des instructions.

— Anne, Anne ! s'écriait Charles, que doit-on faire ensuite ? Au nom du ciel, que doit-on faire ensuite ?

Les yeux du capitaine Wentworth étaient aussi tournés vers elle.

— Ne vaudrait-il pas mieux la porter à l'auberge ? Oui, j'en suis sûre, portez-la tout doucement à l'auberge.

— Oui, oui, à l'auberge, répéta le capitaine Wentworth, relativement maître de soi et impatient de faire quelque chose. Je veux l'y porter moi-même, Musgrove, chargez-vous des autres.

A ce moment-là, la nouvelle de l'accident s'était répandue parmi les travailleurs et les bateliers de la Vieille Jetée et beaucoup d'entre eux s'étaient rassemblés autour du groupe pour offrir leurs services, s'il le fallait ; en tout cas, pour jouir du spectacle d'une jeune demoiselle morte… bien mieux, de deux jeunes demoiselles mortes, car la réalité était deux fois plus belle que la nouvelle. A ceux de ces braves garçons qui avaient la mine la plus honnête Henriette fut confiée, car, bien qu'elle eût repris en partie ses sens, elle était parfaitement incapable d'agir par elle-même ; et c'est de cette façon, Anne marchant à ses côtés, Charles s'occupant de sa femme, qu'ils s'ébranlèrent, reprenant avec des sentiments indescriptibles le chemin qu'ils avaient parcouru si récemment… tout à l'heure et le cœur si léger.

Ils n'avaient pas quitté la Vieille Jetée que les Harville les rencontrèrent. On avait vu le capitaine Benwick passer à toute vitesse, près de chez eux, avec un visage qui annonçait que quelque chose était arrivé ; ils étaient sortis immédiatement et, renseignés en cours de route, s'étaient dirigés vers l'endroit de l'accident. Si ému que fût le capitaine Harville, il leur apportait une raison et une énergie qui pouvaient être utilisées à l'instant ; un regard entre lui et sa femme décida ce que l'on allait faire : on devait amener Louise chez eux… tout le monde devait aller chez eux et y attendre l'arrivée du médecin. Ils ne voulurent pas entendre parler de scrupules : on leur obéit ; tout le monde se trouva sous leur toit et, tandis qu'on transportait Louise à l'étage supérieur, sous la conduite de Mme Harville, et qu'on lui donnait le lit de celle-ci, assistance, cordiaux, fortifiants étaient fournis par son mari à tous ceux qui en avaient besoin.

Louise avait une fois ouvert les yeux, pour les refermer bientôt, sans conscience apparente. Cela avait été, tout de même, une preuve de vie qui rendit service à sa sœur : bien qu'Henriette fût parfaitement incapable d'entrer dans la même chambre que Louise, l'espoir et la crainte qui l'agitaient l'empêchaient de perdre conscience de nouveau. Mary, également, se calmait.

Le médecin fut parmi eux presque plus tôt qu'il n'eût semblé possible. Ils étaient malades d'horreur pendant qu'il examinait la jeune fille ; mais il ne désespérait pas. La tête avait subi une sérieuse contusion, mais il avait vu des gens guérir d'accidents plus graves que celui-ci : il ne désespérait nullement, il inspirait confiance.

Ce n'était pas un cas extrême… il n'avait pas dit que tout serait fini en quelques heures… on écouta d'abord ces mots avec le sentiment qu'ils dépassaient l'attente de la plupart, et les transports qui saluèrent ce répit, la joie profonde et silencieuse qui suivit quelques ferventes exclamations de gratitude lancées au ciel se conçoivent facilement.

Le ton du capitaine Wentworth, son air, lorsqu'il s'écria : « Dieu soit loué ! », Anne était sûre de ne pouvoir jamais les oublier; non plus que le spectacle, plus tard, du jeune homme assis à une table, s'y appuyant, les bras croisés, le visage dissimulé, comme s'il était vaincu par les divers mouvements de son âme et qu'il tentât de les calmer à force de réflexion et de prière.

Les membres de Louise étaient indemnes. Elle ne s'était fait de mal qu'à la tête.

Il devenait maintenant nécessaire de considérer ce qu'il y avait de mieux à faire, concernant la situation générale. On était capable maintenant de se parler et de se consulter. Que Louise dût rester où elle était, si désolant qu'il fût pour ses amis de donner tant de soucis aux Harville, cela ne faisait aucun doute. Il était impossible de la déplacer. Les Harville firent taire tout scrupule, et, autant qu'ils le purent, toute gratitude. Ils avaient tout prévu et tout combiné avant que les autres ne se missent à réfléchir. Le capitaine Benwick devait leur abandonner sa chambre et se trouver un lit ailleurs… et tout était réglé. Ils étaient peinés seulement de ce que leur maison ne pût loger plus de monde et, cependant, peut-être qu'« en reléguant les enfants dans la chambre des bonnes ou en accrochant un hamac quelque part »… ils supportaient difficilement la pensée de ne pas trouver de place pour deux ou trois autres personnes, à supposer qu'elles voulussent rester; et, pour ce qui était des soins à donner à Mlle Musgrove, on n'avait pas besoin d'avoir la moindre inquiétude à la laisser entre les mains de Mme Harville. Mme Harville était une infirmière très expérimentée, et sa nurse, qui avait longtemps vécu et voyagé partout avec elle, ne l'était pas moins. Entre ces deux femmes, elle ne risquait pas de manquer de soins, de jour ni de nuit. Et tout cela fut dit avec une vérité et un accent de sincérité irrésistibles.

Charles, Henriette et le capitaine Wentworth étaient tous trois en conférence et, pendant un certain temps, ne purent se communiquer que leur perplexité et leur terreur : « Uppercross… la nécessité d'envoyer quelqu'un à Uppercross… d'y faire parvenir la nouvelle… comment pourrait-on l'apprendre à M. et Mme Musgrove… la matinée bien avancée… une heure s'était déjà écoulée depuis qu'ils auraient dû être en route, l'impossibilité d'arriver à un moment convenable. » Au début, ils ne furent guère capables de dépasser le stade des exclamations, mais, un moment après, le capitaine Wentworth, faisant effort sur lui-même, dit :

— Il faut que nous prenions une décision, et sans perdre une minute. Chaque minute compte. Il faut que quelqu'un se résolve à partir pour Uppercross, à l'instant. Musgrove, il faut que ce soit vous ou moi.

Charles était d'accord, mais affirma sa résolution de ne pas s'en aller. Il gênerait le moins possible M. et Mme Harville ; quant à abandonner sa sœur dans cet état, il ne devait ni ne voulait le faire. On en était arrivé à cette décision, et Henriette, au début, affirma la même chose. Cependant, on l'amena bientôt à penser autrement. L'utilité de sa présence ici !… Elle, qui n'avait pu rester dans la chambre de Louise, ou la regarder sans ressentir une douleur qui faisait plus que de la paralyser ! Elle fut forcée de reconnaître qu'elle ne pouvait rendre aucun service, et pourtant acceptait mal de s'en aller, jusqu'à ce que, touchée par la pensée de son père et de sa mère, elle cessât de résister ; elle consentait à retourner chez elle, elle le désirait vivement.

Le plan en était arrivé à ce point, quand Anne, qui était descendue de la chambre de Louise, ne put qu'entendre ce qui suivait, car la porte du salon était ouverte.

— Il est donc établi, Musgrove, s'écriait le capitaine Wentworth, que vous restez et que je me charge de ramener votre sœur chez elle. Mais pour le reste... les autres... si quelqu'un reste pour aider Mme Harville, je pense qu'une seule personne est nécessaire. Mme Charles Musgrove voudra évidemment retrouver ses enfants, mais si Anne reste, il n'y a personne d'aussi utile, d'aussi capable qu'elle.

Elle s'arrêta un moment pour se remettre de l'émotion d'entendre cet éloge. Les deux autres approuvèrent vivement ces paroles puis elle apparut.

— Vous allez rester, j'en suis sûr ; vous allez rester la soigner, s'écria-t-il, en se tournant vers elle, avec un feu et aussi une douceur qui semblaient presque faire revivre le passé.

Elle rougit très fort ; il se reprit et s'éloigna. Elle déclara qu'elle était toute disposée, toute prête à rester, qu'elle en serait heureuse. « Elle y avait pensé et désirait en avoir la permission. Un matelas par terre, dans la chambre de Louise, lui suffirait si Mme Harville le voulait bien. »

Encore un détail et tout semblait arrangé. Bien qu'il parût plutôt désirable que M. et Mme Musgrove fussent alarmés d'avance par un assez long retard, le temps qu'exigeraient les chevaux d'Uppercross, au retour, accroîtrait terriblement leur incertitude ; aussi le capitaine Wentworth proposa-t-il, avec l'approbation de Charles Musgrove, de prendre une calèche à l'auberge, ce qui vaudrait beaucoup mieux, et de laisser là la voiture et les chevaux de M. Musgrove, qu'on renverrait le lendemain, de bon matin, en leur faisant savoir comment

Louise avait passé la nuit, ce qui présentait un avantage supplémentaire.

Le capitaine Wentworth, pour sa part, courut tout préparer, et les deux jeunes filles devaient le suivre bientôt. Mais, quand on fit connaître le plan à Mary, ce fut la fin de toute tranquillité. Elle fut si malheureuse et si véhémente, se plaignit tellement de l'injustice qu'on lui faisait en s'attendant à ce qu'elle s'en allât, à la place d'Anne… Anne qui n'était rien pour Louise, tandis qu'elle était sa belle-sœur et avait tous les droits de remplacer Henriette ! Pourquoi ne serait-elle pas aussi utile qu'Anne ? Et puis, s'en aller chez elle sans Charles… sans son mari ! Non, c'était trop cruel ! En un mot, elle en dit beaucoup plus que son mari ne put supporter et, comme aucun des autres ne put lui faire opposition quand son mari eut abandonné la partie, il n'y eut plus rien à faire : la substitution d'Anne par Mary était inévitable.

Anne ne s'était jamais pliée de plus mauvaise grâce aux exigences jalouses et aveugles de Mary, mais il fallait qu'il en fût ainsi et ils s'en allèrent vers la ville, Charles prenant soin de sa sœur et le capitaine Benwick s'occupant d'Anne. Tandis qu'ils se pressaient sur la route, elle accorda un moment au souvenir des menus incidents dont ces mêmes lieux avaient été les témoins, dans la matinée : ici, elle avait écouté Henriette faire des plans de départ pour le Dr. Shirley ; là, elle avait vu M. Elliot pour la première fois. Un moment… c'était, semblait-il, tout ce qu'on pouvait maintenant accorder à ce qui n'était ni Louise, ni les êtres qu'absorbait son état.

Le capitaine Benwick était extrêmement prévenant et attentionné avec elle et, dans l'angoisse présente qui semblait les unir tous, elle sentait une sympathie croissante à son égard et même du plaisir à penser qu'il y aurait là, peut-être, l'occasion de continuer leur connaissance.

Le capitaine Wentworth les guettait, et une calèche à quatre chevaux les attendait, stationnée, pour plus de commodité, tout au bas de la rue, mais sa surprise et sa vexation évidentes devant le remplacement d'une sœur par l'autre, son changement de visage, l'étonnement, les expressions esquissées puis retenues avec lesquels il écouta Charles firent à Anne un accueil rien de moins que mortifiant ou devaient au moins la convaincre qu'on ne l'appréciait qu'en fonction de l'aide qu'elle pouvait donner à Louise.

Elle s'efforça de garder son calme et d'être équitable. Sans prétendre égaler la passion d'une Emma pour son Henry [1], pour lui, elle aurait veillé sur Louise avec un zèle au-dessus de tout éloge banal, et elle espérait qu'il ne lui ferait pas longtemps l'injustice de la croire capable de se dérober sans motif aux devoirs de l'amitié.

Entre-temps, elle était dans la voiture. Il les y avait fait entrer, toutes les deux, et s'était placé entre elles, et c'est de cette façon, dans ces circonstances, que pleine d'étonnement et d'émotion, Anne quitta Lyme. Comment ce long trajet se passerait-il ; de quelle façon allait-il affecter leurs manières et déterminer leurs rapports, elle ne pouvait le prévoir. Tout se passa, néanmoins, très naturellement. Le capitaine Wentworth se consacrait à Henriette et se tournait sans cesse de son côté ; lorsqu'il ouvrait la bouche, c'était toujours afin de soutenir ses espoirs et de remonter son moral. En général, sa voix et ses manières étaient d'un calme

1. Allusion au poème de Mathew Prior : *Henry and Emma*.

calculé. Epargner toute émotion à Henriette semblait être son principe directeur. Une fois seulement, comme elle se désolait de leur dernière promenade à la Vieille Jetée, si importune, si infortunée, et regrettait amèrement qu'on eût même pu en avoir l'idée, il éclata, comme vaincu par la douleur :

— N'en parlez plus, n'en parlez plus, s'écria-t-il. Plût à Dieu que je ne lui eusse pas cédé, au moment fatal ! Que n'ai-je fait ce que je devais ! Mais avec cette impatience, cette résolution… Chère et douce Louise !

Anne se demanda s'il ne lui venait jamais à l'esprit maintenant de contester la justesse de son opinion antérieure sur la félicité et les avantages universels de la fermeté de caractère, et s'il n'était pas frappé de ce que cette qualité, comme toutes les autres, devait avoir sa mesure et ses limites. Il ne manquerait guère de sentir, pensait-elle, qu'un tempérament accessible à la persuasion pouvait être, parfois, aussi favorable au bonheur qu'un caractère très résolu.

Ils avançaient rapidement. Anne fut étonnée de reconnaître si tôt les mêmes collines et les mêmes objets. Leur vitesse réelle, accrue par l'appréhension du terme, faisait paraître la route deux fois moins longue que la veille. Cependant, il commençait à faire très sombre avant qu'ils ne fussent arrivés aux alentours d'Uppercross ; un silence complet s'était établi entre eux, pendant un certain temps (Henriette renfoncée dans son coin, un châle sur la figure, s'était endormie à force de pleurer, espéraient-ils), lorsque, au moment où ils remontaient leur dernière colline, Anne entendit soudain le capitaine Wentworth lui adresser la parole. A voix basse, prudemment, il lui dit :

— J'ai considéré ce que nous avions de mieux à faire. Elle ne doit pas se montrer la première. Elle ne pourrait supporter le coup. Je me suis demandé si vous ne feriez pas mieux de rester dans la voiture avec elle, tandis que j'entrerai annoncer la nouvelle à M. et Mme Musgrove. Croyez-vous que ce soit une bonne idée ?

Elle le croyait ; il en fut satisfait et ne dit plus rien. Mais la réminiscence de cet incident resta agréable à Anne ; c'était une preuve d'amitié, de déférence pour son jugement qui lui faisait grand plaisir et, lorsqu'elle lui apparut comme le dernier signe qu'il lui faisait, sa valeur n'en diminua point.

Quand il eut fait sa triste communication à Uppercross et qu'il eut vu le père et la mère aussi calmes qu'on pouvait l'espérer et leur fille fortifiée par leur présence, il annonça son intention de retourner à Lyme dans la même voiture et, lorsqu'on eut soigné les chevaux, il repartit.

13

Le reste du séjour d'Anne à Uppercross, qui se limitait à deux jours, se passa entièrement à la Grande Maison, où elle avait la satisfaction de se savoir extrêmement utile, à la fois comme compagne immédiate et comme conseillère, car elle aida à prendre, pour le futur, toutes les mesures auxquelles l'affliction de M. et Mme Musgrove aurait fait obstacle.

Ils eurent, de bonne heure, des nouvelles de Lyme, le lendemain matin. L'état de Louise demeurait inchangé. Aucun symptôme plus grave ne s'était déclaré. Charles vint quelques heures plus tard, porteur de nouvelles plus récentes et plus précises. Il était plutôt optimiste. On ne devait pas espérer de guérison rapide, mais tout allait aussi bien que le permettait la nature du cas. Parlant des Harville, il parut incapable de dire tout ce que lui inspirait leur bonté et, en particulier, le dévouement de Mme Harville dans son rôle de garde-malade. « Elle n'a vraiment rien laissé faire à Mary. On les avait persuadés, Mary et lui, de rentrer tôt à l'auberge, la nuit dernière. Mary avait eu encore une crise de nerfs ce matin. A son départ, elle allait faire une promenade avec le capitaine Benwick, ce qui, espérait-il, lui ferait du bien. Il aurait presque voulu qu'on l'eût décidée à rentrer chez elle la veille ; mais le fait est que Mme Harville ne laissait rien faire à personne. »

Charles devait retourner à Lyme dans l'après-midi et son père avait d'abord incliné à l'accompagner, mais les dames n'y purent consentir. Cela ne ferait que multiplier les soucis des autres et augmenter sa propre angoisse ; un bien meilleur plan fut ensuite proposé, qui fut exécuté. On fit venir une calèche de Crewkherne et Charles emmena avec lui quelqu'un de bien plus utile que son beau-père : c'était la vieille nurse de la famille qui, après avoir élevé tous les enfants et vu envoyer à l'école, après ses frères, le tout dernier, le chétif Harry, qu'elle avait longtemps choyé, passait son temps, dans sa nursery déserte, à raccommoder des bas et à soigner toutes les ampoules et les « bleus » sur lesquels elle pouvait mettre les mains ; par conséquent, elle ne fut que trop heureuse d'avoir la permission d'aller soigner la chère demoiselle Louise. De vagues souhaits d'envoyer Sarah à Lyme s'étaient présentés à l'esprit de Mme Musgrove et d'Henriette ; mais, sans Anne, on aurait eu du mal à en prendre la résolution et à la trouver sitôt applicable.

Le lendemain ils furent redevables à Charles Hayter du bulletin de santé détaillé de Louise, qu'il était si essentiel d'obtenir toutes les vingt-quatre heures. Il s'était chargé d'aller à Lyme, et les nouvelles étaient toujours encourageantes. Les intervalles de conscience et de connaissance étaient plus nombreux, croyait-on. Le capitaine Wentworth semblait s'être fixé à Lyme ; tous les rapports concordaient sur ce point.

Anne devait les quitter le lendemain, événement qu'ils appréhendaient tous. « Qu'allait-on faire sans elle ? Quelle piètre consolation allait-il leur rester ? » Ils en dirent tant, dans ce sens, qu'elle pensa qu'elle n'aurait rien de mieux à faire que de leur communiquer le désir général dont elle était instruite, et de les persuader tous d'aller à Lyme, sur-le-champ. Elle y eut peu de difficultés ; on décida bientôt qu'on s'en irait, qu'on s'en irait demain, qu'on s'établirait à l'auberge ou qu'on prendrait un logement meublé, selon le cas, et qu'on y demeurerait jusqu'à ce qu'il fût possible de déplacer la chère Louise. On devait alléger le fardeau des braves gens chez qui elle était ; on pourrait au moins décharger Mme Harville du soin de ses propres enfants ; en un mot, ils étaient si heureux de cette décision qu'Anne était ravie de ce qu'elle avait fait et trouva qu'elle ne pourrait mieux passer son dernier matin à Uppercross qu'en aidant aux préparatifs et en mettant les Musgrove en route de bonne heure, bien que ce départ eût pour conséquence de la laisser à la vaste solitude de la maison.

Elle était la dernière, à l'exception des garçonnets de la villa, elle était absolument la dernière, l'unique personne qui restât de toute la compagnie qui avait empli et animé les deux maisons, de toute la compagnie qui avait donné à Uppercross son caractère de cordiale gaieté. Quel changement en quelques jours !

Si Louise guérissait, tout irait bien de nouveau. Le bonheur d'autrefois reviendrait... plus grand. Il n'y avait pas de doute (pour elle, il n'y en avait aucun) sur ce qui se produirait après sa guérison. Quelques mois encore et la maison, maintenant si déserte, qu'elle était seule à occuper, silhouette pensive et silencieuse, se remplirait de nouveau de tout le bonheur et de toute la gaieté, de tout le rayonnement et de toute la lumière d'un amour florissant, de tout ce qui était si loin d'Anne Elliot !

Une heure de loisir complet, consacrée à des réflexions de ce genre, par un jour sombre de novembre, tandis qu'une petite pluie dense dissimulait presque les rares objets que l'on pouvait distinguer des fenêtres, c'en était assez pour lui faire accueillir le bruit de la voiture de Lady Russell avec le plus grand plaisir ; et, pourtant, toute désireuse qu'elle fût de s'en aller, elle ne put quitter la Grande Maison, ni jeter un regard d'adieu à la villa dont la véranda dégouttait, noire et désolée, ni même apercevoir, à travers les vitres embuées, les dernières humbles maisonnettes d'Uppercross, sans un serrement de cœur... Il s'était passé dans ce village des scènes qui le lui rendaient précieux. Il gardait le témoignage de maintes douleurs, naguère violentes, aujourd'hui adoucies, et de quelques moments d'indulgence, de trêve amicale et de réconciliation qu'il ne faudrait plus jamais attendre et qui ne cesseraient jamais de lui être chers. Elle laissait tout cela derrière elle, tout, sauf le souvenir de ce passé.

Anne n'était pas rentrée à Kellynch depuis qu'elle avait quitté la maison de Lady Russell en septembre. Cela n'avait pas été nécessaire ; quant aux quelques occasions qu'elle avait eues d'aller au château, elle s'était arrangée pour les éviter et les fuir. Si elle y revenait maintenant, c'était pour reprendre sa place dans le moderne et élégant appartement de Kellynch Lodge et pour égayer les yeux de la maîtresse de céans.

Il se mêlait une certaine anxiété, chez Lady Russell, à la joie de la revoir. Elle savait qui avait fréquenté Uppercross. Mais, heureusement, Anne avait repris et embelli ; en tout cas, Lady Russell se l'imaginait et Anne, en recevant ses compliments à ce propos, s'amusa à les rapprocher de l'admiration silencieuse de son cousin et à espérer que le ciel allait lui donner un second printemps de jeunesse et de beauté.

Quand elles se mirent à converser, elle eut bientôt le sentiment qu'un certain changement s'était fait en elle. Les sujets dont son cœur était plein, lors de son départ de Kellynch, et qu'elle avait trouvé qu'on négligeait à Uppercross, avaient perdu toute valeur parmi les Musgrove et, maintenant, n'étaient, pour elle, que d'un intérêt secondaire. Elle avait même, récemment, perdu jusqu'à la pensée de son père, de sa sœur et de Bath. Leurs affaires avaient cédé la place à celles d'Uppercross et, quand Lady Russell revint à leurs espoirs et leurs craintes d'autrefois, lui dit la satisfaction que lui donnait la maison de Camden-Place qu'ils avaient prise et le regret de voir Mme Clay encore avec eux, Anne aurait été confuse de laisser apercevoir combien elle pensait davantage à Lyme, à Louise Musgrove et à toutes ses connaissances de là-bas ; combien l'intéressaient davantage le foyer et l'amitié des Harville et du capitaine Benwick que la maison de Camden-Place de son père, ou l'amitié de sa sœur pour Mme Clay. Elle dut véritablement faire un effort sur elle-même pour répondre avec toutes les apparences d'une égale sollicitude à Lady Russell sur des sujets qui, dans l'ordre naturel, devaient avoir la primauté chez elle.

Il y eut d'abord une certaine gaucherie lorsqu'elles abordèrent une question différente. Elles durent parler de l'accident de Lyme. La veille, Lady Russell n'était pas arrivée depuis cinq minutes que le récit complet de toute l'histoire était brusquement parvenu à ses oreilles, mais pourtant on devait en parler, elle devait prendre des renseignements, elle devait regretter cette imprudence, en déplorer le résultat, et toutes deux durent mentionner le nom du capitaine Wentworth. Anne avait conscience de ne pas le faire aussi bien que Lady Russell. Elle ne pouvait prononcer ce nom et la regarder droit dans les yeux, jusqu'à ce qu'elle s'avisât de lui dire brièvement ce qu'elle pensait de l'attachement qui le liait à Louise. Quand cela fut fait, son nom ne la gêna plus.

Lady Russell n'avait qu'à écouter avec calme et à leur souhaiter du bonheur ; mais, au fond de son cœur, elle jubilait, dans un mélange de plaisir et de colère, de mépris et de satisfaction, à l'idée que l'homme qui, à vingt-trois ans, avait semblé se rendre un peu compte de la valeur d'une Anne Elliot fût, huit ans après, charmé par une Louise Musgrove.

Les trois ou quatre premiers jours se passèrent dans une tranquillité parfaite, sans autre incident remarquable que la réception d'un billet ou deux de Lyme qui étaient parvenus jusqu'à Anne, elle n'aurait pu dire comment, et qui donnaient des nouvelles plutôt rassurantes de Louise. A la fin de cette période, la politesse ne laissa plus de repos à Lady Russell et la sourde obligation qui l'inquiétait faiblement autrefois, se fit impérieuse :

— Il faut que j'aille voir Mme Croft ; il faut vraiment que j'aille la voir bientôt. Anne, aurez-vous le courage de venir avec moi leur faire une visite, là-bas ? Ce sera une certaine épreuve pour nous deux.

Anne ne s'y refusa pas ; au contraire, elle dit exactement sa pensée en lui faisant observer :

— Je crois que, de nous deux, c'est vous qui risquez de souffrir le plus ; votre cœur s'est moins réconcilié à ce changement que le mien. En restant dans le voisinage, moi, je m'y suis faite.

Elle aurait pu en dire davantage sur ce sujet, car elle avait effectivement une si haute opinion des Croft, jugeait son père si heureux d'avoir ces locataires, trouvait que la commune était si sûre de trouver chez eux le bon exemple, et les pauvres l'assistance et les soins les plus grands, que, bien qu'elle fût peinée et confuse de la nécessité de leur départ, elle ne pouvait que reconnaître, en conscience, que ceux qui étaient partis ne méritaient pas de rester, et qu'en perdant ses maîtres Kellynch était passé en de bien meilleures mains. Ces convictions devaient être incontestablement douloureuses et pénibles dans leur genre ; mais elles excluaient la douleur que Lady Russell ressentirait en entrant de nouveau au château et en retraversant l'appartement qu'elle connaissait si bien.

A de pareils moments, Anne ne se sentait pas la liberté de se dire : « Ces pièces ne devraient appartenir qu'à nous. Oh, quelle déchéance ! Comme elles sont indignement occupées ! Une famille ancienne chassée ainsi ! et des étrangers à sa place ! » Non, sauf lorsqu'elle pensait à sa mère et se souvenait de l'endroit où elle avait coutume de s'asseoir et de présider, elle n'avait pas de soupirs de ce genre à pousser.

Mme Croft l'accueillit toujours avec une bonté qui lui donnait le plaisir de s'imaginer qu'elle avait toutes ses bonnes grâces et, en cette occasion, comme elle les recevait au château, elle eut pour elle des attentions particulières.

Le triste accident de Lyme fut bientôt le thème de leur conversation et, comme elles comparaient leurs dernières nouvelles de la malade, il apparut que les renseignements de ces dames dataient de la même heure, de la veille au matin ; que le capitaine Wentworth était venu à Kellynch ce jour-là (la première fois depuis l'accident), avait apporté à Anne le dernier billet, dont elle n'avait pas pu retracer l'itinéraire, y était resté quelques heures puis était retourné à Lyme, sans manifester l'intention de s'en éloigner encore pour le moment. Il s'était enquis d'elle, découvrit-elle, tout particulièrement… avait exprimé l'espoir que Mlle Elliot ne se ressentait pas de tous ses efforts, qu'il avait qualifiés de grands. Le compliment était beau et lui fit un plaisir que peu de choses auraient pu lui donner.

Quant à la triste catastrophe elle-même, il ne pouvait y avoir qu'une façon d'en discourir pour ces deux femmes posées, sensées, et dont les jugements devaient s'exercer sur des faits bien établis ; il fut donc nettement décidé qu'elle avait résulté d'une grande étourderie et d'une grande imprudence ; que les effets en étaient extrêmement alarmants et qu'il était effrayant de penser à tout le temps pendant lequel la guérison de Mlle Musgrove pouvait encore être douteuse et aux conséquences possibles de ce choc ! L'amiral conclut rondement la chose en s'exclamant :

— Certes, c'est une histoire bien ennuyeuse : c'est du nouveau, cette façon de faire la cour à une jeune fille en lui cassant la tête ; n'est-ce pas, mademoiselle Elliot ? C'est lui casser la tête et lui briser le cœur, vrai ?

Les manières de l'amiral n'étaient pas tout à fait d'un ton à plaire à Lady Russell, mais elles ravissaient Anne ; sa bonté de cœur et sa simplicité de caractère étaient irrésistibles.

— A propos, il doit vous être très pénible, dit-il, sortant brusquement d'une petite rêverie, de venir ici et de nous y trouver... Je ne m'en étais pas souvenu plus tôt, je vous l'affirme... mais cela doit être très pénible. Mais maintenant, ne faisons plus de cérémonies. Levez-vous et parcourez toutes les pièces de la maison, si vous le voulez.

— Une autre fois, monsieur, je vous remercie, pas maintenant.

— Bon, toutes les fois que vous en aurez envie... Du côté des massifs, vous pouvez vous glisser dans la maison à n'importe quel moment ; et là, vous vous apercevrez que nous laissons les parapluies accrochés à cette porte-là. Un bon endroit, n'est-ce pas ? Mais, fit-il en se reprenant, vous ne trouverez pas que c'est un bon endroit, car les vôtres étaient toujours gardés dans la chambre du régisseur. Bah, c'est toujours comme cela, je crois. Une habitude en vaut une autre, mais chacun préfère les siennes. Il faut donc que vous jugiez par vous-même s'il est préférable que vous visitiez ou non la maison.

Anne sentant qu'elle pouvait décliner l'invitation, le fit avec beaucoup de reconnaissance.

— Nous avons d'ailleurs apporté très peu de changements au château, poursuivit-il après avoir songé un moment : très peu... Nous vous avons parlé de la porte de la blanchisserie, à Uppercross. Cela a été une belle réparation. On se demande comment diable une famille a pu si longtemps supporter les inconvénients d'une porte qui ouvrait de cette façon ! Vous direz à Sir Walter ce que nous avons fait, vous lui ferez savoir que M. Shepherd trouve que c'est la plus grande réparation que la maison ait connue. Car, je dois nous rendre cette justice, les quelques modifications que nous avons faites ont toutes été dans le sens du mieux. Tout le mérite doit cependant en revenir à ma femme. Je n'ai guère fait beaucoup plus que d'enlever quelques-unes des grandes glaces de mon cabinet de toilette, qui était celui de votre père. C'est un excellent homme, un vrai gentleman, j'en suis certain... mais j'ose penser, mademoiselle Elliot (dit-il d'un air sérieux et réfléchi), j'ose penser qu'il doit avoir un souci d'élégance assez grand pour son âge. Quelle quantité de miroirs, Seigneur ! Il n'y avait pas moyen de se dégager de soi. J'ai donc demandé à Sophie de me donner un coup de main et nous eûmes vite fait de les changer de poste ; maintenant, je suis tout à fait à l'aise, avec ma petite glace à raser et une autre grande machine dont je ne m'approche jamais.

Anne, amusée malgré elle, était plutôt embarrassée pour lui répondre et l'amiral, craignant de n'avoir pas été assez civil, reprit le sujet et dit :

— La prochaine fois que vous écrirez à votre excellent père, mademoiselle Elliot, veuillez bien lui faire mes compliments ainsi que ceux de Mme Croft, et lui dire que nous sommes logés tout à fait à notre goût et que nous ne trouvons rien à reprocher à Kellynch. La cheminée de la petite salle à manger fume un peu, je vous l'accorde, mais seulement lorsque le vent vient franchement du nord et souffle fort, ce qui n'arrive, peut-être, que trois fois dans l'hiver. Et vous pouvez bien m'en croire, maintenant que nous sommes entrés dans la plupart des maisons des environs et que nous pouvons en juger, il n'y en a aucune que nous aimions plus que celle-ci. Veuillez bien le lui dire, en y joignant mes compliments. Il sera content de le savoir.

Lady Russell et Mme Croft se plurent beaucoup ; mais leur connaissance, qui commençait avec cette visite, était destinée à ne pas progresser davantage, pour le moment ; car lorsqu'ils la lui rendirent, les Croft annoncèrent qu'ils s'en allaient pour quelques semaines rendre visite à des parents dans le nord du comté, et qu'ils ne seraient probablement pas de retour avant que Mme Russell ne partît pour Bath.

C'est ainsi que prit fin, pour Anne, tout danger de rencontrer le capitaine Wentworth au château de Kellynch ou de le voir en compagnie de son amie. Elle était suffisamment en sécurité… et elle sourit en se rappelant toutes les vaines inquiétudes qu'elle avait eues à ce sujet.

14

Charles et Mary étaient restés à Lyme, après le déplacement de M. et Mme Musgrove, beaucoup plus longtemps qu'ils n'avaient pu y être nécessaires, pensait Anne ; ils furent néanmoins les premiers de la famille à rentrer chez eux, et dès qu'ils le purent, après leur retour à Uppercross, ils passèrent en voiture à Kellynch Lodge. Quand ils l'avaient laissée, Louise commençait à s'asseoir ; mais sa tête, tout en restant claire, était excessivement faible, et ses nerfs sensibles et délicats à l'extrême ; et bien que l'on pût prononcer que, dans l'ensemble, elle allait bien, on était encore dans l'impossibilité de dire quand elle serait en état de supporter le voyage d'Uppercross ; et son père et sa mère, qui devaient retourner à temps pour recevoir leurs plus jeunes enfants aux vacances de la Noël, espéraient à peine avoir la permission de la ramener avec eux.

Ils avaient été tous ensemble en meublé. Mme Musgrove avait entretenu autant qu'elle l'avait pu les enfants de Mme Harville loin de leur mère ; tout l'approvisionnement possible d'Uppercross avait été fourni pour réduire le dérangement des Harville, tandis que les Harville avaient voulu qu'ils vinssent dîner tous les jours chez eux ; en un mot, il semblait que de chaque côté on eût voulu rivaliser de désintéressement et d'hospitalité.

Mary y avait eu des motifs de se plaindre ; mais dans l'ensemble, comme le prouvait la durée de son long séjour, elle y avait trouvé plus de plaisirs que d'ennuis… Charles Hayter était venu à Lyme, trop souvent à son gré, et quand ils dînaient chez les Harville, il n'y avait qu'une domestique pour le service, et au début, Mme Harville avait toujours laissé la préséance à Mme Musgrove ; mais Mary avait reçu de si belles excuses lorsque celle-ci eut appris de qui elle était la fille, il y avait eu entre eux un tel commerce quotidien, tant de promenades entre leur logement et celui des Harville et elle avait pris des livres à la bibliothèque et en avait changé si souvent que la balance penchait certainement en faveur de Lyme. On l'avait amenée à Charmouth aussi et elle s'y était baignée, et elle était allée à l'église, et il y avait infiniment plus de gens à regarder dans l'église de Lyme que dans celle d'Uppercross… et tout cela, associé au sentiment d'avoir été tellement utile, lui avait rendu cette quinzaine vraiment agréable.

Anne demanda des nouvelles du capitaine Benwick. Le visage de Mary s'assombrit aussitôt. Charles se mit à rire.

— Oh ! le capitaine Benwick va très bien, je pense, mais c'est un jeune homme très bizarre. Je ne sais ce qu'il a en tête. Nous lui avions demandé de venir à la maison un jour ou deux ; Charles se chargeait de lui faire faire un peu de chasse, il en avait l'air tout ravi, et, pour ma part, je croyais que c'était une affaire réglée, quand, mardi soir, le voilà qui nous fait une excuse bien entortillée : « Il n'avait jamais chassé, on ne l'avait pas compris du tout, il avait promis ci et il avait promis ça » et au bout du compte j'ai découvert qu'il ne voulait pas venir. Je suppose qu'il avait peur de s'ennuyer ; mais j'aurais pensé, ma parole, qu'il y avait assez d'animation à la villa pour un homme au cœur brisé comme le capitaine Benwick.

Charles se remit à rire et dit :

— Eh bien ! Mary, vous en connaissez très bien la raison… Tout cela est votre œuvre, fit-il en se tournant vers Anne. Il s'imaginait que, s'il venait avec nous, il vous trouverait tout près ; il s'imaginait que tout le monde vivait à Uppercross ; et quand il apprit que Lady Russell vivait à une distance de trois milles, le cœur lui manqua et il n'eut plus le courage de venir. Voilà la vérité, sur mon honneur. Mary le sait bien.

Mais Mary ne cédait que de mauvaise grâce ; estimait-elle que ni la naissance ni la situation du capitaine Benwick ne lui donnaient le droit d'être amoureux d'une Elliot ? ou bien, refusait-elle de croire que quelqu'un vînt à Uppercross pour Anne et non pour elle, c'est ce qu'on doit laisser deviner. Les sympathies d'Anne, toutefois, n'en furent pas diminuées. Elle avoua hardiment qu'elle en était flattée et posa d'autres questions sur ce sujet.

— Oh ! il parle de vous, s'écria Charles, en des termes !...

Mary l'interrompit :

— J'affirme, Charles, que je ne l'ai pas entendu parler d'Anne deux fois pendant tout mon séjour. J'affirme, Anne, qu'il ne parle pas du tout de vous.

— Non, reconnut Charles, je ne sache pas qu'il le fasse, d'une façon générale... mais, pourtant, il est très clair qu'il vous admire à l'extrême. Il a la tête pleine de certains livres qu'il est en train de lire, sur votre recommandation, et il désire vous en parler ; il a découvert telle ou telle chose dans l'un d'eux qu'il trouve... Oh ! je n'ai pas la prétention de m'en souvenir, mais c'était quelque chose de très bien... je l'ai entendu, par hasard, qui disait tout cela à Henriette... et puis, c'étaient les plus grands éloges de « Mlle Elliot » : oui, Mary, j'affirme que c'est vrai, je l'ai entendu de mes oreilles et vous étiez dans la chambre à côté. « Elégance, douceur, beauté », oh ! on n'en finissait pas de dire les charmes de Mlle Elliot.

— Et je suis sûre, s'écria Mary avec feu, que cela n'est guère à son honneur, si c'est vrai. Mlle Harville n'est morte qu'en juin dernier. Il ne vaut guère la peine de posséder un cœur pareil, n'est-ce pas, Lady Russell ? Je suis sûre que vous serez d'accord avec moi.

— Il faut que je voie le capitaine Benwick, avant d'en décider, dit Lady Russell, en souriant.

— Et cela ne saurait tarder, je puis vous le garantir, madame, dit Charles. Il n'a pas eu le courage de s'en aller avec nous, puis de repartir faire ici une visite de cérémonie : mais, un de ces jours, il fera tout seul la route de Kellynch, vous pouvez m'en croire. Je lui ai dit la distance et la route, et je lui ai parlé de l'église qui mérite tellement d'être vue, car il a du goût pour ce genre de choses, et je pensais que cela lui ferait une bonne excuse, et il m'écoutait de toute son intelligence et de toute son âme ; et, à ses manières, je suis sûr que vous le verrez bientôt passer chez vous. Je vous en avertis donc, Lady Russell.

— Toutes les connaissances d'Anne seront toujours les bienvenues ici, répondit aimablement Lady Russell.

— La connaissance d'Anne ? dit Mary, je pense qu'il est plutôt la mienne, car je l'ai vu tous les jours, pendant cette dernière quinzaine.

— Eh bien, il est votre connaissance commune, et je serai donc très heureuse de voir le capitaine Benwick.

— Vous ne trouverez rien de bien agréable en lui, je vous assure, madame. C'est un des garçons les plus ennuyeux que la terre ait portés. Il s'est promené parfois avec moi, d'un bout à l'autre de la plage, sans dire un mot. Ce n'est pas du tout un jeune homme bien élevé. Je suis sûre que vous ne l'aimerez pas.

— Ici nous différons, Mary, dit Anne. Je crois que Lady Russell l'aimerait. Je crois que son esprit lui plairait tellement qu'elle ne verrait bientôt aucune faute dans ses manières.

— Moi aussi, Anne, dit Charles, je suis sûr que Lady Russell l'aimerait. C'est tout à fait son genre. Donnez-lui un livre, il lira toute la journée.

— Pour cela, il le fera, s'exclama Mary, sarcastique. Il restera collé à son livre sans se rendre compte qu'on lui parle, qu'on laisse tomber ses ciseaux ou qu'il se passe quelque chose. Croyez-vous que Lady Russell aimerait cela ?

Lady Russell ne put s'empêcher de rire.

— Ma parole, dit-elle, je n'aurais jamais supposé que l'opinion d'une femme aussi sérieuse et terre à terre que moi pût prêter à des conjectures si différentes. Je suis vraiment curieuse de voir la personne qui donne lieu à ces appréciations diamétralement opposées. Je voudrais que le capitaine Benwick fût amené à nous rendre visite. Et lorsqu'il l'aura fait, Mary, vous pouvez être certaine que vous entendrez mon opinion ; mais je suis résolue à ne pas porter sur lui de jugement préconçu.

— Vous ne l'aimerez pas, j'en réponds.

Lady Russell se mit à causer d'autre chose. Mary parla avec animation de la façon extraordinaire dont ils avaient rencontré, ou plutôt manqué, M. Elliot.

— C'est là un homme, dit Lady Russell, que je n'ai nulle envie de voir. Son refus d'être en termes cordiaux avec le chef de sa famille m'a laissé une très forte impression défavorable à son endroit.

Cette décision mit un frein à l'exaltation de Mary et la coupa court au milieu de l'air des Elliot.

Sur le sujet du capitaine Wentworth, bien qu'Anne ne risquât aucune question, il y eut suffisamment de renseignements spontanés. Son moral s'était bien relevé, dernièrement, comme on pouvait s'y attendre. Comme Louise, il allait mieux ; il était maintenant un tout autre homme que ce qu'il avait été la première semaine. Il n'avait pas vu Louise ; et craignait si fort les conséquences fâcheuses qui pourraient résulter pour elle de leur rencontre, qu'il ne voulait pas du tout la précipiter ; au contraire, il semblait projeter de quitter Lyme pour une semaine ou dix jours, en attendant que la jeune fille allât mieux. Il avait parlé de descendre à Plymouth pour une semaine et avait voulu persuader le capitaine Benwick de l'accompagner ; mais, comme Charles le maintint jusqu'au bout, le capitaine Benwick semblait beaucoup plus disposé à faire un tour du côté de Kellynch.

Dès lors Lady Russell et Anne pensèrent, sans doute, plus d'une fois au capitaine Benwick. Lady Russell ne pouvait entendre retentir la clochette de sa porte sans se dire que c'était peut-être son messager ; et Anne ne pouvait revenir de ses promenades favorites et solitaires qu'elle faisait dans le parc de son père, ou de ses visites de charité au village, sans se demander si elle allait le voir ou entendre de ses nouvelles. Mais non, le capitaine Benwick ne vint pas. Il y était peut-être moins disposé que Charles ne se l'était imaginé, ou bien il était trop timide ; et après lui avoir accordé une semaine de clémence, Lady Russell décida qu'il ne méritait pas l'intérêt qu'il avait commencé à exciter en elle.

Les Musgrove rentrèrent pour recevoir leurs heureux garçons et filles qui arrivaient de l'école ; ils ramenaient avec eux les petits enfants de Mme Harville pour parachever le bruit d'Uppercross et réduire celui de Lyme. Henriette restait avec Louise ; mais tout le reste de la famille se retrouvait à sa place habituelle.

Lady Russell et Anne vinrent un jour leur présenter leurs compliments ; et Anne dut se rendre compte qu'Uppercross avait déjà repris toute son animation. Bien que ni Henriette, ni Louise, ni Charles Hayter, ni le capitaine Wentworth ne fussent là, la pièce faisait le plus grand contraste que l'on pût désirer avec l'aspect qu'elle lui avait vu la dernière fois.

Entourant immédiatement Mme Musgrove, se trouvaient les petits Harville qu'elle protégeait avec soin de la tyrannie des deux bambins de la villa qu'on avait fait venir expressément pour les amuser. D'un côté, il y avait une table, occupée par des fillettes babillardes qui découpaient de la soie et du papier doré ; et de l'autre, il y avait des traverses posées sur tréteaux qui ployaient sous le poids de pâtés et de viandes froides devant lesquels des garçons tapageurs faisaient grande bombance ; et, pour compléter le tout, un feu ronflant de Noël qui avait l'air bien décidé à se faire entendre malgré tout le bruit des autres. Charles et Mary arrivèrent également, au cours de leur visite ; et M. Musgrove, qui se faisait un devoir de présenter ses hommages à Lady Russell, resta assis près d'elle dix bonnes minutes, parlant très haut, mais, vu les clameurs des enfants qu'il avait sur ses genoux, surtout en pure perte. C'était un beau tableau de famille.

Jugeant d'après son tempérament, Anne n'eût pas estimé que cet ouragan domestique fût un traitement indiqué pour les nerfs de Louise, que sa maladie avait dû ébranler si fort ; mais Mme Musgrove, qui avait fait venir Anne près d'elle pour la remercier mille fois, d'une façon très chaleureuse, de toutes ses attentions à leur égard, conclut une brève récapitulation de ses propres souffrances, en observant, après avoir promené autour d'elle un regard de bonheur, qu'après tout ce qu'elle avait souffert, il n'y avait rien de tel qu'un peu de gaieté tranquille chez soi.

Louise guérissait maintenant à vue d'œil. Sa mère pouvait même songer à la voir rejoindre sa famille avant que ses frères et sœurs ne repartissent à l'école. Les Harville avaient promis de venir avec elle et de rester à Uppercross dès qu'elle y reviendrait. Le capitaine Wentworth était parti pour le moment voir son frère dans le Shropshire.

— J'espère que je me souviendrai, à l'avenir, dit Lady Russell dès qu'elles se furent remises en voiture, de ne pas faire de visite à Uppercross au moment des vacances de Noël.

En fait de bruit, comme en d'autres matières, chacun a ses goûts ; et c'est la qualité des sons plus que leur quantité qui les rend parfaitement inoffensifs ou extrêmement angoissants. Quand, peu de temps après, Lady Russell fit son entrée à Bath, par un après-midi pluvieux, et que sa voiture prenait la longue série de rues qui mènent du Vieux Pont à Camden-Place parmi l'animation des autres voitures, le roulement des lourdes charrettes et des haquets, les braillements des vendeurs de journaux, des porteurs de petits pains et des laitiers et l'incessant tintement des patins, elle ne s'en plaignait pas. Non, c'étaient là des bruits qui faisaient partie des plaisirs d'hiver ; leur influence la ranimait, et comme Mme Musgrove, elle pensait, mais sans le dire, qu'après un long séjour à la campagne, il n'y avait rien de tel qu'un peu de gaieté tranquille.

Anne ne partageait pas ces sentiments. Elle persistait à vouer à Bath une aversion très silencieuse mais bien déterminée ; la première vision imprécise de vastes bâtiments fumant sous la pluie ne lui donna aucune envie de les mieux voir ; et le parcours de ces rues, si désagréable fût-il, lui semblait trop rapide ; qui, en effet, serait content de la voir quand elle arriverait chez elle ? Et elle resongeait, avec de tendres regrets, à l'agitation d'Uppercross et à sa solitude de Kellynch.

La dernière lettre d'Elizabeth lui avait fait part d'une nouvelle assez intéressante. M. Elliot était à Bath. Il était passé à Camden-Place, avait fait une deuxième, une troisième visite ; avait été d'une prévenance manifeste ; si Elizabeth et son père ne se trompaient pas, il s'était donné autant de mal pour rechercher leur connaissance et proclamer la valeur de cette parenté qu'autrefois pour afficher sa négligence. La chose était très surprenante, si elle était vraie ; et Lady Russell connaissait un mélange très agréable de curiosité et de perplexité à l'égard de M. Elliot et désavouait déjà le sentiment qu'elle avait si récemment exprimé à Mary, quand elle prétendait que c'était « un homme qu'elle n'avait nulle envie de voir ». Elle avait une grande envie de le voir. S'il recherchait vraiment la réconciliation, en parent soumis, la branche qui s'était détachée de l'arbre généalogique était remise en place, et l'on devait lui pardonner.

Cet événement n'inspirait pas autant d'intérêt à Anne, mais elle sentait qu'elle aimerait mieux revoir M. Elliot que non ; et elle n'aurait pas pu en dire autant de beaucoup d'autres personnes de Bath.

Elle fut déposée à Camden-Place, puis Lady Russell se rendit à son logement de Rivers-Street.

15

Sir Walter avait pris une très belle maison située sur la noble et digne Camden-Place, ainsi qu'il sied à un homme d'importance ; Elizabeth et lui s'y étaient établis tous deux, à leur grande satisfaction.

Anne y entra, le cœur défaillant, appréhendant un emprisonnement de plusieurs mois et se disant anxieusement : « Oh ! quand vous quitterai-je de nouveau ? » Cependant une note de cordialité inattendue dans l'accueil qu'elle reçut la mit à l'aise. Son père et sa sœur étaient contents de la voir, pour avoir le plaisir de lui montrer la maison et les meubles, et ils la rencontrèrent avec amabilité. On remarqua comme un avantage qu'on serait quatre au dîner.

Mme Clay était tout agréable et toute souriante ; mais ses révérences et ses sourires étaient davantage dans l'ordre des choses. Anne avait toujours pensé qu'elle lui ferait la comédie d'usage, à son arrivée ; mais la complaisance des autres était imprévue. Ils étaient évidemment d'excellente humeur et elle allait bientôt en écouter les raisons. Ils n'étaient nullement disposés, eux, à l'écouter. Après avoir quêté le témoignage élogieux des vifs regrets que causait leur absence parmi leur ancien voisinage et qu'elle ne put leur fournir, ils n'eurent plus que de vagues questions à poser, avant de s'emparer de la conversation. Uppercross n'excitait aucun intérêt en eux, Kellynch presque pas : il n'y en avait que pour Bath.

Ils eurent le plaisir de lui assurer que Bath avait dépassé leur attente à tous égards. Leur maison était incontestablement la meilleure de Camden-Place ; leurs salons avaient des avantages très nets sur tous les autres qu'ils avaient vus ou entendu décrire ; et la supériorité n'était pas moindre en ce qui concernait le style de la décoration ou le goût des meubles. On recherchait extrêmement leur connaissance. Ils avaient évité plusieurs présentations et pourtant ils voyaient constamment déposer chez eux des cartes de gens dont ils ne savaient rien.

Il y avait là une mine de plaisirs. Anne allait-elle s'étonner de ce que son père et sa sœur fussent heureux ? Si elle ne le faisait pas, elle devait soupirer à la pensée que son père ne sentait aucune dégradation dans son changement de position, ne voyait rien à regretter des devoirs et de la dignité du propriétaire résidant sur ses terres et trouvait tellement matière à vanité dans la petitesse d'une ville. Et elle dut soupirer, sourire et s'étonner aussi – tandis qu'Elizabeth ouvrait les portes à deux battants et marchait avec exultation d'un salon à l'autre en se vantant de leurs dimensions spacieuses – à l'idée que cette femme qui avait été maîtresse du château de Kellynch pût être fière d'une superficie comprise entre des murs distants, peut-être, de trente pieds.

Mais il n'y avait pas que cela pour faire leur bonheur : il y avait aussi M. Elliot. Anne dut entendre parler beaucoup de M. Elliot. Non seulement on lui avait pardonné, mais on était ravi de le voir. Il était à Bath depuis une quinzaine de jours (en route pour Londres, en novembre, il était passé par Bath, où la nouvelle que Sir Walter s'y était fixé lui était évidemment parvenue, dans les vingt-quatre heures qu'il y était resté, mais il avait été dans l'incapacité de la mettre à profit) ; mais il était à Bath depuis une quinzaine de jours et son premier geste, dès son arrivée, avait été de laisser sa carte à Camden-Place, et il l'avait fait suivre de tels efforts assidus pour les rencontrer, et lorsqu'ils se furent rencontrés, d'une telle franchise de conduite, d'un tel empressement à s'excuser du passé, d'une telle sollicitude à être reçu de nouveau comme un membre de la famille, que la bonne entente d'autrefois s'était tout à fait rétablie.

Ils n'avaient pas une faute à lui reprocher. Il avait éclairci toutes les apparences de négligence qui étaient à sa charge. Elles étaient basées entièrement sur un malentendu. Il n'avait jamais eu l'idée de rompre avec eux ; il avait craint qu'on n'eût rompu avec lui, et par délicatesse, avait gardé le silence. Quant aux insinuations selon lesquelles il aurait parlé irrévérencieusement ou légèrement de sa famille, elles le révoltaient. Lui, qui s'était toujours vanté d'être un Elliot et dont les sentiments sur les liens du sang étaient justement trop stricts pour plaire au goût plébéien du jour ! Vraiment, il était étonné ! Mais son caractère et sa conduite générale devaient réfuter ces bruits. Il pouvait renvoyer Sir Walter à tous ceux qui le connaissaient ; et, certes, la peine qu'il s'était donnée, dès que s'était présentée l'occasion de la réconciliation, pour reprendre sa position de parent et d'héritier présomptif était une preuve valable de ses opinions sur ce sujet.

On trouva que son mariage aussi comportait des circonstances atténuantes. C'était une question qu'il ne pouvait aborder lui-même ; mais un de ses amis intimes, un certain colonel Wallis, homme très honorable, parfait gentleman (et ne manquant pas d'allure, ajoutait Sir Walter) qui menait un excellent train de vie à Marlborough Buildings, et qui, sur sa demande particulière, avait été admis à faire leur connaissance, grâce à M. Elliot, leur avait donné un ou deux détails sur ce mariage, qui apportaient une notable modification au discrédit qui en avait rejailli sur son ami.

Le colonel était lié depuis longtemps avec M. Elliot, avait beaucoup connu sa femme et il avait compris parfaitement toute leur histoire. Sans être, assurément, une fille de famille, elle était instruite, accomplie, riche et excessivement amoureuse de son ami. Tout le charme avait été là. Elle l'avait recherché. Sans cet attrait, tout son argent n'aurait jamais tenté Elliot et Sir Walter était assuré, de plus, qu'elle avait été une très belle femme. Voilà qui arrangeait grandement les choses. Une très belle femme, avec une grande fortune, amoureuse de lui ! Cela constituait, Sir Walter semblait l'admettre, une parfaite excuse et Elizabeth, encore qu'elle ne pût voir cette circonstance sous un jour aussi favorable, voulait bien la trouver atténuante.

M. Elliot était passé chez eux à plusieurs reprises, avait dîné une fois avec eux, manifestement ravi par cette marque de faveur, car ils ne donnaient pas de dîner, en général ; ravi, en un mot, par toutes les preuves d'attention de ses cousins et mettant tout son bonheur à être traité en intime à Camden-Place.

Anne écoutait, mais sans comprendre tout à fait. Il fallait faire la part (assez considérable) des idées de ses interlocuteurs. C'était une histoire embellie qu'elle entendait. Tout ce qui paraissait bizarre et déraisonnable, à ses oreilles, dans le développement de la réconciliation pouvait n'avoir d'origine que dans le langage des narrateurs. Pourtant, elle avait tout de même le sentiment qu'il y avait un motif secret à ce désir de M. Elliot d'être bien reçu par eux, après un intervalle de tant d'années. Du point de vue mondain, il n'avait rien à gagner à ce commerce, rien à risquer d'un état de désaccord. Selon toute probabilité, il était déjà le plus riche des deux et le domaine de Kellynch lui appartiendrait par la suite aussi sûrement que le titre. Pourquoi cet homme sensé – et il lui avait paru *très* sensé – en ferait-il son but ? Elle n'avait qu'une solution à proposer : c'était, peut-être, à cause d'Elizabeth. Il avait pu vraiment avoir un penchant pour elle autrefois, bien que les convenances et le hasard l'eussent entraîné ailleurs ; et maintenant qu'il pouvait se permettre d'agir à sa guise, il pouvait avoir l'intention de lui faire la cour. Elizabeth était assurément très belle, avait des manières raffinées et élégantes et M. Elliot n'avait peut-être jamais pénétré son caractère, car il ne l'avait connue qu'en public et alors qu'il était lui-même très jeune. A quel point ce même caractère et son intelligence pouvaient-ils supporter l'investigation d'un regard que l'âge avait rendu plus perçant ?

C'était là une autre histoire... plutôt inquiétante. Et c'est de toute sa force qu'elle désirait qu'il ne fût ni trop délicat, ni trop observateur, si Elizabeth était son objet ; Elizabeth était-elle disposée à le croire, et son amie Mme Croft encourageait-elle cette idée ? Il y eut entre elles un ou deux coups d'œil, tandis qu'on parlait des fréquentes visites de M. Elliot, qui semblèrent le prouver.

Anne dit qu'elle l'avait entrevu à Lyme, mais on n'y fit guère attention : « Oh ! oui, c'était peut-être M. Elliot. Ils ne savaient pas. Cela pouvait être lui. C'était possible. » Ils ne pouvaient l'écouter faire son portrait. Ils le faisaient eux-mêmes ; Sir Walter en particulier. Il rendit justice à son allure de vrai gentleman, à son élégance de manières et de costumes, à son regard intelligent ; mais en même temps « il devait déplorer le défaut de sa mâchoire inférieure trop avançante et que l'âge semblait avoir accentué ; il ne pouvait, non plus, prétendre que dix ans n'eussent pas altéré fâcheusement presque tous ses traits. Il était apparu que M. Elliot avait trouvé que Sir Walter n'avait pas du tout changé depuis leur dernière séparation ; mais Sir Walter n'avait pu lui rendre entièrement le compliment, ce qui l'avait embarrassé. Cela ne signifiait pas, cependant, qu'il fût mécontent de lui. M. Elliot était plus agréable à regarder que la plupart des hommes, et il ne s'opposait pas à ce qu'on le vît avec lui n'importe où. »

On ne parla, pendant toute la soirée, que de M. Elliot et de ses amis de Marlborough Buildings. « Le colonel Wallis avait été si impatient de leur être présenté ! et M. Elliot si désireux que cela se fît... ! » Et il y avait une Mme Wallis qu'ils ne connaissaient pour le moment que de description, car elle attendait un bébé d'un jour à l'autre, mais M. Elliot avait parlé d'elle comme d'« une femme absolument charmante qui méritait tout à fait d'être connue à Camden-Place » et dès qu'elle se serait relevée, ils feraient sa connaissance. Sir Walter pensait beaucoup à Mme Wallis : on disait qu'elle était extrêmement jolie, une beauté. « Il lui tardait de la voir. Il espérait qu'elle compenserait un peu toute la laideur qu'il côtoyait constamment dans la rue. Ce qu'il y avait de pire à Bath, c'était cette quantité de laiderons. Il ne voulait pas dire qu'il n'y eût pas de jolies femmes, mais le nombre des laides y défiait toute proportion. Il avait fréquemment observé, au cours de ses promenades, qu'à un beau visage succédaient trente, ou trente-cinq horreurs, et, un jour qu'il était dans un magasin de Bond-Street, il avait compté quatre-vingt-sept passantes, à la file, sans trouver parmi elles un visage acceptable. Cela s'était passé, il fallait le dire, par une matinée de gelée, de forte gelée : c'est à peine si une femme sur mille peut soutenir cette épreuve. Mais, il y avait pourtant une foule effrayante de femmes laides à Bath ! Quant aux hommes ! c'était encore plus terrible. Ah ! les épouvantails qui remplissaient les rues ! Ce qui prouvait combien les femmes était peu accoutumées à voir quelqu'un d'à peu près bien, c'est l'effet que produisait sur elles un homme d'apparence décente. Il ne s'était promené nulle part, bras dessus bras dessous, avec le colonel Wallis (qui avait une belle prestance militaire, mais des cheveux roux) sans remarquer que les yeux de toutes les femmes se portaient sur lui ; les yeux de toutes les femmes, à coup sûr, se portaient sur le colonel Wallis. » Le modeste Sir Walter ! On ne le laissa pas s'esquiver, quand même. Sa fille et Mme Clay insinuèrent d'une même voix que le compagnon du colonel Wallis pouvait présenter aussi bien que le colonel Wallis, et certes sans avoir ses cheveux roux.

— Comment va la beauté de Mary ? dit Sir Walter au comble de la bonne humeur. La dernière fois que je l'ai vue, elle avait le nez rouge, mais j'espère que cela ne lui arrive pas tous les jours.

— Oh ! non, ce devait être tout à fait accidentel. En général, elle a joui de toute sa santé et de toute sa beauté depuis la Saint-Michel.

— Si je pensais que cela ne l'inciterait pas à sortir par ces vents glacés et à gâter son teint, je lui enverrais une pelisse et un chapeau neufs.

Anne se demandait si elle allait se permettre de suggérer qu'une robe ou un bonnet ne risqueraient pas d'être si mal employés, lorsqu'un coup à la porte suspendit toute conversation. Frapper à la porte ! et si tard ! Il était dix heures. Cela pouvait-il être M. Elliot ? Ils savaient qu'il devait dîner à Lansdown Crescent. Il était possible qu'il s'arrêtât au retour pour leur demander comment ils allaient. Ils ne pouvaient penser que ce fût quelqu'un d'autre. Mme Clay était sûre que c'était le coup de marteau de M. Elliot. Mme Clay avait raison. Avec toute la cérémonie que rendaient possible un maître d'hôtel et un groom, M. Elliot fut introduit dans le salon.

C'était le même homme, exactement le même, avec une simple différence d'habit. Anne se retira légèrement, tandis que les autres recevaient ses hommages et sa sœur ses excuses pour la visite qu'il leur faisait à une heure si insolite, mais « il ne pouvait passer si près d'eux sans désirer savoir si Elizabeth ou son amie n'avait pas pris froid la veille, etc. », ce qui fut fait et accepté aussi poliment qu'il était possible, mais le tour d'Anne devait maintenant venir. Sir Walter parla de sa fille cadette :

« M. Elliot devait lui permettre de le présenter à sa fille cadette » (ce n'était pas l'occasion de mentionner Mary) et Anne, avec un sourire et une rougeur qui lui seyaient parfaitement, montra à M. Elliot les traits charmants qu'il n'avait nullement oubliés et, amusée par son petit tressaillement de surprise, vit aussitôt qu'il n'avait pas su du tout alors qui elle était. Son étonnement semblait très grand, mais son plaisir ne semblait pas moindre : ses yeux brillèrent et c'est avec l'empressement le plus parfait qu'il accueillit ce cousinage, fit allusion au passé et supplia qu'on le reçût déjà comme une connaissance. Il était aussi élégant qu'à Lyme ; ses paroles rehaussaient son expression et ses manières étaient si exactement ce qu'elles devaient être, si raffinées, si aisées, si singulièrement agréables qu'elle ne les pouvait comparer en excellence qu'à celles d'une seule personne. Elles n'étaient pas les mêmes, mais elles étaient peut-être d'aussi bon ton.

Il s'assit avec eux et releva beaucoup l'intérêt de leur conversation. Il ne pouvait y avoir de doute qu'il fût un homme sensé. Dix minutes suffisaient à en convaincre. Son ton, ses expressions, le choix de ses sujets, son discernement des limites… tout cela était l'opération d'un esprit sensé et judicieux. Dès qu'il le put, il se mit à lui parler de Lyme : il désirait comparer leurs opinions sur cette ville, mais surtout rappeler la coïncidence qui les avait logés à la même auberge, au même moment ; qui lui avait fait céder le passage à sa cousine, sentir quelque chose en elle et regretter d'avoir perdu une pareille occasion de lui présenter ses hommages. Elle lui fit un petit récit de leur excursion et de leurs occupations de Lyme. Ces paroles ne firent qu'accroître ses regrets. Il avait passé seul toute la soirée dans la chambre contiguë à la leur, avait entendu des voix… une gaieté continuelle ; pensé qu'ils devaient former une bande tout à fait charmante… et il aurait bien voulu être avec eux; mais sans se douter le moins du monde qu'il eût le moindre droit de se présenter. S'il eût seulement demandé qui étaient ces convives ! Le nom de Musgrove l'aurait suffisamment renseigné. « Eh bien ! cela servirait à le guérir de la pratique absurde de ne jamais poser de questions dans une auberge, qu'il avait adoptée dans sa jeunesse, en partant du principe que " ce n'était pas bien " d'être curieux. »

« Les notions d'un jeune homme de vingt et un ou vingt-deux ans, dit-il, sur ce qui est l'idéal de la tenue sont plus absurdes, j'en suis convaincu, que celles de n'importe quelle créature au monde. La folie des moyens qu'ils emploient souvent n'a d'égale que la folie du but qu'ils se proposent. »

Ses questions finirent tout de même par provoquer le récit de la scène à laquelle elle avait été mêlée peu après qu'il eut quitté Lyme. Comme elle avait fait allusion à « un accident » il fallut qu'il entendît toute l'histoire. Lorsqu'il l'interrogea, Sir Walter et Elizabeth se mirent aussi à l'interroger; mais la différence de leur manière de faire ne pouvait lui échapper. Elle ne pouvait comparer M. Elliot qu'à Lady Russell pour le désir de comprendre réellement ce qui s'était passé et l'inquiétude sincère de connaître ce qu'elle avait dû souffrir en y assistant.

Il resta une heure avec eux. L'élégante pendulette de la cheminée avait fait retentir « ses onze coups argentins » et le veilleur, dans le lointain, commençait à dire la même histoire, avant que M. Elliot ou l'un d'eux ne parût se rendre compte que celui-ci était là depuis longtemps.

Anne n'aurait jamais imaginé que sa première soirée à Camden-Place eût pu se passer si bien !

16

A son retour dans sa famille, Anne eût été heureuse, plus encore que d'apprendre que M. Elliot était amoureux d'Elizabeth, de vérifier que son père ne l'était pas de Mme Clay ; et elle fut bien loin d'être tranquille là-dessus, lorsqu'elle eut passé chez elle quelques heures. Comme elle descendait au petit déjeuner, le lendemain matin, elle s'aperçut que cette dame venait poliment de faire mine de vouloir les quitter. Elle pouvait imaginer que Mme Clay avait dit que « maintenant que Mlle Anne était arrivée, elle ne pouvait pas croire qu'on désirât du tout sa présence » ; car Elizabeth lui répondait, en une sorte de chuchotement : « Ce n'est vraiment pas là une raison. Je vous assure que je n'y trouve aucune valeur. Elle n'est rien pour moi, en comparaison de vous » et elle arrivait à temps pour entendre son père dire : « Chère madame, il ne faut pas faire cela. Jusqu'ici vous n'avez rien vu de Bath. Vous n'êtes restée ici que pour nous être utile. Il ne faut pas que vous nous fuyiez maintenant. Il faut que vous demeuriez pour faire la connaissance de Mme Wallis, la magnifique Mme Wallis. Pour un esprit délicat comme le vôtre, je le sais bien, le spectacle de la beauté est un vrai régal. »

Il parlait d'un air si sérieux qu'Anne ne fut pas surprise de voir Mme Clay lancer sur Elizabeth et elle-même un coup d'œil furtif. Son visage exprimait, peut-être, quelque vigilance; mais les éloges de « cet esprit délicat » ne parurent pas faire naître de pensée chez sa sœur. La dame ne put que céder à ces prières conjuguées et promettre de rester.

Au cours de la même matinée, Anne se trouvant par hasard seule avec son père, celui-ci se mit à la féliciter de sa belle mine : il la trouvait « moins maigre de sa personne; ses joues étaient moins creuses; sa peau, son teint avaient beaucoup embelli, étaient plus clairs, plus frais. Avait-elle employé un produit particulier? ».

— Non, rien!

— Simplement Gowland, supposait-il.

— Non, rien du tout.

— Ah! voilà qui le surprenait; et il ajouta : assurément vous n'avez rien de mieux à faire que de rester comme vous êtes; vous ne pouvez être mieux que cela; sinon, je vous recommanderais Gowland, l'emploi constant de Gowland, pendant les mois printaniers. Mme Clay l'a employé sur mes recommandations et vous en voyez les résultats. Vous voyez comme cela lui a enlevé ses taches de rousseur.

Si seulement Elizabeth avait pu entendre ces mots! Pareil éloge l'aurait peut-être frappée, d'autant plus qu'Anne ne voyait pas que les taches de rousseur de Mme Clay eussent diminué le moins du monde. Mais ce qui devait arriver arriverait! Le désavantage de ce mariage serait bien atténué, si Elizabeth devait aussi se marier. Quant à elle, elle pourrait toujours disposer d'un foyer chez Lady Russell.

La tranquillité d'esprit et la politesse de manières de Lady Russell furent mises à l'épreuve, sur ce point, au cours de ses visites à Camden-Place. Le spectacle de Mme Clay, tellement en faveur, et d'Anne si négligée, y était une perpétuelle provocation pour elle et elle en était fâchée, quand elle les quittait, autant qu'on peut l'être à Bath, quand on boit les eaux, reçoit toutes les nouvelles publications et qu'on a une foule de relations.

Quand elle vint à connaître M. Elliot, elle devint plus charitable ou plus indifférente à l'égard des autres. Ses manières le recommandaient, dès l'abord ; et dans leurs conversations, elle trouva que le fond en lui répondait si pleinement à l'extérieur que, comme elle le raconta à Anne, elle avait failli s'exclamer au début : « Est-ce bien M. Elliot ? » et que, sérieusement, elle ne pouvait se représenter un homme plus agréable ou plus estimable. Toutes les qualités s'unissaient en lui : une belle intelligence, des opinions correctes, la connaissance du monde et un cœur généreux. Il avait un fort sentiment des liens de famille et de l'honneur de famille, était exempt d'orgueil comme de faiblesse ; il vivait avec la libéralité d'un homme qui a du bien, mais sans éclat exagéré ; il avait des jugements personnels sur toutes les questions essentielles, mais sans défier l'opinion publique sur un point quelconque des bienséances mondaines. Il était sérieux, observateur, modéré, sincère ; ne s'emballait jamais sous le coup d'une impulsion ou d'un égoïsme qu'il eût pris pour un sentiment puissant ; et pourtant, montrait une sensibilité pour tout ce qui est aimable et charmant et une appréciation de toutes les félicités de la vie domestique qu'un caractère à enthousiasmes de tête et à émotions violentes a peu de chances de posséder réellement. Elle était sûre qu'il n'avait pas été heureux en ménage. Le colonel Wallis le disait ; Lady Russell le voyait ; mais cette infortune n'avait pas aigri son âme et (se mit-elle bien vite à soupçonner) ne l'empêchait pas de songer à choisir une autre femme. La satisfaction que lui causait M. Elliot l'emportait, chez elle, sur toute cette calamité de Mme Clay. Cela faisait maintenant quelques années qu'Anne avait commencé à apprendre que ses opinions et celles de son excellente amie pouvaient parfois diverger ; elle ne fut donc pas surprise que Lady Russell ne vît rien de suspect ni d'inconséquent, rien qui requît plus de motifs que ceux qui étaient donnés, dans ce grand désir de réconciliation. Du point de vue de Lady Russell, il était parfaitement naturel que M. Elliot, dans son âge mûr, estimât comme un but très désirable – qui lui vaudrait partout la recommandation de tous les gens sensés – d'être en bons termes avec le chef de sa famille ; c'était l'effet, le plus simple du monde, du temps sur une tête naturellement claire qui ne s'était égarée que dans la fougue de la jeunesse. Anne se permit tout de même d'en sourire, et de citer, enfin, le nom d'Elizabeth. Lady Russell écouta, regarda et se borna à cette prudente réponse : « Elizabeth ! Fort bien. Le temps nous l'apprendra. »

C'était là une référence au futur, à laquelle Anne, après quelques observations, pensa qu'elle devait se soumettre. Elle ne pouvait rien établir, pour le moment. Dans la maison, Elizabeth devait avoir la première place ; et « Mlle Elliot » était accoutumée à une telle déférence générale, qu'il semblait presque impossible qu'elle fût l'objet d'une attention particulière. M. Elliot, d'autre part – il fallait s'en souvenir –, n'était veuf que depuis moins de sept mois. Un petit délai, de son côté, pouvait être bien excusable. Et, de fait, Anne ne pouvait jamais voir le crêpe de son chapeau sans craindre que ce fût elle qui était inexcusable de lui attribuer de telles imaginations ; car, encore que son mariage n'eût pas été très heureux, il avait duré tant d'années qu'elle ne pouvait croire que M. Elliot pût se remettre rapidement de l'impression affreuse qu'il avait cessé pour toujours.

Que cela finît d'une façon ou d'une autre, il était incontestablement leur connaissance la plus agréable de Bath ; elle ne voyait personne qui l'égalât ; et c'était pour elle un grand plaisir que de lui parler, de temps en temps, de Lyme qu'il semblait aussi vivement qu'elle désirer revoir et mieux voir. Ils passèrent en revue, un bon nombre de fois, les détails de leur première rencontre. Il lui donna à entendre qu'il l'avait regardée avec feu. Elle le savait bien; et se souvenait aussi du regard de quelqu'un d'autre.

Il ne pensait pas toujours de la même façon. Son appréciation du rang et de la parenté, s'aperçut-elle, était plus forte que la sienne. Ce n'était pas la complaisance, ce devait être le goût de la cause qui lui fit épouser avec empressement les sollicitudes de son père et de sa sœur sur un sujet qu'elle n'estimait pas digne de les provoquer : le journal de Bath annonça un matin l'arrivée de la vicomtesse douairière Dalrymple et de sa fille l'honorable demoiselle Carteret ; et d'un coup, toute la paix de Camden-Place, n° ..., fut abolie pour plusieurs jours ; car les Dalrymple (bien malheureusement, pensait Anne) étaient cousins des Elliot ; et le tourment était de trouver la façon appropriée de se présenter.

Anne n'avait jamais encore vu son père et sa sœur en contact avec la noblesse; aujourd'hui, elle devait s'avouer déçue. Vu la haute opinion qu'ils professaient de leur propre situation dans le monde, elle avait espéré mieux de leur part... et en fut réduite à former un vœu qu'elle n'avait jamais prévu, le vœu qu'ils eussent plus de fierté; car « nos cousines, Lady Dalrymple et Mlle Carteret », « nos cousines, les Dalrymple » tintaient à ses oreilles à longueur de journée.

Sir Walter s'était trouvé une fois en compagnie de feu le vicomte, mais n'avait jamais vu le reste de sa famille, et les difficultés du cas provenaient de la suspension de tout échange de lettres d'usage entre eux, qui datait de la mort même dudit vicomte, car, à la suite d'une maladie qui menaçait la vie de Sir Walter au même moment, Kellynch s'était montré coupable d'une malencontreuse omission. Aucune lettre de condoléances n'avait été envoyée en Irlande. Le châtiment de cette négligence s'était abattu sur la tête du pécheur, car lorsque la pauvre Lady Elliot mourut à son tour, Kellynch ne reçut aucune lettre de condoléances et, par conséquent, il n'y avait que trop lieu de croire que les Dalrymple considéraient désormais cette parenté comme inexistante. Comment arranger cette inquiétante affaire et se faire admettre de nouveau comme cousins, telle était la question ; et c'était une question que, d'une façon plus raisonnable, ni Lady Russell ni M. Elliot ne trouvaient négligeable. « Il valait toujours la peine de conserver ses alliances et de rechercher la bonne compagnie ; Lady Dalrymple avait pris, pour trois mois, une maison, à Laura-Place et y mènerait grand train. Elle avait séjourné à Bath, l'année précédente, et Lady Russell avait entendu parler d'elle comme d'une femme charmante. Il était très désirable que ce lien fût renoué, s'il était possible, sans que les Elliot fissent la moindre concession incompatible avec leur dignité. »

Sir Walter, néanmoins, se réservait de choisir ses propres moyens et finit par écrire une superbe lettre pleine d'amples explications, de regrets et de prières à sa Très Honorable Cousine. Ni Lady Russell ni M. Elliot ne purent admirer cette lettre, mais elle atteignit pleinement ses fins en attirant à son auteur trois lignes de griffonnage de la vicomtesse douairière. « Elle en était très honorée et serait heureuse de faire leur connaissance. » Le plus pénible de l'affaire étant passé, ce fut le tour des plaisirs. Ils rendirent visite à Laura-Place, ils firent disposer les cartes de la vicomtesse douairière Dalrymple et de l'honorable demoiselle Carteret aux endroits où elles seraient le plus visibles et l'on parla à tout le monde de « nos cousines de Laura-Place » et de « nos cousines Lady Dalrymple et Mlle Carteret ».

Anne en avait honte. Quand même Lady Dalrymple et sa fille eussent été très agréables, elle aurait eu honte de l'agitation qu'elles provoquaient ; mais elles étaient insignifiantes. Elles ne se distinguaient ni par leurs manières, ni par leurs talents, ni par leur intelligence. Lady Dalrymple avait acquis le renom de « femme charmante », parce qu'elle avait un sourire et une réponse polie pour chacun. Mlle Carteret, qui avait encore moins à dire, était si laide et si gauche qu'on ne l'eût jamais tolérée à Camden-Place, n'eût été sa naissance.

Lady Russell reconnut qu'elle s'était attendue à mieux ; mais c'était pourtant « une connaissance qu'il était bon d'avoir » et quand Anne se risqua à dire à M. Elliot l'opinion qu'elle avait sur elles, il convint qu'elles ne valaient rien en elles-mêmes, mais maintint cependant qu'en tant que parentes, en tant que personnes de bonne compagnie et qui réuniraient autour d'elles de la bonne compagnie, elles avaient leur valeur. Anne sourit et dit :

— A mon idée, la bonne compagnie, monsieur Elliot, se compose de gens intelligents et cultivés, qui ont de la conversation ; voilà ce que j'appelle la bonne compagnie.

— Vous faites erreur, lui dit-il avec douceur, cela n'est pas la bonne compagnie. C'est la meilleure. La bonne compagnie ne requiert que de la naissance, de l'éducation et des manières, et pour ce qui est de l'éducation, n'est pas très exigeante. La naissance et les manières y sont essentielles, mais un peu de savoir ne fait pas de mal, en bonne compagnie, au contraire, cela fait très bien. Ma cousine Anne secoue la tête. Cela ne la satisfait pas. Elle est difficile. Ma chère cousine (fit-il en s'asseyant près d'elle), vous êtes plus qualifiée pour être difficile que presque toutes les autres femmes que je connaisse, mais, à quoi bon ? En serez-vous plus heureuse ? Ne serait-il pas plus sage d'accepter la société de ces bonnes dames de Laura-Place et de profiter des avantages de cette parenté aussi longtemps que possible ? Croyez-m'en, elles fréquenteront l'élite de Bath cet hiver et, entre gens du monde, on saura que vous leur êtes alliée et cela servira à fixer votre famille (permettez-moi de dire : notre famille) au niveau de considération que nous devons tous lui souhaiter.

— Oui, soupira Anne. On saura, en effet, que nous leur sommes alliés ! (Puis, se reprenant et désirant ne pas recevoir de réponse, elle ajouta :) Je pense, sans aucun doute, qu'on s'est donné beaucoup trop de mal pour faire leur connaissance. Je suppose (fit-elle, en souriant) que j'ai plus de fierté que vous tous, mais, je l'avoue, je suis vraiment fâchée que nous nous soyons tant inquiétés de faire reconnaître une alliance dont nous pouvons être certains qu'elle les laisse parfaitement indifférentes.

— Pardonnez-moi, ma chère cousine, vous mésestimez votre propre valeur. A Londres, peut-être, avec le train de vie modéré que vous menez, il se pourrait qu'il en fût comme vous dites, mais, à Bath, Sir Walter Elliot et sa famille seront toujours dignes d'être connus, toujours acceptables comme relations.

— Eh bien, dit Anne, je suis certainement fière, trop fière pour m'accommoder d'un accueil qui varie si complètement avec le lieu.

— J'aime votre indignation, dit-il, elle est très naturelle. Mais ici vous êtes à Bath, et il s'agit de s'y établir avec tout le crédit et toute la dignité dont Sir Walter Elliot doit jouir. Vous affirmez être fière, on dit que je le suis, je le sais, et je ne voudrais pas avoir un autre caractère, car nos fiertés, à bien voir, doivent avoir le même but, je n'en doute nullement, encore qu'elles semblent être d'une espèce un peu différente. Sur un point, j'en suis sûr, ma chère cousine, continua-t-il plus bas, bien qu'il n'y eût personne d'autre dans la pièce, sur un point, j'en suis sûr, nous devons être du même sentiment. Nous devons penser que toute relation nouvelle que se fait votre père parmi ses égaux ou ses supérieurs peut servir à distraire ses pensées de gens placés au-dessous de lui.

Il jeta, à ces mots, un regard sur le siège que Mme Clay avait occupé tout à l'heure, expliquant ainsi suffisamment qui il voulait dire et, bien qu'elle ne pût croire qu'ils eussent la même espèce de fierté, Anne fut contente qu'il n'aimât pas Mme Clay, et elle admettait intérieurement que son désir de développer les hautes relations de son père était plus qu'excusable s'il visait à mettre cette personne en échec.

17

Tandis que Sir Walter et Elizabeth poussaient assidûment leur bonne fortune à Laura-Place, Anne renouait une connaissance d'un tout autre genre.

Elle avait rendu visite à son ancienne maîtresse et avait appris d'elle qu'il y avait à Bath une de ses vieilles compagnes d'école qui méritait son attention à deux titres : ses bontés passées, ses souffrances actuelles. Mlle Hamilton, maintenant Mme Smith, avait fait preuve de bonté envers elle à l'un des moments de sa vie où elle lui avait été la plus précieuse. Anne était retournée malheureuse à l'école, pleurant la mort d'une mère qu'elle avait tendrement aimée, ressentant la séparation d'avec sa famille et connaissant les souffrances qu'une enfant de quatorze ans, très sensible et facile à abattre, doit connaître en pareil cas; et Mlle Hamilton, son aînée de trois ans, mais qui, n'ayant ni proches parents ni foyer fixe, restait une nouvelle année à l'école, lui avait été d'un secours et d'une bonté qui avaient considérablement atténué sa douleur et dont elle ne pouvait jamais se souvenir avec indifférence.

Mlle Hamilton avait quitté l'école, s'était mariée peu après, à un homme riche, disait-on, et c'était là tout ce qu'Anne avait su d'elle jusqu'à ce que le récit de sa maîtresse lui eût présenté sa situation sous une forme plus nette, mais bien différente.

Elle était veuve et pauvre. Son mari avait été dépensier et, à sa mort, survenue deux ans plus tôt, avait laissé ses affaires terriblement compromises. Elle avait dû faire face à toutes sortes de difficultés et, pour compléter ses misères, un grave rhumatisme articulaire l'avait frappée, s'était fixé dans les jambes et la rendait infirme pour le moment. Elle s'était rendue à Bath à cause de cela et habitait maintenant en meublé, près des bains, menant une vie très humble, incapable même de s'offrir les services d'une domestique et, bien entendu, presque exclue de la société.

Leur amie commune répondait de la satisfaction qu'une visite de Mlle Elliot donnerait à Mme Smith, et, par conséquent, Anne ne perdit pas de temps pour la faire. Elle ne fit part, chez elle, ni de cette histoire ni de ses projets. Cela n'y éveillerait aucun véritable intérêt. Elle consulta seulement Lady Russell, qui entra entièrement dans ses sentiments et fut très heureuse de conduire Anne, aussi près qu'elle le désirait, de Westgate Buildings, où logeait Mme Smith.

La visite fut faite, la connaissance renouée et leur intérêt mutuel plus que ravivé. Les dix premières minutes furent pleines de gaucherie et d'émotion. Douze ans s'étaient écoulés depuis qu'elles s'étaient séparées et chacune voyait en l'autre une personne quelque peu différente de l'image qu'elle s'en était faite. Douze ans avaient fait de la fraîche et silencieuse Anne, adolescente non encore formée, l'élégante petite dame de vingt-sept ans, douée de toutes les beautés – à l'exception de son premier éclat – dont la justesse lucide de façons en égalait l'invariable douceur, et douze ans avaient transformé la belle jeune fille qu'était alors Mlle Hamilton, toute rayonnante de santé et sûre de sa supériorité, en une pauvre veuve infirme et impuissante, qui recevait la visite de son ancienne protégée comme une faveur; mais, tout ce qu'il y avait d'embarrassant dans leur rencontre fit bientôt place au seul charme captivant d'évoquer d'anciennes préférences et de causer du temps passé.

Anne trouva en Mme Smith le bon sens et les agréables manières qu'elle s'était permis d'escompter et une disposition à converser et à être gaie, qui dépassait son attente. Ni les gaspillages du passé – et elle avait beaucoup fréquenté le monde – ni les gênes du présent, ni la maladie, ni la peine ne semblaient avoir fermé son cœur ou ruiné sa belle humeur.

Au cours d'une seconde visite, elle parla avec une grande franchise, et l'étonnement d'Anne alla croissant. Elle avait peine à imaginer une situation plus désolée en elle-même que celle de Mme Smith. Elle avait eu une grande affection pour son mari et l'avait enterré. Elle avait été accoutumée à l'abondance et l'avait perdue. Elle n'avait pas d'enfant qui la rattachât à la vie ou au bonheur, pas de famille qui l'aidât à mettre de l'ordre dans ses affaires embrouillées, pas de santé qui lui rendît le reste supportable. Son logement se limitait à un salon bruyant et à une chambre à coucher obscure, en retrait ; elle ne pouvait se déplacer de l'un à l'autre sans aide (et il n'y avait dans la maison qu'une domestique pour la lui fournir) et ne sortait jamais que pour être menée aux bains chauds. Et pourtant, malgré tout cela, Anne avait des raisons de croire que, pour quelques moments de lassitude et de dépression, elle avait des heures d'activité et de satisfaction. Comment était-ce possible ? Elle observa… examina… réfléchit et décida, finalement, que ce n'était pas là un simple cas de force d'âme ou de résignation. Un esprit soumis pouvait être patient, une forte intelligence pouvait donner la résolution, mais il y avait là quelque chose de plus ; il y avait là une élasticité d'esprit, une disposition à se consoler, une faculté de passer aisément du mal au bien et de trouver une occupation qui la distrayait d'elle-même qui ne venait que de la nature. C'était le don le plus précieux du ciel et Anne voyait en son amie un de ces cas dans lesquels il semblait, à la suite d'un décret miséricordieux, compenser presque tous les autres manques.

Il avait été un temps, lui dit Mme Smith, où elle avait pensé perdre courage. Elle ne pouvait se dire invalide maintenant en comparaison de l'état où elle était, au moment de son arrivée à Bath. Elle avait vraiment été alors un objet de pitié, car elle avait pris froid pendant le trajet et, à peine avait-elle pris possession de sa chambre qu'elle avait dû s'aliter de nouveau, en proie à une violente douleur continuelle, et tout cela parmi des étrangers, devant la nécessité absolue d'avoir une infirmière professionnelle, à un moment où ses finances étaient particulièrement incapables de faire face à des dépenses exceptionnelles. Elle avait tenu bon, quand même, et pouvait vraiment dire que cela lui avait fait du bien. Cela l'avait réconfortée de se sentir en bonnes mains. Elle connaissait trop le monde pour s'attendre, où que ce fût, à un attachement soudain et désintéressé, mais sa maladie lui avait prouvé que sa propriétaire tenait à sa réputation et ne voulait pas en user mal avec elle et elle avait été particulièrement heureuse en ce qui avait concerné son infirmière ; c'était une sœur de sa propriétaire, infirmière de métier, qui trouvait toujours chez celle-ci un foyer lorsqu'elle était sans travail et qui, par chance, était justement libre à ce moment-là. « Et j'ai trouvé en elle, dit Mme Smith, non seulement une infirmière absolument admirable, mais une relation vraiment inestimable. Dès que je pus me servir de mes mains, elle m'apprit à tricoter, ce qui a été pour moi une grande distraction, et elle m'a donné l'occasion de faire des sacs à ouvrage et ces pelotes à épingles, ces porte-cartes auxquels vous me voyez toujours si occupée et qui me donnent les moyens de faire un peu de bien à une ou deux familles très pauvres du voisinage. Elle a beaucoup de connaissances, grâce à son métier, bien sûr, parmi des gens qui peuvent se permettre de faire des frais et elle place mes marchandises. Elle sait demander au moment voulu. On est libéral, vous le savez, lorsqu'on vient de sortir d'une violente douleur ou lorsqu'on recouvre le bienfait de la santé, et Mme Rooke sait parfaitement à quel moment s'y prendre. C'est une femme astucieuse, intelligente, sensée. Elle est bien placée pour voir la nature humaine, et elle a un fond de bon sens et d'observation qui fait d'elle une compagne infiniment supérieure aux milliers de celles qui, n'ayant reçu que “ la meilleure éducation du monde ”, ne savent rien qui mérite d'être écouté. Appelez cela du bavardage, si vous voulez, mais quand Mme Rooke a une demi-heure de loisir à m'accorder, vous pouvez être sûre qu'elle a quelque chose d'intéressant ou d'utile à me narrer, quelque chose qui nous fait mieux connaître l'humanité. On aime à apprendre ce qui se passe, à être *au fait* [1] des nouvelles modes et des dernières façons d'être frivole et sot. Pour moi, qui vis tellement seule, sa conversation, je vous l'assure, est un régal. »

Anne, loin de chicaner ce plaisir, répondit :

— Je le crois aisément. Les femmes de cette classe rencontrent de grandes occasions et, si elles sont intelligentes, peuvent bien mériter d'être écoutées. Tant d'aspects de la nature humaine se présentent, d'habitude, à leurs yeux ! Et ce n'est pas seulement ses folies qu'elles connaissent, car elles les voient parfois dans toutes les circonstances qui peuvent intéresser ou toucher. Que d'exemples elles doivent voir d'attachement ardent, désintéressé, plein d'abnégation, d'héroïsme, de force d'âme, de patience et de résignation… de tous les conflits et de tous les sacrifices qui nous ennoblissent le plus. Une chambre de malade peut souvent offrir l'équivalent de plusieurs volumes.

1. En français dans le texte.

— Oui, dit Mme Smith, mais avec un air de doute, parfois, peut-être ; cependant, je crains que les leçons n'en soient pas souvent du style élevé de votre description. Ici et là, la nature humaine peut avoir sa grandeur, à des moments d'épreuve, mais d'une façon générale, c'est sa faiblesse et non sa force qui apparaît dans la chambre d'un malade et c'est d'égoïsme et d'impatience plutôt que de générosité et de force d'âme que l'on entend parler. Il y a si peu de véritable amitié dans le monde !... et malheureusement (fit-elle plus bas d'une voix tremblante) il y en a tant qui oublient de penser aux choses sérieuses jusqu'au moment où il est presque trop tard.

Anne voyait la peine que révélaient ces sentiments. Le mari n'avait pas été ce qu'il aurait dû être et la femme avait dû connaître ce genre d'humanité qui lui faisait porter sur le monde des jugements plus sévères qu'il ne méritait, espérait-elle. Ce ne fut là, néanmoins, chez Mme Smith, qu'une émotion passagère ; elle se ressaisit et ajouta bientôt, sur un ton différent :

— Je ne pense pas que la place actuelle de mon amie Mme Rooke lui donne matière à m'intéresser ou à m'édifier. Elle soigne seulement Mme Wallis, de Marlborough Buildings (ce n'est qu'une jolie femme, sotte, dépensière, élégante, je crois), et ne m'en rapportera que des histoires de dentelles et de chiffons. J'entends tout de même profiter de Mme Wallis. Elle a beaucoup d'argent et j'ai l'intention de lui faire acheter tous les ouvrages coûteux que j'ai actuellement en train.

Anne avait rendu plusieurs visites à son amie avant que l'existence de cette personne ne fût connue à Camden-Place. Mais, à la fin, il devint nécessaire de parler d'elle. Sir Walter Elliot, Elizabeth et Mme Clay étaient revenus un matin de Laura-Place avec une brusque invitation de Lady Dalrymple pour la soirée. Anne avait déjà promis de passer sa soirée à Westgate Buildings. Elle ne fut pas fâchée d'avoir cette excuse. Ils n'avaient été invités, elle en était sûre, que parce que Lady Dalrymple, qui gardait la chambre à cause d'un mauvais rhume, était aise d'utiliser une parenté qu'on lui avait tellement imposée… Elle refusa, pour sa part, avec un grand empressement : « Elle s'était engagée à passer la soirée avec une vieille compagne d'école. » Ils ne s'intéressaient guère à tout ce qui touchait Anne, mais posèrent assez de questions pour savoir qui était cette vieille compagne d'école ; Elizabeth en montra du dédain et Sir Walter fit de l'ironie :

— Westgate Buildings, dit-il, et qui donc va voir Mlle Anne Elliot à Westgate Buildings ? – Une Mme Smith. Et qui était son mari ? Un des cinq mille monsieur Smith dont on rencontre partout le nom. Et qu'est-ce qui l'attire en elle ? Sa vieillesse et sa maladie. Ma parole, mademoiselle Elliot, vous avez les goûts les plus extravagants ! Tout ce qui révolte les autres : compagnie inférieure, piètres logements, air vicié, relations dégoûtantes… vous allèche. Mais vous pouvez sûrement remettre à demain votre visite à cette vieille dame. Elle n'est pas si près de sa fin, je présume, qu'elle n'espère voir un autre jour. Quel âge a-t-elle ? Quarante ans ?

— Non, monsieur, elle n'a pas trente et un ans, mais je ne crois pas pouvoir différer ma visite, parce que c'est la seule soirée qui nous convienne à toutes deux, avant un certain temps. Elle va demain à son bain chaud et le reste de la semaine, vous le savez, nous sommes pris.

— Mais, que pense Lady Russell de cette connaissance ? demanda Elizabeth.

— Elle n'y voit rien à censurer, répondit Anne ; au contraire, elle l'approuve et m'a prise avec elle presque toutes les fois où je rendais visite à Mme Smith.

— Quelle surprise pour Westgate Buildings que l'apparition d'une voiture arrêtée à ses trottoirs ! fit remarquer Sir Walter. La veuve de Sir Henry Russell, il est vrai, n'a pas d'ornements qui distinguent ses armoiries ; mais c'est pourtant un bel équipage et l'on sait bien, sans doute, qu'il transporte une demoiselle Elliot. Une veuve Smith qui habite Westgate Buildings ! Une pauvre veuve, entre trente et quarante ans, ayant à peine de quoi vivre ! Une simple Mme Smith, une Mme Smith de tous les jours, voilà ce que choisit comme amie Mlle Anne Elliot et, entre toutes ses connaissances possibles, ce qu'elle préfère à sa propre famille, qui appartient à la noblesse d'Angleterre et d'Irlande ! Mme Smith, quel nom !

Mme Clay, qui avait assisté à toute la scène, jugea bon, alors, de quitter la pièce. Anne avait grande envie de plaider un peu la cause de *son* amie, qui n'était pas si dissemblable de celle de la leur ; elle l'aurait pu, mais le sentiment du respect qu'elle devait à la personne de son père l'en empêcha. Elle ne répondit pas. Elle lui laissa le soin de s'aviser que Mme Smith n'était pas la seule veuve de Bath, entre trente et quarante ans, qui fût sans grands biens ni titres de noblesse.

Anne fut fidèle à son rendez-vous ; les autres au leur et, bien entendu, elle apprit, le lendemain matin, qu'ils avaient passé une soirée délicieuse. Elle avait été la seule du groupe absente, car Sir Walter et Elizabeth ne s'étaient pas seulement dévoués tout entiers au service de Mme la vicomtesse, mais ils avaient été réellement heureux de s'employer à réunir d'autres personnes autour d'elle et s'étaient donné le mal d'inviter Lady Russell et M. Elliot. M. Elliot s'était fait un devoir de quitter de bonne heure le colonel Wallis, et Lady Russell avait dû modifier l'ordre de tous ses rendez-vous de la soirée, afin de faire cette visite. Anne eut, de Lady Russell, tout le compte rendu des plaisirs que pouvait donner une soirée de ce genre. Quant à elle, ce qui devait l'y intéresser le plus, était d'apprendre que son amie et M. Elliot avaient beaucoup parlé d'elle, l'auraient voulue près d'eux, avaient regretté son absence tout en la trouvant honorable, en pareil cas. Ses visites amicales et compatissantes à cette vieille compagne d'école, malade et dans la gêne, semblaient avoir tout à fait ravi M. Elliot. Il trouvait qu'elle était une jeune femme absolument extraordinaire : son caractère, ses manières, son esprit faisaient d'elle un modèle de la perfection féminine. Il se rencontrait avec Lady Russell dans l'appréciation de ses mérites, et Anne ne pouvait entrevoir tant d'éloges chez son amie et ne pouvait se savoir estimée si haut par un homme intelligent sans connaître les sensations agréables que son amie désirait faire naître en elle.

Lady Russell avait maintenant une opinion bien arrêtée sur M. Elliot. Elle était convaincue, à la fois, qu'il voulait gagner le cœur de la jeune fille et qu'il en était digne… et se mettait à calculer le nombre de semaines qui le délivreraient des contraintes encore rigoureuses du veuvage et lui laisseraient la liberté de déployer tout son charme au grand jour. Elle ne voulut pas parler à son amie avec la moitié de l'assurance qu'elle avait sur ce sujet ; elle ne voulut risquer guère plus que des insinuations sur l'avenir, l'attachement possible de M. Elliot, l'aspect désirable de cette alliance, à supposer que cet attachement fût réel et partagé. Anne l'écouta, et, sans pousser de grandes exclamations, se contenta de sourire en rougissant et de secouer doucement la tête.

— Je ne suis pas marieuse, comme vous le savez bien, lui dit Lady Russell, car je me rends trop bien compte de l'incertitude de tous les événements et de tous les calculs humains. Je veux simplement dire que si, à quelque temps de là, M. Elliot vous faisait la cour et que vous fussiez disposée à l'accepter, je pense que vous auriez toutes les possibilités d'être heureux ensemble. Tout le monde y verrait une alliance parfaitement assortie... mais je pense qu'elle pourrait être très heureuse.

— M. Elliot est un homme extrêmement agréable et je l'apprécie beaucoup à plusieurs égards, dit Anne, mais nous ne serions pas assortis.

Lady Russell écouta sans rien dire et ne fit que cette réponse :

— J'avoue que si je pouvais vous regarder comme la future maîtresse de Kellynch, la future Lady Elliot... tourner mes yeux vers l'avenir et vous voir occuper la place de votre chère mère, lui succéder dans tous ses droits et dans toute sa popularité, aussi bien que dans toutes ses qualités, ce serait la plus grande joie que je puisse connaître... Vous êtes le vivant portrait de votre mère, vous avez son expression, sa tournure d'esprit et s'il m'était donné de vous imaginer telle qu'elle était, avec sa situation, son nom et son foyer, maîtresse et providence des mêmes lieux et n'ayant sur elle que l'avantage d'être plus appréciée, ma très chère Anne, cela me causerait un plaisir que l'on connaît rarement à mon âge.

Anne dut tourner la tête, se lever et s'éloigner jusqu'à une table sur laquelle elle s'appuya, feignant de s'y occuper pour tâcher de maîtriser l'émotion que suscitait en elle ce tableau. Son imagination et son cœur en furent un moment ensorcelés. L'idée de devenir ce que sa mère avait été, de faire revivre le précieux nom de Lady Elliot, d'être rétablie à Kellynch et de l'appeler de nouveau sa maison, sa maison à jamais, opérait un charme auquel elle ne put résister, sur l'instant. Désirant laisser les choses se faire d'elles-mêmes, Lady Russell n'ajouta pas un mot : elle croyait que si M. Elliot avait pu, maintenant, plaider habilement sa cause… Elle croyait, en un mot, ce qu'Anne ne croyait pas. Cette même image de M. Elliot plaidant sa cause ramena le calme en elle. Le charme de Kellynch et de « Lady Elliot » s'évanouit tout entier. Elle ne pourrait jamais l'accepter. Et ce n'était pas seulement parce que son cœur n'était favorable qu'à un seul homme : son jugement, après mûre considération des possibilités de ce cas, était contre M. Elliot.

On le connaissait maintenant depuis un mois et pourtant elle n'aurait pu dire qu'elle connaissait vraiment son caractère. Qu'il fût un homme agréable et sensé, qu'il parlât bien, professât de bonnes opinions, fût capable de juger correctement en homme de principes, c'était assez clair. Il avait certainement la notion de ce qui était bien, elle ne pouvait voir un article du code moral qu'il transgressât de façon manifeste, et pourtant elle n'aurait pas osé répondre de sa conduite. Elle se méfiait du passé, sinon du présent. Les noms – qui lui échappaient parfois – d'anciens compagnons, les allusions à d'anciennes pratiques et occupations lui inspiraient défavorablement des soupçons de ce qu'il avait été. Elle vit qu'il avait eu de mauvaises habitudes; que voyager le dimanche avait été pour lui une chose courante; qu'il y avait eu une période de sa vie (qui probablement n'avait pas été courte) où il avait été, pour le moins, insoucieux de toutes les choses sérieuses ; et si, peut-être, il avait maintenant des idées toutes différentes, qui pouvait répondre de la sincérité d'un homme subtil et prudent qui avait assez vécu pour apprécier l'avantage d'une belle réputation ? Qui pouvait assurer qu'il avait réellement purifié son esprit ?

M. Elliot était raisonnable, réservé, raffiné… mais il n'était pas ouvert. On ne lui voyait aucune manifestation spontanée d'émotion, aucun mouvement d'indignation ou de joie à propos du bonheur ou du malheur des autres. C'était là, pour Anne, une imperfection très nette. Elle ne pouvait revenir de ses premières impressions. Elle prisait la franchise, la cordialité, la vivacité de caractère au-dessus de tout le reste. L'ardeur et l'enthousiasme la captivaient toujours. Elle sentait qu'elle pouvait croire tellement plus à la sincérité d'un homme à qui il échappait parfois, par mégarde ou précipitation, tel regard ou telle parole, qu'à celle d'un homme dont la présence d'esprit était invariable et que sa langue ne trahissait jamais.

M. Elliot était trop uniformément agréable. Malgré leur diversité de caractère, il plaisait à tous les hôtes de Camden-Place. Il était trop patient, était toujours bien avec tout le monde. Il lui avait parlé avec une certaine franchise de Mme Clay, avait paru très bien voir le jeu de Mme Clay et la tenir en mépris, et pourtant Mme Clay – autant que tous les autres – le trouvait agréable.

Lady Russell voyait mieux ou plus mal que sa jeune amie, car elle ne voyait rien qui excitât sa méfiance. Elle ne pouvait imaginer d'homme qui convînt plus exactement que M. Elliot et ne connaissait de sentiment plus doux que l'espoir de le voir recevoir la main de sa préférée, dans l'église de Kellynch, à l'automne prochain.

18

On était au début de février et Anne, qui était à Bath depuis un mois, attendait avec une impatience croissante des nouvelles d'Uppercross et de Lyme. Elle désirait en avoir beaucoup plus que Mary ne lui en communiquait. Et cela faisait trois semaines qu'elle n'en avait pas du tout. Elle savait seulement qu'Henriette était de nouveau chez elle et que Louise qui, pourtant, se remettait rapidement, était encore à Lyme, et elle pensait très fort à eux tous, un soir, lorsqu'on lui remit une lettre de Mary, plus épaisse que les autres, accompagnée, pour redoubler le plaisir et la surprise, des compliments de l'amiral et de Mme Croft.

Les Croft devaient être à Bath ! Quel événement intéressant pour elle ! Il était des gens vers qui se tournait tout naturellement son cœur.

— Qu'est-ce donc ? s'écria Sir Walter. Les Croft à Bath ! Les Croft qui ont pris Kellynch ? Que vous ont-ils apporté ?

— Une lettre de la villa, monsieur.

— Oh ! ces lettres sont de commodes passeports. Elles permettent de se présenter. De toute façon, j'aurais cependant rendu visite à l'amiral Croft. Je sais ce qui est dû à mon locataire.

Anne ne put en écouter davantage ; elle n'aurait même pas su dire le sort que faisait son père au teint du pauvre amiral ; sa lettre l'absorbait toute. Mary l'avait commencée plusieurs jours plus tôt.

1e février...

Ma chère Anne,

Je ne m'excuse pas de mon silence, car je sais le peu de cas que l'on fait des lettres dans un endroit comme Bath. Vous devez y être beaucoup trop heureux pour vous soucier d'Uppercross dont, vous le savez bien, il n'y a pas grand-chose à dire. Nous avons passé une Noël bien ennuyeuse ; M. et Mme Musgrove n'ont pas eu d'invités, de toutes les vacances, car je ne tiens pas compte des Hayter. Les vacances sont quand même terminées ; je crois que je n'en ai jamais vu d'aussi longues. En tout cas, je n'en ai jamais eu de pareilles. Hier, les écoliers ont quitté la maison, à l'exception des petits Harville, mais vous serez surprise d'apprendre qu'ils ne sont pas allés du tout chez eux. Mme Harville doit être une mère étrange pour se séparer d'eux si longtemps. Je ne le comprends pas. Ils ne sont pas le moins du monde gentils, à mon avis, mais Mme Musgrove a l'air de les aimer autant, si ce n'est plus, que ses petits-enfants.

Quel temps affreux nous avons eu ! On ne s'en rend peut-être pas compte à Bath, avec vos belles rues pavées, mais à la campagne, cela a son importance. Je n'ai pas eu la moindre visite depuis la deuxième semaine de janvier, sauf celles de Charles Hayter, trop fréquentes à mon gré. Entre nous, je pense qu'il est bien dommage qu'Henriette ne soit pas restée à Lyme aussi longtemps que Louise, cela l'aurait écartée un peu de son chemin.

La voiture est partie aujourd'hui pour ramener demain Louise avec les Harville. Nous ne sommes, pourtant, invités à dîner avec eux qu'après-demain ; Mme Musgrove a tellement peur que le trajet ne la fatigue, ce qui est assez improbable, étant donné le soin que l'on prendra d'elle, et ce serait beaucoup plus commode pour moi d'y aller dîner demain.

Je suis heureuse que vous trouviez M. Elliot si agréable et j'aimerais faire également sa connaissance, mais c'est bien ma chance, je ne suis jamais là quand il se passe quelque chose d'intéressant ; toujours la dernière de la famille à être remarquée. Cela fait une éternité que Mme Clay est restée avec Elizabeth ! Ne compte-t-elle jamais s'en aller ? Mais peut-être que si elle laissait sa chambre libre, il se pourrait que nous ne soyons pas invités. Faites-moi savoir ce que vous en pensez. Vous savez, je ne m'attends pas à ce que les enfants nous accompagnent. Je peux très bien les laisser à la Grande Maison, un mois ou six semaines. J'apprends à l'instant que les Croft partent presque immédiatement pour Bath ; on croit que l'amiral a la goutte. Charles l'a appris tout à fait par hasard, ils n'ont pas eu la politesse de me faire le moindre signe ni de s'offrir de me faire une commission. Je ne crois pas qu'ils améliorent du tout leur réputation comme voisins. Nous ne les voyons jamais et voilà un cas flagrant de manque d'égards. Charles joint ses tendresses aux miennes et vous dit mille choses.

Affectueusement à vous,

Mary M…

J'ai le regret de vous dire que je suis bien loin d'être en bonne santé, et Jemima vient de m'apprendre que le boucher lui a dit qu'il y avait de graves maux de gorge dans les alentours. Je crois bien que j'en attraperai un, et mes maux de gorge, vous savez, sont pires que tous les autres.

Ainsi se terminait la première partie de la lettre ; on l'avait mise ensuite dans une enveloppe qui en contenait une seconde presque aussi longue.

J'ai laissé ma lettre ouverte afin de vous mander comment Louise a supporté son voyage et j'en suis maintenant extrêmement heureuse, car j'ai des quantités de choses à y ajouter. En premier lieu, j'ai reçu hier un billet de Mme Croft, qui s'offrait de vous apporter tout ce que je voulais ; le billet est très aimable, vraiment amical et adressé à moi, exactement comme il le fallait ; j'ai donc loisir d'allonger ma lettre autant qu'il me plaira. L'amiral ne paraît pas très fatigué, et j'espère sincèrement que Bath lui fera tout le bien dont il a besoin. Je serai vraiment heureuse de les voir de retour. Notre voisinage ne saurait se passer d'une famille aussi agréable.

Venons-en maintenant à Louise. J'ai quelque chose à vous communiquer, qui ne vous causera pas une mince surprise. Mardi elle arriva à bon port avec les Harville et le soir nous fûmes lui demander comment elle allait et nous avons été plutôt surpris de ne pas voir le capitaine Benwick parmi eux, car il avait été invité aussi bien que les Harville, et quelle en était la raison, à votre avis ? C'est, ni plus ni moins, qu'il est amoureux de Louise et qu'il ne se décide pas à s'aventurer à Uppercross avant d'avoir eu une réponse de M. Musgrove, car tout cela avait été combiné entre elle et lui avant qu'elle ne s'en allât et il avait écrit à son père une lettre qu'il avait donnée au capitaine Harville. C'est vrai, sur mon honneur. N'en êtes-vous pas étonnée ? Je serais pour le moins surprise si l'on vous en avait soufflé mot, car je n'en ai jamais rien entendu. Mme Musgrove jure ses grands dieux qu'elle ignorait toute l'histoire. Cela nous fait tout de même bien plaisir à tous, car s'il ne vaut pas le capitaine Wentworth, il vaut infiniment mieux que Charles Hayter, et M. Musgrove a donné son consentement par lettre et l'on attend aujourd'hui le capitaine Benwick. Mme Harville dit que son mari en est bien affecté, à cause de sa pauvre sœur, mais néanmoins Louise est leur grande préférée, à tous les deux. Le fait est que Mme Harville et moi pensons toutes les deux que nous l'aimons davantage pour l'avoir soignée. Charles se demande ce qu'en dira le capitaine Wentworth; mais, si vous vous en souvenez, je n'ai jamais pensé qu'il était attaché à Louise, je n'en pouvais voir aucune apparence. Et voilà qui met fin, vous voyez, aux suppositions qui faisaient du capitaine Benwick votre admirateur. Comment Charles a-t-il pu se mettre pareille idée en tête, c'est là une chose qui me dépasse. J'espère que maintenant il sera plus agréable. Ce ne sera pas un grand mariage pour Louise, mais il vaut un million de fois mieux qu'une alliance avec les Hayter.

Mary n'avait pas besoin de craindre que sa sœur ne fût tant soit peu préparée à cette nouvelle. Elle n'avait jamais été plus étonnée de sa vie. Le capitaine Benwick et Louise Musgrove ! C'était presque trop étonnant pour être croyable, et elle dut faire les plus grands efforts pour rester dans la pièce, garder un air calme et répondre aux ordinaires questions d'usage. Heureusement pour elle, il n'y en eut pas beaucoup. Sir Walter voulait savoir si les Croft voyageaient avec quatre chevaux et s'il y avait des chances qu'ils habitassent un quartier propre à recevoir la visite de Mlle Elliot et de lui-même, mais sa curiosité n'alla guère plus loin.

— Comment va Mary ? dit Elizabeth et, sans attendre de réponse : Et, je vous prie, qu'est-ce qui amène les Croft à Bath ?

— Ils viennent à cause de l'amiral. On croit qu'il a la goutte.

— Goutte ! Décrépitude ! dit Sir Walter. Pauvre vieux monsieur !

— Ont-ils des connaissances ici ? demanda Elizabeth.

— Je ne sais pas, mais j'aurais peine à croire qu'à son âge et avec son métier, l'amiral n'ait pas de connaissances dans un endroit comme celui-ci.

— Je présume, dit Sir Walter avec froideur, que l'amiral Croft sera encore mieux connu à Bath comme le locataire du château de Kellynch. Elizabeth, nous risquerons-nous à les présenter, lui et sa femme, à Laura-Place ?

— Oh ! non, je pense que non. Occupant vis-à-vis de Lady Dalrymple la position de cousins, nous devons bien prendre garde de ne pas l'embarrasser de connaissances qu'elle pourrait ne pas approuver. Si nous n'étions pas apparentés, cela n'aurait pas d'importance, mais nous sommes cousins et toute proposition de notre part lui causerait des scrupules. Nous ferions mieux de laisser aux Croft le soin de trouver leur propre niveau. On voit se promener par ici un certain nombre de curieux personnages qui, me dit-on, sont des marins. Les Croft les fréquenteront.

Ce fut tout l'intérêt que Sir Walter et Elizabeth accordèrent à la lettre et, lorsque Mme Clay se fut acquittée d'attentions plus civiles en s'enquérant de Mme Charles Musgrove et de ses beaux petits garçons, Anne se trouva libre.

Une fois dans sa chambre, elle essaya de bien comprendre la chose. C'est à bon endroit que Charles pouvait se demander comment cela affecterait le capitaine Wentworth ! Peut-être avait-il quitté la lice, abandonné Louise, cessé de l'aimer, découvert qu'il ne l'aimait pas. Elle ne pouvait tolérer l'idée que la fausseté, la légèreté ou quelque chose qui ressemblât à un préjudice pût séparer les deux amis. Elle ne pouvait tolérer qu'une déloyauté pût briser une amitié comme la leur.

Le capitaine Benwick et Louise Musgrove ! Louise avec sa belle humeur, ses joyeux propos et le capitaine Benwick avec sa mélancolie, son caractère songeur, sensible, son goût de la lecture, semblaient en tous points faits pour ne pas s'accorder. Quels esprits dissemblables ! Qu'est-ce qui avait donc pu les attirer ? La réponse se présenta bientôt à elle : c'était leur situation. Ils s'étaient brusquement trouvés ensemble pendant plusieurs semaines ; ils avaient vécu ensemble dans le même petit cercle de famille ; depuis le départ d'Henriette, ils avaient dû dépendre presque entièrement l'un de l'autre ; l'état de Louise, qui se remettait justement de son accident, la rendait intéressante et le capitaine Benwick n'était pas inconsolable. C'était une chose dont Anne n'avait pu s'empêcher de se douter déjà et, au lieu que la tournure présente des événements lui fît tirer la même conclusion que Mary, elle ne servait qu'à lui prouver qu'il avait senti poindre de la tendresse pour elle. Cela ne signifiait pas, néanmoins, qu'elle y trouvât rien qui satisfît sa vanité au-delà de ce que Mary lui eût accordé. Elle était persuadée que n'importe quelle jeune fille, moyennement agréable, qui eût semblé l'écouter avec compassion, aurait reçu le même hommage. Il avait un cœur affectueux. Il lui fallait aimer quelqu'un.

Elle ne voyait aucune raison pour qu'ils ne fussent pas heureux. Louise avait, pour commencer, une belle ferveur pour la marine et ils se ressembleraient bientôt davantage. Il y gagnerait de l'entrain et elle apprendrait à être enthousiaste de Scott et de Lord Byron, mais c'était probablement chose faite : ils étaient tombés amoureux en lisant des vers, bien entendu. L'image d'une Louise Musgrove, intellectuelle et sentimentale, était amusante, mais elle ne doutait pas qu'il en fût ainsi. La journée de Lyme, la chute de la Vieille Jetée pouvaient influencer sa santé, ses nerfs, son courage, son caractère jusqu'à la fin de sa vie aussi profondément qu'on leur voyait influencer sa destinée.

La conclusion finale était que si l'on pouvait admettre que la femme qui avait été sensible aux mérites du capitaine Wentworth pût lui préférer un autre homme, il n'y avait rien dans ces fiançailles qui dût provoquer un étonnement durable, et si le capitaine Wentworth n'y perdait pas d'amis, il n'y avait certainement rien à y regretter. Non, ce n'était pas le regret qui faisait battre son cœur malgré elle et empourprait ses joues lorsqu'elle pensait que le capitaine Wentworth était maintenant libre et sans entraves. C'était un sentiment qu'elle était confuse d'identifier. Il ressemblait trop à la joie, à une joie absurde !

Il lui tardait de voir les Croft, mais quand la rencontre eut lieu, il était évident que le bruit de cette nouvelle ne leur était pas encore parvenu. On se fit, de part et d'autre, la visite de cérémonie ; on y parla de Louise Musgrove et aussi du capitaine Benwick, sans l'ombre d'un sourire.

Les Croft avaient pris un appartement à Gay-Street, à l'entière satisfaction de Sir Walter. Il n'avait nullement honte de les connaître et, de fait, se préoccupait et parlait beaucoup plus de l'amiral que l'amiral ne se préoccupait ou ne parlait de lui.

Les Croft connaissaient autant de monde à Bath qu'ils le désiraient et ne considéraient leur commerce avec les Elliot que comme une pure formalité qui, très probablement, ne leur procurerait aucun plaisir. Ils apportaient avec eux leur habitude de la campagne d'être toujours ensemble. On avait ordonné à l'amiral de faire de la marche pour éviter les accès de goutte, et Mme Croft semblait tout partager avec lui et faire de la marche pour sa santé comme pour celle de son mari. Anne les voyait partout où elle allait. Lady Russell la faisait sortir presque tous les matins dans sa voiture, et elle ne manquait jamais de penser à eux ni de les voir. Connaissant leurs sentiments comme elle le faisait, elle voyait en eux une image de bonheur extrêmement attirante. Elle les suivait toujours des yeux autant qu'elle le pouvait, ravie d'imaginer qu'elle comprenait ce dont ils parlaient, peut-être, tandis qu'ils se promenaient, heureux et indépendants ; ravie également de voir la cordiale poignée de main de l'amiral, lorsqu'il rencontrait un vieil ami, et d'observer le feu de leur conversation lorsque, de temps en temps, ils formaient un petit groupe avec quelques marins, et Mme Croft y avait l'air aussi intelligente et animée que n'importe lequel des officiers qui l'entouraient.

Anne était beaucoup trop prise avec Lady Russell pour se promener souvent, mais il advint, un matin, près d'une semaine ou de dix jours après l'arrivée des Croft, qu'elle trouva préférable de laisser son amie, ou sa voiture, dans la partie basse de la ville et de retourner toute seule à Camden-Place, et, comme elle remontait Milson-Street, elle eut la bonne fortune de rencontrer l'amiral. Il était seul, se tenait devant la vitrine d'un graveur, les mains derrière le dos, absorbé dans la contemplation d'une gravure et, non seulement aurait-elle pu le côtoyer, inaperçue, mais elle fut obligée de le toucher et de lui adresser la parole avant d'attirer son attention. Mais, lorsqu'il la remarqua et la reconnut enfin, ce fut avec toute sa franchise et sa bonne humeur coutumières.

— Ha ! C'est vous ? Merci, merci. Vous me traitez ainsi en ami. Vous voyez, me voilà planté devant un tableau. Je ne peux jamais passer devant cette boutique sans m'y arrêter. Mais, qu'est-ce qu'on a mis là, en manière de bateau ? Regardez-le donc. Est-ce que vous en avez vu un pareil ? Drôles de gaillards que vos beaux peintres, de s'imaginer que quelqu'un risquerait sa vie sur une vieille coquille de noix informe comme celle-là ! Et pourtant, voilà deux messieurs fichés là-dessus, et rudement à leur aise, en train de regarder autour d'eux les rochers et les montagnes, comme s'ils n'allaient pas chavirer aussitôt après, vous pouvez en être certaine. Je me demande où l'on a construit ce bateau, fit-il, en riant de bon cœur. Je ne m'y risquerais pas sur une mare. Bon ! continua-t-il, en le quittant des yeux, de quel côté est-ce que vous faites route maintenant ? Puis-je faire quelque chose pour vous ou avec vous ? Puis-je vous être de quelque utilité ?

— Non, je vous remercie, à moins que vous ne me fassiez le plaisir de m'accompagner sur le petit parcours que nous avons en commun. Je rentre chez moi.

— Bien sûr, de tout mon cœur, et j'irai même plus loin. Oui, oui, nous allons faire une gentille promenade ensemble et j'ai quelque chose à vous raconter en chemin. Là, prenez mon bras, parfait ; je ne me sens pas tout à fait bien si je n'ai pas une femme à mes côtés. Seigneur ! quel bateau ! fit-il en jetant un dernier regard sur le tableau, et ils se mirent en marche.

— Vous m'avez dit que vous aviez quelque chose à me raconter, monsieur ?

— Oui, certes. Tout de suite. Mais voici venir un ami, le capitaine Brigden. Je vais simplement lui dire « Comment ça va ? » en passant. Mais je ne m'arrêterai pas. « Comment ça va ? » Brigden ouvre de grands yeux parce qu'il aperçoit avec moi quelqu'un qui n'est pas ma femme. Elle, la pauvre âme, est retenue par la jambe. Elle a une ampoule à un talon, grosse comme une pièce de trois shillings. Si vous regardez sur l'autre trottoir, vous y verrez l'amiral Brand qui descend avec son frère. Piètres individus, l'un et l'autre. Je suis content qu'ils ne passent pas de ce côté. Sophie ne peut les sentir. Ils m'ont joué, une fois, un tour pendable… débauché certains de mes meilleurs hommes ! Je vous raconterai toute l'histoire une autre fois. Voici venir le vieux Sir Archibald Dew et son petit-fils. Regardez, il nous voit, il vous envoie un baiser, il vous prend pour ma femme. Ah ! la paix est venue trop tôt pour ce gamin. Pauvre vieux Sir Archibald ! Aimez-vous Bath, mademoiselle Elliot ? Nous nous y trouvons très bien. Nous rencontrons toujours tel ou tel vieil ami, les rues en sont pleines tous les matins, de quoi bavarder abondamment, bien sûr ; et puis, nous les lâchons tous et nous rentrons nous enfermer dans notre appartement, nous rapprochons nos chaises et nous goûtons le même confort qu'à Kellynch, vraiment, ou même qu'autrefois à North Yarmouth et à Deal. Nous n'aimons pas moins notre appartement actuel, je puis vous le dire, parce qu'il nous rappelle celui que nous eûmes d'abord à North Yarmouth. Le vent y souffle à travers un placard, exactement de la même manière.

Un peu plus loin, Anne se permit d'insister de nouveau pour qu'il lui fît sa communication. Elle avait espéré, au bout de Milson-Street, qu'il satisferait sa curiosité, mais elle fut encore obligée d'attendre, car l'amiral s'était mis en tête de ne pas commencer avant qu'ils n'eussent atteint Belmont, plus spacieux et plus tranquille, et, comme elle n'était pas réellement Mme Croft, elle dut le laisser agir comme il l'entendait. Dès qu'ils eurent remonté une grande partie de Belmont, il commença :

— Eh bien, vous allez entendre maintenant quelque chose qui va vous surprendre. Mais, pour commencer, il faut que vous me disiez le nom de la demoiselle dont je vais parler. Vous savez, la demoiselle au sujet de qui nous étions tous tantôt si inquiets. La jeune Musgrove à qui il est arrivé tout ça. Son prénom… j'oublie toujours son prénom.

Anne avait été gênée de sembler saisir aussi vite qu'elle le faisait en réalité ; mais, maintenant, elle pouvait sans crainte suggérer le nom de Louise.

— C'est cela, Mlle Louise Musgrove, voilà son nom. J'aimerais que les demoiselles n'aient pas toute cette quantité de beaux prénoms. Je ne serais jamais embarrassé, si elles s'appelaient toutes Sophie ou quelque chose dans ce genre-là. Eh bien, cette jeune Louise, nous pensions tous, vous le savez, qu'elle allait épouser Frederick. Il lui faisait la cour semaine après semaine. On se demandait seulement ce qu'ils pouvaient attendre, quand arriva l'histoire de Lyme ; là, il fut bien clair qu'ils devaient attendre que son cerveau se remette en place. Mais, même alors, il y avait quelque chose de curieux dans leurs rapports. Au lieu de rester à Lyme, il s'en alla à Plymouth et puis, il s'en alla voir Edward. Quand nous revînmes de Minegead, il était parti chez Edward et il y est resté depuis. Nous ne l'avons pas aperçu depuis novembre. Même Sophie ne pouvait comprendre cela. Mais, maintenant, l'affaire a pris la tournure la plus étrange du monde, car cette demoiselle, cette même Louise Musgrove, au lieu d'épouser Frederick, va épouser James Benwick. Vous connaissez James Benwick ?

— Un peu. Je connais un peu le capitaine Benwick.

— Eh bien, elle va l'épouser. Que dis-je, ils sont probablement déjà mariés, car je ne vois pas ce qu'ils pourraient attendre.

— Je trouve que le capitaine Benwick est un jeune homme charmant, dit Anne, et je crois savoir qu'il a une excellente réputation.

— Oh ! oui, oui, il n'y a rien à dire contre James Benwick. Il n'est que capitaine de frégate, il est vrai, depuis l'été dernier et les temps sont mauvais pour l'avancement, mais l'on n'a rien d'autre à lui reprocher, que je sache. C'est un excellent garçon, un brave cœur, je vous assure et, avec cela, un officier très actif et zélé, ce dont vous ne vous doutiez peut-être pas, parce que ses dehors, cette espèce de douceur ne l'avantagent pas.

— Ici, vous faites erreur, monsieur ; je n'augurerais jamais un manque d'énergie dans les manières du capitaine Benwick. Je les ai trouvées particulièrement agréables et, j'en réponds, elles plaisent en général.

— Bon, bon, les dames sont meilleurs juges, mais James Benwick est un peu trop *piano* pour moi. Il est très probable que nous devons être partiaux, mais Sophie et moi, nous ne pouvons nous empêcher de trouver les manières de Frederick meilleures que les siennes. Il y a quelque chose chez Frederick qui est davantage à notre goût.

Anne était attrapée. Elle avait eu simplement l'intention de réfuter l'argument trop banal, selon lequel l'énergie et la douceur sont incompatibles, mais nullement de représenter les manières du capitaine Benwick comme les meilleures possibles de toutes, et, après quelque hésitation, elle commençait à dire : « Je n'entrais pas dans une comparaison entre les deux amis », quand l'amiral l'interrompit :

— Et la chose est certainement vraie. Ce n'est pas un pur commérage. Nous la tenons de Frederick même. Sa sœur a reçu hier une lettre de lui, dans laquelle il nous apprend la nouvelle, et il la tenait de Harville, qui lui avait écrit une lettre sur place, à Uppercross. J'imagine qu'ils sont tous à Uppercross.

L'occasion était trop tentante pour Anne ; elle dit, par conséquent :

— J'espère, amiral, j'espère qu'il n'y a rien dans le ton de la lettre du capitaine Wentworth qui soit susceptible de vous causer, ainsi qu'à Mme Croft, une inquiétude particulière. On aurait dit, certainement, l'automne dernier, qu'il y avait un attachement entre Louise Musgrove et lui, mais j'espère qu'il vous laisse entendre qu'il s'est défait des deux côtés également, et sans violence. J'espère que sa lettre ne trahit pas l'état d'esprit d'un homme lésé.

— Pas du tout, pas du tout ; on n'y trouve ni un juron ni un murmure, du commencement à la fin.

Anne baissa la tête pour dissimuler son sourire.

— Non, non, Frederick n'est pas homme à gémir et à se plaindre, il est trop énergique pour cela. Si la jeune fille préfère un autre homme, il est tout naturel qu'elle le prenne.

— Certainement. Mais ce que je voulais vous dire, c'est que j'espère qu'il n'y a rien dans l'accent de la lettre qui vous fasse supposer qu'il se trouve lésé par son ami, ce qui, vous le savez, pourrait s'en dégager, sans être expressément dit. Je serais bien peinée que toute l'amitié qu'entretenaient le capitaine Benwick et lui fût brisée ou même blessée par un fait de ce genre.

— Oui, oui, je vous comprends. Mais il n'y a absolument rien de cette nature dans sa lettre. Il n'égratigne nullement Benwick ; il ne va même pas jusqu'à dire : « Cela m'étonne, j'ai des raisons particulières de m'en étonner. » Non, vous ne devineriez pas à son style qu'il eût jamais pensé à cette demoiselle (comment s'appelle-t-elle ?) pour lui. Il espère très généreusement qu'ils seront heureux ensemble, et il n'y a guère de rancune là-dedans, je pense.

Ces mots ne suffisaient pas à faire partager à Anne la parfaite conviction que l'amiral voulait lui communiquer, mais il eût été inutile de pousser plus loin l'enquête. Elle se contenta donc d'émettre quelques réflexions banales ou de l'écouter tranquillement parler à son gré.

— Pauvre Frederick ! fit-il enfin, maintenant, il lui faut tout recommencer avec une autre. Je pense que nous devons le faire venir à Bath. Il y a ici pas mal de jolies filles, j'en suis sûr. Il ne lui servirait à rien de retourner à Uppercross, car l'autre demoiselle Musgrove, me dit-on, est déjà prise par son cousin, le jeune pasteur. Ne pensez-vous pas, mademoiselle Elliot, qu'il vaudrait mieux que nous le fassions venir à Bath ?

19

Tandis que l'amiral Croft se promenait ainsi avec Anne et lui exprimait le désir de faire venir le capitaine Wentworth à Bath, celui-ci en était déjà sur le chemin. Avant que Mme Croft lui eût écrit, il était arrivé et, dès qu'elle sortit de nouveau, Anne le vit.

M. Elliot accompagnait ses deux cousines et Mme Clay. Ils se trouvaient à Milson-Street. Il se mit à pleuvoir, pas fort, mais suffisamment pour faire souhaiter à ces dames d'être abritées, et bien assez pour faire vivement souhaiter à Mlle Elliot d'avoir l'avantage d'être ramenée chez elle dans la voiture de Lady Dalrymple, que l'on voyait arrêtée non loin de là ; elles rentrèrent donc chez Molland, elle, Anne et Mme Clay, tandis que M. Elliot allait, d'une course, solliciter l'aide de Lady Dalrymple. Il revint bientôt les rejoindre, avec une réponse affirmative, bien entendu ; Lady Dalrymple serait très heureuse de les ramener chez elles et passerait les prendre dans quelques minutes.

La voiture de la vicomtesse était un landau et ne pouvait contenir confortablement plus de quatre personnes. Mlle Carteret s'y trouvait avec sa mère et il n'était pas raisonnable de compter y placer toutes les trois dames de Camden-Place. Le cas de Mlle Elliot ne faisait aucun doute. Les inconvénients étaient pour autrui, jamais pour elle, mais il fallut un certain temps pour régler la question de civilité entre ses deux compagnes. La pluie était vraiment peu de chose et Anne était très sincère lorsqu'elle disait qu'elle préférait marcher avec M. Elliot. Mais la pluie était vraiment peu de chose aussi pour Mme Clay ; c'est à peine si elle admettait qu'elle tombait et ses bottines étaient si épaisses ! beaucoup plus que celles de Mlle Anne ; en un mot, sa civilité lui donnait autant de désir qu'à Anne de rester avec M. Elliot et de marcher avec lui, et elles mettaient dans leur discussion une générosité si polie et si résolue que les autres furent obligés de la trancher pour elles, Mlle Elliot soutenant que Mme Clay avait déjà un petit rhume, et M. Elliot, invoqué, jugeant que les bottines de sa cousine Anne étaient plutôt les plus épaisses.

On décida, en conséquence, que Mme Clay serait du groupe qui irait en voiture, et ils en étaient justement à ce point de leur discussion quand Anne, qui était assise près de la vitrine, aperçut très nettement, très distinctement, le capitaine Wentworth qui descendait la rue.

Elle fut la seule à prendre conscience de son mouvement de surprise, mais elle se sentit aussitôt la fille la plus stupide, la plus irresponsable et la plus absurde du monde ! Elle resta quelques minutes sans rien voir : tout se brouillait devant elle. Elle était perdue, et quand, aiguillonnée par ses propres reproches, elle eut repris ses sens, elle trouva les autres encore dans l'attente de la voiture, tandis que M. Elliot (toujours obligeant) partait en direction de Union-Street faire une commission pour Mme Clay.

Elle se sentait maintenant très disposée à aller à la porte d'entrée ; elle voulait savoir s'il pleuvait. Pourquoi allait-elle se soupçonner d'avoir un autre motif d'y aller ? Le capitaine Wentworth ne devait plus être visible maintenant. Elle quitta son siège, elle voulait aller à la porte. Fallait-il qu'une partie d'elle-même fût toujours plus sensée que l'autre, ou la soupçonnât d'être pire qu'elle n'était ? Elle tenait à voir s'il pleuvait. Cependant, elle fut bientôt refoulée par l'entrée du capitaine

Wentworth en personne, parmi un groupe de messieurs et de dames qu'il connaissait évidemment et auxquels il avait dû se joindre un peu plus bas que Milson-Street. Il fut manifestement frappé et déconcerté par sa vue, comme elle ne l'avait jamais encore remarqué ; il était tout rouge. Pour la première fois depuis qu'ils avaient renoué connaissance, elle sentit qu'elle trahissait le moins de sensibilité des deux. Elle avait eu l'avantage sur lui de se préparer pendant ces derniers moments. Tout ce qu'il y avait d'écrasant, d'aveuglant, de bouleversant dans les premiers effets de cette violente surprise avait fini de s'exercer sur elle. Cependant, elle était encore suffisamment émue ! Trouble, souffrance, plaisir, ses sentiments la faisaient passer du délice au tourment.

Il lui parla, puis s'en alla. La gêne caractérisait ses manières. Elle n'aurait pu dire si elles étaient froides, amicales ou d'une autre sorte, mais elle aurait pu affirmer qu'elles dénotaient la gêne.

Après un court intervalle, il revint à elle et lui reparla. On s'interrogea mutuellement sur des sujets communs ; ni l'un ni l'autre n'étant guère plus avancés, probablement, de ce qu'ils entendaient, et Anne sentant toujours très bien qu'il était moins à son aise que précédemment. A force d'être ensemble, ils étaient parvenus à se parler avec une bonne dose d'indifférence et de calme apparents, mais, maintenant, il en était incapable. Le temps l'avait changé, ou était-ce Louise ? Quelque chose l'intimidait. Il avait très bonne mine, il ne semblait pas que sa santé ou sa gaieté eussent été éprouvées, et il parla d'Uppercross, des Musgrove, bien plus, de Louise, et lui lança même un coup d'œil, bien à lui, plein de malice, en la nommant ; mais il n'était pas dans son assiette, pas à son aise, incapable de feindre.

Anne ne fut pas surprise, mais désolée, d'observer qu'Elizabeth ne voulait pas le connaître. Elle vit qu'il voyait Elizabeth et qu'Elizabeth le voyait, et qu'intérieurement, on se reconnaissait parfaitement de part et d'autre, elle était convaincue qu'il était prêt à recevoir d'elle un signe d'intelligence, qu'il l'attendait et elle eut la douleur de voir sa sœur lui tourner le dos avec une froideur inaltérable.

La voiture de Lady Dalrymple, qu'Elizabeth commençait à attendre très impatiemment, vint alors s'arrêter à la porte ; le valet entra l'annoncer. Il se remettait à pleuvoir et l'on tarda, et s'affaira, et se parla tout ensemble, d'une façon qui devait faire comprendre à toute la petite foule qui s'était rassemblée dans le magasin que Lady Dalrymple passait prendre Mlle Elliot. Enfin, Mlle Elliot et son amie, accompagnées seulement du valet (car le cousin n'était pas revenu), prirent la sortie, et le capitaine Wentworth, qui les regardait, revint vers Anne, et par ses manières, encore plus que par ses mots, lui offrit ses services.

— Je vous en suis bien obligée, lui répondit-elle, mais je ne vais pas avec elles. La voiture ne peut pas loger tant de monde. Je vais à pied. Je préfère marcher.

— Mais il pleut.

— Oh ! très peu. Cela ne me fait rien.

Après une pause, il dit :

— Bien que je ne sois arrivé ici qu'hier, je me suis déjà équipé comme il faut pour Bath, vous voyez, fit-il, en désignant un parapluie neuf. J'aimerais que vous vous en serviez, si vous êtes décidée à aller à pied ; mais je pense, pourtant, qu'il serait plus prudent de me laisser vous trouver une chaise à porteurs.

Elle lui en était très obligée, mais dut décliner toutes

ses offres, en répétant qu'elle était convaincue que la pluie allait cesser bientôt, et ajoutant :

— J'attends seulement M. Elliot. Il sera ici dans un instant, j'en suis sûre.

A peine avait-elle dit ces mots, que M. Elliot entra. Le capitaine Wentworth se souvenait parfaitement de lui. Il n'y avait aucune différence entre lui et l'homme qui s'était arrêté sur les marches de Lyme et avait admiré Anne tandis qu'elle passait, à l'exception de son air, de sa mine et de ses manières qui étaient celles d'un parent et ami privilégié. Il s'avança avec empressement, ne voyant qu'elle, ne songeant qu'à elle apparemment, s'excusa de son retard ; il était désolé de l'avoir fait attendre et fort désireux de la faire sortir sans perdre davantage de temps, avant que la pluie ne fût plus forte, et, l'instant d'après, le capitaine Wentworth les voyait s'en aller ensemble, bras dessus, bras dessous... Un regard aimable et gêné, et un « bonjour » furent tout ce qu'elle eut le temps de lui communiquer en passant.

Dès qu'ils eurent disparu, les dames qui se trouvaient dans le groupe du capitaine Wentworth se mirent à parler d'eux.

— Mlle Elliot ne déplaît pas à son cousin, j'imagine.

— Oh ! non, c'est assez clair. On peut prévoir ce qui va arriver. Il est toujours avec eux ; il passe la moitié de son temps dans sa famille, je crois. Quel bel homme !

— Oui, et Mlle Atkinson, qui dîna une fois avec lui chez les Wallis, dit que c'est l'homme le plus agréable en compagnie de qui elle se soit trouvée.

— Elle est jolie, je trouve, Anne Elliot ; très jolie, si on vient à la regarder. Ce n'est pas l'opinion de tout le monde, mais j'avoue que je l'admire plus que sa sœur.

— Oh ! moi aussi.

— Et moi aussi. Aucune comparaison. Mais tous les hommes sont fous de Mlle Elliot. Anne est trop délicate pour eux.

Anne aurait été particulièrement obligée à son cousin s'il avait fait à ses côtés toute la route, jusqu'à Camden-Place, sans dire un mot. Elle n'avait jamais trouvé si difficile de l'écouter, bien que rien ne pût dépasser sa sollicitude et ses attentions et que ses propos fussent, dans l'ensemble, de ceux qui, d'habitude, intéressaient toujours : éloge chaleureux, juste, perspicace de Lady Russell et insinuations très sensées contre Mme Clay. Mais, pour le moment, elle ne pouvait penser qu'au capitaine Wentworth. Elle n'arrivait pas à comprendre ses sentiments actuels et se demandait si réellement il souffrait beaucoup de sa déception ou non et, tant qu'elle n'aurait pas éclairci ce point, elle ne pourrait être tout à fait dans son état normal.

Elle espérait qu'elle deviendrait sage et raisonnable avec le temps, mais, hélas ! hélas ! elle devait s'avouer que ce temps n'était pas encore venu.

Il lui était essentiel de connaître un autre détail : combien de temps comptait-il rester à Bath ? Il ne lui en avait pas parlé, ou bien elle ne s'en souvenait pas. Peut-être n'y était-il que de passage. Mais il était plus probable qu'il était venu y séjourner. Dans ce cas, comme tout le monde était exposé à se rencontrer à Bath, Lady Russell, selon toute probabilité, le verrait quelque part... Se souviendrait-elle de lui ? Comment les choses se passeraient-elles ?

Elle avait dû déjà raconter à Lady Russell que Louise Musgrove allait épouser le capitaine Benwick. Il lui en avait coûté d'affronter la surprise de Lady Russell et, maintenant, si le hasard la mettait brusquement en compagnie du capitaine Wentworth, sa connaissance imparfaite de la question pourrait encore jeter l'ombre du préjugé sur lui.

Le matin suivant, Anne sortit avec son amie et passa la première heure à guetter et appréhender sans cesse son apparition, mais en vain; finalement, comme elles revenaient par Pulteney-Street, elle le distingua sur le trottoir de droite, à une distance qui devait le rendre visible sur presque toute la longueur de la rue. Il y avait beaucoup d'hommes près de lui, beaucoup de groupes se promenant dans le même sens, mais il n'y avait pas moyen de ne pas le reconnaître. Elle regarda instinctivement Lady Russell; ce n'était pas qu'elle eût la folie de croire qu'elle le reconnaîtrait aussi vite qu'elle-même. Non, on ne pouvait supposer que Lady Russell l'aperçût avant qu'ils ne fussent presque en face. Elle la regardait, néanmoins, de temps en temps, anxieusement; et, quand vint le moment qui devait le lui signaler, bien qu'elle n'osât pas la regarder de nouveau (car son expression, elle le savait, n'était pas de celles qu'on laisse voir), elle avait parfaitement conscience que les yeux de Lady Russell étaient tournés exactement dans sa direction et, en un mot, qu'elle l'observait très attentivement. Elle pouvait parfaitement comprendre l'espèce de fascination qu'il devait exercer sur l'esprit de Lady Russell, la difficulté qu'elle devait éprouver à détacher ses yeux de lui, l'étonnement qu'elle devait ressentir à la pensée que huit ou neuf ans eussent passé sur lui, sous des climats étrangers, en service actif, sans lui ravir un seul attrait!

Finalement, Lady Russell tourna la tête. (Comment allait-elle parler de lui maintenant?)

— Vous vous demandez, peut-être, ce qui a retenu mon regard si longtemps; mais je cherchais à voir des rideaux de fenêtre dont Lady Alicia et Mme Frankland m'ont parlé, la nuit dernière. Elles me décrivirent les rideaux de salon d'une maison située de ce côté-ci et dans cette partie de la rue comme les plus beaux et les mieux drapés de Bath, mais elles ne se rappelaient pas à quel numéro exactement. J'ai essayé de le trouver, mais j'avoue que je ne puis voir, par ici, de rideaux qui répondent à cette description.

Anne soupira, rougit, sourit de pitié et de dédain pour son amie ou pour elle-même... Le plus fâcheux de l'histoire était que, tandis qu'elle se perdait en prévisions et précautions, elle avait manqué l'occasion de voir s'il les voyait.

Un jour ou deux passèrent sans que rien n'arrivât. Le théâtre et les salles de fêtes qu'il devait probablement fréquenter n'étaient pas assez distingués pour les Elliot, qui ne trouvaient le divertissement de leurs soirées que dans l'élégante stupidité de réunions mondaines privées, auxquelles ils étaient de plus en plus invités, et Anne, fatiguée de cette stagnation, lassée de ne rien savoir et s'imaginant plus forte parce que sa force n'était pas mise à l'épreuve, attendait impatiemment la soirée musicale de Lady Dalrymple. C'était une soirée que donnait la vicomtesse, au profit d'une personne qu'elle patronnait. Bien entendu, ils devaient y assister. On s'attendait vraiment à un beau concert, et le capitaine Wentworth était grand amateur de musique. Si elle pouvait seulement avoir encore quelques minutes de conversation avec lui, elle s'estimerait satisfaite; quant à lui adresser la parole, elle se sentait parfaitement la force et le courage de le faire, si l'occasion s'en présentait. Elizabeth s'était détournée de lui; Lady Russell le dédaignait; son énergie s'en trouvait accrue; elle sentait qu'elle lui devait des égards.

Elle avait plus ou moins promis à Mme Smith de passer la soirée avec elle, mais elle lui fit, en hâte, une courte visite pour s'excuser et la remettre au lendemain, en lui promettant fermement qu'elle resterait alors plus longtemps avec elle. Mme Smith acquiesça, de fort bonne humeur.

— Mais oui, lui dit-elle, seulement vous me raconterez tout cela quand vous viendrez. Quels sont les invités ?

Anne nomma tout le monde. Mme Smith ne répondit pas, mais lorsqu'elle la quitta, elle lui dit, avec une expression mi-sérieuse, mi-malicieuse :

— Eh bien ! j'espère de tout cœur que votre concert répondra à votre attente. Ne manquez pas de venir me voir demain, si vous le pouvez, car je commence à pressentir que je n'aurai pas beaucoup d'autres visites de vous.

Anne fut saisie et confuse, mais, après avoir hésité un moment, fut obligée, mais nullement fâchée, de s'en aller en hâte.

20

Ce soir-là, Sir Walter, ses deux filles et Mme Clay arrivèrent les premiers de tous les invités dans les salles de fêtes et, comme ils devaient attendre Lady Dalrymple, ils se postèrent près d'un feu allumé dans le salon octogonal. Mais à peine s'étaient-ils installés, que la porte s'ouvrit de nouveau et que le capitaine Wentworth entra tout seul. Anne était le plus près de lui et, avançant légèrement, lui parla aussitôt. Il se préparait seulement à s'incliner et à passer, mais son aimable : « Comment allez-vous ? » le détourna de son chemin ; il vint à ses côtés et lui posa des questions, à son tour, malgré la présence formidable du père et de la sœur, à l'arrière-plan. Leur éloignement soutenait Anne ; elle ne savait pas quelle mine ils faisaient et se sentait de force à agir tout à fait comme elle croyait qu'il le fallait.

Tandis qu'ils parlaient, un chuchotement entre son père et sa sœur attira son attention. Elle n'y pouvait rien distinguer, mais elle devait en deviner le sujet et, lorsque le capitaine Wentworth fit un léger salut, elle comprit que son père avait daigné lui accorder cette simple marque de politesse et eut juste le temps de voir, d'un regard de côté, Elizabeth, elle-même, esquisser une légère révérence. Encore que ce fût tardif, malgracieux et forcé, cela valait mieux que rien et la réconforta.

Cependant, lorsqu'ils eurent parlé du temps et de Bath et du concert, leur conversation commença à languir et finit par être si mince qu'elle s'attendait à le voir partir d'un moment à l'autre ; mais non, il ne semblait pas pressé de la quitter, et bientôt, avec un regain d'animation, un petit sourire et une certaine rougeur, il lui dit :

— Je vous ai vue à peine depuis la journée de Lyme. Je crains que vous n'ayez souffert de ce choc, d'autant plus qu'il ne vous a pas accablée sur le coup.

Elle l'assura que non.

— Ce fut un moment terrible, dit-il, un jour terrible, et il se passa la main sur les yeux comme si le souvenir lui en était encore trop pénible, mais, l'instant suivant, souriant à demi, de nouveau, il ajouta : Mais ce jour a pourtant produit certains effets… a eu certaines conséquences qu'on doit trouver tout le contraire de terribles… Quand vous avez eu la présence d'esprit de suggérer que Benwick était la personne la plus qualifiée pour aller chercher un docteur, vous ne pouviez guère vous douter qu'il serait finalement l'un des plus intéressés à la guérison.

— Certainement pas. Mais il semble… J'ose espérer que ce sera une union très heureuse. Des deux côtés, il y a de bons principes et bon caractère.

— Oui, fit-il, sans la regarder tout à fait en face, mais c'est là que s'arrête la ressemblance. Je leur souhaite de toute mon âme du bonheur et me réjouis de tout ce qui le favorise. Ils n'ont pas de difficultés à affronter chez eux… pas d'opposition… pas de caprice… rien qui les retarde. Les Musgrove ont, comme toujours, une attitude très honorable et affectueuse ; ils ne se soucient, en vrais parents, que d'assurer le bien-être de leur fille. Tout cela contribue beaucoup à leur bonheur, beaucoup… Davantage peut-être que…

Il s'arrêta. Un souvenir soudain sembla surgir en lui et lui faire partager l'émotion qui colorait les joues d'Anne et lui faisait fixer le sol. Après s'être éclairci la voix, cependant, il poursuivit ainsi :

— J'avoue que je trouve vraiment qu'il y a entre eux une inégalité, une trop grande inégalité et sur un point aussi essentiel que l'esprit. Je regarde Louise Musgrove comme une jeune fille très aimable, douce de caractère et ne manquant pas d'intelligence, mais Benwick a quelque chose de plus. C'est un homme instruit, un liseur… et j'avoue que je considère son attachement pour Louise avec quelque surprise. Si cela avait été l'effet de la gratitude, s'il avait appris à l'aimer parce qu'il croyait qu'elle le préférait, c'eût été autre chose. Mais je n'ai pas lieu de le supposer. On dirait, au contraire, que cela a été, chez lui, un sentiment parfaitement spontané, naturel, et cela me surprend. Un homme comme lui et dans sa situation ! Le cœur percé, blessé, presque brisé ! Fanny Harville était une créature vraiment très supérieure, et l'attachement qu'il avait pour elle était réellement de l'attachement. Le cœur d'un homme ne se guérit pas de l'adoration d'une femme pareille ! Il ne le doit pas... il n'y parvient pas...

Mais, s'avisant de la guérison de son ami, ou d'un autre sujet qui le gênait, il n'alla pas plus loin ; et Anne qui, malgré le ton agité des dernières phrases, malgré tous les bruits divers du salon, le battement presque incessant de la porte, le brouhaha incessant des personnes qui le traversaient, avait distingué chaque parole, était frappée, comblée, confuse et commençait à respirer très vite et à sentir mille choses à la fois. Il lui était impossible d'aborder ce sujet, mais pourtant, après une pause, sentant la nécessité de parler et n'ayant pas le moindre désir de changer complètement de sujet, elle se contenta de le faire simplement dévier en disant :

— Vous avez passé beaucoup de temps à Lyme, je crois ?

— Près d'une quinzaine de jours. Je ne pouvais m'en aller avant d'avoir la certitude que Louise allait bien. J'étais trop mêlé à cet accident pour avoir vite fait de me tranquilliser. C'était mon œuvre, à moi seul. Elle n'aurait pas été obstinée si je n'avais pas été faible. La campagne de Lyme est très belle. J'y ai fait beaucoup de promenades, beaucoup de cheval, et, plus je voyais, plus je trouvais à admirer.

— J'aimerais beaucoup revoir Lyme, dit Anne.

— Vraiment ? Je n'aurais pas supposé que vous eussiez pu trouver à Lyme rien qui vous inspirât un sentiment pareil. L'horreur et la désolation dans lesquelles vous vous êtes trouvée mêlée... la tension d'esprit, le découragement, l'épuisement... J'aurais pensé que votre dernière impression de Lyme dût être un grand dégoût.

— Les quelques dernières heures y furent certainement très douloureuses, répliqua Anne, mais une fois la douleur passée, le souvenir se transforme souvent en plaisir. On n'aime pas moins un lieu pour y avoir souffert, à moins de n'y avoir jamais connu que la souffrance, ce qui n'était nullement le cas de Lyme. Nous n'avons été dans l'angoisse et la désolation que pendant les deux dernières heures et, avant cela, nous nous y étions beaucoup plu. Tant de nouveauté et de beauté ! J'ai si peu voyagé que tout endroit inconnu m'intéresserait, mais il y a vraiment de la beauté à Lyme et, en un mot, fit-elle en rougissant légèrement sous l'effet de certains souvenirs, les impressions que j'en garde sont, dans l'ensemble, très agréables.

Comme elle se taisait, la porte d'entrée s'ouvrit de nouveau et le personnage même qu'ils attendaient apparut. « Lady Dalrymple ! Lady Dalrymple ! » s'écria-t-on joyeusement et, avec tout l'empressement compatible avec son souci d'élégance, Sir Walter et les deux dames qui l'accompagnaient s'avancèrent à sa rencontre. Lady Dalrymple et Mlle Carteret, escortées par M. Elliot et le colonel Wallis, qui arrivaient justement presque au même instant, pénétrèrent dans le salon. Les autres les rejoignirent et formèrent un groupe dans lequel Anne se trouva, aussi, nécessairement comprise. Elle était séparée du capitaine Wentworth. Leur intéressante (trop intéressante peut-être) conversation devait être interrompue pour un temps, mais la pénitence était légère, comparée au bonheur qui l'avait précédée ! Elle avait appris, au cours des dix dernières minutes, plus de choses sur les sentiments du capitaine Wentworth à l'égard de Louise, plus de choses sur tous ses sentiments, qu'elle n'aurait osé imaginer, et elle s'abandonna aux exigences de la compagnie, aux indispensables civilités du moment, avec un trouble exquis. Elle était de bonne humeur avec tout le monde. On lui avait donné des idées qui la disposaient à être polie et aimable avec tout le monde et à plaindre intérieurement chacun de ne pas être aussi heureux qu'elle.

Cette délicieuse émotion fut quelque peu tempérée quand, sortant du groupe pour se faire rejoindre par le capitaine Wentworth, elle vit qu'il était parti. Elle eut juste le temps de le voir entrer dans la salle de concert. Il était parti… il avait disparu : elle en sentit quelques regrets, sur le moment. Mais « ils se rencontreraient de nouveau. Il la chercherait… il la découvrirait, bien avant la fin de la soirée… et, à présent, il valait peut-être aussi bien d'être séparés. Elle avait besoin d'un petit répit pour se ressaisir ».

Lorsque Lady Russell eut fait son apparition, peu après, tous les invités s'étaient rassemblés au complet et il ne leur restait plus qu'à se mettre en rang, s'avancer vers la salle de concert… étaler toute l'importance, attirer autant de regards, provoquer autant de chuchotements et troubler autant de gens qu'ils le pourraient.

Elles étaient heureuses, très heureuses, toutes les deux, Elizabeth et Anne Elliot, tandis qu'elles y entraient. Elizabeth, bras dessus, bras dessous avec Mlle Carteret, et regardant le large dos de la vicomtesse douairière Dalrymple devant elle, ne pouvait rien souhaiter qui ne lui semblât à portée de la main ; et Anne…

mais ce serait faire insulte à la nature de sa félicité que d'établir une comparaison quelconque entre celles des deux sœurs : la première n'ayant pour source qu'une égoïste vanité, la seconde, qu'un généreux attachement.

Anne ne voyait rien, ne pensait rien de l'éclat de la salle. Son bonheur était tout intérieur. Ses yeux étaient brillants et ses joues en feu... mais elle n'en savait rien. Elle ne pensait qu'à cette dernière demi-heure et, tandis qu'ils se dirigeaient vers leurs sièges, son esprit en faisait un hâtif examen d'ensemble. Les sujets choisis par le capitaine Wentworth, ses expressions, et, plus encore, sa manière et son air!... elle ne pouvait les interpréter que d'une façon. Son opinion sur l'infériorité de Louise Musgrove, opinion qu'il avait paru impatient de donner, son étonnement au sujet du capitaine Benwick, ses sentiments à l'endroit d'un premier, d'un puissant attachement... ces phrases commencées qu'il ne pouvait terminer... ses yeux à demi tournés et son regard plus qu'à demi expressif... tout cela proclamait au moins que son cœur retournait à elle; que la colère, la rancune, le désir de l'éviter étaient passés; et que leur succédaient non seulement l'amitié et la considération, mais la tendresse d'autrefois; oui, une partie de la tendresse d'autrefois. Elle ne pouvait considérer que ce changement d'attitude signifiât moins que cela... Il devait l'aimer.

Telles étaient les pensées, avec leur cortège d'images, qui l'occupaient et l'agitaient beaucoup trop pour lui laisser la faculté de rien observer; et elle traversa la salle sans l'entrevoir, sans même essayer de le discerner. Lorsqu'on eut fixé leurs places et qu'ils se furent tous bien installés, elle regarda autour d'elle pour voir si, par hasard, il se trouvait dans la même partie de la salle, mais il n'y était pas, ses yeux ne purent l'atteindre, et comme le concert venait de commencer, elle dut consentir à être heureuse, un moment, d'une façon plus humble.

La compagnie s'était séparée et disposée sur deux bancs contigus. Anne était au premier rang et M. Elliot avait manœuvré, avec l'aide de son ami le colonel Wallis, de façon à avoir une place à côté d'elle. Mlle Elliot, entourée de ses cousines, et principal objet de la galanterie du colonel Wallis, était au comble de la satisfaction.

L'état d'esprit d'Anne la disposait parfaitement à goûter le divertissement de la soirée; cela l'occupait juste assez. Elle avait de la sensibilité pour les tendres, de l'entrain pour les gais, de l'attention pour les érudits et de la patience pour les ennuyeux; et elle n'avait jamais tant apprécié un concert, du moins pendant sa première partie. Vers la fin de celle-ci, pendant la pause qui suivait une chanson italienne, elle en expliqua les paroles à M. Elliot. Ils avaient un programme pour tous les deux.

— Voici, dit-elle, à peu près le sens, ou plutôt la signification des mots, car le sens d'une chanson italienne, autant n'en point parler… mais voici la signification la plus approximative que j'en puisse donner; car je ne prétends pas connaître cette langue. Je ne suis guère brillante en italien.

— Oui, oui, je le vois. Je vois que vous êtes ignorante en la matière. Vous en savez tout juste assez pour nous traduire ces vers italiens intervertis, transposés, raccourcis, en bon anglais, clair et élégant. Vous n'avez pas besoin de nous parler de votre ignorance. En voilà la preuve complète.

— Je ne veux pas contredire une politesse si aimable mais je serais fâchée d'être interrogée par un vrai spécialiste.

— Je n'ai pas eu le plaisir de visiter depuis si longtemps Camden-Place, répondit-il, sans connaître un peu Mlle Anne Elliot, et je la tiens pour une jeune fille trop modeste pour que le monde, en général, se rende compte de la moitié de sa valeur ; et trop accomplie pour que sa modestie semble naturelle chez une autre femme.

— De grâce, n'en parlez pas… c'est trop me flatter. J'oublie ce qui vient ensuite, dit-elle en se tournant vers le programme.

— Je connais peut-être votre caractère, je vous connais peut-être, dit M. Elliot à voix basse, depuis plus longtemps que vous n'imaginez.

— Vraiment ? Comment cela ? Vous ne pouvez me connaître que depuis que je suis arrivée à Bath, ou, avant cela, d'après les dires de ma famille.

— Je vous connaissais de réputation bien avant votre arrivée à Bath. J'avais entendu des gens qui vous connaissaient intimement faire votre portrait. Il y a plusieurs années que vous n'êtes pas une inconnue pour moi. Votre aspect, votre tournure d'esprit, vos talents, vos manières… tout cela m'avait été décrit et me restait présent à l'esprit.

Ses espoirs ne furent pas déçus : il éveilla son intérêt. Personne ne peut résister au charme d'un tel mystère. Apprendre que des personnes anonymes ont fait autrefois votre portrait à une connaissance récente, cela possède un attrait irrésistible, et Anne était toute curiosité. Elle s'étonna, le questionna vivement… mais en vain. Il était ravi d'être interrogé, mais ne voulait pas donner de réponse.

« Non, non… un jour ou l'autre, mais pas maintenant. Il ne donnerait aucun nom maintenant. Mais le fait était certain, il pouvait l'en assurer. On lui avait fait, plusieurs années plus tôt, un portrait de Mlle Anne Elliot qui lui avait inspiré la plus haute idée de son mérite et le plus ardent désir de la connaître. »

Anne pensait que, plus probablement qu'aucun autre, c'était M. Wentworth de Monkford, le frère du capitaine Wentworth, qui avait pu parler d'elle, plusieurs années plus tôt, si élogieusement. Il avait pu se trouver en compagnie de M. Elliot, mais elle n'eut pas le courage de poser cette question.

— Le nom d'Anne Elliot, dit-il, a depuis longtemps pour moi une résonance captivante. Il a très longtemps exercé son charme sur mon imagination, et, si je l'osais, je formerais tout bas le vœu qu'il ne change jamais.

Telles étaient, croyait-elle, ses paroles, mais à peine les avait-elle entendues que son attention fut attirée par des mots prononcés juste derrière elle qui éclipsèrent tout le reste. Son père et Lady Dalrymple parlaient.

— Bel homme, disait Sir Walter, très bel homme.

— Belle prestance, vraiment, disait Lady Dalrymple. Un air qu'on ne voit pas souvent à Bath. Irlandais, je crois ?

— Non, je ne connais que son nom. Une vague connaissance. Wentworth… le capitaine Wentworth de la marine. Sa sœur est mariée à mon locataire de Somerset… le Croft qui a pris Kellynch.

Avant que Sir Walter eût achevé sa phrase, les yeux d'Anne avaient pris la bonne direction et distingué le capitaine Wentworth parmi un groupe d'hommes non loin d'elle. Comme son regard se posait sur lui, le sien sembla s'y dérober. C'est ce qu'il semblait. On aurait dit qu'il ne s'en fallait que d'un instant… et pendant le temps qu'elle osa l'observer, il ne la regarda plus ; mais le concert reprenait et elle fut forcée d'avoir l'air de reporter son attention sur l'orchestre et de regarder tout droit devant elle.

Lorsqu'elle put lancer un autre coup d'œil vers lui, il s'était éloigné. Il n'aurait pas pu s'approcher, s'il l'avait voulu ; elle était trop entourée, trop isolée de lui. Mais elle eût préféré rencontrer ses yeux.

Les propos de M. Elliot, aussi, lui étaient pénibles. Elle n'avait aucune envie de lui parler. Elle eût aimé qu'il ne fût pas si près d'elle.

La première partie était terminée. Elle espérait maintenant qu'il se produirait un changement avantageux pour elle ; et, après un instant de silence parmi les auditeurs, certains d'entre eux se décidèrent enfin à aller prendre le thé. Anne était une des rares personnes qui préférèrent ne pas bouger. Elle resta donc à sa place ainsi que Lady Russell ; mais elle eut le plaisir d'être débarrassée de M. Elliot ; et quelque sentiment que lui inspirât la présence de Lady Russell, elle n'entendait pas éviter d'entrer en conversation avec le capitaine Wentworth s'il lui en donnait l'occasion. Elle était persuadée, à la mine de Lady Russell, qu'elle l'avait vu.

Il ne vint pas, tout de même. Anne s'imagina plus d'une fois qu'elle l'apercevait à une certaine distance, mais il ne vint pas du tout. L'entracte se passa anxieusement, sans résultat. Les autres revinrent, la salle se remplit, les bancs furent garnis et occupés de nouveau et l'on se prépara à une autre heure de plaisir ou d'ennui, une autre heure qui, selon que prévalait l'amour réel ou simulé de la musique, allait donner de la joie ou des bâillements. A Anne, elle apportait surtout la perspective d'une heure de trouble. Elle ne pourrait pas quitter en paix cette salle sans voir encore une fois le capitaine Wentworth, sans échanger avec lui un regard amical.

Dans la distribution des auditeurs, il y avait maintenant beaucoup de modifications dont le résultat lui fut favorable. Le colonel Wallis n'accepta point de se rasseoir et M. Elliot fut invité par Elizabeth et Mlle Carteret, d'une façon qui ne souffrait pas de refus, à s'asseoir entre elles. Anne eut la possibilité de se placer beaucoup plus près de l'extrémité du banc que précédemment, et se trouva ainsi beaucoup plus accessible aux gens qui passaient. Elle ne put le faire sans se comparer à Mlle Larolles [1], l'inimitable Mlle Larolles… mais elle le fit pourtant, et le résultat ne fut guère plus heureux, bien qu'un semblant de succès (en l'espèce : le départ prématuré de ses voisins immédiats) lui permît de se trouver tout à fait au bout du banc avant que le concert ne s'achevât.

Elle occupait ainsi une place indépendante lorsque le capitaine Wentworth réapparut. Elle le vit non loin d'elle. Il la vit également; pourtant il avait un air grave et semblait irrésolu et ce n'est que lentement, peu à peu, qu'il se rapprocha enfin assez d'elle pour lui parler. Elle sentit que quelque chose n'allait pas. Son changement d'attitude était incontestable. La différence entre l'air qu'il avait maintenant et celui qu'il avait dans le salon octogonal était frappante. Quelle en était la cause? Elle pensa à son père… à Lady Russell. Lui avait-on lancé un regard désagréable ? Il commença à parler du concert, gravement, davantage à la manière du capitaine Wentworth d'Uppercross; avoua qu'il était déçu, que le chant n'était pas ce qu'il avait espéré; et, en un mot, il

1. Personnage d'un roman de Fanny Burney, *Cecilia.*

devait reconnaître qu'il ne serait pas fâché que le concert prît fin... Anne lui répliqua et prit la défense de l'exécution et, par égard pour ses sentiments, si plaisamment, que son expression s'anima et qu'il lui répondit presque avec un sourire. Ils causèrent encore quelques minutes. L'animation le gagnait; il jeta même les yeux sur le banc, comme s'il y voyait une place qui méritait bien d'être occupée... lorsque, à ce moment, un petit coup sur son épaule obligea Anne à se retourner. Il venait de M. Elliot. Il la priait de l'excuser, mais on devait avoir recours à elle, pour qu'elle expliquât encore de l'italien. Mlle Carteret était très impatiente d'avoir une idée générale du morceau suivant. Anne ne pouvait refuser. Mais elle n'avait jamais sacrifié à la politesse avec autant de peine.

Quelques minutes – le minimum pourtant – s'y passèrent; et lorsqu'elle fut libre de nouveau, lorsqu'elle put se tourner et regarder comme elle l'avait fait précédemment, elle se trouva accostée par le capitaine Wentworth qui lui fit une sorte d'adieu réservé quoique hâtif. « Il fallait qu'il lui souhaitât bonne nuit... Il s'en allait... il devait retourner chez lui aussi vite qu'il le pouvait. »

— Est-ce que cette chanson ne vous invite pas à rester ? lui dit Anne, soudain frappée d'une idée qui la poussait à être encore plus encourageante.

— Non, répondit-il, sur un ton impressionnant, rien ne m'invite à rester ici, et il s'en alla aussitôt.

Il était jaloux de M. Elliot ! C'était le seul motif plausible de sa conduite. Le capitaine Wentworth jaloux de son affection ! Aurait-elle pu le croire, une semaine... trois heures plus tôt ! Elle en sentit, un moment, un plaisir extrême. Mais, hélas ! des pensées bien différentes y succédèrent. Comment cette jalousie s'apaiserait-elle ?

Comment, vu les désavantages particuliers de leurs situations respectives, apprendrait-il ses sentiments réels ? Il était désolant de penser aux attentions de M. Elliot. Le mal était incalculable.

21

Anne se souvint, avec plaisir, le lendemain matin, qu'elle avait promis à Mme Smith d'aller la voir ; ce qui signifiait pour elle qu'elle serait très probablement hors de chez elle au moment de la visite de M. Elliot : éviter M. Elliot était pour ainsi dire son premier but.

Elle se sentait beaucoup de bonne volonté envers lui. Malgré ses attentions malheureuses, elle lui devait de la gratitude et des égards, peut-être de la compassion. Elle ne pouvait s'empêcher de penser aux extraordinaires circonstances qui avaient entouré leur connaissance ; au droit qu'il semblait avoir de l'intéresser, en vertu de tous les caractères de sa situation, de ses propres sentiments, et de son ancienne prédisposition en sa faveur. Cela faisait un mélange tout à fait extraordinaire, flatteur, mais pénible, où pouvaient entrer beaucoup de regrets. Quels eussent été ses sentiments, s'il n'y avait pas eu de capitaine Wentworth ? La question ne mérite pas d'être examinée, car il y avait un capitaine Wentworth et, que la conclusion de cette phase d'incertitude fût bonne ou mauvaise, son affection serait pour lui à jamais. Leur union, elle en était certaine, ne l'écarterait pas plus des autres hommes que leur séparation finale.

Jamais rêveries d'amour et d'éternelle constance ne traversèrent les rues de Bath, aussi charmantes et aussi exaltées que celles qui firent muser Anne, de Camden-Place à Westgate Buildings. Il y en avait presque assez pour répandre un parfum purificateur tout le long du chemin.

Elle était sûre de recevoir un accueil agréable et son amie lui fut, ce matin-là, particulièrement obligée d'être venue car elle semblait l'avoir à peine attendue, bien qu'elles eussent pris rendez-vous.

Un compte rendu du concert fut aussitôt réclamé, et les souvenirs du concert étaient bien assez heureux, chez Anne, pour animer ses traits et lui en faire parler avec plaisir. Tout ce qu'elle put raconter, elle le raconta très gaiement ; mais ce « tout » n'était pas beaucoup pour quelqu'un qui y avait assisté et ne satisfaisait pas la curiosité de Mme Smith qui, par le canal d'une lingère et d'un domestique, en savait un peu plus sur le succès et le profit général de la soirée qu'Anne ne pouvait lui relater ; et qui, maintenant, demandait en vain plusieurs détails sur la compagnie. Mme Smith connaissait de nom toutes les personnes de conséquence ou de notoriété de Bath.

— Les petits Durand y étaient, je présume, et bouche bée pour mieux saisir la musique, dit-elle, comme de jeunes moineaux à la becquée. Ils ne manquent jamais un concert.

— Oui. Je ne les ai pas vus moi-même, mais j'ai entendu M. Elliot dire qu'ils étaient dans la salle.

— Et les Ibbetson ? y étaient-ils ? et les deux nouvelles beautés avec le grand officier irlandais qui est, dit-on, pour l'une d'elles ?

— Je ne sais pas… je ne crois pas.

— Et la vieille Lady Mary Maclean ? je n'ai pas besoin de poser la question. Elle n'en manque pas un, je le sais ; vous avez dû la voir. Elle a dû se trouver dans votre groupe, car, comme vous accompagniez Lady Dalrymple, vous étiez aux places d'honneur, autour de l'orchestre, bien sûr.

— Non, mais c'est ce que je redoutais. Cela m'eût ennuyée à tous égards. Mais heureusement, Lady Dalrymple préfère être un peu loin et nous étions extrêmement bien placés, je veux dire, pour entendre ; pas pour voir, parce qu'il se trouve que je n'ai pas vu grand-chose.

— Oh ! Vous en avez vu assez pour vous distraire… je le comprends aisément. Il est un genre de plaisir de famille que l'on peut connaître même dans une foule, c'était le vôtre. Vous formiez entre vous un large cercle, et vous ne désiriez rien de plus.

— Mais j'aurais dû regarder davantage autour de moi, dit Anne, qui se rendait compte, tandis qu'elle parlait, qu'en réalité ce n'étaient pas les regards qui avaient fait défaut, mais leur objet.

— Non, non… vous étiez mieux occupée. Vous n'avez pas besoin de me dire que vous avez passé une bonne soirée. Je le vois dans vos yeux. Je vois parfaitement comment se sont passées les heures… vous aviez toujours quelque chose d'agréable à écouter. Aux entractes, c'était la conversation.

Anne sourit à demi et dit :

— Vous le voyez dans mes yeux ?

— Oui, je le vois. Votre expression m'apprend parfaitement que vous étiez, la nuit dernière, en compagnie de la personne que vous trouvez la plus agréable du monde, la personne qui vous intéresse, en ce moment, plus que tout le reste du monde réuni.

Une rougeur envahit les joues d'Anne. Elle ne put rien dire.

— Et comme il en est ainsi, reprit Mme Smith après une brève pause, vous croirez bien, j'espère, que je sais apprécier la bonté qui vous a poussée à venir me voir ce matin. C'est vraiment très aimable à vous d'être venue vous asseoir avec moi, alors que tant de choses plus agréables vous réclament ailleurs.

Anne n'entendait rien. Elle était encore sous le coup de l'étonnement et de la confusion qu'avait excités la pénétration de son amie, incapable d'imaginer comment des bruits concernant le capitaine Wentworth avaient pu lui parvenir. Après un nouvel instant de silence…

— Je vous prie, dit Mme Smith, est-ce que M. Elliot a appris que vous me connaissez ? Sait-il que je suis à Bath ?

— M. Elliot ! répéta Anne, surprise, en levant les yeux.

Un instant de réflexion lui montra l'erreur dont elle avait été l'objet. Elle s'en aperçut aussitôt : et recouvrant son courage avec le sentiment de sécurité, elle ajouta bientôt plus calmement :

— Connaissez-vous M. Elliot ?

— Je l'ai beaucoup connu, répondit Mme Smith gravement, mais c'est de l'histoire ancienne, semble-t-il. Cela fait longtemps que je ne l'ai rencontré.

— Je n'étais pas du tout au courant de cela. Vous ne m'en aviez jamais parlé. Si je l'avais su, j'aurais eu le plaisir de lui parler de vous.

— A vrai dire, dit Mme Smith, en reprenant son air enjoué habituel, c'est exactement le plaisir que je voudrais vous procurer. Je voudrais que vous parliez de moi à M. Elliot. Je voudrais que vous l'intéressiez à mon cas. Il peut me rendre un service essentiel ; et si vous avez la bonté, ma chère demoiselle Elliot, de vous le proposer, vous y arriverez, bien sûr.

— J'en serais extrêmement heureuse… J'espère que vous ne pouvez douter de mon empressement à vous rendre ne fût-ce que le plus petit service, répondit Anne, mais j'ai l'impression que vous croyez que j'ai des droits sur M. Elliot… des raisons de l'influencer que je n'ai pas en réalité. Je suis sûre que, d'une façon ou d'une autre, vous êtes imbue de cette idée. Vous ne devez me considérer que comme la parente de M. Elliot. De ce point de vue, si vous supposez qu'il est une chose que sa cousine puisse décemment lui demander, je vous prie de ne pas hésiter à faire appel à moi.

Mme Smith lui lança un regard pénétrant, puis lui dit en souriant :

— Je suis allée un peu vite, je m'en aperçois ; je vous en demande pardon ; j'aurais dû attendre une information officielle. Mais alors, ma chère demoiselle Elliot, en vieille amie, dites-moi donc confidentiellement quand je pourrai vous en parler. La semaine prochaine ? Sûrement, la semaine prochaine, je serai autorisée à penser que tout est réglé et à construire mes plans égoïstes sur la bonne fortune de M. Elliot.

— Non, répondit Anne, ni cette semaine-là, ni celle d'après, ni la suivante. Je vous assure que rien de semblable ne se fera jamais. Je ne vais pas épouser M. Elliot. J'aimerais savoir pourquoi vous vous l'imaginez.

Mme Smith la regarda de nouveau, sérieusement, sourit, secoua la tête et s'exclama :

— Ah ! comme j'aimerais vous comprendre ! comme j'aimerais savoir vos pensées ! J'ai bien idée que vous n'entendez pas être cruelle, au bon moment. Jusque-là, vous savez, nous autres femmes, prétendons ne vouloir personne. Il va de soi, parmi nous, que nous refusons tous les hommes… jusqu'au moment où ils se proposent. Mais pourquoi seriez-vous cruelle ? Laissez-moi plaider pour… je ne puis dire mon ami actuel, mais mon ancien ami. Où pourriez-vous trouver un parti plus convenable ? Comment pourriez-vous vous attendre à trouver un homme plus distingué, plus agréable ? Laissez-moi vous recommander M. Elliot. Je suis sûre que vous n'entendez que du bien de lui dans la bouche du colonel Wallis ; or, qui peut mieux le connaître que le colonel Wallis ?

— Ma chère madame Smith, il n'y a guère plus de six mois que la femme de M. Elliot est morte. On ne devrait pas supposer qu'il fasse la cour à qui que ce soit.

— Oh ! si ce sont là vos seules objections, s'écria Mme Smith d'un air malicieux, M. Elliot n'a rien à craindre et je ne me donnerai plus la peine de le défendre. Ne m'oubliez pas quand vous serez mariée, c'est tout. Faites-lui savoir que je suis une de vos amies, il ne pensera plus, alors, à se donner tant de peine pour m'éviter et se débarrasser de moi, ce qui est très naturel en ce moment, affairé et pris comme il l'est… très naturel, peut-être. Quatre-vingt-dix-neuf hommes sur cent agiraient de même. Bien sûr, il ne saurait savoir de quelle importance il peut être pour moi. Eh bien, ma chère demoiselle Elliot, j'espère fermement que vous serez très heureuse. M. Elliot est capable d'apprécier une femme comme vous. Votre paix ne sera pas brisée comme la mienne. Vous êtes tranquille au point de vue matériel et au point de vue de sa réputation. Il ne saura s'égarer, il ne laissera personne le pousser à la ruine.

— Non, dit Anne, je crois volontiers tout ce que vous me dites de mon cousin. Il semble avoir un caractère calme, résolu, nullement accessible à des impressions dangereuses. Je le considère avec grand respect. A en juger par mes observations, je n'ai pas lieu de le considérer autrement. Mais il n'y a pas longtemps que je le connais et il n'est pas homme, je crois, à se laisser connaître intimement d'emblée. Est-ce que ce langage ne vous convainc pas, madame Smith, qu'il ne m'est rien ? N'est-il pas assez modéré ? Et, je le jure, il ne m'est rien. Quand même il lui arriverait de demander ma main (et je n'ai guère lieu d'imaginer qu'il en ait la pensée), je la lui refuserais. Je puis vous en assurer. Je vous assure que M. Elliot n'a pas eu la part que vous attribuez dans le plaisir que le concert de la nuit dernière a pu me donner. Non, ce n'est pas M. Elliot qui…

Elle s'arrêta, toute rouge, regrettant d'en avoir tant laissé entendre ; mais moins nette, sa réponse eût été presque insuffisante. Mme Smith aurait difficilement cru de sitôt à l'échec de M. Elliot si elle n'avait senti qu'il s'agissait de quelqu'un d'autre. Quoi qu'il en fût, elle n'insista plus et prit l'air de l'ignorance ; et Anne, très désireuse de ne plus prêter à de nouvelles observations, se montra impatiente de savoir comment Mme Smith avait pu s'imaginer qu'elle allait épouser M. Elliot, d'où lui était venue cette idée, ou de qui elle avait pu l'apprendre.

— Dites-moi donc comment cela vous vint d'abord à l'esprit ?

— Cela me vint d'abord à l'esprit, répondit Mme Smith, lorsque je découvris combien vous étiez souvent ensemble : j'ai pensé que c'était la chose au monde la plus probable que pussent souhaiter vos parents ou les siens ; et, croyez-m'en, pour toutes vos relations, votre sort était ainsi réglé. Mais on ne me l'a dit qu'il y a deux jours.

— Et on vous l'a dit vraiment ?

— Avez-vous remarqué la femme qui vous a ouvert la porte hier, quand vous êtes venue me voir ?

— Non. N'est-ce pas Mme Speed, comme d'habitude, ou la domestique ? Je n'ai remarqué personne en particulier.

— C'était mon amie Mme Rooke… l'infirmière qui, à propos, avait une grande curiosité de vous voir et fut ravie d'avoir l'occasion de vous faire entrer. Elle ne revint de Marlborough Buildings que dimanche ; et c'est elle qui m'a dit que vous alliez épouser M. Elliot. Elle le tenait de Mme Wallis elle-même ; c'est une personne qui ne semble pas mal informée. Elle est restée une heure avec moi lundi soir et m'a raconté toute l'histoire.

— Toute l'histoire ! répéta Anne, en riant ; elle n'a pas pu tirer une bien longue histoire, je pense, d'une nouvelle aussi insignifiante et dénuée de fondement.

Mme Smith ne dit rien.

— Mais, continua bientôt Anne, bien qu'il ne soit pas vrai que j'aie ce privilège, je serais extrêmement heureuse de vous être aussi utile que je le pourrai. Lui dirai-je que vous êtes à Bath ? Me chargerai-je d'un message ?

— Non, je vous remercie ; non, vraiment. Sur le moment et sous l'effet d'une méprise, j'ai pu tenter, peut-être, de vous intéresser à certaines choses. Mais maintenant, je ne le puis ; non, je vous remercie, je ne veux pas vous ennuyer.

— Vous avez dit, je crois, que vous avez connu M. Elliot pendant plusieurs années ?

— Oui.

— Il n'était pas encore marié, je suppose ?

— Non. Il ne l'était pas quand je l'ai vu au début.

— Et… vous l'avez bien connu ?

— Intimement.

— Vraiment ! Dites-moi donc, alors, comment il était à ce moment-là. Je suis impatiente de savoir comment était M. Elliot lorsqu'il était tout jeune homme. Etait-il tel qu'il nous apparaît maintenant ?

— Je n'ai pas vu M. Elliot depuis trois ans, répondit Mme Smith d'un air si grave qu'il fut impossible de poursuivre davantage le sujet ; et Anne sentit qu'elle n'y avait gagné qu'un redoublement de curiosité.

Toutes deux restèrent silencieuses… Mme Smith était perdue dans ses pensées. Finalement :

— Je vous demande pardon, ma chère demoiselle Elliot, s'écria-t-elle avec son habituel accent de cordialité, je vous demande pardon des brèves réponses que je vous ai données, mais je ne savais ce que je devais faire. J'ai hésité, réfléchi, je me suis demandé ce que je devais vous dire. Je devais tenir compte de beaucoup de choses. Il est détestable d'être importun, de donner de mauvaises impressions, et de blesser. Et la tranquille apparence de l'affection mérite d'être sauvée, pense-t-on, même s'il n'y a rien de sincère et de durable là-dessous. Néanmoins, j'ai pris ma décision, je crois que j'ai raison ; je crois que vous devez vous familiariser avec le vrai caractère de M. Elliot. J'ai beau être convaincue que, pour le moment, vous n'avez pas la moindre intention de l'accepter, on ne saurait dire ce qui peut arriver. Il se peut que vous soyez, un jour ou l'autre, disposée différemment à son égard. Ecoutez donc maintenant la vérité, tant que vous n'êtes pas prévenue. M. Elliot est un homme sans cœur ni conscience ; c'est un intrigant, un être prudent et froid, qui ne pense qu'à lui ; qui, dans son intérêt et pour son bien, se rendrait coupable de toutes les cruautés, de toutes les fourberies qu'il pourrait perpétrer sans compromettre sa réputation aux yeux du monde. Il n'a pas de pitié pour les autres. Les gens dont il a causé la perte, il est capable de les négliger et de les délaisser sans le moindre remords. Il est totalement étranger à tout sentiment de justice ou de compassion. Oh ! Quelle noirceur dans ce cœur ! Quelle noirceur et quelle fausseté !

L'air étonné d'Anne et ses exclamations de surprise l'interrompirent ; elle ajouta, plus calme :

— Mes expressions vous stupéfient. Il vous faut tenir compte des sentiments d'une femme lésée, en colère. Mais je vais tenter de me dominer. Je ne veux pas le dénigrer. Je vous dirai seulement comment il s'est révélé à moi. Les faits parleront d'eux-mêmes. Il était l'ami intime de mon cher mari, qui l'aimait sincèrement et le trouvait aussi bon que lui-même. Ils s'étaient liés avant notre mariage. Ils étaient très intimes quand je les vis, et, moi aussi, M. Elliot me plut extrêmement ; je me faisais de lui l'idée la plus haute. A dix-neuf ans, vous savez, on ne pense pas très sérieusement ; mais M. Elliot me sembla aussi bon que les autres et beaucoup plus agréable que la plupart des autres, et nous étions presque toujours ensemble. Nous habitions surtout en ville et nous y menions grand train. C'était alors lui qui était l'inférieur au point de vue pécuniaire. C'était alors lui le pauvre ; il avait un appartement au Temple et c'était là tout ce qu'il pouvait faire pour sauvegarder les apparences d'un gentleman. Il avait un foyer chez nous toutes les fois qu'il voulait y venir ; il y était toujours le bienvenu ; il était comme un frère pour nous. Mon pauvre Charles qui avait le cœur le plus délicat et le plus généreux du monde aurait partagé avec lui jusqu'à son dernier sou ; je sais que sa bourse lui était ouverte. Je sais qu'il l'aidait souvent.

— M. Elliot devait être alors, dit Anne, dans la période de sa vie qui a toujours éveillé en moi une curiosité particulière. C'est vers ce moment-là que mon père et ma sœur ont dû faire sa connaissance. Je ne l'ai jamais connu moi-même, j'avais seulement entendu parler de lui, mais il y avait alors quelque chose dans sa conduite, vis-à-vis de mon père et de ma sœur, et, plus tard, dans les circonstances de son mariage, que je n'ai jamais pu tout à fait concilier avec son attitude actuelle, quelque chose qui semblait annoncer un homme différent.

— Je sais tout cela, je sais tout cela, s'écria Mme Smith. On l'avait présenté à Sir Walter et à votre sœur avant que je fisse sa connaissance, mais je l'ai toujours entendu parler d'eux d'une façon inoubliable. Je sais qu'on l'invita, qu'on l'encouragea, et je sais qu'il préféra s'abstenir. Je puis vous donner des éclaircissements auxquels, peut-être, vous ne vous attendez guère; quant à son mariage, j'en connaissais tous les détails à l'époque. J'étais dans le secret du pour et du contre, j'étais l'amie à qui il confiait ses espoirs et ses projets, et, encore que je n'aie pas connu précédemment sa femme (sa position sociale inférieure rendait la chose impossible), je l'ai connue tout le reste de sa vie, ou tout au moins jusque deux ans avant sa mort. Je puis répondre à toutes les questions que vous voudrez bien me poser à son sujet.

— Non, dit Anne, je ne désire aucun renseignement particulier sur son compte. J'ai toujours cru savoir qu'ils ne formaient pas un ménage heureux. Mais j'aimerais savoir pourquoi, à cette époque, il a dédaigné mon père comme il l'a fait. Mon père était certainement disposé à lui témoigner aimablement tous les égards. Pourquoi M. Elliot s'est-il retiré ?

— M. Elliot, répliqua Mme Smith, à cette époque, n'avait qu'un but : faire sa fortune, et plus rapidement qu'honnêtement. Il voulait la faire en se mariant. Il était, au moins, décidé à ne pas la gâcher par un mariage imprudent ; et je sais qu'il croyait (à tort ou à raison, je ne puis évidemment le dire) que votre père et votre sœur, avec toutes leurs politesses et leurs invitations, combinaient un mariage qui unirait l'héritier et la jeune fille ; et ce mariage ne pouvait répondre à ses idées de richesse et d'indépendance. C'est pour cette raison qu'il se retira, je puis vous en assurer. Il me raconta toute l'histoire. Il n'avait pas de secrets pour moi. Chose curieuse, je venais de vous quitter à Bath, et la première connaissance – et la plus importante – que je fis à mon mariage fut celle de votre cousin ; c'est ainsi que, par lui, j'avais constamment des nouvelles de votre père et de votre sœur. Il me décrivait une demoiselle Elliot et je pensais, avec toute mon affection, à l'autre.

— Peut-être, s'écria Anne, frappée par une idée soudaine, peut-être lui avez-vous parlé parfois de moi.

— Bien sûr, très souvent. Je lui vantais mon amie Anne et je lui garantissais que vous étiez une tout autre fille que…

Elle se reprit juste à temps.

— Cela me fait comprendre une chose que M. Elliot m'a dite la nuit dernière, s'écria Anne. Cela l'explique. Je découvris qu'il avait souvent entendu parler de moi. Je ne voyais pas par qui. Quelles folles imaginations on se fait quand il s'agit de soi ! Comme on s'égare ! Mais je vous demande pardon, je vous ai interrompue. M. Elliot n'a donc fait qu'un mariage d'argent ? C'est là, probablement, le premier indice qui vous a ouvert les yeux sur son caractère ?

Mme Smith hésita un peu.

— Oh ! ces choses-là sont si courantes. Quand on vit dans le monde, on voit si couramment des gens faire des mariages d'argent qu'on n'en est pas frappé comme on le devrait. J'étais très jeune et ne fréquentais que des jeunes ; nous formions une bande joyeuse et étourdie qui n'avait pas de morale stricte. Nous vivions pour le plaisir. Je pense autrement maintenant : le temps, la maladie et la peine m'ont donné des opinions différentes ; mais, à cette époque, je dois avouer que je ne voyais rien de répréhensible dans les actes de M. Elliot. « S'en tirer le mieux possible » était notre devise.

— Mais sa femme n'était-elle pas de basse extraction ?

— Si, c'est ce que je lui objectais, mais il n'en faisait point cas. L'argent, l'argent, c'est tout ce qu'il voulait. Elle avait pour père un éleveur, pour grand-père un boucher, mais cela ne lui faisait rien. Elle était belle, avait reçu une éducation convenable, lui avait été présentée par des cousins que le hasard avait mis en compagnie de M. Elliot, et elle tomba amoureuse de lui ; quant à lui, il ne se fit aucune difficulté, aucun scrupule au sujet de sa naissance. Il employa toute sa prudence à s'assurer du montant réel de sa fortune avant de s'engager. Croyez-m'en, quelque estime que professe actuellement M. Elliot pour sa position sociale, il la méprisait parfaitement lorsqu'il était jeune homme. L'héritage du domaine de Kellynch valait quelque chose à ses yeux, mais tout l'honneur de la famille, il s'en souciait comme d'une guigne. Je l'ai souvent entendu déclarer que si le titre de baronnet pouvait se vendre, n'importe qui aurait le sien pour cinquante livres, armoiries, devises, nom et livrée compris ; mais je ne vais pas me proposer de vous répéter la moitié de ce que je l'entendais dire habituellement sur ce sujet. Ce ne serait pas juste. Pourtant, il vous faut une preuve ; je n'ai fait que lancer des affirmations jusqu'à présent ; vous allez l'avoir.

— Vraiment, ma chère madame Smith, je n'en veux aucune, s'écria Anne. Vous n'avez rien affirmé qui fût en contradiction avec ce que M. Elliot semblait être il y a quelques années. Tout cela confirme, plutôt, ce que nous entendions et pensions alors. Je voudrais savoir, de préférence, pourquoi il serait maintenant si différent.

— Faites-moi plaisir, tout de même; voulez-vous avoir l'amabilité de sonner Mary… Attendez, je suis sûre que vous aurez la bonté d'aller vous-même dans ma chambre à coucher et de m'en rapporter le coffret incrusté que vous trouverez sur l'étagère supérieure du placard.

Anne, voyant que son amie y tenait sérieusement, accéda à ses désirs. Le coffret fut produit et placé devant elle. Mme Smith l'ouvrit en soupirant et dit :

— Il est plein de papiers qui appartenaient à Charles, à mon mari. Ce n'est là qu'une petite partie de ceux dont j'ai dû m'occuper lorsque je le perdis. La lettre que je cherche lui fut écrite par M. Elliot, avant notre mariage et s'est conservée, par hasard. Pourquoi ? On l'imagine mal. Il ne prenait pas soin de classer ces choses-là, comme les autres hommes, et, quand j'en arrivai à examiner ses papiers, je la trouvai avec d'autres billets encore plus insignifiants de la main de différentes personnes, éparpillés çà et là, alors que beaucoup de lettres et de mémorandums de réelle importance avaient été détruits. Je n'ai pas voulu la brûler, parce que j'étais déjà très peu satisfaite de M. Elliot et que j'étais décidée à garder toutes les preuves de leur ancienne intimité. J'ai maintenant un autre motif de me réjouir de pouvoir vous la montrer.

La lettre était adressée à « M. Charles Smith, Tunbridge Wells » et portait la date ancienne de juillet, 1803, Londres.

Cher Smith,

J'ai bien reçu votre mot. Votre bonté m'accable presque. Plût à Dieu que l'on trouvât plus souvent des cœurs comme le vôtre, mais depuis vingt-trois ans que je suis au monde, je n 'en ai pas vu de pareil. Pour le moment, croyez-moi, je suis en fonds et n 'ai pas besoin de vos services.

Félicitez-moi : je me suis débarrassé de Sir Walter et de mademoiselle. Ils sont retournés à Kellynch et m'ont fait jurer presque d'aller les voir cet été, mais ma première visite à Kellynch, je la ferai avec un commissaire-priseur qui me dira comment mettre le domaine aux enchères au meilleur compte. Le baronnet, néanmoins, ne se remariera vraisemblablement pas. Il est déjà bien assez stupide. S'il le fait, cependant, ils me laisseront la paix, ce qui vaut bien la substitution. Il est encore pire que l'an dernier.

Que n'ai-je un autre nom que celui d'Elliot ! J'en suis las. Quant aux prénoms, je puis, grâce à Dieu, abandonner « Walter » et ne me faites plus l'insulte, je vous prie, de me le donner.

Je veux rester, toute ma vie, sincèrement votre

William Elliot.

Cette lettre ne pouvait que faire rougir Anne, et Mme Smith, observant la couleur de ses joues, lui dit :

— Ce langage, je le sais, est parfaitement irrespectueux. J'ai oublié les termes exacts, mais mon impression reste très nette : voilà notre homme ! Notez les professions d'amitié qu'il fait à mon mari. Y a-t-il rien de plus fort ?

Anne ne put revenir aussitôt du choc et de la mortification de voir appliquer de tels mots à son père. Elle dut se souvenir que cette lecture était une violation des lois de l'honneur, que personne ne devait être jugé ou connu sur la foi de tels témoignages, que nulle correspondance privée ne devait être soumise à un étranger ; avant de retrouver la force de rendre la lettre qu'elle avait méditée et de dire :

— Merci. Cela prouve incontestablement, définitivement, tout ce que vous m'avez dit. Mais pourquoi nous fréquenterait-il maintenant ?

— Je puis vous expliquer cela aussi, s'écria Mme Smith, en souriant.

— Vraiment ?

— Oui. Je vous ai montré M. Elliot, tel qu'il était, il y a une douzaine d'années ; je vais vous le montrer tel qu'il est maintenant. Je ne puis vous fournir une autre preuve écrite mais je puis vous donner un témoignage parfaitement authentique sur ses plans et ses actes. Il n'est plus hypocrite maintenant. Il veut vraiment vous épouser. Les attentions dont il comble votre famille sont très sincères, et partent du cœur. Je vais vous citer ma source : son ami, le colonel Wallis.

— Le colonel Wallis ! Le connaissez-vous ?

— Non. Mon savoir ne me vient pas en ligne droite, il fait un ou deux détours, mais cela n'a pas d'importance. C'est comme une eau qui retrouve toute sa pureté quand on l'a filtrée du gravier qu'elle a ramassé en chemin. M. Elliot parle sans réserve au colonel Wallis des vues qu'il a sur vous... Cela dit, j'imagine que le colonel Wallis est, en soi, un personnage sensé, prudent, perspicace, mais il a une très jolie femme, un peu sotte, à qui il raconte et répète souvent des choses qu'il ferait mieux de taire. Celle-ci, dans la joie débordante de la convalescence, les répète à son tour à son infirmière, et l'infirmière, qui sait que je vous connais, me transmet naturellement tout cela. Lundi soir, ma bonne amie, Mme Rooke, m'a mise ainsi dans les secrets de Marlborough Buildings. Quand j'ai prononcé le mot d'« histoire », vous voyez qu'il n'était pas aussi exagéré qu'il vous semblait.

— Ma chère madame Smith, votre information est insuffisante. Elle ne me satisfait pas. Quand vous dites que M. Elliot a des vues sur moi, vous n'expliquez pas le moins du monde pourquoi il a fait tant d'efforts pour se réconcilier avec mon père. Tout cela s'est passé avant ma venue à Bath. Ils étaient déjà en termes très amicaux quand j'arrivai.

— Je le sais, je le sais parfaitement, mais…

— Non, madame Smith, il ne faut pas s'attendre à avoir d'informations valables dans ces conditions. Des faits ou des opinions qui sont sujets à passer entre tant de mains, à être déformés par la folie de l'un, l'ignorance de l'autre, ne doivent guère receler de vérité.

— Donnez-moi seulement une minute d'attention. Vous serez bientôt à même de juger du crédit que mérite le tout en écoutant quelques détails, que vous pourrez contredire ou confirmer tout de suite. Personne ne suppose que ce soit vous qui l'ayez attiré d'abord vers votre famille. Il vous avait bien vue – et admirée – avant de venir à Bath, mais sans vous connaître. C'est du moins ce que dit mon historien. Est-ce vrai ? Vous a-t-il vue à l'été ou l'automne dernier « quelque part dans l'Ouest » (pour employer ses propres mots) sans vous connaître ?

— Certainement. Jusque-là, vous avez raison. C'était à Lyme : je me trouvais alors à Lyme.

— Eh bien ! continua Mme Smith, en triomphant, accordez à mon amie le crédit que mérite la confirmation de cette première assertion. Il vous vit donc à Lyme, et en fut charmé, en sorte qu'il eut ensuite le plus grand plaisir à vous rencontrer de nouveau à Camden-Place sous le nom de Mlle Anne Elliot. Dès lors, je n'en doute pas, ses visites avaient un double but. Il en avait déjà un et je vais vous le révéler. Si vous trouvez quelque chose de faux ou d'invraisemblable dans mon histoire, arrêtez-moi. Mon récit déclare que l'amie de votre sœur, la dame qui vit maintenant avec vous, et dont je vous ai entendue parler, vint à Bath avec Mlle Elliot et Sir Walter dès septembre (ce qui revient à dire : en même temps qu'eux), qu'elle vit avec eux depuis ce moment-là, qu'elle est astucieuse, insinuante, belle, pauvre, doucereuse; que sa situation et son air donnent à penser à toutes les relations de Sir Walter qu'elle désirerait être Lady Elliot et qu'on s'étonne également de ce que Mlle Elliot soit apparemment inconsciente du danger.

Mme Smith se tut un moment, mais Anne n'avait rien à dire et elle continua :

— C'est ainsi que ceux qui connaissaient votre famille voyaient les choses, bien avant votre arrivée, et le colonel Wallis, qui avait l'œil sur votre père, s'en rendit compte, bien qu'il ne fît pas alors de visites à Camden-Place; mais l'estime qu'il porte à M. Elliot le faisait s'intéresser à tout ce qui s'y passait, et lorsque M. Elliot vint à Bath pour un jour ou deux, un peu avant la Noël, le colonel Wallis le mit au courant de l'état de choses apparent et des bruits qui commençaient à circuler.

« Vous allez voir maintenant comment le temps a opéré un changement radical dans ses opinions concernant la valeur du titre de baronnet. Pour tout ce qui est du sang de la parenté, ce n'est plus le même homme. Possédant depuis longtemps autant d'argent qu'il en peut dépenser, n'ayant rien à désirer du côté de la richesse et des plaisirs, il a appris peu à peu à faire tenir tout son bonheur dans la dignité dont il doit hériter. Je l'y voyais venir avant que nos relations prissent fin. C'est maintenant chose faite. Il ne peut souffrir l'idée de ne pas être Sir William. Jugez donc du plaisir que purent lui donner les nouvelles qu'il apprit de son ami et vous en devinez les conséquences dans sa résolution de revenir à Bath aussi tôt que possible, de s'y fixer pour un moment, avec le dessein de renouer cette ancienne connaissance et de rétablir avec votre famille des rapports d'intimité qui lui permissent de mesurer le danger et de circonvenir la dame, s'il le fallait.

« Les deux amis convinrent que c'était la seule chose à faire : le colonel Wallis l'y aiderait de son mieux. Il serait présenté aux Elliot, ainsi que Mme Wallis, et tout le monde leur serait présenté. M. Elliot revint donc, demanda et obtint son pardon, comme vous savez, et fut admis de nouveau dans la famille, et il avait pour unique et constant objet (jusqu'à ce que votre arrivée vînt lui en fournir un autre) de surveiller Sir Walter et Mme Clay. Il ne négligea aucune occasion d'être avec eux, de les rencontrer comme par hasard, de faire des visites à toute heure… mais je ne veux pas entrer dans tous ces détails. Vous pouvez imaginer ce qu'un homme rusé peut faire ; et, ainsi éclairée, peut-être vous souviendrez-vous de ce que vous l'avez vu faire. »

— Oui, dit Anne, vous ne me dites rien qui ne s'accorde avec ce que je sais ou puis imaginer. Il y a toujours quelque chose de répugnant dans les voies de la fourberie. Les manœuvres de l'égoïsme et de la duplicité ne peuvent que révolter. Mais je n'ai rien trouvé dans vos paroles qui m'ait vraiment surprise. Je sais des personnes qui seraient scandalisées par ce portrait de M. Elliot, qui auraient du mal à y croire, mais moi je n'ai jamais eu le cœur net à son sujet. J'ai toujours cherché un motif secret à sa conduite. J'aimerais connaître son opinion actuelle sur la probabilité de l'événement qu'il redoutait : considère-t-il que le danger diminue ou non ?

— Il pense qu'il diminue, à ce que je crois savoir, répliqua Mme Smith. Il croit que Mme Clay a peur de lui, qu'elle se rend compte qu'il lit dans son jeu et qu'elle n'ose pas le poursuivre comme elle pourrait le faire s'il était absent. Mais, comme il devra s'absenter un jour ou l'autre, je ne vois pas ce qui peut lui donner confiance tant qu'elle conserve son influence. Mme Wallis s'imagine plaisamment, me raconte Mme Rooke, que vous ferez figurer dans votre contrat de mariage, lorsque vous épouserez M. Elliot, une clause interdisant à votre père d'épouser Mme Clay. Idée digne, en tous points, de l'intelligence de Mme Wallis ; mais notre infirmière, qui est sensée, en voit l'absurdité. « Pour sûr, madame, me dit-elle, ça ne l'empêchera pas d'en épouser une autre. » Et, à vrai dire, je ne crois pas qu'au fond d'elle-même notre infirmière s'oppose vigoureusement à un second mariage de Sir Walter. Il faut reconnaître qu'elle est une adepte du mariage, vous le savez, et (motif intéressé), qui peut dire si elle ne rêve pas vaguement de soigner un jour la nouvelle Lady Elliot, grâce aux recommandations de Mme Wallis ?

— Je suis bien aise de savoir tout cela, dit Anne, après avoir songé un peu. Il me sera plus pénible, à certains égards, d'être en sa compagnie, mais je saurai mieux à quoi m'en tenir. M. Elliot est manifestement un mondain retors et artificiel qui n'a jamais eu de principe plus élevé que l'égoïsme.

Mais elles n'en avaient pas encore fini avec M. Elliot. Mme Smith s'était écartée de sa première direction et Anne avait oublié, en s'intéressant aux histoires de sa famille, que d'autres charges pesaient sur lui ; elle sut écouter l'exposé détaillé de griefs qui, s'ils ne justifiaient pas absolument l'amère intransigeance de Mme Smith, prouvaient que M. Elliot avait été dur envers elle et dénué de justice, de compassion.

Elle apprit que leur intimité n'avait nullement été altérée par le mariage de M. Elliot ; qu'ils avaient été, comme avant, toujours ensemble et que M. Elliot avait poussé son ami à des dépenses qui excédaient de beaucoup sa fortune. Mme Smith n'en rejetait pas le blâme sur elle et prenait bien soin d'épargner son mari ; mais Anne pouvait soupçonner à certains indices que leur revenu n'avait pas été au niveau de leur train de vie, et que, dès le début, on s'était livré, de part et d'autre, à toutes sortes de dépenses. D'après le portrait que lui fit sa femme, elle pouvait sentir que M. Smith avait été un homme d'un naturel généreux, au caractère tranquille, aux habitudes insouciantes, médiocrement intelligent, beaucoup plus aimable que son ami et très différent de lui… qui avait été poussé et probablement méprisé par celui-ci. M. Elliot, parvenu à l'opulence grâce à son mariage et disposé à satisfaire ses désirs et sa vanité dans la mesure où cela ne l'engageait à rien (car sa facilité avait fait place à la prudence), se trouva alors riche au moment où son ami aurait dû se rendre compte de sa pauvreté ; mais il ne parut nullement se soucier des finances de ce dernier ; au contraire, il l'avait incité et encouragé à des dépenses qui ne pouvaient aboutir qu'à sa ruine. Et les Smith avaient été ruinés.

La mort avait évité au mari d'en prendre pleinement connaissance. Ils avaient déjà connu assez d'ennuis d'argent pour comprendre la valeur de leurs amis et savoir à quoi s'en tenir sur celle de M. Elliot; mais ce n'était qu'à la mort de M. Smith que l'état misérable de ses affaires s'était révélé au plein jour. Avec une confiance en M. Elliot qui faisait plus honneur à ses sentiments qu'à son jugement, M. Smith l'avait désigné comme son exécuteur testamentaire. Mais M. Elliot n'en avait pas accepté la charge, et les difficultés et la détresse que ce refus avait accumulées sur la tête de la veuve, en plus des souffrances inévitables de sa situation, avaient été trop terribles pour être relatées sans douleur ou écoutées sans l'indignation correspondante.

Anne eut ensuite sous les yeux, à ce propos, quelques lettres de M. Elliot écrites, en réponse à des prières urgentes de Mme Smith, et qui trahissaient toutes la même inflexible résolution de ne pas s'engager dans des ennuis stériles, et, sous leur froide politesse, la même dureté de cœur, la même indifférence à l'égard des maux qui pourraient en résulter pour elle. Cela composait une image effrayante d'ingratitude et d'inhumanité, et il était des moments où Anne pensait qu'aucun crime manifeste, si grand fût-il, n'aurait pu être pire. Il lui fallut en écouter beaucoup plus : tous les détails de ces tristes scènes, tout l'historique de ses misères, qui n'avaient été qu'effleurés dans les conversations précédentes, furent longuement traités, avec une complaisance naturelle. Anne comprenait parfaitement le soulagement qu'y trouvait son amie et n'en admirait que plus son calme habituel.

Il était un point particulier, dans l'exposé de ses griefs, qui l'irritait particulièrement : son mari avait, dans les Indes occidentales, une propriété qui avait été mise, pour ainsi dire, sous séquestre jusqu'au moment du paiement de ses dettes, et dont elle avait des bonnes raisons de croire qu'elle pouvait rentrer en possession en usant de moyens appropriés; cette propriété, sans être grande, suffirait à la rendre relativement riche. Mais il n'y avait personne pour mettre l'affaire en marche. M. Elliot ne voulait rien faire; quant à elle, sa faiblesse physique l'empêchait de s'en occuper personnellement, et le manque d'argent, d'employer les services d'autrui. Elle n'avait pas de parents pour l'aider, ne fût-ce que de leurs conseils, et n'avait pas les moyens de recourir à ceux des hommes de loi. Voilà qui aggravait cruellement sa gêne. Sentir qu'elle devrait jouir d'une plus grande aisance, qu'un simple coup frappé à la bonne porte pourrait la lui procurer, craindre que ces retards ne puissent affaiblir ses droits, cela lui était très pénible.

C'est là-dessus qu'elle avait beaucoup espéré des bons soins d'Anne. Prévoyant son mariage avec M. Elliot, elle avait beaucoup appréhendé d'y perdre son amie; mais une fois assurée que M. Elliot n'avait pu agir en ce sens, puisqu'il ne savait même pas qu'elle se trouvait à Bath, il lui était aussitôt venu à l'esprit que la femme qu'il aimait pouvait, grâce à son influence, faire quelque chose pour elle; elle s'était donc préparée en hâte à intéresser Anne à son histoire (en respectant autant que possible la réputation de M. Elliot) quand la réfutation de leurs fiançailles supposées avait changé la face des choses et, lui ôtant l'espoir encore nouveau d'atteindre son but principal, lui avait laissé, au moins, le soulagement de conter toute son histoire comme elle l'entendait.

Après avoir écouté le portrait complet de M. Elliot, Anne ne put s'empêcher d'exprimer quelque surprise sur les termes si favorables que Mme Smith lui avait appliqués au début de leur conversation : « Elle avait semblé le recommander et le louer. »

— Ma chère, lui répondit Mme Smith, il n'y avait rien d'autre à faire. Je considérais votre mariage comme certain, bien que M. Elliot ne se fût peut-être pas encore déclaré, et je ne pouvais davantage vous dire la vérité sur lui que s'il avait été votre mari. Mon cœur saignait pour vous quand je vous parlais de bonheur. C'est pourtant un homme sensé, agréable, et, avec une femme comme vous, son cas n'était pas absolument désespéré. Il avait été très dur envers sa femme. Ils étaient malheureux ensemble. Mais elle était trop ignorante et trop étourdie pour lui imposer le respect, et il ne l'avait jamais aimée. Je voulais espérer que vous vous entendriez beaucoup mieux.

Anne ne put se représenter la possibilité d'un tel mariage sans frissonner à l'idée de la misère qui aurait dû s'ensuivre. Il était possible, à la rigueur, que Lady Russell l'eût persuadée de le faire ! Et dans cette hypothèse, qui eût été la plus malheureuse, lorsque le temps aurait tout révélé, trop tard ?

Il était très désirable que Lady Russell ne fût plus dupée, et au bout de cet important entretien, qui leur prit le plus clair de la matinée, il fut convenu, entre autres choses, qu'Anne aurait entière liberté de communiquer à son amie tous les faits concernant Mme Smith dans lesquels était impliquée la conduite de M. Elliot.

22

Anne rentra chez elle pour méditer tout ce qu'elle avait entendu. Sur un point, elle se sentait soulagée de connaître ainsi M. Elliot. Elle ne lui devait plus la moindre tendresse ; il faisait obstacle au capitaine Wentworth avec toutes ses indiscrétions importunes ; et le tort, le mal qu'avaient pu causer ses attentions de la veille furent considérés avec des sentiments qui n'admettaient ni nuance ni indécision. Il n'était plus question de s'apitoyer sur lui. Mais c'était là l'unique point consolant. Partout ailleurs, qu'elle regardât autour d'elle ou tentât de pénétrer le futur, elle voyait des sujets de méfiance et d'appréhension. Elle s'inquiétait de la déception et de la peine que Lady Russell éprouverait, des mortifications qui se préparaient pour son père et sa sœur ; et elle connaissait toute l'angoisse de prévoir une foule de maux sans savoir comment en détourner un seul.

Elle était très reconnaissante envers Mme Smith de lui avoir permis de connaître ce caractère. Elle ne trouvait pas qu'elle méritât de récompense pour n'avoir pas dédaigné une vieille amie ; mais n'en était-elle pas ainsi récompensée ? Personne d'autre que Mme Smith n'aurait été capable de lui faire ce récit. Le secret aurait-il pu se répandre parmi sa famille ? La question était vaine. Il fallait qu'elle causât avec Lady Russell, lui racontât la chose, la consultât, puis – ayant fait de son mieux – qu'elle attendît les événements avec le plus grand calme possible ; et, après tout, ce qui lui demanderait le plus de calme, c'était ce côté de son âme qu'elle ne pouvait découvrir à Lady Russell… Cette suite incessante d'anxiétés et de craintes qu'elle devait toutes garder pour elle.

Arrivée chez elle, elle trouva qu'elle avait évité de voir M. Elliot, comme elle l'avait voulu : il était passé à Camden-Place, y avait fait une longue visite ; mais à peine s'en était-elle félicitée et s'était-elle crue tranquille jusqu'au lendemain, qu'elle apprit qu'il reviendrait dans la soirée.

— Je n'avais pas la moindre intention de l'inviter, dit Elizabeth, avec une fausse insouciance, mais il semblait tant le désirer ; c'est du moins ce que dit Mme Clay.

— Mais oui, je le maintiens. De ma vie je n'ai vu quelqu'un se donner plus de mal à se faire comprendre. Pauvre homme ! J'avais vraiment de la peine pour lui ; votre insensible de sœur, mademoiselle Anne, semble bien disposée à être cruelle.

— Oh ! s'écria Elizabeth, je connais trop le jeu pour me laisser prendre dès l'abord aux insinuations d'un homme. Mais quand j'ai vu à quel point il regrettait d'avoir manqué mon père ce matin, j'ai aussitôt cédé, car je ne négligerai jamais l'occasion de rapprocher M. Elliot et Sir Walter. Ils apparaissent tellement à leur avantage, quand ils sont ensemble ! Et leur conduite est si agréable ! Et M. Elliot si déférent, si respectueux !

— Ravissant ! s'écria Mme Clay, mais sans oser tourner les yeux du côté d'Anne. On les dirait exactement père et fils ! Ma chère demoiselle Elliot, ne puis-je dire : père et fils ?

— Oh ! Je ne mets l'embargo sur les paroles de personne. Si vous vous faites de telles idées… mais, je le jure, je me rends à peine compte que ses attentions soient plus grandes que celles des autres hommes.

— Ma chère demoiselle Elliot ! s'exclama Mme Clay, en levant les mains et les yeux, et étouffant le reste de son étonnement dans un silence commode.

— C'est bon, ma chère Pénélope, vous n'avez pas besoin de vous alarmer pour lui. Je l'ai bien invité, vous le savez. Je l'ai renvoyé avec des sourires. Quand j'ai su qu'il allait vraiment chez des amis de Thornberry-Park pour toute la journée de demain, j'ai eu de la compassion pour lui.

Anne admira le jeu de l'amie qui savait manifester tant de plaisir à l'attente et à l'arrivée effective de la personne même dont la présence devait contrecarrer son principal dessein. Il était impossible que Mme Clay ne détestât la vue de M. Elliot; et pourtant elle savait prendre un air si obligeant, si serein; elle semblait si satisfaite de la contrainte qui réduisait de moitié les attentions qu'elle eût consacrées sans cela à Sir Walter.

Quant à elle, il lui fut très pénible de voir M. Elliot entrer dans la pièce, et vraiment douloureux de le sentir s'approcher d'elle et lui parler. Elle s'était doutée, jusque-là, qu'il pouvait ne pas être toujours sincère; mais maintenant elle voyait de l'insincérité partout.

Sa déférence attentionnée envers son père, qui contrastait avec son ancien langage, lui était odieuse, et lorsqu'elle pensait à sa cruelle conduite vis-à-vis de Mme Smith, elle avait peine à supporter cet étalage de sourires, de douceur et de bons sentiments artificiels. Elle entendait se garder de prendre avec lui une attitude qui lui attirât une remarque de sa part. Elle se proposait d'éviter soigneusement toute question, tout *éclat* [1], mais elle avait l'intention de lui opposer toute la froideur résolue qui était compatible avec leur lien de parenté, et de revenir, aussi discrètement que possible, sur les quelques pas qu'on l'avait amenée peu à peu à faire vers cette inutile intimité. Elle se montra donc plus réservée et plus froide que la veille.

Il aurait voulu réveiller sa curiosité, lui faire demander comment et où il avait pu entendre déjà son éloge; il

1. En français dans le texte.

aurait bien voulu avoir le plaisir de se faire prier davantage ; mais le charme était rompu : il pensa que la chaleur et l'animation d'une salle publique étaient nécessaires pour allumer la vanité de sa modeste cousine ; il pensa, tout au moins, que ce n'était pas le moment de s'y hasarder tandis que les deux autres jeunes femmes réclamaient impérieusement ses attentions. Il était loin de se douter que ce sujet de conversation allait exactement à l'encontre de ses intérêts et évoquait aussitôt à sa cousine les traits les plus inexcusables de sa conduite.

Elle eut quelque satisfaction à apprendre qu'il quittait vraiment Bath le lendemain matin, qu'il s'en irait de bonne heure et pour presque deux jours. Il était encore invité à Camden-Place pour le soir même de son retour ; mais de jeudi à samedi on pouvait être certain de son absence. Il était assez triste d'avoir constamment une Mme Clay en face de soi ; mais si l'on devait y ajouter la présence d'un hypocrite encore plus consommé, c'était la fin de toute paix, de toute tranquillité. Quelle humiliation pour elle de réfléchir aux incessantes duperies dont son père et sa sœur étaient victimes, d'envisager toutes les diverses mortifications qui se préparaient pour eux ! L'égoïsme de Mme Clay n'était ni aussi complexe ni aussi révoltant que le sien ; et elle se fût résignée sur-le-champ au mariage de son père et de Mme Clay et à tous ses inconvénients pour être débarrassée des manœuvres subtiles par lesquelles M. Elliot essayait de l'empêcher.

Le vendredi matin, elle se proposait d'aller très tôt chez Lady Russell et de s'acquitter de son importante communication ; elle serait partie aussitôt après le petit déjeuner, si elle n'avait appris que l'obligeante Mme Clay sortait également pour éviter un dérangement à sa sœur. Elle décida donc d'attendre jusqu'à ce qu'elle fût sûre de ne pas subir sa compagnie. Ce ne fut que lorsque celle-ci se fut bien éloignée qu'elle se mit à dire qu'elle allait passer la matinée à Rivers-Street.

— Fort bien, dit Elizabeth, je ne vous charge que de lui faire mes amitiés. Oh ! par la même occasion vous pouvez lui rapporter ce livre ennuyeux qu'elle tenait à me prêter. Vous ferez comme si je l'avais lu. Vraiment, je ne veux pas me casser la tête à lire tous les nouveaux poèmes et tous les nouveaux écrits qui paraissent dans le pays. Lady Russell vous assomme avec toutes ses nouvelles publications. Ne le lui dites pas, mais j'ai trouvé sa robe affreuse, la nuit dernière. Je pensais jusque-là qu'elle s'habillait avec goût, mais j'avais honte d'elle au concert. Il y avait quelque chose de si guindé, de si *arrangé* [1] dans son air ! elle se tenait si raide, sur son banc ! Toutes mes amitiés, bien sûr.

— Et les miennes, ajouta Sir Walter, avec tous mes compliments. Vous pouvez lui dire que j'ai l'intention d'aller la voir tantôt. Ce sera courtois. Mais je me contenterai de laisser ma carte. Il n'est jamais convenable de faire des visites matinales à des femmes de cet âge qui se fardent si peu. Si seulement elle mettait du rouge, elle ne craindrait pas d'être vue alors ; mais à ma dernière visite, j'ai remarqué que les stores furent aussitôt abaissés.

Tandis que son père parlait, on frappa à la porte. Qui donc était-ce ? Anne, se souvenant des visites calculées que M. Elliot leur faisait à toute heure, se fût attendue à le voir, si elle ne le savait invité à sept milles de là. Après le temps d'incertitude habituel, on entendit les bruits habituels d'une arrivée, et « M. et Mme Musgrove » furent introduits dans la pièce.

1. En français dans le texte.

Parmi les émotions que provoqua leur apparition, la surprise dominait, mais Anne était vraiment contente de les voir, et les autres n'en étaient point si fâchés, qu'ils ne pussent leur faire un accueil convenable, et, dès qu'il apparut que Charles et Mary, leurs plus proches parents, n'étaient pas arrivés avec l'idée de loger dans leur maison, Sir Walter et Elizabeth surent élever d'un cran leur cordialité et leur en faire tous les honneurs. Ils étaient venus à Bath pour quelques jours avec Mme Musgrove et se trouvaient au Cerf-Blanc. C'est ce que l'on comprit bien vite, mais tant que Sir Walter et Elizabeth conduisaient Mary dans l'autre salon et se régalaient de son admiration, Anne ne put tirer de Charles un récit en règle de leur voyage, ni l'explication de certains sourires de certaines allusions à une affaire particulière, que Mary avait lancées ostensiblement, ni celle de la confusion qui semblait subsister sur la composition de leur groupe.

C'est alors qu'elle apprit qu'il se composait de Mme Musgrove, d'Henriette et du capitaine Harville, en plus d'eux-mêmes. Charles lui fit un exposé très simple et très clair de toute l'histoire ; un récit dont les péripéties lui semblèrent des plus typiques. Le capitaine Harville se trouvait à l'origine du plan : il voulait venir à Bath pour affaires ; il s'était mis à en parler la semaine précédente et, histoire de faire quelque chose, car la chasse était terminée, Charles lui avait proposé de l'accompagner. Cette idée avait beaucoup plu à Mme Harville qui la trouvait avantageuse pour son mari, mais Mary ne pouvait supporter de rester seule et en était si malheureuse, que pendant un jour ou deux le projet sembla pendant ou abandonné. Mais alors, M. et Mme Musgrove l'avaient repris. Mme Musgrove avait des amies à Bath qu'elle voulait voir ; on pensait que ce serait une bonne occasion pour Henriette d'y venir acheter sa parure de mariage et celle de sa sœur ; bref, en fin de compte, c'est Mme Musgrove qui s'était chargée de la petite expédition afin de tout simplifier et faciliter au capitaine Harville, et Charles et Mary y furent compris, pour contenter tout le monde. Ils étaient arrivés tard, la veille. Mme Harville, ses enfants et le capitaine Benwick étaient restés avec M. Musgrove et Louise à Uppercross.

La seule surprise pour Anne était que les choses fussent assez avancées pour que l'on parlât de la parure de mariage d'Henriette ; elle s'était imaginé que les difficultés d'argent auraient mis obstacle à un mariage immédiat ; mais Charles lui apprit que tout récemment (plus tard que la lettre de Mary), Charles Hayter avait été prié par un ami de prendre charge d'une cure à la place d'un jeune homme qui ne pourrait vraisemblablement la réclamer que dans plusieurs années ; que, sur la foi du revenu actuel et avec la quasi-certitude que Charles Hayter aurait quelque chose de plus permanent longtemps avant l'expiration du terme en question, les deux familles avaient donné leur consentement aux vœux des jeunes gens et que leur mariage aurait lieu dans quelques mois, en même temps que celui de Louise. « Et, c'est une très bonne cure, avec cela, ajouta Charles, à vingt-cinq milles seulement d'Uppercross, dans une belle région, un joli coin du Dorsetshire. En plein milieu des meilleurs terrains du royaume... trois grands propriétaires autour de soi, l'un plus vigilant et plus méfiant que l'autre, et Charles pourrait se faire recommander à deux d'entre eux au moins. Non qu'il en fasse le cas qu'il devrait, observa-t-il, Charles est trop indifférent à l'égard de la chasse. C'est ce qu'il y a de moins bien en lui. »

— J'en suis vraiment très contente, s'écria Anne. Particulièrement de ce que les choses se passent ainsi et que chez ces deux sœurs, qui méritent aussi bien l'une que l'autre, qui ont toujours été si amies, les heureuses perspectives de l'une n'assombrissent pas celles de l'autre… qu'elles jouissent d'une prospérité et d'un bien-être si semblables. J'espère que votre père et votre mère en sont tout à fait heureux.

— Oh oui ! mon père eût autant aimé que les jeunes gens fussent plus riches, mais il n'a rien d'autre à leur reprocher. L'argent, vous savez… quand il s'agit de débourser… et pour deux filles à la fois… ça n'est pas une opération très agréable, et ça réduit assez ses moyens. Pourtant, je ne veux pas dire par là qu'elles n'y aient point droit. Il est excellent qu'elles aient leur part, et je suis sûr qu'il a toujours été pour moi un très bon père, très généreux. Le parti d'Henriette est loin de plaire autant à Mary. Il ne lui a jamais plu, vous le savez. Mais elle ne lui rend pas justice et n'estime pas assez Winthrop. Je n'arrive pas à attirer son attention sur la valeur de ce domaine. Le temps montrera que c'est un très beau parti, et j'ai eu toute ma vie de l'affection pour Charles Hayter, ce n'est pas maintenant que je vais la lui retirer.

— Des parents aussi excellents que M. et Mme Musgrove, s'exclama Anne, doivent se réjouir du mariage de leurs enfants. Ils font tout pour les rendre heureux, j'en suis sûre. Quel bonheur pour des jeunes gens que d'être en pareilles mains ! Votre père et votre mère semblent totalement affranchis de tous ces sentiments ambitieux qui ont causé tant d'erreurs et de malheurs chez les jeunes comme chez les vieux ! J'espère que vous trouvez Louise parfaitement rétablie maintenant ?

Il répondit, avec quelque hésitation :

— Oui, je le crois... bien rétablie, mais elle est changée, on ne la voit plus courir, bondir, rire, danser ; quelle différence avec autrefois ! S'il vous arrive de fermer la porte un peu fort, elle tressaille comme un petit grèbe qui s'ébroue dans l'eau, et Benwick est assis contre elle, à lui lire des vers et lui murmurer des choses toute la journée.

Anne ne put s'empêcher de rire :

— Vous ne devez guère trouver cela à votre goût, je le sais, mais je suis persuadée que c'est un excellent jeune homme.

— Pour sûr. Personne n'en doute, et j'espère que vous ne me prêtez pas l'étroitesse d'esprit de vouloir que tout le monde ait les mêmes goûts et les mêmes plaisirs que moi. J'apprécie beaucoup Benwick, et quand on arrive à le faire parler, il a beaucoup de choses à dire. Ses lectures ne lui ont pas fait de mal, car s'il lit bien, il se bat bien aussi. C'est un garçon courageux. Je l'ai mieux connu lundi dernier que je n'avais fait jusqu'alors. Nous avions organisé une fameuse chasse aux rats dans les granges de mon père ; et il y a si bien joué son rôle, que, depuis, je l'estime davantage.

Ici, ils furent interrompus. Il fallait absolument que Charles suivît les autres pour admirer les miroirs et les porcelaines, mais Anne en avait assez entendu pour voir où en étaient les choses à Uppercross et se réjouir de ce bonheur, et, si elle soupirait, cependant, il n'entrait nulle malveillance, nulle jalousie dans ses soupirs. Elle eût certainement atteint à la même joie, si elle le pouvait, mais elle ne voulait pas diminuer celle des autres.

La visite s'écoula très joyeusement. Mary était d'excellente humeur : cette gaieté, ce changement de décor la charmaient et elle était si satisfaite du voyage qu'elle avait fait dans la voiture à quatre chevaux de sa belle-mère et de sa parfaite indépendance vis-à-vis de Camden-Place, qu'elle était parfaitement disposée à tout admirer comme il le fallait et toute prête à apprécier chaque avantage de la maison qu'on lui énumérait. Elle n'avait rien à réclamer de son père et de sa sœur et sentait agréablement grandir son importance à la vue de leurs beaux salons.

Elizabeth fut, un moment, bien malheureuse. Elle sentait que Mme Musgrove et tous ses compagnons devaient être invités à dîner avec eux, mais ne pouvait tolérer que la différence de train de vie et le nombre restreint de serviteurs qu'accuserait le dîner fussent révélés à des gens qui avaient toujours été si inférieurs aux Elliot de Kellynch.

Elle était tiraillée entre le sens des convenances et sa vanité; mais c'est la vanité qui l'emporta et Elizabeth retrouva alors son bonheur. Voici comment elle se persuadait : « Conceptions démodées… hospitalité campagnarde… officiellement, nous ne donnons pas de dîners… peu de gens le font à Bath. Lady Alicia n'en donne jamais : elle n'a même pas invité la famille de sa sœur qui est pourtant restée un mois ici ; et puis, je pense que ce serait très gênant pour Mme Musgrove… cela la dérangerait tellement. Je suis sûre qu'elle préférerait ne pas venir… elle ne se sent pas à l'aise avec nous. Je les inviterai tous à une soirée, cela vaudra beaucoup mieux ; ce sera une nouveauté et une fête pour eux. Ils n'ont jamais vu de pareils salons. Ils seront ravis de venir demain soir. Ce sera une vraie soirée : peu de monde et beaucoup d'élégance. »

Cela satisfaisait Elizabeth et, lorsque l'invitation fut faite au couple présent et promise pour les absents, Mary fut aussi satisfaite que sa sœur. On la pria de venir en particulier pour lui faire rencontrer M. Elliot et la présenter à Lady Dalrymple et Mlle Carteret qui, heureusement, avaient été déjà invitées. Nulle attention ne l'aurait charmée davantage. Mlle Elliot aurait l'honneur de rendre visite à Mme Musgrove au cours de la matinée et Anne sortit avec Charles et Mary pour aller aussitôt la voir ainsi qu'Henriette.

Le projet de conférer avec Lady Russell devait être abandonné pour le moment. Tous trois firent à Rivers-Street une brève apparition, mais Anne se convainquit qu'un jour de retard apporté à sa communication n'aurait aucune importance et se hâta vers le Cerf-Blanc pour y revoir ses amis et ses compagnons de l'automne dernier avec une impatience et un empressement que beaucoup de souvenirs contribuaient à lui donner.

Ils y trouvèrent Mme Musgrove et sa fille. Elles étaient seules et firent à Anne le plus aimable accueil. Le récent avancement de ses projets et son bonheur encore tout nouveau disposaient parfaitement Henriette à témoigner la plus grande estime et le plus grand intérêt à toutes les personnes qui lui plaisaient déjà ; quant à Mme Musgrove elle vouait à la jeune fille une réelle affection depuis qu'elle l'avait vue si utile lors de leurs épreuves. Il y avait là une cordialité, une chaleur et une sincérité qui ravissaient d'autant plus Anne que ces dons précieux faisaient tristement défaut chez sa famille. Elles la prièrent de leur accorder le plus de temps possible, l'invitèrent pour tous les jours (et du matin au soir) ou plutôt, la réclamèrent comme un membre de la famille ; de son côté, elle retrouva naturellement avec elles son attitude prévenante et serviable et, lorsque Charles les laissa ensemble, elle écoutait Mme Musgrove lui raconter l'histoire de Louise, puis Henriette la sienne, et elle leur donnait son opinion sur leurs emplettes et leur recommandait des magasins, tout en aidant Mary, qui la sollicitait à tout propos, tantôt à changer de ruban, tantôt à régler un compte, tantôt à retrouver ses clefs et assortir ses colifichets, tantôt à se convaincre que personne ne les dédaignait, car, encore que, dans l'ensemble, Mary se divertît beaucoup de voir de sa fenêtre l'entrée de l'établissement thermal, il lui arrivait fatalement de se faire de pareilles idées.

Il fallait s'attendre à ce que la matinée se passât dans le plus grand désordre. Avec tant de personnages dans un hôtel, on était assuré d'assister à une rapide succession de scènes. Toutes les cinq minutes, c'était un billet, puis un paquet, et Anne n'y était pas depuis une demi-heure que la salle à manger, pour spacieuse qu'elle fût, semblait plus qu'à moitié pleine ; un groupe de vieilles amies était assis autour de Mme Musgrove, puis Charles revint avec les capitaines Harville et Wentworth. L'apparition de ce dernier ne put causer à Anne qu'une surprise passagère. Il était impossible qu'elle eût oublié de penser que l'arrivée de leurs amis communs dût bientôt les réunir de nouveau. Leur dernière rencontre avait été de la plus grande importance ; il lui avait alors révélé ses sentiments ; elle en avait tiré une certitude délicieuse, mais elle craignait que la même conviction qui lui avait fait quitter en hâte la salle de concert continuât à le guider. Il ne semblait pas vouloir s'approcher assez d'elle pour converser.

Elle tenta de rester calme et de laisser les choses suivre leur cours ; elle tenta de se pénétrer de cet argument que lui dictait la raison : « Sûrement, s'il y a attachement constant de chaque côté, il faut que nos deux cœurs se comprennent avant longtemps. Nous ne sommes plus des enfants pour nous irriter d'un rien, pour nous laisser égarer par une quelconque inadvertance et pour jouer follement avec notre bonheur. » Et pourtant, quelques minutes plus tard, elle eut l'impression que cette nouvelle rencontre ne pouvait, dans les circonstances présentes, que les exposer à des inadvertances et à des mésinterprétations de la plus dangereuse espèce.

— Anne, s'écria Mary, toujours à sa fenêtre, voici Mme Clay, j'en suis sûre. Elle se tient sous la colonnade avec un monsieur. Je viens de les voir tourner au coin de Bath-Street. Ils ont l'air d'être en grande conversation. Qui est-ce ? Venez me le dire. Juste ciel ! Je me rappelle... C'est M. Elliot lui-même.

— Non, s'écria Anne aussitôt. Ce ne peut être M. Elliot, je vous l'assure. Il devait quitter Bath ce matin, à neuf heures, pour ne revenir que demain.

Tandis qu'elle parlait, elle sentit que le capitaine Wentworth la regardait. Cette constatation la contraria, la gêna, et lui fit regretter d'avoir dit ces quelques mots, pour simples qu'ils fussent.

Mary, froissée de ce qu'on ne croyait pas qu'elle connût son cousin, se mit à parler avec feu des traits de famille, à protester encore plus catégoriquement que c'était bien M. Elliot et à redemander à sa sœur de venir le voir elle-même ; mais Anne n'entendait pas bouger et tenta d'être froide et indifférente. Elle eut quand même la douleur de remarquer les sourires et les regards d'intelligence qu'échangeaient deux ou trois des visiteuses, comme si elles se croyaient au courant de toute l'histoire. Il était évident que le bruit s'en était répandu ;

une brève pause s'ensuivit, qui laissait augurer qu'il se répandrait maintenant davantage.

— Venez donc, Anne, lui cria Mary, venez voir vous-même. Vous allez arriver en retard, si vous ne vous pressez pas. Ils se séparent maintenant, ils se serrent la main. Il s'éloigne. Ah ça, je ne connaîtrais pas M. Elliot ! On dirait que vous oubliez tout ce qui s'est passé à Lyme.

Pour calmer Mary et, peut-être, dissimuler sa gêne, Anne s'avança tranquillement vers la fenêtre. Elle eut juste le temps de constater que c'était bien M. Elliot (elle ne l'aurait jamais cru) avant de le voir disparaître d'un côté, tandis que Mme Clay s'éloignait de l'autre ; et réprimant la surprise qu'elle devait fatalement éprouver en voyant conférer deux personnes dont les intérêts étaient totalement opposés, elle dit calmement : « Oui, c'est bien M. Elliot. Il a dû changer son heure de départ, j'imagine, c'est tout… à moins que je ne me trompe. Peut-être n'ai-je pas bien entendu », et elle retourna à sa chaise, toujours aussi calme, avec l'espoir rassurant qu'elle s'était bien tirée d'affaire.

Les visiteuses prirent congé de leur hôtesse et Charles, après les avoir poliment reconduites à la porte, leur fit des grimaces dans le dos, se moqua de leur visite et dit :

— Ah, ma mère, voici quelque chose qui va vous faire plaisir et que j'ai fait pour vous. Je suis allé au théâtre prendre une loge pour demain soir. Ne suis-je pas un gentil fils ? Je sais que vous aimez le théâtre et il y a de la place pour nous tous dans la loge. Elle contient neuf personnes. J'ai invité le capitaine Wentworth. Anne ne sera pas fâchée de nous tenir compagnie, j'en suis sûr. Nous aimons tous le théâtre. N'ai-je pas bien fait, ma mère ?

Mme Musgrove commençait à lui répondre avec bonne humeur qu'elle était parfaitement disposée à y aller si cela intéressait Henriette et tous les autres, lorsque Mary l'interrompit brusquement, en s'exclamant :

— Juste ciel ! Charles, comment pouvez-vous y penser ? Prendre une loge pour demain soir ! Avez-vous oublié que nous sommes invités demain soir à Camden-Place ? Et tout particulièrement, afin d'y rencontrer Lady Dalrymple, sa fille et M. Elliot... tous les principaux membres de la famille... exprès pour leur être présentés ? Comment avez-vous pu l'oublier ?

— Bah ! répliqua Charles. Qu'est-ce qu'une soirée ? Cela vaut-il la peine qu'on y pense ? Votre père aurait pu nous inviter à dîner, je pense, s'il avait voulu nous voir. Vous ferez ce qu'il vous plaira, moi, j'irai au théâtre.

— Oh ! Charles, ce serait trop abominable, je le déclare, alors que vous avez donné votre promesse.

— Non, je n'ai rien promis. J'ai simplement minaudé, fait un salut et dit : « Très heureux. » Ce n'est pas là une promesse.

— Mais il faut que vous y alliez, Charles. Votre absence serait impardonnable. Nous avons été invités exprès pour être présentés. Il y a toujours eu de tels liens entre les Dalrymple et nous. Rien ne s'est jamais passé chez les uns, qui ne fût aussitôt annoncé aux autres. Nous sommes très proches parents, vous savez, et M. Elliot aussi, que vous devriez connaître si particulièrement ! M. Elliot a droit à tous les égards. Pensez donc, c'est l'héritier de mon père... le futur représentant de la famille.

— Ne me parlez pas d'héritier ni de représentant, s'écria Charles. Je ne suis pas de ceux qui négligent la vraie grandeur pour courtiser son ombre. Si je ne voulais pas y aller à cause de votre père, je trouverais scandaleux d'y aller à cause de son héritier. Qu'est-ce que M. Elliot pour moi ?

Cette expression, négligemment lancée, rendit la vie à Anne, qui remarqua que le capitaine Wentworth, comme hypnotisé, regardait et écoutait de toute son âme, et que ces derniers mots amenèrent ses yeux interrogateurs de Charles sur elle.

Charles et Mary continuèrent à discuter de la même façon ; lui, mi-sérieux, mi-plaisantant, soutenait son projet ; elle, invariablement sérieuse, s'y opposait avec feu, tout en faisant savoir que, si décidée qu'elle fût d'aller à Camden-Place, elle s'estimerait plutôt lésée si les autres allaient au théâtre sans elle. Mme Musgrove intervint :

— Il vaudrait mieux remettre cela à plus tard. Charles, vous feriez mieux de retourner faire marquer la loge pour mardi. Ce serait dommage d'être séparés et nous y perdrions aussi Mlle Anne, s'il y a une soirée chez son père ; et je suis sûre que la pièce ne nous dirait rien, à Henriette ni à moi, si Mlle Anne ne pouvait être avec nous.

Anne lui fut vraiment obligée de son amabilité, ainsi que de l'occasion qu'elle lui donna de déclarer nettement :

— Si cela ne dépendait que de mon inclination, madame, et si Mary n'y tenait pas, cette soirée ne me retiendrait pas le moins du monde. Je ne trouve aucun plaisir à ces sortes de réunions et je ne serais que trop heureuse d'assister, à la place, à un spectacle en votre compagnie. Mais, peut-être, vaudrait-il mieux ne pas le tenter.

Elle avait pu dire cela, mais elle trembla quand elle eut fini, car elle était consciente qu'on écoutait tous ses mots et n'osait même pas essayer d'en observer l'effet.

Tout le monde fut bientôt d'accord pour mardi ; seul Charles se réservait l'avantage de taquiner toujours sa femme, en maintenant qu'il irait le lendemain au théâtre, même si personne ne l'y accompagnait.

Le capitaine Wentworth quitta son siège, s'approcha de la cheminée, probablement pour pouvoir s'en éloigner bientôt et se placer, d'une façon indirecte, auprès d'Anne.

— Vous n'êtes pas restée assez longtemps à Bath, lui dit-il, pour en goûter les soirées.

— Oh ! non. Le genre habituel de ces soirées ne me dit rien. Je ne joue pas aux cartes.

— Autrefois non plus, je le sais. Vous n'aimiez pas les cartes, mais le temps change beaucoup de choses.

— Je n'ai point tellement changé, s'écria Anne, mais elle s'arrêta, craignant vaguement qu'il ne la comprît mal.

Après une pause d'un instant, il dit :

— Cela fait si longtemps ! Huit ans et demi, c'est bien long !

Serait-il allé plus loin ? Elle dut laisser à son imagination le soin d'examiner cette question, dans un moment de calme, car, tandis qu'elle entendait ces mots, son attention fut brusquement attirée ailleurs par Henriette qui était impatiente de profiter de cet instant de répit pour sortir, et qui demandait à ses compagnons de ne pas perdre de temps, de crainte d'une autre arrivée.

Ils durent se déplacer. Anne prétendit qu'elle y était toujours prête et tenta d'en avoir l'air, mais elle pensait que, si Henriette avait pu connaître avec quels regrets, avec quelle peine elle se préparait à quitter la pièce, elle eût trouvé dans ses sentiments pour son cousin, et l'assurance qu'ils étaient partagés, de quoi avoir pitié d'elle.

Mais leurs préparatifs furent arrêtés net. On entendit des bruits alarmants : de nouveaux visiteurs approchaient, et la porte s'ouvrit sur Sir Walter et Mlle Elliot, dont l'entrée sembla jeter un froid général. Instantanément, Anne se sentit oppressée et, de quelque côté qu'elle jetât les yeux, elle voyait autour d'elle les symptômes du même malaise. Le plaisir, la liberté, la gaieté de la compagnie s'étaient évanouis d'un coup, pour faire place à une froide correction, à un silence résolu, ou à un bavardage insipide qui donnaient la réplique à l'élégante sécheresse de cœur de son père et de sa sœur. Quelle mortification pour elle de le constater !

Son œil jaloux fut satisfait sur un point particulier. Tous deux avaient salué le capitaine Wentworth, Elizabeth plus aimablement que la dernière fois. Elle lui adressa même, une fois, la parole et le regarda plus d'une fois. Le fait est qu'elle méditait une grande décision. La suite allait en donner l'explication. Après avoir perdu quelques minutes en banalités insignifiantes, elle se mit à faire l'invitation qui devait la détacher de toutes ses obligations envers les Musgrove : « Demain soir… avec quelques amis… dans l'intimité », ce qui fut fait très gracieusement, et les cartes dont elle s'était munie (« Mlle Elliot reçoit ») furent posées sur la table avec un sourire affable et compréhensif à chacun, et en particulier au capitaine Wentworth. C'est qu'en vérité, Elizabeth avait assez longtemps séjourné à Bath pour comprendre l'importance d'un homme qui avait cet air et cette prestance. Le passé ne comptait pas. Quant au présent, il lui faisait voir un homme qui ferait très bien dans son salon. La carte lui fut donc expressément remise, puis Sir Walter et Elizabeth se levèrent et disparurent.

L'interruption avait été brève, quoique pénible, et, dès que la porte se referma sur eux, le plaisir et l'animation revinrent à tous ceux qu'ils avaient quittés, mais point à Anne. Elle ne pouvait penser qu'à l'invitation à laquelle elle avait assisté avec tant d'étonnement et à la manière dont il l'avait reçue : c'était une manière ambiguë qui exprimait la surprise plus que le plaisir, la réception polie plus que l'acceptation. Elle le connaissait ; elle vit du dédain dans ses yeux et ne pouvait s'aventurer à croire qu'il avait décidé d'accepter cette proposition, en réparation de toute l'insolence d'autrefois. Elle en fut découragée. Il gardait sa carte en main, après qu'ils furent partis, comme s'il la considérait avec attention :

— Pensez-y donc ! Elizabeth invite tout le monde, lui murmura Mary d'une façon très distincte. Je ne m'étonne pas que le capitaine Wentworth en soit ravi ! Vous voyez, il n'arrive pas à lâcher sa carte.

Anne rencontra ses yeux, vit ses joues rougir et sa bouche prendre une expression de mépris momentanée… Elle s'éloigna pour ne rien voir ou entendre qui la contrariât davantage.

La compagnie se sépara. Les messieurs avaient leurs occupations et les dames s'en allèrent à leurs emplettes ; ils ne se rencontrèrent plus tant qu'elle les accompagna. Elles la supplièrent de venir dîner avec elles et de leur consacrer tout le reste de la journée ; mais toutes ces épreuves l'en rendaient incapable pour le moment. Elle n'était bonne qu'à rentrer chez elle où elle serait sûre d'être aussi silencieuse qu'elle le voudrait.

Après leur avoir promis de passer toute la matinée du lendemain avec elles, elle ajouta à sa lassitude la fatigue d'un retour à pied à Camden-Place où elle passa principalement le reste de la journée à écouter Elizabeth et Mme Clay s'affairer aux préparatifs de la soirée du lendemain, énumérer fréquemment la liste des invités et parfaire sans cesse le détail de tous les embellissements qui devaient en faire, dans son genre, la manifestation la plus élégante de Bath, tandis que la tourmentait sans cesse, en secret, cette question : le capitaine Wentworth y viendrait-il ou non ? Les autres en étaient sûres, alors que l'inquiétude la rongeait presque sans répit. Elle croyait, à peu près, qu'il viendrait, parce qu'elle croyait, à peu près, qu'il le devait ; mais elle n'arrivait pas à donner à cette visite un tel caractère de nécessité ou de convenance qu'elle pût résister infailliblement aux suggestions qui lui venaient de sentiments tout opposés.

Elle ne sortit de la songerie où la mettait ce trouble incessant que pour apprendre à Mme Clay qu'elle l'avait vue avec M. Elliot trois heures après le départ supposé de celui-ci ; car, après avoir guetté en vain une allusion à ce fait, de la part même de cette dame, elle décida d'en parler ; à ses paroles, elle crut voir apparaître sur le visage de Mme Clay un signe de culpabilité – qui d'ailleurs s'évanouit en un instant. Mais Anne y crut lire l'indice que M. Elliot, à la suite d'un entrecroisement d'intrigues, ou bien dans un accès d'autorité, lui avait fait subir (pendant une demi-heure, peut-être) un sermon sur la nécessité de limiter ses desseins. Mme Clay s'exclama, cependant, en prenant assez bien l'accent de la sincérité :

— Oh, ma chère ! c'est bien vrai. Imaginez, mademoiselle Elliot, qu'à ma grande surprise j'ai rencontré

M. Elliot à Bath-Street ! Je n'ai jamais été plus étonnée. Il est revenu sur ses pas et m'a accompagnée jusqu'à la buvette. Il n'avait pu partir pour Thornberry, je ne sais plus, vraiment, pour quelle raison… car j'étais pressée et ne pouvais l'écouter longtemps. Je puis seulement vous garantir qu'il est bien décidé à ne pas ajourner son retour. Il voulait savoir dès quelle heure il pourrait être reçu demain. Il ne pensait qu'à demain, et il faut croire que moi aussi j'y ai pensé dès que je suis arrivée ici et que j'ai appris l'élargissement de votre plan et tout ce qui est arrivé… sans quoi cette rencontre ne me serait jamais passée si complètement de l'esprit.

23

Un jour s'était écoulé depuis sa dernière conversation avec Mme Smith : mais un événement plus intéressant pour elle y avait succédé ; et la conduite de M. Elliot – sinon certaines de ses conséquences – la touchait maintenant si peu qu'elle trouva tout naturel, le lendemain matin, de différer, encore une fois, sa visite d'explication à Lady Russell. Elle avait promis d'être avec les Musgrove du petit déjeuner au dîner. Elle leur en avait donné sa parole, et la réputation de M. Elliot, comme la tête de la sultane Schéhérazade, devait être épargnée jusqu'au lendemain.

Cependant, elle ne put être exacte à son rendez-vous ; le temps était mauvais, il pleuvait et elle s'en était désolée pour ses amies et pour elle-même, avant de pouvoir tenter de sortir. Lorsqu'elle fut parvenue au

Cerf-Blanc et se fut rendue à l'appartement des Musgrove, elle découvrit qu'elle n'était pas arrivée tout à fait à l'heure, ni la première. Il y avait là Mme Musgrove, qui causait avec Mme Croft, et le capitaine Harville avec le capitaine Wentworth; elle apprit aussitôt que Mary et Henriette, trop impatientes pour l'attendre, étaient sorties à la première éclaircie, reviendraient bientôt et avaient laissé à Mme Musgrove la consigne formelle de la retenir jusqu'à leur retour. Il ne lui restait donc qu'à s'y soumettre, s'asseoir, et prendre un air calme tout en se sentant plongée dans le trouble qu'elle ne comptait connaître qu'un peu avant la fin de la matinée. Cela se fit sans retard, sans perte de temps. Elle se perdit instantanément dans le bonheur de cette douleur… ou dans la douleur de ce bonheur. Deux minutes après son entrée, le capitaine Wentworth dit :

— Nous allons maintenant faire la lettre dont nous avons parlé, si vous me donnez de quoi l'écrire.

La plume et le papier se trouvaient sur une petite table placée à l'écart. Il y alla et, leur tournant presque le dos à tous, se consacra à sa lettre.

Mme Musgrove était en train de raconter à Mme Croft l'histoire des fiançailles de sa fille aînée, avec cette désagréable intonation, qu'elle prenait pour un murmure et qui la faisait entendre de tous. Anne sentait qu'elle n'était pas associée à leur conversation et pourtant, comme le capitaine Harville avait l'air pensif et peu disposé à causer, elle ne put s'empêcher d'entendre plusieurs détails indésirables, comme ceux-ci : « combien de fois M. Musgrove et mon beau-frère Hayter se sont réunis pour en discuter; ce que mon beau-frère avait dit un jour et ce que M. Musgrove avait proposé le lendemain, et ce qui est arrivé à ma sœur Hayter, et ce que les jeunes gens désiraient et comment j'ai dit d'abord que je ne pouvais pas y donner mon consentement, et comment j'ai été amenée ensuite à trouver que ce serait très bien »... et beaucoup d'autres confidences du même genre et de précisions qui, même avec tous les agréments du goût et de la délicatesse, que la bonne Mme Musgrove ne pouvait leur conférer, n'avaient de valeur, à vrai dire, que pour les principaux intéressés. Mme Croft l'écoutait de fort bonne humeur, et lorsqu'il lui arrivait de parler, elle le faisait avec beaucoup de bon sens. Anne espérait que les messieurs étaient chacun trop occupés pour les entendre.

— Et c'est ainsi, madame, que, tout bien pesé, dit Mme Musgrove de son puissant murmure, c'est ainsi que nous avons eu beau vouloir que les choses se passent autrement, nous n'avons pas trouvé bien de leur faire obstacle plus longtemps ; car Charles Hayter était fou après ce mariage, et Henriette autant que lui, ou presque. Alors nous avons pensé qu'il valait mieux qu'ils se marient tout de suite et qu'ils s'arrangent le mieux possible, comme tant d'autres l'ont fait avant eux. En tout cas, disais-je, cela vaudra mieux que de longues fiançailles.

— C'est précisément ce que j'allais vous faire remarquer, s'écria Mme Croft. Je préfère voir des jeunes gens s'établir tout de suite sur un petit revenu et faire face ensemble à quelques difficultés plutôt que de les voir s'empêtrer dans de longues fiançailles. Je trouve toujours qu'un attachement...

— Oh ! ma chère Mme Croft, s'écria Mme Musgrove, incapable de lui laisser finir sa phrase, il n'y a rien que je déteste autant pour des jeunes gens que de longues fiançailles. Je m'y suis toujours opposée pour mes enfants. Les fiançailles, leur disais-je, c'est très bien pour des jeunes gens, s'ils sont sûrs de pouvoir se marier dans six mois ou un an ; mais de longues fiançailles !...

— Oui, ma chère madame, lui dit Mme Croft, ou bien des fiançailles indécises et qui peuvent traîner. S'y lancer sans savoir qu'à tel moment on aura les moyens de se marier, c'est une action que je trouve fort imprudente et inconsidérée, et que les parents, je crois, devraient empêcher autant qu'ils le peuvent.

Anne trouva un intérêt imprévu dans ces paroles. Elle sentit qu'on pouvait les lui appliquer, cependant qu'un frisson nerveux la parcourait toute... et, au moment même où elle jetait instinctivement les yeux sur la table distante, la plume du capitaine Wentworth cessa de bouger, il leva la tête, attentif, en suspens, et, se tournant vers elle, lui lança un regard... un regard rapide et significatif.

Les deux dames continuèrent à parler, à redéfendre les mêmes vérités admises et à les confirmer en citant les tristes effets qu'elles avaient vus survenir lorsqu'elles n'étaient pas pratiquées ; mais Anne n'entendait rien distinctement ; les mots bourdonnaient dans ses oreilles, la confusion régnait dans son esprit.

Le capitaine Harville, lui, n'avait rien entendu ; il quitta alors son siège, s'en alla à la fenêtre et Anne, qui semblait le regarder – en réalité, elle était distraite –, se rendit compte, peu à peu, qu'il l'invitait à le rejoindre. Il la regarda avec un sourire et un petit mouvement de la tête qui voulait dire : « Venez, j'ai quelque chose à vous dire », et cette amabilité de manières, si simple, si naturelle, qui dénotait déjà les sentiments d'un vieil ami, rendait l'invitation encore plus pressante. Elle se leva et alla vers lui. La fenêtre près de laquelle il se tenait se trouvait au bout de la pièce opposé à celui où les dames étaient assises, et non loin de la table du capitaine Wentworth sans en être trop près. Lorsqu'elle le rejoignit, le visage du capitaine Harville reprit cette expression sérieuse et songeuse qui semblait le caractériser normalement.

— Regardez cela, lui dit-il en défaisant un paquet qu'il avait en main et en lui montrant un petit portrait en miniature, savez-vous qui c'est ?

— Le capitaine Benwick, évidemment.

— Oui, et vous pouvez deviner à qui il est destiné. Mais, fit-il plus gravement, ce n'est pas pour elle qu'il a été fait. Mademoiselle Elliot, vous souvenez-vous de notre promenade de Lyme, et comme nous nous désolions pour lui ? J'étais loin de me douter, alors... mais peu importe. Ce portrait a été dessiné au Cap. Il y rencontra un jeune artiste allemand de talent et, fidèle à la promesse qu'il avait faite à ma pauvre sœur, posa pour lui.... il rapportait cette miniature pour elle, et, maintenant, je suis chargé de la faire enchâsser pour une autre ! C'était bien une commission pour moi ! Mais qui d'autre pouvait la faire ? Je crois avoir beaucoup d'estime pour lui. Je crois lui passer beaucoup de choses, mais je ne regrette pas de la confier à un autre. Il s'en charge, fit-il, en désignant du regard le capitaine Wentworth, il le lui écrit. – Et, la lèvre tremblante, il ajouta en guise de conclusion : – Pauvre Fanny ! Elle ne l'aurait pas oublié si vite !

— Non, répondit Anne doucement, d'une voix émue, je le crois aisément.

— Ce n'était pas dans sa nature. Elle était folle de lui.

— Ce n'eût été dans la nature d'aucune femme qui aimât vraiment.

Le capitaine Harville sourit, comme pour lui dire : « Revendiquez-vous cette qualité pour votre sexe ? » et elle répondit à sa question, en souriant également :

— Oui. Nous ne vous oublions certainement pas aussi vite que vous nous oubliez. C'est peut-être notre destinée plutôt que notre mérite. Nous n'y pouvons rien, nous sommes ainsi faites. Nous, nous vivons enfermées chez nous, dans une tranquillité qui nous laisse en proie à nos sentiments. Vous, vous êtes forcés de vous dépenser. Vous avez toujours un métier, des occupations, telle ou telle affaire qui vous rendent aussitôt au monde extérieur ; et alors, l'activité et le changement continuels affaiblissent les impressions.

— En admettant, comme vous le prétendez, que le monde ait cet effet si rapide sur les hommes (mais je crois que je ne l'admettrais pas), je ne vois pas que cela s'applique à Benwick. Il n'a pas été forcé du tout de se dépenser. La paix l'a ramené à terre au même moment, et depuis il a vécu constamment avec nous, dans notre petit cercle de famille.

— C'est vrai, dit Anne, tout à fait vrai. Je ne m'en souvenais plus ; mais, alors, qu'allons-nous dire, capitaine Harville ? Si le changement n'est pas causé par les circonstances extérieures, il faut qu'il vienne du dedans. C'est la nature, la nature de l'homme qui en est responsable, dans le cas du capitaine Benwick.

— Non, non, ce n'est pas la nature de l'homme. Je ne peux pas admettre qu'il soit davantage dans la nature de l'homme que dans celle de la femme d'être inconstant et d'oublier les êtres qu'il aime ou qu'il a aimés. Je suis convaincu du contraire. Je crois qu'il existe une réelle analogie entre notre constitution physique et morale et que, de même que notre corps, nos sentiments sont les plus forts. Ils peuvent résister aux traitements les plus durs et essuyer les plus rudes tempêtes.

— Vos sentiments peuvent être les plus forts, répliqua Anne, mais le même principe d'analogie m'autorisera à déclarer que les nôtres sont les plus tendres. L'homme est plus robuste que la femme, mais il ne vit pas plus longtemps qu'elle, ce qui explique mes vues sur la nature de ses attachements. Non, ce serait trop dur pour vous s'il en était autrement. Vous avez assez de difficultés, de privations et de dangers contre quoi lutter. Vous passez votre temps à peiner à votre tâche, exposés à toutes sortes de risques et de rigueur. Votre foyer, votre pays, vos amis, vous avez tout quitté. Ni votre temps, ni votre santé, ni votre vie ne vous appartiennent. Ce serait vraiment trop dur – fit-elle d'une voix tremblante – si l'on y ajoutait les sentiments d'une femme.

— Nous ne nous accorderons jamais sur cette question, commençait à dire le capitaine Harville, lorsqu'un léger bruit appela leur attention sur la partie de la pièce, jusque-là parfaitement calme, où se trouvait le capitaine Wentworth.

Ce n'était rien d'autre que sa plume qui était tombée ; mais Anne tressaillit en découvrant qu'il était plus près qu'elle ne l'avait imaginé, et inclinait presque à soupçonner que sa plume n'était tombée que parce qu'il était tout occupé à s'efforcer de les entendre – chose qui, pourtant, ne lui semblait pas possible.

— Avez-vous terminé votre lettre ? dit le capitaine Harville.

— Pas tout à fait, j'ai encore quelques lignes à faire. J'aurai fini dans cinq minutes.

— Pour ma part, je ne suis pas pressé. Je serai toujours prêt quand vous le serez. J'ai un excellent mouillage ici, dit-il en souriant à Anne, bien approvisionné, rien ne manque. Pas pressé du tout de lever l'ancre. Oui, demoiselle Elliot, continua-t-il en baissant la voix, comme je vous le disais, nous ne nous accorderons jamais sur ce point, pas plus qu'un autre homme et qu'une autre femme, probablement. Mais laissez-moi vous faire remarquer que toutes les histoires sont contre vous, tous les romans, la prose et les vers. Si j'avais la mémoire de Benwick, je vous débiterais cinquante citations à l'instant en faveur de mon argument, et je ne crois avoir jamais ouvert de livre qui n'eût quelque chose à dire sur l'inconstance des femmes. Les chansons et les proverbes ne parlent que de l'humeur volage des femmes. Mais peut-être allez-vous me dire qu'ils ont tous été écrits par des hommes.

— Peut-être, en effet… Oui, oui, s'il vous plaît, pas de références à des exemples tirés de livres. Les hommes, en racontant leur histoire, ont eu sur nous tous les avantages. Ils ont eu une éducation tellement supérieure à la nôtre ; ce sont eux qui ont la plume en main. Je ne reconnais pas aux livres la propriété de prouver quoi que ce soit.

— Mais alors, comment prouver quelque chose ?

— Nous ne prouverons jamais rien. Nous ne devons pas nous attendre à prouver quoi que ce soit sur ce point. C'est une différence d'opinions qui ne souffre pas de preuves. Il y a probablement, à l'origine, un petit parti pris qui nous fait interpréter en faveur de notre sexe tous les faits que nous avons vus se produire autour de nous et dont beaucoup (peut-être les cas, justement, qui nous frappent le plus) sont précisément de ceux qu'on ne peut citer sans trahir un secret ou qu'il ne convient pas de mentionner pour certaines raisons.

— Ah ! s'écria le capitaine Harville, d'un ton pénétré, si je pouvais seulement vous faire sentir ce qu'un homme souffre lorsqu'il jette un dernier regard sur sa femme et ses enfants, lorsqu'il voit s'éloigner la barque qui les ramène à terre jusqu'à ce qu'elle soit imperceptible et qu'alors il se retourne et se dit : « Dieu sait si nous nous reverrons jamais ! » Et puis, si je pouvais vous peindre le rayonnement de son âme lorsqu'il les revoit enfin ; lorsque, de retour après une absence d'un an peut-être, et obligé de faire escale dans un autre port, il calcule le temps minimum qu'il leur faudra pour le rejoindre : il feint alors de se duper, il se dit : « Ils ne pourront jamais être là tel jour », cependant qu'il les espère douze heures plus tôt ; puis, il les voit arriver enfin, comme si le ciel leur avait donné des ailes, plusieurs heures encore plus tôt ! Ah ! Si je pouvais expliquer tout cela, et tout ce qu'un homme peut faire et endurer – et avec quelle fierté – pour l'amour de ses trésors !... Voyez-vous, je ne vous parle que des hommes qui ont un cœur, dit-il, en appuyant avec émotion sa main sur le sien.

— Oh ! s'écria vivement Anne, j'espère que je rends justice à tous vos sentiments et à ceux des hommes qui vous ressemblent. Dieu me garde de sous-estimer la générosité et la fidélité d'aucun de mes frères. Je mériterais un mépris total si j'osais supposer que seule la femme connaît l'attachement et la constance véritables. Non, je vous crois capables des plus grandes et des plus nobles actions lorsque vous êtes mariés. Je vous crois capables des plus gros efforts et de toutes les qualités domestiques, aussi longtemps que... permettez-moi d'employer cette expression... aussi longtemps que vous avez un objet. Je veux dire : tant que la femme que vous aimez vit, et vit pour vous. Tout le privilège que je réclame pour mon sexe (il n'est pas enviable, vous n'avez pas besoin de le convoiter), c'est celui d'aimer le plus longtemps, même quand l'objet ou quand l'espoir ont disparu.

Elle n'aurait pu dire un mot de plus, tant elle se sentait le cœur gros et la poitrine oppressée.

— Vous êtes une bonne âme, s'écria le capitaine Harville en mettant sa main sur son bras, très affectueusement. Il n'y a pas moyen de se quereller avec vous, et quand je pense à Benwick, j'ai la langue liée.

Leur attention fut attirée du côté des autres. Mme Croft les quittait.

— Je crois, Frederick, que nous nous séparons ici, dit-elle. Je rentre chez moi, vous, vous êtes pris avec votre ami. Demain, nous aurons peut-être le plaisir de nous revoir tous à votre soirée, dit-elle en se tournant vers Anne. Nous avons eu hier la carte de votre sœur ; je crois savoir que Frederick en a une également, quoique je ne l'aie pas vue… et vous serez libre, Frederick comme nous, n'est-ce pas ?

Le capitaine Wentworth était en train de plier une lettre en grande hâte et il ne lui fit pas une réponse complète, soit qu'il ne le voulût pas, soit qu'il en fût empêché.

— Oui, dit-il. C'est cela, nous nous séparons, mais Harville et moi, nous vous suivrons bientôt, je veux dire, Harville, si vous êtes prêt, je suis à vous dans une demi-minute. Je sais que vous ne serez pas fâché de sortir. Je suis à votre service dans une demi-minute.

Mme Croft les quitta, et le capitaine Wentworth qui avait cacheté très rapidement sa lettre était prêt maintenant, et avait même un air pressé et agité qui montrait son impatience de s'en aller. Anne ne savait qu'en penser. Le capitaine Harville lui fit le plus aimable : « Au revoir, chère amie », mais lui, pas un mot, pas un regard. Il était parti sans lui lancer un regard.

Elle avait eu à peine le temps de se rapprocher de la table où il avait écrit que des pas se firent entendre de nouveau ; la porte s'ouvrit : c'était lui. Il leur demandait pardon, mais il avait laissé ses gants dans la pièce, et traversant, à l'instant, la chambre jusqu'à son écritoire, le dos tourné à Mme Musgrove, il tira une lettre de sous les papiers éparpillés, et fixant Anne avec des yeux pleins d'une ardente supplication, la plaça devant elle, ramassa hâtivement ses gants et quitta de nouveau la pièce presque avant que Mme Musgrove ne se fût rendu compte qu'il y était entré… l'espace d'un instant.

La révolution qui s'était opérée en cet instant chez Anne peut à peine s'exprimer. La lettre, avec son adresse presque illisible : « A Mademoiselle A. E. » était évidemment celle qu'il avait pliée si hâtivement. Tandis qu'on supposait qu'il n'écrivait qu'au capitaine Benwick, il lui avait destiné aussi un message ! Du contenu de cette lettre dépendait tout ce que ce monde pouvait faire pour elle. Elle était capable de tout, mais non d'endurer l'incertitude. Mme Musgrove s'occupait à mettre un peu d'ordre sur sa table ; il fallait qu'elle en profitât et, se laissant tomber dans la chaise qu'il avait occupée, c'est à l'endroit même où il s'était appuyé pour écrire que ses yeux dévorèrent les mots suivants :

Je ne puis écouter davantage en silence. Il faut que je vous parle, avec les moyens dont je dispose. Vous transpercez mon âme. Je suis partagé entre l'angoisse et l'espoir. Non, ne me dites pas qu'il est trop tard, que ces précieux sentiments ont disparu à jamais. Je vous offre de nouveau un cœur qui vous appartient encore plus totalement que lorsque vous l'avez brisé, il y a huit ans et demi. Ne prétendez pas que l'homme oublie plus vite que la femme, que son amour meurt plus tôt. Je n'ai jamais aimé que vous. Injuste, j'ai pu l'être, faible et rancunier, je l'ai été... mais inconstant, jamais. C'est vous seule qui m'avez fait venir à Bath. C'est pour vous seule que je pense, que je fais des projets... Ne l'avez-vous pas senti ? N'avez-vous pas compris mes souhaits ?... Je n'aurais même pas attendu ces dix jours si j'avais pu lire vos sentiments comme je pense que vous avez dû pénétrer les miens. J'arrive à peine à vous écrire. J'entends à tout moment quelque chose qui me bouleverse. Vous baissez la voix, mais je puis distinguer les inflexions de cette voix, quand même elles échapperaient à d'autres... O parfaite, excellente créature ! Vous nous rendez bien justice. Vous êtes sûre que l'attachement et la constance véritables existent parmi les hommes. Soyez assurée de les trouver infiniment fervents, infiniment fidèles chez

F. W.

Il faut que je parte, incertain de mon sort ; mais je reviendrai ici ou bien je rejoindrai votre groupe dès qu'il me sera possible. Un mot, un regard suffiront à décider si j'entrerai chez votre père ce soir, ou jamais.

Après une lecture pareille, il n'était pas facile de se ressaisir. Une demi-heure de solitude et de réflexion l'aurait peut-être calmée ; mais les dix minutes à peine qui s'écoulèrent avant qu'elle ne fût dérangée de nouveau ne pouvaient guère l'avancer dans ce sens, si l'on y joignait toutes les gênes de la situation. Chaque moment accroissait plutôt son trouble. C'était un bonheur débordant... et elle en était encore à la phase la plus vive de son émotion lorsque Charles, Mary et Henriette entrèrent tous.

Elle lutta aussitôt pour reprendre son air normal, c'était absolument nécessaire ; pourtant au bout d'un instant, elle n'en put plus. Elle se mit à ne plus rien comprendre de ce qu'ils disaient et dut prétexter une indisposition et s'excuser. Ils purent voir alors qu'elle avait l'air très souffrante, s'en émurent, s'en inquiétèrent. Pour rien au monde ils ne la quitteraient d'un pas. C'était une chose terrible. Si seulement ils étaient partis et l'avaient laissée tranquillement disposer de la pièce, cela l'aurait guérie ; mais le spectacle de tout ce monde debout ou assis autour d'elle était affolant et, poussée à bout, elle dit qu'elle allait rentrer chez elle.

— Je vous en prie, ma chère, s'écria Mme Musgrove, rentrez tout de suite chez vous vous soigner, pour pouvoir assister à la soirée. Quel dommage que Sarah ne soit pas là pour vous aider et que j'en sois incapable. Charles, commandez donc une chaise à porteurs. Il ne faut pas qu'elle marche.

Mais elle ne voulait pas de la chaise ! Ce serait pire que tout ! Perdre la possibilité de dire deux mots au capitaine Wentworth, au cours d'un retour tranquille et solitaire (et elle se sentait presque sûre de le rencontrer), c'était une perspective intolérable. Elle protesta donc énergiquement contre la chaise et Mme Musgrove, qui n'avait en tête qu'une seule sorte de maladie, après s'être assurée, avec quelque anxiété, qu'il n'y avait pas eu de chute dans son cas, qu'il ne lui était jamais arrivé de glisser ces temps-ci et de se donner un coup à la tête, que la jeune fille était bien certaine de n'être pas tombée... put la quitter très rassurée, avec le ferme espoir de la trouver en meilleure santé cette nuit.

De peur de négliger la moindre précaution, Anne fit un effort sur elle-même et dit :

— Je crains, madame, qu'on n'ait pas bien compris. Voulez-vous avoir la bonté de faire savoir aux autres messieurs que nous espérons vous voir tous à notre soirée. Je crains qu'on n'ait mal compris, et je désirerais en particulier que vous assuriez le capitaine Harville et le capitaine Wentworth que nous espérons les voir tous deux.

— Oh ! ma chère, tout le monde a bien compris, je vous en donne ma parole. Le capitaine Harville ne pense qu'à y aller.

— Croyez-vous ?... mais j'ai des doutes, et cela me ferait tant de peine. Voulez-vous me promettre de leur en parler lorsque vous les reverrez ? Vous les reverrez tous deux, ce matin, je crois. Promettez-le-moi.

— Mais bien sûr, si vous le désirez. Charles, si vous voyez quelque part le capitaine Harville, souvenez-vous de lui faire le message de Mlle Anne. Mais vraiment, ma chère, vous n'avez pas besoin de vous inquiéter. Le capitaine Harville compte bien s'y rendre, j'en réponds ; et le capitaine Wentworth également, je crois.

Anne ne pouvait rien faire de plus ; pourtant son cœur lui prophétisait une malchance qui ternirait la perfection de sa félicité, mais elle ne pourrait guère durer. Même s'il ne venait pas à Camden-Place, lui-même, elle trouverait le moyen de lui faire communiquer par le capitaine Harville une phrase transparente.

Un nouvel ennui surgit, momentanément. Charles, réellement inquiet et poussé par son bon cœur, voulait la raccompagner chez elle ; il était impossible de l'en empêcher. Voilà qui était presque cruel ! Mais elle ne put rester longtemps sans lui en savoir gré ; il sacrifiait une visite à un armurier pour lui être utile ; et elle partit avec lui, en ne laissant apparaître que sa gratitude.

Ils étaient à Union-Street, lorsqu'un bruit de pas plus rapides derrière eux, qui avait quelque chose de familier, lui laissa une minute pour se préparer à la vue du capitaine Wentworth. Il les rejoignit, mais comme s'il était irrésolu à rester avec eux ou à poursuivre son chemin, il ne dit rien… il regarda seulement. Anne eut assez d'empire sur elle-même pour recevoir ce regard sans froideur. Les joues qui avaient été pâles rougirent alors ; les mouvements qui avaient été hésitants se firent décidés. Il se plaça à ses côtés.

Bientôt, frappé d'une idée soudaine, Charles dit :

— Capitaine Wentworth, de quel côté allez-vous ? Vers Gay-Street seulement ou plus haut ?

— Je n'en sais trop rien, répondit le capitaine Wentworth, surpris.

— Remontez-vous jusqu'à Belmont ? Allez-vous près de Camden-Place ? Parce que, dans ce cas, je n'aurais aucun scrupule à vous demander de prendre ma place auprès d'Anne, et de lui donner le bras jusqu'à sa porte. Elle a l'air épuisée ce matin, et il ne faut pas qu'elle aille si loin, toute seule ; pour moi, je devrais me trouver chez ce garçon, sur la place du Marché. Il m'a promis de me faire voir un fusil formidable qu'il va justement expédier ; il m'a dit qu'il l'emballerait au dernier moment, pour que je puisse le voir ; et, si je ne reviens pas maintenant sur mes pas, je manquerai cette chance. D'après sa description, c'est quelque chose qui doit ressembler beaucoup à mon fusil moyen à deux coups avec lequel vous avez tiré un jour, du côté de Winthrop.

Le moyen de refuser ? Le moyen de ne pas montrer tout l'empressement qu'il fallait, la complaisance la plus obligeante en pareil cas ? Et tandis qu'ils retenaient leurs sourires, leur âme extasiée jubilait secrètement. En moins d'une minute, Charles était, de nouveau, au bas d'Union-Street et les deux jeunes gens poursuivaient leur promenade. Ils avaient bientôt échangé assez de mots pour décider de prendre l'allée sablée, relativement calme et retirée, où ils pourraient se dire les paroles qui illumineraient cette heure entre toutes et lui prépareraient toute l'immortalité qu'ils lui réserveraient plus tard parmi leurs plus heureux souvenirs. Ils se redirent alors les sentiments et les promesses qui, naguère, avaient paru autoriser tous leurs espoirs mais qui avaient été suivis de tant et tant d'années de séparation et d'éloignement ! Ils revinrent vers le passé, plus profondément heureux, peut-être, d'être réunis que la toute première fois où ils en avaient fait le projet ; plus tendres, plus éprouvés, plus sûrs de connaître leurs caractères, leur sincérité, leur attachement ; plus préparés à agir ; mieux fondés à le faire. Et tandis qu'ils remontaient lentement l'allée en pente douce, sans faire attention aux groupes qui les côtoyaient, sans voir ni politiciens en vacances, ni ménagères affairées, ni jeunes filles avec leurs galants, ni bonnes d'enfants… ils se livraient au plaisir de revivre ensemble les jours anciens et surtout de s'expliquer tous les événements récents – dont l'intérêt était si saisissant, si inépuisable. Tous les divers détails de la semaine précédente y passèrent. Sur la veille et la journée même, on fut intarissable.

Elle ne s'était pas trompée sur son compte. La jalousie avait été pour lui la pierre d'achoppement, la source de doute et de tourments. Elle s'était fait sentir, au début, dès l'instant où il l'avait rencontrée à Bath avec M. Elliot; elle était revenue, après un bref répit, lui gâcher le concert ; c'est elle qui avait influé sur tout ce qu'il avait fait et dit, tout ce qu'il avait omis de faire et de dire, au cours des dernières vingt-quatre heures. Elle avait cédé, peu à peu, aux heureux espoirs que l'air, les mots ou les gestes d'Anne avaient parfois encouragés; elle avait été finalement vaincue, lorsqu'il l'avait entendue exprimer, avec ces inflexions, ses sentiments au capitaine Harville; c'est alors qu'il avait saisi une feuille de papier et laissé parler son cœur.

De ce qu'il lui avait écrit, il ne voulait rien retrancher ni retoucher. Il maintint qu'il n'avait jamais aimé qu'elle. Elle n'avait jamais été supplantée dans son cœur. Il était même sûr de n'avoir jamais vu son égale. Certes, il devait reconnaître... qu'il n'avait été constant qu'inconsciemment, et même, malgré lui; qu'il avait voulu, qu'il avait cru l'oublier. Il s'était imaginé indifférent, alors qu'il n'était qu'irrité, et il avait été injuste envers ses mérites parce qu'il en avait souffert. Il était maintenant fixé sur son caractère : c'était la perfection même, l'équilibre le plus délicieux entre la fermeté et la douceur, mais il devait reconnaître que c'était seulement à Uppercross qu'il avait appris à lui rendre justice, et à Lyme qu'il avait commencé à voir clair en lui. Il avait reçu à Lyme plus d'une leçon. L'admiration de M. Elliot à son passage lui avait, au moins, ouvert les yeux, et les scènes qui s'étaient passées sur la Vieille Jetée et chez les Harville avaient définitivement établi sa supériorité.

S'il avait essayé de s'attacher à Louise Musgrove (c'étaient les tentatives de la fierté irritée), il s'était rendu compte, affirmait-il, qu'il en avait été incapable. Il ne s'était pas intéressé, il ne pouvait s'intéresser à

Louise. Mais il avait dû attendre jusqu'à ce jour-là, et jusqu'à la période de réflexion qui s'ensuivit, pour comprendre toute l'excellence de l'esprit avec lequel celui de Louise soutenait si mal la comparaison, et l'empire absolu, sans rival, qu'il exerçait sur le sien. C'est alors qu'il avait appris à faire la distinction entre la fermeté réfléchie et l'obstination têtue, entre les audaces de l'étourderie et la résolution d'un esprit maître de soi. C'est alors qu'il avait tout vu conspirer à élever dans son estime la femme qu'il avait perdue et qu'il avait commencé à déplorer l'orgueil, la sottise et la folie de son ressentiment qui l'avaient retenu d'essayer de la reconquérir, alors que le hasard l'avait remise sur sa route.

Dès lors, sa pénitence avait été sévère. Il ne s'était pas plus tôt dégagé de l'horreur et des remords qui s'attachaient, les premiers jours, à l'accident de Louise, il n'avait pas plus tôt commencé à se sentir revivre, qu'il s'apercevait que, si vivant qu'il fût, il n'était pas libre.

— Je m'aperçus, dit-il, que les Harville me tenaient pour fiancé ! Que ni Harville ni sa femme ne se faisaient de doute sur notre attachement mutuel ! J'en fus saisi et indigné. Je pouvais parfaitement leur donner la contradiction sur-le-champ, mais, lorsque je me mis à songer que les autres avaient pu se faire la même idée… sa famille, que dis-je, elle-même, peut-être, je ne me sentis plus mon maître. L'honneur voulait que je lui appartinsse, si elle le désirait. J'avais été imprudent. Je n'avais pas considéré que mon excessive familiarité devait risquer d'avoir plus d'une conséquence fâcheuse, et que je n'avais pas le droit d'essayer de voir si je pouvais m'attacher à l'une ou l'autre des jeunes filles, si, au pire, cela devait faire jaser les gens. J'avais fait une lourde erreur… je devais en supporter les conséquences.

Bref, il s'était aperçu trop tard qu'il s'était mis dans une position délicate, et que, précisément au moment où il s'assurait que Louise ne l'intéressait pas du tout, il devait se regarder comme lié à elle, si les sentiments de la jeune fille à son égard étaient ceux que les Harville supposaient. Cela le décida à quitter Lyme et à attendre ailleurs sa complète guérison. Il voulait user de tous les moyens honorables pour affaiblir les sentiments ou les spéculations qui pouvaient le concerner, et il s'en alla chez son frère avec l'intention de retourner, après un certain temps, à Kellynch, et d'agir comme l'exigeraient les circonstances.

— J'ai passé six semaines chez Edward, dit-il, et je l'ai vu heureux. Je ne pouvais avoir d'autre plaisir. Je n'en méritais pas. Il s'enquit tout particulièrement de vous et me demanda même si, physiquement, vous aviez changé ; il se doutait peu qu'à mes yeux vous ne pourriez jamais changer.

Anne sourit sans rien dire. La gaffe était trop agréable pour qu'elle la relevât. C'est quelque chose, pour une femme, que d'être assurée, à vingt-huit ans, qu'elle n'a rien perdu du charme de sa prime jeunesse, mais la valeur de cet hommage était pour elle inexprimablement rehaussée par la comparaison qu'elle établissait avec d'anciennes paroles, et le sentiment qu'il était le résultat et non la cause du renouveau de son ardeur.

Il était resté en Shropshire à se lamenter sur l'aveuglement de son orgueil et les erreurs de ses calculs, quand, brusquement, l'étonnante et heureuse nouvelle des fiançailles de Louise et du capitaine Benwick lui avait rendu la liberté.

— Dès lors, dit-il, j'avais fini de traverser la mauvaise passe, car, maintenant, je pouvais au moins m'engager dans le chemin du bonheur, je pouvais me donner du mal, faire quelque chose. Mais cette attente si longue dans l'inaction, cette attente du pire avait été terrible. En moins de cinq minutes, je me dis : « Je serai mercredi à Bath », et j'y fus. Etais-je impardonnable de croire qu'il valait la peine de venir et d'arriver avec quelque espoir ? Vous étiez libre. Peut-être conserviez-vous, comme moi, les sentiments du passé, et j'avais pour moi un encouragement : je ne pouvais douter que vous ne fussiez aimée et recherchée par d'autres hommes, mais je savais avec certitude que vous aviez refusé au moins un homme dont les titres étaient plus brillants que les miens. Et je ne pouvais m'empêcher de me répéter : « Etait-ce à cause de moi ? »

Il y avait beaucoup de choses à dire sur leur première rencontre de Milson-Street, et encore plus sur le concert. Cette soirée-là ne semblait composée que de moments extrêmes : le moment où elle s'était avancée pour lui parler, dans le salon octogonal, le moment où M. Elliot était venu la lui enlever, ainsi qu'un ou deux autres moments consécutifs marqués par des retours d'espoir ou des redoublements de découragement... et chacun d'eux fit l'objet de longs et vifs commentaires.

— Vous voir, s'écria-t-il, au milieu de gens qui ne pouvaient me vouloir de bien, voir votre cousin tout près de vous, conversant avec vous, ses sourires... sentir tous les affreux avantages de l'opportunité de cette alliance ! La considérer comme le souhait certain de tous ceux qui pouvaient espérer vous influencer ! Et même si vous n'éprouviez aucun goût, ou de l'indifférence à son égard, considérer quels puissants appuis il aurait ! Cela ne suffisait-il pas à rendre mes espoirs ridicules ? Comment alors, vous regarder sans souffrir ? Est-ce que la vue même de l'amie assise derrière vous, est-ce que le souvenir de ce qui s'était passé, la connaissance de son influence, l'impression indélébile, ineffaçable de ce que la persuasion avait fait autrefois... est-ce que tout cela n'était pas contre moi ?

— Vous auriez dû distinguer, répondit Anne. Vous n'auriez pas dû douter de moi maintenant ; le cas est si différent... et mon âge aussi. Si j'ai eu tort de céder autrefois à la persuasion, souvenez-vous que c'était à une persuasion qui plaidait contre le risque et non en sa faveur. Quand je cédai, je crus faire mon devoir, mais on ne peut plus invoquer de devoir maintenant. En épousant un homme qui m'est indifférent, j'aurais provoqué toutes sortes de risques et de manquements au devoir.

— Peut-être aurais-je dû raisonner ainsi, répondit-il, mais je ne le pouvais. Je ne pouvais tirer profit de la connaissance récente que j'avais acquise de votre caractère. Je ne pouvais la mettre en jeu : elle était submergée, engloutie, perdue sous les impressions anciennes, dont la douleur cuisante me poursuivait d'année en année. Je ne pouvais penser à vous que comme à quelqu'un qui avait cédé, qui m'avait abandonné, qui avait été influencé par un autre plutôt que par moi. Je vous ai vue avec la personne même qui vous avait inspirée, en cette année de misère. Je n'avais pas de raison de lui supposer moins d'autorité maintenant. La force de l'habitude devait s'y adjoindre.

— J'aurais pensé, dit Anne, que mes manières à votre égard auraient pu vous épargner toutes ces inquiétudes, ou presque.

— Non, non ! Vos manières pouvaient avoir simplement l'aisance que leur donnaient vos fiançailles avec un autre. Je vous quittai avec cette conviction, et pourtant… j'étais décidé à vous revoir. Mon courage me revint avec le matin et je sentis que j'avais encore un motif de rester ici.

A la fin, Anne était de nouveau chez elle, et plus heureuse que sa famille n'aurait pu imaginer. Toute la surprise, l'incertitude et les autres sentiments pénibles de la matinée s'étaient dissipés sous l'effet de cette conversation et elle rentra chez elle si heureuse qu'elle dut calmer son émotion par l'appréhension passagère que cela ne pourrait pas durer ; un temps de méditation sérieuse et réconfortante était le meilleur moyen de parer aux dangers de cette félicité exaltée ; elle rentra dans sa chambre et accueillit sa joie avec confiance, courage et gratitude.

… C'était le soir, les salons s'allumèrent, la compagnie se rassembla. Ce n'était qu'une soirée de jeu, où se côtoyaient des gens qui ne s'étaient jamais vus et des gens qui ne se voyaient que trop… une réunion banale, trop nombreuse pour être intime, trop restreinte pour être variée ; mais Anne n'avait jamais trouvé le temps si rapide. Charmante et rayonnante de sensibilité et de bonheur, et plus admirée qu'elle ne se souciait de l'être, elle avait de la gaieté ou de la patience pour tous les gens qui l'entouraient. M. Elliot était là, elle l'évita, mais elle avait pitié de lui ; les Wallis également : elle s'amusa à les comprendre. Lady Dalrymple et Mlle Carteret… ce seraient bientôt d'inoffensives cousines pour elle. Mme Clay la laissait indifférente, et elle n'avait pas lieu de rougir de la tenue de son père et de sa sœur en public. Avec les Musgrove, c'étaient de joyeux et libres bavardages ; avec le capitaine Harville, les entretiens affectueux d'un frère et d'une sœur ; avec Lady Russell, des essais de conversation qu'une pensée délicieuse interrompait brusquement ; avec l'amiral et Mme Croft, toute la cordialité particulière et le fervent intérêt que cette même pensée cherchait à dissimuler… et, avec le capitaine Wentworth, des communications continuelles, et toujours l'espoir d'en avoir de nouvelles, et toujours le sentiment de sa proche présence !

Ce fut pendant l'une de ces courtes rencontres, tandis qu'ils étaient apparemment occupés à admirer une belle collection de plantes de serre, qu'elle lui dit :

— J'ai repensé au passé, et j'ai essayé de peser impartialement les raisons et les torts, je parle des miens, et il me faut croire que j'ai eu raison, quelles qu'aient été, par la suite, mes souffrances ; que j'ai eu parfaitement raison de me laisser guider par l'amie que vous apprendrez bientôt à connaître. Pour moi, elle occupait la place d'une mère. Mais ne vous méprenez pas sur mes paroles. Je ne dis pas qu'elle ne se soit pas trompée dans ses conseils. C'était peut-être l'un des cas où le conseil n'a que la valeur que l'événement lui confère ; et, pour ma part, je me garderais bien, en pareille circonstance, de donner un conseil de ce genre. Mais je veux dire que j'ai eu raison de lui obéir, et que, si j'avais agi autrement, j'aurais encore plus souffert en restant votre fiancée qu'en vous abandonnant, parce que j'aurais souffert dans ma conscience. Maintenant – pour autant qu'on puisse accorder un pareil sentiment à la nature humaine – je n'ai rien à me reprocher ; et, si je ne me trompe, un sens aigu du devoir n'est point de trop chez une femme.

Il la regarda… regarda Lady Russell… la regarda encore et répondit, sur un ton de délibération posée :

— Pas encore. Mais il y a espoir qu'elle obtienne son pardon, en son temps. Je sens que j'aurai bientôt de la sympathie pour elle. Mais moi aussi, j'ai repensé au passé, et je me suis soudain demandé si je n'avais pas un plus grand ennemi que cette dame : moi-même. Dites-moi, quand je revins en Angleterre, en l'an huit, avec quelques milliers de livres, et qu'on me nomma capitaine de la *Laconia*, si je vous avais écrit, m'auriez-vous répondu ? En un mot, auriez-vous accepté, alors, de renouer nos fiançailles ?

— Qu'en pensez-vous ? se contenta-t-elle de lui répondre ; mais son accent était suffisamment éloquent.

— Mon Dieu ! s'écria-t-il, vous auriez accepté ! N'en doutez pas : j'y pensais, je le désirais, c'était le seul couronnement possible de tous mes autres succès. Mais j'étais fier, trop fier pour redemander votre main. Je ne vous comprenais pas. Je fermais les yeux… je ne voulais pas vous comprendre, ni vous rendre justice. A ce souvenir, je devrais pardonner à tout le monde avant de me pardonner. Huit années de séparation et de souffrances auraient pu nous être épargnées. C'est aussi un genre d'épreuve que je ne connais pas. J'avais jusque-là le plaisir de croire que je méritais personnellement toutes mes chances. Je me faisais gloire d'avoir un travail honorable et de justes récompenses. Mais, comme d'autres grands hommes dans l'adversité, ajouta-t-il avec un sourire, il me faut tâcher de me soumettre à ma fortune. Il me faut apprendre à supporter d'être plus heureux que je ne le mérite.

24

Qui peut douter de ce qui s'ensuivit ? Quand deux jeunes gens se mettent en tête de se marier, on peut être sûr qu'à force de persévérance, ils finissent par avoir gain de cause, si pauvres, si imprudents, si peu nécessaires qu'ils puissent être chacun au bonheur final de l'autre. Ce serait, pour conclure, une triste moralité ; mais je la crois vraie, et si de pareilles unions se font, comment un capitaine Wentworth et une Anne Elliot, possédant les avantages de la maturité d'esprit, la conscience de leurs droits, et, à eux deux, une fortune indépendante, comment n'auraient-ils pas réussi à renverser toutes les oppositions ? Et, de fait, ils auraient pu en rencontrer davantage ; ils n'eurent guère à se plaindre que d'un certain manque de courtoisie et de chaleur. Sir Walter ne fit aucune objection et Elizabeth se contenta de prendre un air froid et indifférent. Le capitaine Wentworth, avec ses vingt-cinq mille livres, et le poste le plus élevé que son mérite et son activité pouvaient lui donner, n'était plus le premier venu. On l'estimait maintenant parfaitement digne de faire la cour à la fille d'un baronnet futile et dépensier qui n'avait eu ni assez de principes ni assez de bon sens pour se maintenir dans la situation où l'avait placé la Providence et qui ne pouvait donner, pour le moment, à sa fille, qu'une faible portion de la part de dix mille livres qui devait lui revenir par la suite.

A vrai dire, si Sir Walter n'avait pas d'affection pour Anne, si sa vanité ne trouvait de quoi se réjouir vraiment de l'occurrence, il était fort loin de trouver le parti mauvais. Au contraire, lorsqu'il vit davantage le capitaine Wentworth, à plusieurs reprises, en plein jour, et attentivement, il fut fortement frappé par son charme et trouva que sa supériorité physique faisait assez bien pendant à son grade élevé. Tous ces agréments, rehaussés par la belle consonance de son nom, disposèrent finalement

Sir Walter à insérer bientôt, de sa plus belle plume, ce mariage dans le livre d'honneur.

La seule personne dont l'opposition intime pût provoquer une inquiétude sérieuse était Lady Russell. Anne savait que Lady Russell devait éprouver une certaine peine à comprendre le vrai M. Elliot et à l'abandonner, et qu'elle devait faire des efforts pour connaître vraiment le capitaine Wentworth et lui rendre justice. C'était, pourtant, ce que Lady Russell avait maintenant à faire. Il lui fallait apprendre à voir qu'elle s'était trompée à l'égard de ces deux hommes ; qu'elle avait été fallacieusement influencée par leur apparence ; que, parce que les manières du capitaine Wentworth n'avaient pas été à son goût, elle avait été trop prompte à y voir l'indice d'un caractère dangereusement impétueux, et que, précisément, parce que les manières élégantes, correctes, toujours polies et suaves de M. Elliot lui avaient plu, elle avait été trop prompte à les prendre pour l'effet certain des opinions les plus correctes et d'un esprit discipliné. Il ne restait plus à Lady Russell qu'à reconnaître qu'elle s'était bien trompée, et à adopter une nouvelle série d'opinions et d'espoirs.

Il est, chez certains, une vivacité de perception, une délicatesse de discernement, une pénétration natuelle, en un mot, qu'aucune expérience ne peut égaler, et Lady Russell était, de ce côté-là, moins douée que sa jeune amie. Mais c'était une femme excellente, et si elle se préoccupait d'être sensée et juste dans ses jugements, il lui importait, avant tout, de voir Anne heureuse. Elle aimait Anne encore plus que ses propres qualités et, lorsque la gaucherie du début eut disparu, elle trouva peu de difficultés à témoigner l'attachement d'une mère à l'homme qui faisait le bonheur de « son enfant ».

De toute la famille, Mary fut probablement celle qui fut le plus directement satisfaite de cette nouvelle. Il était honorable d'avoir une sœur mariée ; elle pouvait se vanter d'avoir été pour beaucoup dans cette union, en ayant gardé Anne avec elle, l'automne précédent, et il lui était très agréable que le capitaine Wentworth fût plus riche que le capitaine Benwick et que Charles Hayter. Peut-être souffrit-elle quelque peu, lorsqu'ils reprirent contact, de la voir restaurée dans ses droits d'aînée, et maîtresse d'un très joli landaulet ; mais elle puisait dans le futur de grandes consolations : ce n'était pas Anne qui serait un jour à la tête de la Grande Maison d'Uppercross, de biens fonciers et d'une famille et, si l'on pouvait seulement empêcher le capitaine Wentworth d'être fait baronnet, elle ne voudrait pas changer de situation avec Anne.

Il serait bon que la sœur aînée se contentât également d'une situation qui, très probablement, ne changera pas. Elle eut bientôt la mortification de voir M. Elliot se retirer ; et nul prétendant convenable ne s'est, depuis, présenté pour faire renaître les espoirs précaires qui disparurent avec lui.

La nouvelle des fiançailles de sa cousine Anne éclata fort inopinément aux oreilles de M. Elliot. Elle dérangeait son plus beau plan de bonheur domestique, son plus bel espoir de maintenir le veuvage de Sir Walter, grâce à la surveillance que sa qualité de gendre lui eût permis d'exercer. Mais, si déconfit et déçu qu'il fût, il pouvait faire encore quelque chose dans le sens de ses intérêts et de ses plaisirs. Il quitta bientôt Bath, et, lorsqu'on vit, peu après, s'en aller, comme lui, Mme Clay, et qu'on apprit ensuite qu'elle s'était établie à Londres sous sa protection, il fut évident qu'il avait joué double jeu et qu'il était bien résolu, tout au moins, à ne pas se laisser éclipser par une intrigante.

Les affections de Mme Clay l'avaient emporté sur son intérêt, et elle avait sacrifié pour le jeune homme la possibilité de réaliser ses vues sur Sir Walter. Mais, si elle est capable d'affection, elle ne manque pas non plus de talent… et l'on peut maintenant se demander lequel des deux sera le plus malin et gagnera la belle, et si, après l'avoir empêchée d'être la femme de Sir Walter, M. Elliot ne sera pas amené finalement, par ses cajoleries et ses caresses, à faire d'elle la femme de Sir William.

On imagine que Sir Walter et Elizabeth furent indignés et mortifiés de perdre ainsi leur compagne et de découvrir qu'elle les avait abusés. Ils avaient, bien sûr, leurs nobles cousins chez qui chercher des consolations, mais ils durent avant longtemps se rendre compte que flatter et suivre autrui, sans recevoir la réciproque, ne procure qu'un demi-plaisir.

Anne, après avoir acquis bientôt la certitude que Lady Russell se proposait d'aimer le capitaine Wentworth comme il le méritait, n'était troublée dans ses heureuses perspectives que par le sentiment qu'elle ne l'apparentait à personne qu'un homme de sens pût apprécier. C'est là qu'elle sentait avec acuité son infériorité. La disproportion de leurs fortunes n'était rien, ne lui donnait même pas un regret… mais ne pas avoir de famille pour le recevoir et l'estimer comme il le fallait, n'avoir pas de respectabilité, d'harmonie, d'empressement à lui offrir en retour de la précieuse affection que lui avaient accordée d'emblée ses beaux-frères et belles-sœurs, cela lui faisait autant de peine qu'elle en pouvait ressentir au sein de son grand bonheur. Elle n'avait que deux amies au monde à porter sur sa liste : Lady Russell et Mme Smith ; mais il était tout prêt à s'attacher à elles. Lady Russell, malgré ses torts anciens, avait maintenant son estime foncière et, si l'on ne pouvait lui faire dire qu'elle avait eu raison de les séparer au début, il était prêt, par contre, à dire d'elle tout le bien possible.

Quant à Mme Smith, elle se recommandait rapidement et durablement à son amitié, à divers titres. Ses bons offices en faveur d'Anne y suffisaient par eux-mêmes. Et leur mariage, au lieu de la priver d'une amie, lui en procura deux. Elle fut la première à visiter leur ménage, et le capitaine Wentworth, en l'aidant à recouvrer sa propriété des Indes occidentales, en écrivant pour elle, agissant pour elle et lui faisant surmonter toutes les petites difficultés de son affaire, avec l'activité infatigable d'un homme intrépide et d'un ami décidé, la paya pleinement des services qu'elle avait rendus ou même désiré rendre à sa femme.

Ses nouveaux revenus n'étaient pas pour gâter les plaisirs de Mme Smith, maintenant qu'elle allait mieux et pouvait fréquenter de pareils amis, car elle avait toujours son entrain et sa vivacité d'esprit ordinaires. Et tant que lui restaient ces avantages essentiels, elle se sentait de force à braver les richesses de ce monde. Elle aurait pu être excessivement riche, en parfaite santé et... quand même, très heureuse. La source de sa joie jaillissait de son humeur rayonnante, et celle de son amie Anne, de la ferveur de son cœur.

Anne était la tendresse même et recevait, en retour, l'affection du capitaine Wentworth. Le métier de son mari était la seule chose qui pût faire souhaiter à ses amies que sa tendresse fût moindre : l'appréhension d'une guerre future, la seule chose qui pût assombrir l'éclat de son bonheur. Elle était fière d'être la femme d'un marin ; mais, en revanche, elle devait plus d'une fois trembler de le voir appartenir à un corps qui se distingue autant, s'il est possible, par ses vertus domestiques que par son importance nationale.

Postface

Il existe dans toute œuvre, narrative ou poétique, musicale ou plastique, une « pièce des connaisseurs » aux charmes moins évidents que ceux d'autres, mais à laquelle on s'attache, comme à la « grâce plus belle encore que la beauté ». Ainsi de *Persuasion.* Elizabeth Jenkins écrit que si l'on demandait quel est le « mieux aimé » des romans de Jane Austen, on répondrait sans doute : *Orgueil et Préjugés* ou *Mansfield Park*, mais qu'un groupe de lecteurs citerait assurément *Persuasion*, et que le petit nombre de ses membres serait compensé par la ferveur « quasi religieuse » de leur choix.

Comme toujours lorsqu'il s'agit de la plus sensible et de la plus discrète des romancières anglaises, il faut ici se garder de tout sentimentalisme. On peut aimer *Persuasion* pour de mauvaises raisons : et tout d'abord parce qu'il s'agit de la dernière œuvre qu'elle ait écrite. L'auteur, miné par un mal incurable (qu'on a récemment identifié comme la maladie d'Addison, une affection des glandes surrénales), a supporté ses souffrances avec son courage accoutumé : sa mère égrotante et égoïste ayant, une fois pour toutes, monopolisé le sofa du salon, dans leur petite maison de Chawton, Jane Austen se reposait et écrivait étendue sur quelques chaises, d'abord à l'encre, puis, quand elle a dû rester couchée, au crayon; pourtant, l'écriture du manuscrit, ou plutôt de ce qu'il en reste, est aussi ferme et claire que d'habitude. En outre, son sixième roman a été rédigé dans une période de petits drames familiaux, qui ont fort affecté cette célibataire de quarante ans, déjà fatiguée par la vie et dix ans d'un travail littéraire minutieux : la maladie, puis la banqueroute de son frère Henry qui devait, après la mort de Jane, éditer *Northanger Abbey* et *Persuasion*, en 1818; la ruine partielle de son frère Edward, qui perd, à la suite d'un procès familial, le château de Chawton, dont le *cottage* [1] où Jane vivait avec sa mère, valétudinaire, et sa sœur Cassandra était une dépendance, ce qui réduisait ces trois femmes, une veuve et deux « vieilles filles », plus encore qu'avant, à la condition incertaine de parentes pauvres et matériellement dépendantes. Enfin, elle s'est mise à *Persuasion* quelques semaines après Waterloo, et la crise entraînée en Angleterre par le retour de la concurrence économique du continent et les dettes énormes accumulées au cours de vingt ans de guerre avec la France a pu, de loin, assombrir l'humeur d'une femme que ses lettres et le témoignage de ses neveux font connaître gaie, énergique, ennemie des gémissements inutiles, comme de toutes affectations et des exagérations, quelles qu'elles

1. Il existe encore, briques roses, pièces claires, boiseries laquées de blanc, peu de meubles, de style Directoire et Hepplewhite, acajou et bois fruitiers, et une couverture en *patchwork* cousue, en commun, par la veuve du pasteur, Cassandra et Jane. L'atmosphère y est gaie et d'une simplicité non dépourvue d'élégance. Visite recommandée aux « austeniens », qui pourront ensuite se rendre à Bath après un crochet par Lyme Regis, proche de Weymouth et de Portsland, lieux d'un admirable roman de John Cowper Powys, *les Sables de la mer*.

fussent : s'il y avait une leçon, dans *Persuasion*, ce serait le conseil de Chardonne à Ginette Guitard-Auviste : « Parler peu, pleurnicher moins encore. » Toutefois, Jane Austen était évidemment lasse des soucis et des douleurs, lors même qu'elle maintenait, pour son entourage, les apparences de son énergie coutumière. Ce sont ses dernières paroles qui trahissent enfin cette peine et ces fatigues : comme elle était entrée en agonie, le 17 juin 1817, et que Cassandra lui demandait si elle désirait quelque chose, elle lui répondit : « Rien d'autre que la mort » – on songe aux paroles d'Ingeborg, chez Rilke, qui ont tant frappé Malte Laurids Brigge : « J'en ai mon content », disait en mourant Ingeborg, dont la gaieté émerveillait sa famille.

Ces circonstances sont certes émouvantes, et d'autant plus qu'il est impossible de lire et de relire Jane Austen sans se prendre d'une affection posthume pour cette fille vive, mesurée, intelligente, sage sans pédantisme, pieuse, mais qui avait les effusions en horreur, sarcastique de nature, mais trop bien élevée pour s'exprimer autrement qu'en litotes ou, comme on dit en anglais, en *understatements* féroces, d'expression suave : une « personne de suprême bon goût », comme on eût dit en son temps. Toutefois, c'est lui faire injure que d'exercer à son égard une sentimentalité facile et un culte, qu'elle eût jugé malsain, du malheur (Virginia Woolf notait que Charlotte Brontë, par exemple, n'a ni compris ni apprécié Jane Austen) ; *Persuasion* est aux antipodes de cette orgie un peu masochiste de sentiments négatifs qu'est *Jane Eyre*, et finalement apparaît plus pathétique dans sa discrétion : Anne Elliot, effacée, taciturne, et au fond, amère, pratique le stoïcisme si anglais du silence et de la discrétion, dont Carlyle devait écrire, quelques années plus tard, qu'on devrait bien leur élever des autels, si l'époque était encore capable d'en dresser : « *Never complain, never explain.* »

Le titre, lui aussi, peut égarer le lecteur, ou du moins l'intriguer : il ne faut pas trop en tenir compte. Celui de la traduction française, parue dès 1821, par Mme de Montolieu, me semble préférable : « La Famille Elliot, ou l'Ancienne Inclination. » On ne saura jamais comment Jane eût intitulé son dernier ouvrage ; Henry a choisi le mot malencontreux de *Persuasion*, qui signifie à peu près « conviction », « idée préconçue », peut-être en songeant à *Orgueil et Préjugés*. Or ce terme s'applique à un motif secondaire du roman et renvoie à l'histoire antérieure d'Anne Elliot qui, orpheline, passive de sa nature et soumise à l'expérience de Lady Russell, remplaçante, en quelque sorte, de sa mère morte, se laisse « persuader » à dix-neuf ans qu'une fille aussi jeune, de bonne famille intermédiaire entre la *gentry* et l'aristocratie, et de surcroît jolie, aurait bien tort de se « jeter à la tête » d'un officier de marine à l'avenir douteux, « sans relations ni fortune », dépourvu de ces « connexions » qui, effectivement, étaient de grand poids dans la carrière d'un marin ; Anne a rendu sa parole au lieutenant Wentworth – et le retrouve par hasard, huit ans après, devenu capitaine et beau-frère d'un amiral, pourvu par les prises de guerre d'une honnête aisance, et plus encore peut-être du prestige de l'admirable marine à laquelle l'Angleterre a dû, en grande partie, sa victoire tardive sur Napoléon : Wentworth est devenu, comme on disait dans le monde de Jane Austen, *eligible* et si fort qu'Anne, raisonnable et désabusée, résiste à l'entraînement de son cœur, elle ne met guère longtemps à s'apercevoir que l'« ancienne inclination » dure toujours.

Le sujet est en soi banal, comme dans tous les romans de Jane Austen : on connaît sa réponse au bibliothécaire du Prince-Régent, qui l'exhortait à écrire des romans historiques sur l'auguste maison de Saxe-Cobourg : avec le doux entêtement qui lui est propre, Jane répond : « Non, il faut que je me tienne à mon propre style et poursuive ma voie propre » (1er avril 1816). Elle est incapable d'écrire sur autre chose que son expérience limitée, celle d'une provinciale de bonne bourgeoisie, apparentée à des officiers de marine, des universitaires, des pasteurs surtout, à une époque où l'Eglise anglicane voulait « installer un *gentleman* dans chaque paroisse » ; d'une campagnarde du Sud-Ouest, habituée à l'air marin, qui appréciait la promenade, le verdoyant Hampshire, et qui loue avec perspicacité l'éclat dont quelques milles de marche ont avivé le teint de ses héroïnes : elles ne craignent jamais de se crotter dans les chemins de terre, en un temps où la morbidesse et les langueurs romantiques passaient pour distinguées. A peu près ignorée par la critique, Jane n'a guère été à Londres, qui n'était pas si loin de son Hampshire natal, et, ses lecteurs s'en souviennent, la « grande vie », pour elle, et le comble de la mondanité, c'est l'existence à Bath, qui tient une telle place dans ses romans et où se nouent et dénouent les « petits drames » dont elle nous entretient : le lieu austenien par excellence, de nos jours encore. Toutefois, Jane Austen n'aimait nullement Bath, quoiqu'elle fût bonne danseuse et goûtât la musique : les conventions des « assemblées » et des bals parés, les affectations élégantes qu'elle a souvent raillées irritaient cette sincère, tout en divertissant son esprit lucide. Elle perçait fort bien à jour ce que cachait la « pomposité » narcissique de majestueux personnages dont Sir Walter

Elliot, dans *Persuasion*, et l'aînée d'Anne, Elizabeth, froidement aristocratique, sont d'impitoyables analyses. Un monde d'orgueil et de préjugés : Jane Austen, clairs et vifs yeux noisette, tête solide, savait ce que dissimulaient ainsi ces messieurs et dames de Grand-Air : la susceptibilité, la soif d'égards, et surtout des calculs fort précis, des carrières à jauger, des procès à gagner, des héritages à sauver, des dots à épouser, des filles à caser, des fortunes à maintenir tant bien que mal dans un pays où la rigueur du droit d'aînesse condamnait les cadets, et *a fortiori* les demoiselles, à une gêne décente, faute d'un « beau » mariage. En somme, de son point de vue raisonnable, le conseil de Lady Russell était justifié, à l'époque où elle le donnait, et Anne Elliot, que Jane Austen trouvait « presque trop bonne », n'a eu d'autre tort que de prêter l'oreille à sa « raison », plutôt qu'à sa « sensibilité », opposition fréquente chez notre romancière.

On lui a reproché l'extrême étroitesse de son monde et de ses sujets : chez elle, il s'agit toujours d'amour et de mariage, deux notions qu'elle ne sépare pas, étant tout à fait étrangère à l'« amour fou » et aux orages de la passion. Cette contemporaine de Byron se garde de glorifier l'amour-défi, ignore l'adultère et traite un enlèvement « romantique », dans *Orgueil et Préjugés*, en caricature : un coureur de dot joli garçon enlève une aimable idiote. Il y a chez elle de bons ménages, comme dans la famille Musgrove, et des mariages catastrophiques ; mais heureux ou malheureux, qu'on ait épousé une sainte ou une oie, un mari sensible et bon ou un imbécile prétentieux, on essaie toujours de tirer le meilleur parti d'une situation à laquelle on ne cherche pas à échapper, *to make the best of it*, comme on dit en anglais, sans vaines récriminations. Jane Austen connaissait aussi bien que quiconque ses limites : c'est elle qui compare dans une lettre son art à celui du miniaturiste : peindre d'un pinceau effilé, dit-elle, une toute petite surface d'ivoire, et, comme elle est clairvoyante, elle ajoute : c'est là prendre bien de la peine pour un mince résultat. Or, comme tout artiste qui sait quel est son registre et s'y tient, comme en peinture, par exemple, Berthe Morisot ou Mary Cassatt, elle atteint, dans cet espace narratif si menu, une perfection formelle qui ne lui fut jamais contestée, et telle qu'elle pouvait même devenir dangereuse pour une romancière qui lui succédait, ainsi Virginia Woolf : celle-ci écrivait avec humour que le roman « féminin » avait été porté par miss Austen à un tel degré de pureté, d'élégance et de sobriété qu'elle-même a dû, avant de s'engager dans sa propre voie, tordre le cou à Jane et se débarrasser d'un modèle aussi décourageant par sa perfection. (Y est-elle tout à fait parvenue ? L'austenisme involontaire de Virginia Woolf : vaste sujet.)

Non que Jane Austen, peu encline à rêver, soit étrangère au monde agité et instable où elle vivait : une époque où, écrira Goethe dans *le Divan*, le Nord, le Sud et l'Ouest volent en éclats, les trônes se fissurent, les royaumes tremblent : chez Jane Austen, on voit bien que les uns s'élèvent dans la hiérarchie sociale, d'autres, comme les Elliot, tombent et le savent ; mais nul pathétique, nul drame bruyant, point de déclamations patriotiques contre *Boney* et la menaçante France, au-delà de l'horizon ; la guerre, dont il est souvent question, apparaît sous un aspect tout pratique et, pour ainsi dire, terre à terre : n'est-ce pas trop hasardeux que de se lier à un marin exposé aux fortunes de la mer et de la guerre, les deux puissances les moins prévisibles qui soient ? Si les hostilités reprennent, d'un autre côté, tant mieux : l'avancement, ce *preferment* qui préoccupe tant ces jeunes filles peu sentimentales, s'en trouvera accéléré : du commandement d'un cotre, on passera à la lieutenance, peut-être même au grade de capitaine d'une frégate ; si la guerre se prolonge, on a des chances de devenir amiral avant d'être trop chenu. Mais un cotre, ce n'est déjà pas si mal : la solde est meilleure en temps de guerre, on peut faire de belles prises sur la marine marchande française et toucher des parts qui vous permettront d'épouser enfin une fiancée à terre, et d'élever décemment une famille nombreuse (son frère Edward a eu onze enfants). Bien entendu, on peut aussi y rester, et laisser une jeune veuve désemparée, ou apprendre en rentrant de campagne que votre fiancée est morte : la fin de *Persuasion* n'est pas du tout une *happy end*, du genre : ils se marièrent, furent heureux et eurent beaucoup d'enfants. Anne Elliot est « presque folle de bonheur », comme le dit une première version de la fin de son histoire, quand Wentworth demande pour la seconde fois sa main, et, ajoute la romancière avec une douce malice, elle n'en dort pas de toute la nuit, de sorte que cette grande et tardive félicité, « *the overplus of bliss* », doit être payée de migraine et de lassitude ; tant que la guerre durera, elle vivra dans « de vives alarmes », elle qui, résumé touchant du caractère, est « la tendresse même ». Il est facile de calculer le moment de l'histoire : Anne, née le 9 août 1787, a vingt-sept ans ; nous sommes donc en 1814, et l'on peut espérer – quel lecteur se refuserait ce plaisir ? – que Wentworth et Anne connaîtront un bonheur paisible, un long amour-tendresse. Jane Austen avait, nous dit-on, l'habitude de raconter dans son cercle de famille comment elle voyait l'avenir de ses personnages après la conclusion du roman ; on ne sait quelles chances elle accordait à Anne et à son mari le capitaine. G.B. Stern se l'est demandé : elle a consacré tout un chapitre de son second volume sur Jane Austen[1] au sujet : « Sept ans après » : elle imagine, en pastiches austeniens, ce que deviendront, après les sept ans classiques (« *the seven years-itch* ») les mariages noués par Jane Austen. L'émotion perce dans les lignes qu'elle consacre aux amants de *Persuasion* : « Lorsque Anne et Frédéric sont enfin réunis, et vont se promener à travers les rues de Bath, de plus en plus haut, oublieux des passants, on dirait qu'ils sont captifs d'une musique, en sûreté dans la courbe d'une perle. Nul mal ne peut les atteindre. Et il serait franchement morbide, quant à nous, d'imaginer que la mort puisse prématurément les ravir l'un à l'autre. Ils vivront très vieux. Ils seront toujours parfaitement heureux. Peut-être mourront-ils dans la même heure », ce bonheur suprême des couples parfaits. Car Jane Austen, toujours réaliste, échappe au double et symétrique mythe du mariage nécessairement heureux et de l'enfer matrimonial : en quoi elle se montre, une fois encore, tout opposée au romantisme, une sorte d'anti-Byron. Dieu sait que ses romans sont pleins de mariages ratés, non pas tellement mauvais, mais engourdis dans la médiocrité, comme celui de Charles et Mary Musgrove. Mais elle est aussi trop sensée, dans son union rare de *sense* et de *sensibility*, pour croire, avec La Rochefoucauld, que s'il est de bons mariages, il n'en est point de délicieux : dans *Persuasion*, celui de l'amiral Croft avec la sœur de

1. *More Talk of Jane Austen*, en collaboration avec Sheila KayeSmith, Londres, 1950.

Wentworth, fondé sur une acceptation gaie de l'inévitable (le passage où Mme Croft explique que l'existence est, en somme, confortable à bord d'un vaisseau amiral est, selon moi, l'un des plus charmants du récit), ou celui des vieux Musgrove. Délices conjugales qui préfigurent celles d'Anne.

Secouons-nous, comme elle le fait constamment, et ne glissons pas dans l'optimisme rêveur des contes de fées. Certes, Jane Austen reprend dans *Persuasion* le thème, qui lui est cher, de Cendrillon ; mais elle sait aussi que le bonheur se paye et est toujours fragile. Il existe d'elle un portrait de sa quinzième année environ : une gamine rieuse et même moqueuse, aux yeux brillants de malice, au point qu'elle en est un peu inquiétante – dons que confirment ses essais juvéniles, satiriques, spirituels, coups d'épingle bien ajustés dans la baudruche des grands sentiments. En un temps et un pays où Goethe, largement septuagénaire, était encore appelé « l'auteur de *Werther* », Jane Austen déclare dans une lettre qu'elle ne croit pas qu'on puisse mourir d'amour ; comme l'a dit un critique, on a le sentiment qu'elle était, dès l'abord, parfaitement lucide et renseignée, capable d'interpréter les paroles et les conventions mondaines selon leur sens véritable, et, dans ses romans, elle manie la « sous-conversation » avec autant d'intelligence que, de notre temps, Nathalie Sarraute, au point que de bonnes âmes l'ont jugée presque cynique et qu'il est devenu banal, depuis une trentaine d'années, de voir dans ses romans des rancunes, et même des « haines », exprimées entre les lignes, mais vivaces. On peut en débattre, mais il est certain que dans *Persuasion*, la « félicité » ne tombe pas du ciel : Cendrillon n'est que trop tentée de se résigner avant d'avoir combattu, et c'est en ce sens, je crois, qu'elle écrit à sa nièce Fanny : « *Peut-être* l'héroïne vous plaira-t-elle ; pour moi, je la trouve presque trop bonne. » Avant de se rendre compte qu'il aime toujours sa fiancée d'autrefois, Wentworth trouve d'abord qu'elle a bien vieilli, et perdu l'éclat de ses dix-neuf ans, au point qu'il fait la cour à une gentille petite sotte, avant de revenir à ses anciennes amours, à la faveur d'un accident survenu précisément à Louise Musgrove (ainsi va le monde). La méprise, le malentendu, l'aveuglement sont un thème constant chez Jane Austen : les partis pris absurdes, la résistance à l'aveu, le refus de se laisser aller à la pente du sentiment. Parmi les scènes, toujours délicates et brillantes, où les amants s'avouent enfin à eux-mêmes, puis l'un à l'autre qu'ils s'aiment, celle qui brusquement tranche le nœud gordien de *Persuasion* est sans doute la plus belle : un entretien entendu par hasard, dans le brouhaha d'un salon d'hôtel, entre Anne et le capitaine Harville, sur la constance chez l'homme et chez la femme, une brusque décision de l'impulsif Wentworth, quelques mots fiévreusement griffonnés, un billet qui confesse et résout tout, un aveu aussi fervent que silencieux – non dans quelque décor romantique avec saules pleureurs, cascades, rochers et solitude à deux, mais dans le cadre trivial d'un hôtel de Bath. La narratrice évite ainsi, avec son adresse ordinaire, le piège de la sensiblerie, la tentation des larmes aux yeux. Une romancière moins douée aurait ému son public en exécutant des variations sur le vieux sujet : « on revient toujours à ses premières amours » ; or, Anne et Wentworth, qui ont déjà « raté » leur bonheur voici huit ans, évitent de très près l'écueil d'un second échec : pour un peu, Wentworth épousait cette sotte de Louise, que Jane Austen, équitable, dépeint d'ailleurs charmante, et Anne retombait dans l'existence à l'idée de laquelle elle s'était résignée.

Il y a là un point que le lecteur actuel a peine à comprendre : à vingt-sept ans, de nos jours, une fille a « la vie devant elle », comme on dit ; en 1814, si elle n'est pas « casée », ses chances de se marier sont minces, surtout quand elle n'a pas, pour amorcer le piège matrimonial, une dot, ou, à défaut, des relations de famille ou d'amitié bénéfiques à une carrière. Si Wentworth avait pris pour femme la petite Louise, jeune et fraîche, ou s'il avait repris la mer célibataire comme devant, quel aurait été le sort d'Anne ? On le sait fort bien, car la description de cette destinée terne remplit une bonne partie du livre. Il existe, dans les romans du XIX e siècle, toute une série de ces « vieilles filles » tolérées au foyer de quelques parents et invariablement chargées des corvées familiales, voyages, comptes de ménage, enfants. Quand elles sont douces, comme la Sonia de *Guerre et Paix*, elles se replient dans une réserve un peu amère et dans le silence ; c'est ce par quoi Anne est tentée, tendant à devenir la tante-gâteau de neveux turbulents, faute d'enfants à elle. Il peut aussi advenir que ces vieilles filles tournent à l'aigre et se vengent tardivement, comme la cousine Bette chez Balzac. L'existence de la parenté pauvre oscille entre ces deux possibilités, selon les dispositions de sa nature. De toute manière, elles sont vouées au deuil du bonheur, non éclatant, mais discret et d'autant plus pathétique. Même à la fin du siècle, en 1896, il en est ainsi dans de « bonnes » familles, où les filles doivent vaille que vaille « tenir leur rang », c'est-à-dire, sans pouvoir s'accomplir dans un métier, sont condamnées à faire éternellement tapisserie. « Nous marier ? » dit à ses sœurs la petite Manon, dans *les Poggenpuhl* de Fontane, « ne nous berçons pas de ces sottises ; que voulez-vous ? nous restons des filles pauvres. » Destin auquel Anne Elliot échappe, mais tout juste, et d'autant plus difficilement que sa nature repliée et timide l'y portait. Un tel tempérament semblait la vouer au second rôle, dans le roman ; elle est craintive, passive et ne s'affirme guère : c'est une audace que d'avoir fait d'elle, si différente des « héroïnes » des autres livres, le caractère principal de *Persuasion*.

Le ton du roman est si tendre, l'amitié que porte Jane Austen à sa pauvre Anne si évidente qu'on a voulu y trouver un aveu, un élément d'autobiographie, voilé comme le voulaient des convenances que Jane était loin de révoquer en doute. Malgré les recherches et les publications, on ne sait rien, ce qui s'appelle rien, sur les amours de Jane Austen, à supposer qu'elle en ait connu. Cassandra a détruit toutes ses lettres intimes, en vertu d'un scrupule qu'il est permis de comprendre, tout en le déplorant ; dans un *post-scriptum* à ses excellents souvenirs sur sa tante, auxquels il faut toujours revenir, *A Memoir of Jane Austen*, le Révérend J.E. Austen-Leigh s'élève vigoureusement contre la « singulière déformation des faits » commise par miss Mitford, dont la mère lui avait confié qu'elle connaissait, avant son mariage, la jeune Jane Austen, et que celle-ci était alors « la papillonne la plus jolie, la plus sotte, la plus affectée, la plus coureuse de mari dont elle se souvînt ». Or, le neveu de Jane démontre qu'à l'époque où Mrs. Mitford – elle aussi fille de pasteur, et les familles, qui voisinaient, se connaissaient sûrement – a rencontré Jane, celle-ci avait au plus dix ans ; en fait, elle en avait sept quand la famille de Mrs. Mitford a quitté, au début de 1783, la paroisse d'Ashe. Si précoce qu'ait été notre auteur, on peut s'imaginer la petite Jane, à cet âge tendre, jolie, affectée et sotte, comme l'est souvent une gamine, voire coquette, mais il est peu probable qu'elle se soit lancée si tôt dans le *husband hunting*, auquel nous la voyons, en son âge mûr, peu portée. On a vaguement parlé d'un amour malheureux pour un homme mort jeune. On sait qu'elle s'est, une fois, engagée, mais pour rompre ses fiançailles dès le lendemain. L'importance du mariage, dans ses récits, est un trait d'observation, et non l'aveu involontaire d'aspirations qui ne semblent guère l'avoir tourmentée.

A une époque où l'on cherchait dans les œuvres, avec une curiosité parfois indiscrète, des aveux codés, il était inévitable qu'on interprétât en ce sens le livre de grave tendresse qu'est *Persuasion*. Il y a, de Kipling, un poème, « le Mariage de Jane [1] », dont on ne peut guère approuver que les deux premiers vers : « Jane alla au Paradis. Ce n'était que justice. » Kipling la fait accompagner par le « brave Sir Walter », qui la suit de près (Walter Scott est tout de même mort quinze ans après sa consœur), et délègue pour l'accueillir un comité de réception qui comprend « Henry et Tobias, et Miguel l'Espagnol », plus, bien entendu, Shakespeare. Va pour celui-ci, puisqu'elle fait dire à Henry Crawford dans *Manfield Park* : « Shakespeare : on le connaît sans savoir comment. Il fait partie de la constitution d'un Anglais. Ses pensées, ses beautés sont tellement répandues qu'on les rencontre partout ; on est intime de lui par instinct... », ce qui, du reste, est une constatation sociologique plus qu'un éloge à proprement parler. On ne sait si elle a lu le *Don Quichotte*, qu'elle eût certainement

1. Le lecteur curieux le trouvera p. 757 de *Rudyard Kipling's Verse. Definitive Edition*, Hodder and Stoughton, Londres, 1940.

apprécié. Mais elle aurait été fort choquée d'être reçue au Paradis par Henry (Fielding), dont elle jugeait la morale « basse », et *a fortiori* par Tobias (Smollett), dont le réalisme cru et la verve picaresque auraient choqué cette demoiselle de bon ton, non moralement – elle n'était pas bégueule, ses lettres l'attestent – mais plutôt comme une faute de goût. Il y a pis, hélas ! et Jane, à qui les Trois Archanges offrent « tout ce qu'elle désire parmi les dons du Ciel », répond : « L'amour. » « Dans des limbes privés/où personne n'avait eu l'idée de jeter un coup d'œil/était assis un gentilhomme du Hampshire/ en train de lire un livre./Il s'appelait *Persuasion*/et racontait la simple/histoire de l'amour/entre lui-même et Jane. » A la demande de notre romancière devenue rédemptrice, ce *gentleman* est tiré de ses limbes personnels et lui est uni pour l'éternité. Cette *happy end* au Paradis, qui n'est pas sans rappeler, avec un humour pesant, la rédemption de Faust par la tendresse de Gretchen, contient sans doute cette utile vérité que « l'Eternel Féminin nous élève », mais est un *nec plus ultra* d'indélicatesse. Comme le dit Elizabeth Jenkins : d'innombrables lecteurs ont cru qu'Anne Elliot « était » Jane Austen, parce que sans cela, elle n'aurait pu savoir ce que ressentait Anne. Or, dit miss Jenkins, ce beau raisonnement amènerait à conclure que Shakespeare a étouffé sa femme dans une crise de jalousie, fut bouleversé par le remariage de sa mère et abandonné en son vieil âge par des filles ingrates, si nous ne savions, heureusement, que les histoires d'Othello, d'Hamlet et du roi Lear étaient archiconnues avant que Shakespeare s'en emparât. D'une manière générale, Jane Austen, extravertie de naissance, est plus portée à l'observation qu'à l'introspection, et, comme bien d'autres écrivains, selon son propre témoignage, elle construit ses petites poupées en prenant pour modèles plusieurs personnes de sa connaissance, de sorte que la chasse aux modèles est, ici comme ailleurs, un jeu divertissant, mais futile. Selon ses commentateurs, s'il est un personnage dans lequel Jane Austen se soit projetée, c'est Elizabeth Bennett, et l'on admet que le rapport à la fois affectueux et critique, tendre et taquin entre Jane et Elizabeth s'inspire de l'amitié qui liait Jane à Cassandra, la personne qu'elle a le plus aimée, autant que l'on sache.

L'illusion populaire sur l'identité de Jane et d'Anne est, en fait, inspirée et comme imposée par un changement notable de technique narrative. *Persuasion*, sixième et dernier roman de l'auteur, est le seul où une histoire d'amour soit, non observée de l'extérieur, mais vécue du dedans – son point de vue est ce que Pouillon appelle une « vision avec ». Dans les autres récits, elle place ses « héroïnes », tantôt isolément, tantôt par couples complémentaires, dans une certaine situation, un microcosme donné, et toujours identique : la bonne bourgeoisie et la petite noblesse de province, puis elle imagine leurs réactions. Au contraire, dans *Persuasion*, elle assume les jugements et les émotions d'Anne au point d'être, fait rare chez elle, dure envers ceux de ses personnages qui ne satisfont pas aux exigences de la grave Anne, son père, par exemple, qu'elle traite de baronnet prodigue et égoïste, sa sœur aînée, l'équivoque M. Elliot, ou la mère du « pauvre Richard », Dick, le *midshipman* mort jeune sur le navire de Wentworth, dont celui-ci s'est fraternellement occupé, bien que le garçon fût sans dons et sans charme : Mme Musgrove pousse « de gros et gras soupirs », alors que la famille entière avait pris avec indifférence la mort de ce médiocre, deux ans auparavant : elle ne l'avait, dit cruellement Jane, pas plus pleuré qu'il ne le méritait. Ce passage glacial a irrité des critiques, pourtant sensibles à la grâce de *Persuasion*, et certains même ont supposé que, le roman n'ayant pas reçu les touches finales (de fait, il est sensiblement plus bref que les autres), la romancière étant morte sans l'avoir revu, elle eût atténué ou supprimé par la suite de telles réflexions. Hypothèse bienveillante, mais inutile : Jane Austen s'identifie tellement à son héroïne (dans le sens où Flaubert pouvait dire : « Madame Bovary, c'est moi », et non : « Je suis madame Bovary »), qu'elle adopte sa rigueur, son intégrité de sentiment, qui ne vont pas sans mépris à l'égard des deuils larmoyants, plus ostensibles que sincères. Soyons sûrs qu'elle eût traité avec tact la douleur profonde d'une mère ; ce qu'elle condamne, chez la vieille Mme Musgrove, c'est la vulgarité d'une affliction mise en scène pour frapper et toucher le capitaine Wentworth, et qui succède – deux ans après – à une indifférence plus authentique. En cela aussi, Jane Austen est tout opposée aux romantiques : elle n'a le culte, ni de la famille (ses mères sont pour la plupart désastreuses), ni de la douleur, ni des effusions sentimentales – par respect pour les mouvements du cœur qui se cachent, et bouleversent les profondeurs d'une fille aussi apparemment paisible qu'Anne Elliot.

Les rares tentatives de porter Jane Austen à l'écran (du cinéma ou de la télévision) n'ont produit que de fadasses comédies de salon ; c'est que chez elle, tout est dans la manière, et qu'il faut y chercher « le charme discret de la bourgeoisie » au niveau de la technique narrative, et non de l'histoire, dont on sait qu'elle aboutira, selon une convention du roman féminin en son temps, à un ou plusieurs mariages. L'issue n'importe guère, mais bien les détours du chemin. Mme de Staël, ayant lu l'un de ses romans, le jugeait « vulgaire », ce qui peut surprendre, lorsqu'on songe à la délicatesse de sa touche : entendons que des romans tels que *Persuasion* ne présentent que des humains très ordinaires, ni très supérieurs ni très inférieurs à la moyenne – la « bonté » même d'Anne Elliot risque de se changer en défaut –, ni anges ni monstres, à une époque où l'on appréciait les rencontres du séraphique et du diabolique, mais, si l'on ose risquer ce paradoxe, passionnément modérés dans l'expression de leurs sentiments : aussi Charlotte Brontë reproche-t-elle à Jane Austen de ne tenir compte que de réactions *ladylike*, terme intraduisible, disons : avouables au salon, entre gens de bonne compagnie, et c'est précisément cette humanité bien, trop bien tempérée que Germaine de Staël jugeait « vulgaire » : habituée aux splendeurs noires de la littérature allemande, à ses stryges et à ses démons, à ce goût de la nuit, de la mort, de la cruauté qu'a si bien défini Mario Praz (il a existé en Angleterre, sous forme d'une littérature « gothique » raillée par Jane Austen dans *Northanger Abbey*) – accoutumée à Goethe et à Jean-Paul, informée et déformée par Auguste-Guillaume Schlegel, la fille de Necker n'a pu que trouver terre à terre le « bon sens » de sa consœur, et trop prudente sa « sensibilité » : pour un romantique, l'automne est la saison des orages désirés ; pour Jane Austen, celle où l'on risque d'attraper un bon rhume. Mais les « orages désirés » épuisent en eux-mêmes leur charme sombre et ne mènent nulle part : « qui devez emporter René vers les frontières d'une autre vie », écrit Chateaubriand : en attendant, René reste sur terre et ne se modifie guère, d'Amélie en Céluta, tandis que le refroidissement austenien, ou l'accident, chute, cheville foulée, peut provoquer une succession de petits drames qui aboutissent, pour finir, à modifier totalement les rapports réciproques des personnages : comme le montre, de manière classique, la chute de Louise du haut du Cobb, à Lyme Regis. Aussi ne lit-on plus guère *Corinne ou l'Italie*, tandis que Jane Austen offre un plaisir nouveau à chaque génération (il y avait en Angleterre, dans les années 1950, une épidémie d'austenisme galopant, fort excessif), celui que définissait Theodor Fontane : passer tout simplement quelques heures en compagnie de gens délicieux. Qu'on ne dise pas que rien n'est plus facile : il est difficile et presque impossible d'intéresser en faisant agir et parler des personnes aussi assommantes que Mme Bennett, ou « Mlle Bates, notre idole, bien qu'elle soit le fléau du village », comme écrivait Lord Morpeth en 1825 ; ou, dans *Persuasion*, Mary, bornée, naïvement égoïste, faiseuse d'embarras, criante de vérité.

Comme toujours chez Jane Austen, à l'exception possible de *Northanger Abbey*, où l'idée de départ ne se prête guère à une évolution, la structure narrative de *Persuasion* est un modèle d'économie et d'élégance : deux éléments contrastés – l'enrichissement de Wentworth, la gêne dans laquelle tombent les Elliot – suffisent pour lancer l'histoire, qui se charge lentement de tensions, d'épisode en épisode, et explose pour finir en deux événements autour desquels se cristallisent les regrets, les nouveaux espoirs, les faux renoncements et les retours de « l'ancienne inclination » : d'une part, l'accident de Louise Musgrove, qui rapproche Anne de son ancien fiancé, éloigne celui-ci de la gamine, et entraîne un changement de partenaire, puisque le capitaine Benwick, disponible et romanesque, se trouve lié à

Louise par l'intérêt qu'il prend à la gracieuse malade, tandis que Wentworth s'aperçoit qu'il est moins détaché d'Anne qu'il ne le croyait naguère; d'autre part, l'aveu surpris à Bath, qui précipite la décision de Wentworth : dans ces deux cas, des personnages secondaires, Louise, Benwick, Harville, mettent pour ainsi dire les protagonistes en mesure d'agir, à un moment où la sortie hors de leur cadre ordinaire de vie les rend accessibles aux décisions brusques : Anne hors de Kellynch Hall ou d'Uppercross, Wentworth descendu de la *Laconia* à terre se libèrent de leurs partis pris, et d'une vieille « persuasion » qui jouait contre leur bonheur. On pourrait objecter que l'accident de Lyme Regis est un hasard et la conversation surprise par Wentworth un « truc » de comédie. Mais l'auteur a pris grand soin de les justifier : Louise est exactement le type de jeune sotte qui, pour éblouir sa famille et ses amis, saute du haut d'un brise-lames sur une digue de pierre; à une époque où l'intimité n'existe guère, et moins encore par rapport à la famille, il est normal que Wentworth attrape au vol quelques phrases qui le concernent (comme bien plus tôt, au bal d'*Orgueil et Préjugés*, Elizabeth les réflexions condescendantes de Darcy sur la petite provinciale qu'elle est aux yeux de cet orgueilleux); plus tard, quand l'explication suit inévitablement le coup de tête qu'est l'aveu de Wentworth, ce n'est pas en tête à tête, mais au concert qu'ils pourront revoir ensemble les moments heureux ou néfastes de leur amour. Toute décision du couple aboutit à des réactions familiales : aussi, le roman ne se termine pas du tout par le baiser final (que Jane Austen eût peut-être jugé « *improper* »), mais bien par l'énumération des conséquences chez les Elliot, les Musgrove, leurs relations, et des diverses attitudes, soigneusement justifiées par ce que le lecteur a appris sur les uns et les autres, que prennent les personnages secondaires à l'égard d'un dénouement aussi imprévu – et c'est dans le soin mis à donner du relief au moindre de ses figurants que Jane Austen est supérieure à Dickens, qui la dépasse infiniment par l'imagination.

Le premier article publié sur son œuvre, dans la *Quarterly Review*, en octobre 1815, louait la profondeur de sa connaissance du cœur humain, et sa « dextérité dans l'exécution » ; plus tard, en 1826, Walter Scott, si différent d'elle, notait dans son journal, après avoir lu « pour la troisième fois au moins » *Orgueil et Préjugés* : « Cette jeune dame a, pour décrire les complications, les sentiments et les caractères de la vie commune, un talent qui, à mon goût, est le plus admirable que j'aie jamais rencontré. Car le style à grand fracas, j'y réussis moi-même aussi bien que quiconque, mais cette touche exquise, qui rend intéressantes des choses et des personnes quelconques ou triviales, par la seule vérité de la description et du sentiment, m'est refusée. Quel dommage qu'une créature aussi douée soit morte si tôt ! » Elle a, bien entendu, ses limites : nous les avons notées au passage, et tout lecteur critique leur est sensible : un microcosme minuscule, perle ou goutte de rosée, bien clos sur lui-même : ce sont les étroitesses du genre (le roman familial à motivation psychologique) et du milieu : la bonne bourgeoisie cultivée, admirablement bien élevée, mais dont les manières exigent qu'elle reste aveugle aux cruautés de l'époque. Rappelons qu'une parente de Jane Austen, accusée à tort d'avoir volé un écheveau de dentelle dans une boutique de Bath (délit qui comportait, en ce temps-là, quatorze ans de déportation), a passé huit mois en prison avant d'être innocentée ; Jane Austen célèbre, tout à la fin de *Persuasion*, les « vertus domestiques » qui distinguent la marine anglaise, plus peut-être que son importance pour la nation ; or, selon la remarque cynique, mais historiquement exacte, de Winston Churchill, cette marine de l'ère nelsonienne est fondée sur trois principes : « le rhum, la sodomie et le fouet » ; on n'en trouvera pas la moindre trace dans les récits de Jane Austen, et rien, dans la conduite de ses officiers de marine en permission à terre, ne suggère la vie infernale de l'entrepont. En quoi, tout simplement et comme chaque romancier, Jane est fille de son temps et du « *cant* » qui interdisait même de nommer certaines choses. Le déplorer serait naïf ; et il est significatif qu'aucune romancière n'ait tenté de poursuivre la même voie : Jane Austen y était allée si loin qu'il ne restait plus qu'à rejeter totalement sa méthode et ses conventions narratives : « Tuer la Fée du foyer, a écrit Virginia Woolf, faisait partie des tâches de la femme écrivain. »

Henri PLARD.

Achevé d'imprimer par GGP Media GmbH, Pößneck
en juillet 2011
pour le compte de France Loisirs,
Paris

N° d'éditeur : 64645
Dépôt légal : août 2011

Imprimé en Allemagne

JANE AUSTEN

Raison et sentiments SUIVI DE *Persuasion*

XVIIIe siècle, Angleterre. À la mort de Mr Dashwood, son épouse et ses filles sont injustement destituées de l'héritage. L'aînée, Elinor, doit renoncer à son amour avec l'aristocrate Edward Ferrars, n'ayant ni le rang ni la fortune pour espérer épouser le jeune homme. Quant à Marianne, elle s'éprend du séduisant Willoughby. Toute à sa passion, elle expose son bonheur à qui veut l'entendre. Jusqu'au jour où le jeune homme disparaît mystérieusement...

Anne est une jeune femme mélancolique et solitaire. Son cœur est comme fané depuis sa rupture avec le capitaine Frederick Wentworth, qu'elle a quitté huit ans auparavant sur les conseils d'une amie. Amenée à le revoir, elle sent son cœur à nouveau s'enflammer à son contact tandis que lui la méprise parfaitement...

Traduits de l'anglais par Jean Privat et André Belamich

RÉF. : 357082
ISBN 978-2-298-04564-2